Cosmopolite 5

Méthode de français C1-C2

Delphine Twardowski-Vieites
Sylvain Capelli
Émilie Mathieu-Benoît

Avec la collaboration de
Nelly Briet et Florian Petit (DALF)

Couverture : Nicolas Piroux

Conception graphique : Eidos, Anne-Danielle Naname, Barbara Caudrelier (pages *Stratégies, Culture et société*)

Adaptation graphique et mise en pages : Barbara Caudrelier

Secrétariat d'édition : Astrid Rogge

Enregistrements, montage et mixage : Studio Quali'sons – David Hassici

ISBN : 978-2-01513578-6

© HACHETTE LIVRE, 2020

58, rue Jean Bleuzen, 92178 Vanves, France.
http://www.hachettefle.fr

Le code de la propriété intellectuelle n'autorisant, aux termes des articles L. 122-4 et L. 122-5, d'une part, que « les copies ou reproductions strictement réservées à l'usage privé du copiste et non destinées à une utilisation collective » et, d'autre part, que « les analyses et les courtes citations » dans un but d'exemple et d'illustration, « toute représentation ou reproduction intégrale ou partielle, faite sans le consentement de l'auteur ou de ses ayants droit ou ayants cause, est illicite ». Cette représentation ou reproduction, par quelque procédé que ce soit, sans autorisation de l'éditeur ou du Centre français de l'exploitation du droit de copie (20, rue des Grands-Augustins, 75006 Paris), constituerait donc une contrefaçon sanctionnée par les articles 425 et suivants du Code pénal.

Achevé d'imprimer en mars 2020 en Italie par L.E.G.O. S.p.A. Lavis (TN) - Dépôt légal : mars 2020 - Édition 01 - 75/8066/9

« Notre objectif : amener les apprenants à s'exprimer avec aisance dans les différentes situations de leur vie sociale, professionnelle ou académique. »

Avant-propos

Cosmopolite 5 s'adresse à un public de grands adolescents et d'adultes.
Il correspond aux niveaux C1 et C2 du CECRL (prenant en compte les nouveaux descripteurs) et représente environ 300 heures d'enseignement/d'apprentissage.
Les apprenants pourront se présenter au DALF C1 (à la fin du dossier 8), puis au DALF C2 (à la fin du manuel).

Cosmopolite 5 est le fruit de notre expérience d'enseignants et de formateurs en France et à l'étranger, ce qui nous a conduits à proposer des univers thématiques proches des objectifs et des préoccupations des apprenants de ce niveau. Nous avons eu à cœur, tout au long de l'ouvrage, de donner des clés, des outils et des ressources pour les amener à s'exprimer dans des situations complexes de manière structurée et cohérente.
Ainsi, nous avons sélectionné des supports et proposé des tâches permettant aux apprenants d'acquérir spontanéité, aisance et précision pour interagir efficacement à l'oral comme à l'écrit avec des locuteurs natifs.
La culture est abordée de manière transversale dans les leçons, mais également dans les pages *Culture et société*, dans le but de doter les apprenants d'un savoir être interculturel qui leur permettra de prendre une part active et pertinente dans des échanges personnels, professionnels et universitaires.
Cosmopolite 5 encourage également les apprenants à adopter une attitude proactive et autonome (apprendre à apprendre) afin de perfectionner leurs compétences linguistiques et discursives.

Nous souhaitons à toutes et à tous une belle poursuite du perfectionnement de la langue et de la gestion des relations sociales en français ainsi qu'une expérience gratifiante d'enseignement avec ***Cosmopolite***.

Les auteur-e-s

Cosmopolite 5 est composé de 12 dossiers comportant :

- **une double page d'ouverture active**
  Cette double page contextualise le dossier et permet aux apprenants d'aborder une thématique nouvelle en **remobilisant les connaissances acquises** dans les niveaux précédents et en développant des stratégies d'extrapolation. Elle présente également les **savoir-faire** et les **savoir agir** traités dans les différentes leçons.
- **quatre doubles pages consacrées aux apprentissages**
  Chaque double page a pour but de faire acquérir les compétences nécessaires à la réalisation d'une production finale (écrite et/ou orale) dans une perspective actionnelle et/ou créative. En contexte, les leçons plongent les utilisateurs dans des **univers authentiques en France et dans l'espace francophone**. Une typologie variée de supports (écrits, audio et vidéo) et de discours est proposée, accompagnée d'une démarche inductive de compréhension. La leçon débute par une activité de mise en route réalisable en classe inversée (en préparation de la leçon) ou en présentiel. L'apprenant renforce ses stratégies discursives grâce à une étude approfondie de la grammaire du discours. En outre, des **activités de médiation** permettent à la classe de créer un **espace pluriculturel** partagé.
  Les apprenants sont amenés à transférer leurs acquis lors de tâches intermédiaires et finales, à réaliser seuls ou de manière collaborative. La mise en commun lors de la réalisation de ces tâches finales est une étape essentielle pour l'évaluation et la valorisation du travail accompli. C'est pourquoi nous proposons très souvent la publication dans un espace partagé et sur le réseau de la classe. Il s'agit d'un espace numérique, créé en ligne par la classe, sur lequel peuvent être intégrés des textes, des images, des sons, etc.
- **une double page *Mots et expressions***
  Ces pages visent à remobiliser et à approfondir le lexique abordé dans les quatre doubles pages du dossier et proposent des activités favorisant sa mémorisation.
- **une double page de préparation au DALF tous les deux dossiers**
  Elle propose une évaluation formative et prépare au DALF C1 et au DALF C2. Deux épreuves complètes, une de DALF C1 et une de DALF C2 figurent en fin d'ouvrage.

Les démarches que nous suggérons dans ***Cosmopolite 5*** sont structurées et encadrées, y compris dans les modalités de travail. Nous nous sommes attachés à offrir des parcours clairs et motivants, tant pour l'enseignant que pour l'apprenant.

Cosmopolite 5 propose également des annexes riches et variées :

- **un dossier *Stratégies***
  Ces pages consacrées au développement d'une **méthodologie de travail** regroupent :
  – un rappel des caractéristiques de la structure et des contenus des discours ;
  – un travail sur l'organisation et la mise en situation des types de discours dans les cadres personnels, professionnels et universitaires ;
  – des conseils et des techniques pour appliquer la méthodologie.
- **des pages *Culture et société***
  Classées par thématique (cinéma, littérature, etc.), ces pages apportent des compléments d'information visant à **enrichir la connaissance des cultures francophones**.
  Elles sont suivies d'activités qui permettent de vérifier de manière ludique l'acquisition des notions abordées dans l'ensemble du manuel.

MODE D'EMPLOI

1 Structure du livre de l'élève

- **12 dossiers** de 6 doubles pages.
- **1 double page d'évaluation DALF C1/C2** tous les deux dossiers.
- **Des annexes** pour perfectionner l'apprentissage de la langue française aux niveaux C1 et C2 :
  – un dossier **Stratégies** pour un travail ciblé sur la production de différents types de discours (oraux et écrits) ;
  – un dossier **Culture et société** pour apporter aux apprenants un accès rapide à un socle commun de connaissances culturelles en lien avec les thématiques des dossiers ;
  – une **épreuve complète de DALF C1 et de DALF C2**.
- **Les transcriptions** dans un livret encarté.

2 Descriptif d'un dossier (12 pages)

Une ouverture de dossier active

Des documents variés et des activités introduisant la thématique du dossier

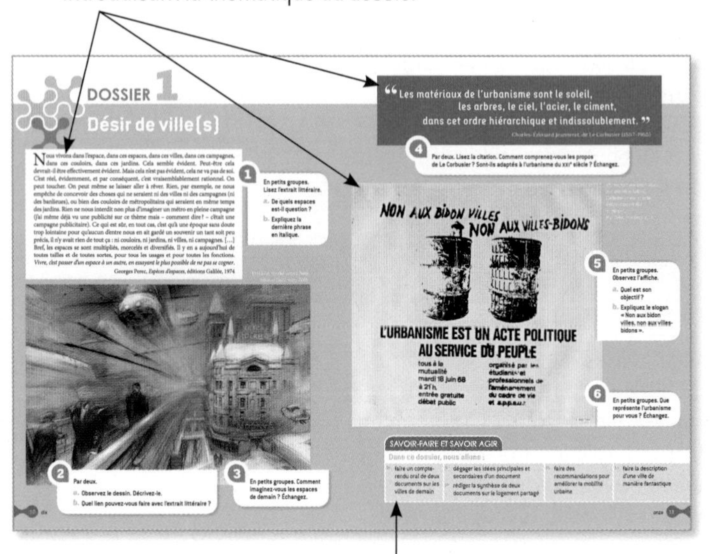

Un tableau des savoir-faire et savoir agir traités dans les leçons

4 leçons d'apprentissage en contexte pour une exploitation exhaustive des supports : 1 leçon = 1 double page

Les **savoir-faire** et les **savoir agir** de la leçon

Une activité de **mise en route** à réaliser en classe inversée ou en cours pour **introduire le thème** de la leçon

Des **documents diversifiés et authentiques** : iconographies, documents écrits, oraux et vidéo (**compréhension écrite et orale dans chaque leçon**)

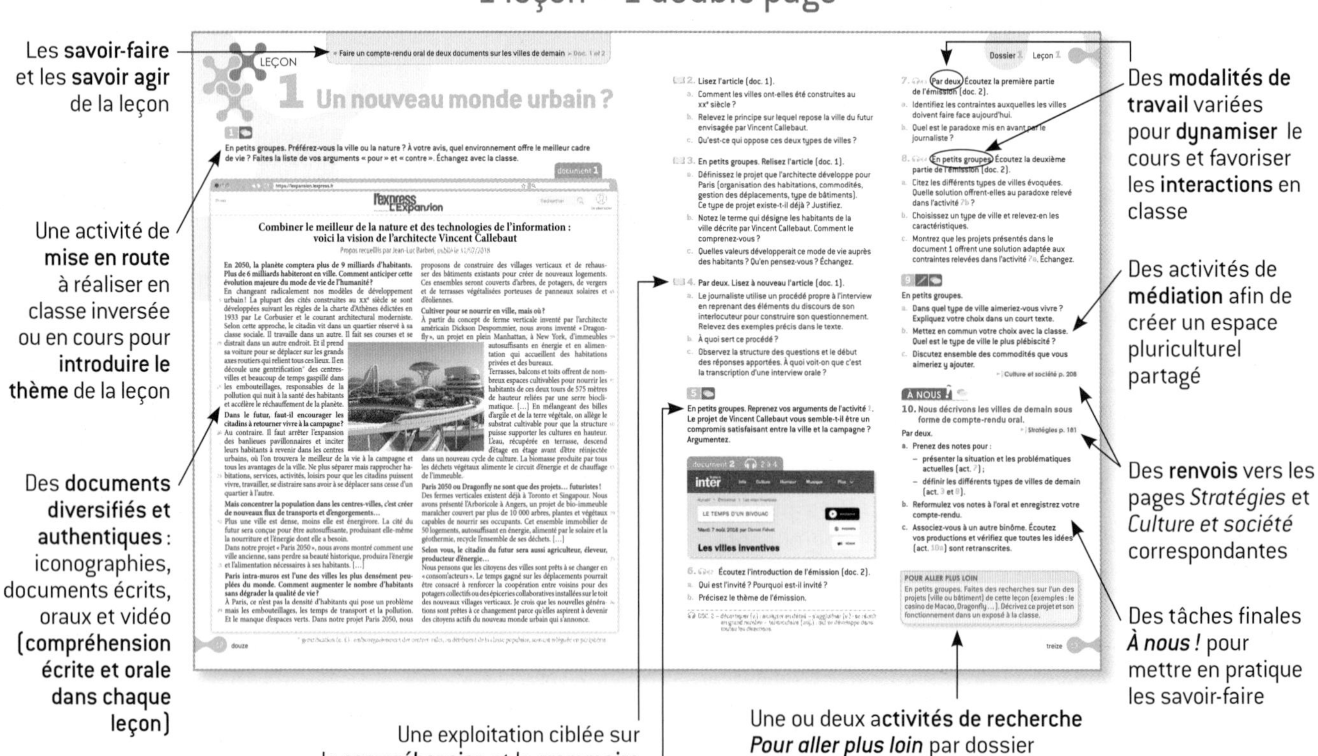

Des **modalités de travail** variées pour **dynamiser** le cours et favoriser les **interactions** en classe

Des activités de **médiation** afin de créer un espace pluriculturel partagé

Des **renvois** vers les pages *Stratégies* et *Culture et société* correspondantes

Des tâches finales ***À nous !*** pour mettre en pratique les savoir-faire

Une exploitation ciblée sur la **compréhension** et la **grammaire** de discours

Une ou deux **activités de recherche** ***Pour aller plus loin*** par dossier

Des activités intermédiaires de **production** pour ponctuer l'apprentissage

1 double page *Mots et expressions* pour favoriser la maîtrise du lexique de chaque leçon

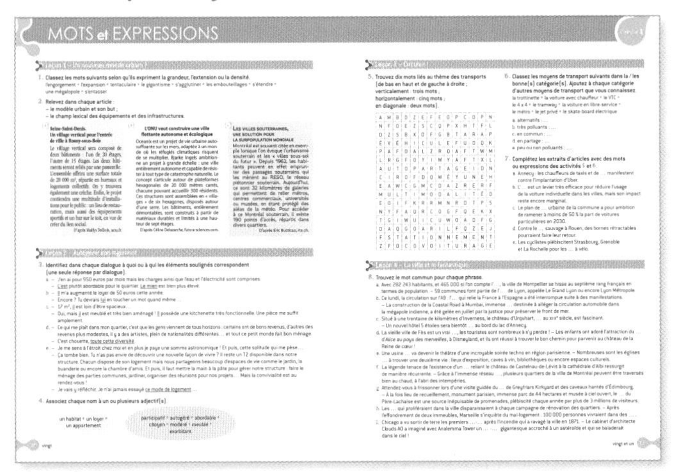

Tous les deux dossiers, **une double page de préparation aux DALF C1 et C2**, pour un bilan organisé par compétences

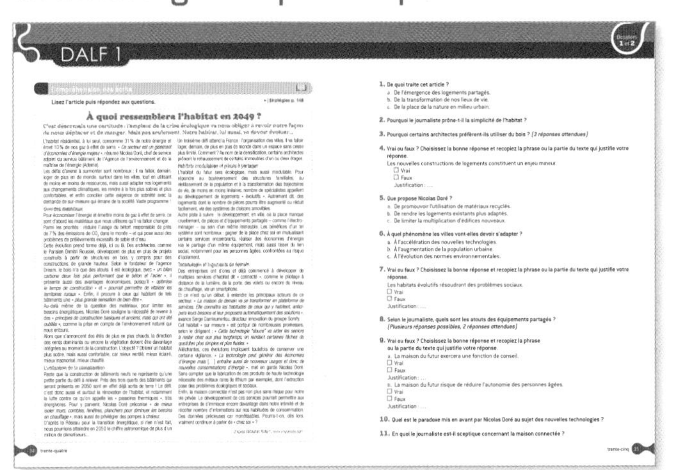

3 Des annexes riches et variées pour progresser vers les niveaux C1/C2 en autonomie

Un dossier *Stratégies*

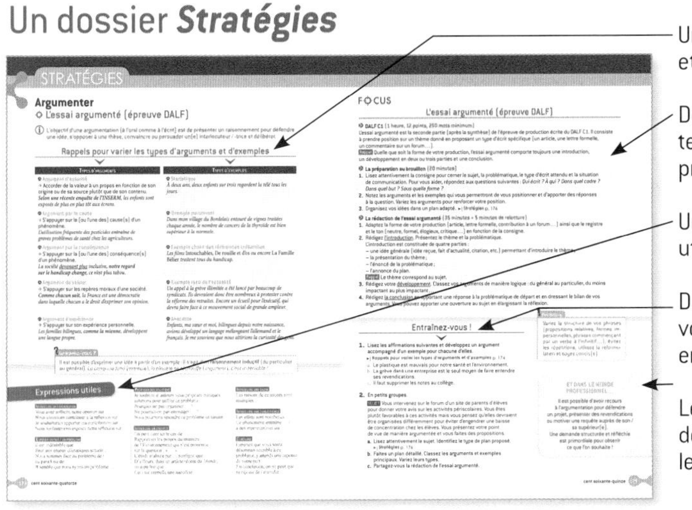

Un rappel des structures et des contenus

Des conseils et des techniques pour la production

Un mémo d'expressions utiles

Des activités « Entraînez-vous ! » pour mettre en œuvre la méthodologie

Les applications possibles de la méthodologie dans le monde professionnel

Un dossier *Culture et société*

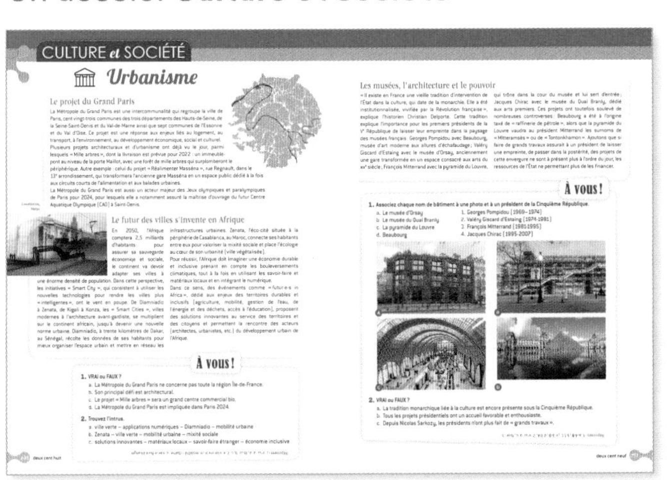

Des informations complémentaires sur des points précis vus dans les dossiers, classées par thématique

Un questionnaire ludique pour se tester

4 Contenus numériques

Audio et vidéos :

Les audio et les vidéos sont disponibles sur : cosmopolite.hachettefle.fr ou sur l'application **MEDIA+** en scannant la page du livre.

Téléchargez  sur  ou .

Cosmopolite 5 existe aussi en manuel numérique enrichi !

Pour l'étudiant : 2 installations + 1 accès en ligne

- Le livre de l'élève
- Le cahier de perfectionnement et les corrigés
- Tout le multimédia (audio et vidéos) pour l'élève

Pour le professeur : 4 installations + 1 accès en ligne

- Le livre de l'élève
- Le cahier de perfectionnement et les corrigés
- L'intégralité du multimédia (audio et vidéos) de la méthode
- Le guide pédagogique

TABLEAU DES CONTENUS

DOSSIER 4 – À corps et à cri

LEÇONS	Types de documents	Savoir-faire et savoir agir	Tâches finales	Mots et expressions
1 #bodypositive p. 50-51	Reportage télévisé (témoignages) Article de blog	– Commenter une tendance	Nous commentons une tendance pour un blog.	– L'image de soi – Les réseaux sociaux
2 Visibles et invisibles p. 52-53	Manifeste Témoignage	– Dénoncer une inégalité	Nous rédigeons un manifeste pour dénoncer une inégalité.	– Le handicap
3 Le langage du corps p. 54-55	Slam Paroles d'un slam Émission télévisée	– Déclamer un slam – Interpréter le langage corporel	Nous interprétons la gestuelle corporelle à partir d'une vidéo.	– Les parties du corps – Les expressions idiomatiques liées au corps
4 Un corps « animé » p. 56-57	Audioguide Œuvre d'art Portrait d'une artiste	– Décrire et analyser une œuvre d'art – Interpréter le travail d'un(e) artiste	Nous analysons et interprétons une œuvre d'art pour un audioguide.	– La description d'une œuvre d'art

DOSSIER 5 – Dans quel monde vit-on ?

LEÇONS	Types de documents	Savoir-faire et savoir agir	Tâches finales	Mots et expressions
1 Le chant des combattants p. 64-65	Infographie Article Clip	– Comprendre et expliquer le message d'une chanson	Nous expliquons le message d'une chanson engagée.	– La vie en banlieue – Le verlan
2 L'égale de l'homme p. 66-67	Discours politique Nécrologie	– Résumer oralement un discours – Rédiger une biographie	Nous écrivons la biographie d'une personne engagée.	– Le féminisme
3 Terre d'accueil p. 68-69	Chronique radiophonique Poème	– Comprendre une chronique humoristique – Interpréter et écrire un poème	Nous écrivons un poème. (*écriture créative*)	– La crise migratoire
4 À nos âges p. 70-71	Portrait d'un illustrateur Sketch d'un youtubeur	– Comparer des modes de vie à différents âges – Distinguer et adapter les registres de langue	Nous comparons les modes de vie de deux générations.	– Les âges de la vie

DOSSIER 6 – TAF (Travail à faire)

LEÇONS	Types de documents	Savoir-faire et savoir agir	Tâches finales	Mots et expressions
1 Les bienveilleurs p. 76-77	Articles Revue de presse radiophonique	– Réaliser une revue de presse	Nous réalisons une revue de presse.	– L'organisation du travail en entreprise
2 Super candidat p. 78-79	Chronique télévisée Témoignage	– Rédiger une accroche d'offre d'emploi – Témoigner d'une expérience dans le cadre d'un entretien	Nous témoignons d'une expérience lors d'un entretien.	– Le recrutement
3 Camarades, camarades ! p. 80-81	Reportage télévisé Roman (extrait)	– Comprendre une situation de conflit – Rapporter un discours	Nous rapportons un discours pour expliquer une situation de crise.	– La crise du travail
4 Les eldorados de l'emploi p. 82-83	Reportage télévisé Article	– Présenter la situation de l'emploi dans son pays – Intégrer des témoignages dans une analyse	Nous recueillons des témoignages sur le monde du travail.	– L'expatriation – Les habitudes professionnelles

LEÇONS	DOSSIER 7 – Vague à l'âme			
	Types de documents	Savoir-faire et savoir agir	Tâches finales	Mots et expressions
1 Bouleversant ! p. 90-91	Pièce de théâtre (extrait) Émission radiophonique	– Analyser et interpréter un extrait de théâtre – Exprimer un point de vue critique sur un film	Nous échangeons nos impressions sur un film.	– Les sentiments et émotions – La technique cinématographique
2 Routinite aiguë p. 92-93	Roman (extrait) Interview	– Écrire la suite d'un extrait littéraire – Prendre position sur l'industrialisation du bonheur	Nous prenons position sur l'idée d'industrialisation du bonheur.	– Le bonheur – L'économie
3 Animal-sensible p. 94-95	Article de loi (extrait) Reportage Article	– Argumenter en faveur de la médiation animale	Nous rédigeons une lettre pour proposer une médiation animale.	– La justice et les animaux
4 Nouvelles utopies p. 96-97	Utopie (extrait) Conte philosophique (extrait) Conférence	– Comprendre les enjeux de l'utopie en fonction des époques – Décrire une utopie	Nous décrivons notre utopie. (*écriture créative*)	– La liberté et la contrainte – Le rêve et la réalité

LEÇONS	DOSSIER 8 – D'innombrables langues françaises			
	Types de documents	Savoir-faire et savoir agir	Tâches finales	Mots et expressions
1 Cette langue-là est une reine p. 102-103	Émission radiophonique Article	– Réagir sur les emprunts de la langue française – Définir notre représentation de la langue française	Nous rédigeons un article sur notre représentation de la langue française.	– La description d'une langue
2 Décoloniser la langue française p. 104-105	Lettre ouverte Interview	– Analyser et écrire une lettre ouverte – Comprendre des problématiques liées à la Francophonie	Nous écrivons une lettre ouverte pour dénoncer un problème.	– La francophonie – Les politiques linguistiques
3 Parler le même langage p. 106-107	Roman (2 extraits) Interview	– Analyser et comparer deux extraits littéraires – Commenter des choix d'écriture	Nous commentons des choix d'écriture.	– Les langages – Les classes sociales
4 À voix haute p. 108-109	Film (extrait) Essai (extrait)	– Parler de notre rapport à l'oral – Rédiger et prononcer un discours pour un concours d'éloquence	Nous organisons un concours d'éloquence.	– L'art oratoire

LEÇONS	DOSSIER 9 – Ère numérique			
	Types de documents	Savoir-faire et savoir agir	Tâches finales	Mots et expressions
1 Une immense librairie p. 116-117	Article Tweets Débat (émission)	– Débattre de l'impact des réseaux sociaux sur la littérature – Résumer un livre sous forme de tweets	Nous débattons sur un sujet de société.	– Le monde du livre – L'expression de l'accord, de la concession et du désaccord
2 Fais gaffe ! p. 118-119	Article Campagne de prévention Audio éducatif	– Adapter un discours à un locuteur – Donner des conseils	Nous adaptons une campagne de prévention à un public.	– Les dangers des réseaux sociaux
3 Torrent d'informations p. 120-121	Illustration (de presse) Vidéo Article	– Comprendre le processus des *fake news* – Exprimer un paradoxe	Nous rédigeons un article pour exprimer un paradoxe.	– Les nouvelles technologies
4 Demain p. 122-123	Podcast Dystopie (extrait)	– Déduire le point de vue d'un intervenant sur l'évolution des technologies – Envisager les dérives des technologies dans le futur	Nous écrivons un extrait d'une dystopie. (*écriture créative*)	– L'intelligence artificielle – Les nanotechnologies

DOSSIER 10 – Histoire *vs* mémoire

LEÇONS	Types de documents	Savoir-faire et savoir agir	Tâches finales	Mots et expressions
1 Au tableau ! p. 128-129	Émission radiophonique Article de blog	– Démontrer l'intérêt d'une pratique pédagogique – Analyser et construire un raisonnement déductif	Nous rédigeons un essai argumenté sur les intérêts pédagogiques d'un support.	– La pédagogie – L'enseignement de l'histoire
2 Pays membres p. 130-131	Vidéo pédagogique Éditorial Carte	– Faire le plan chronologique d'un exposé – Rédiger un éditorial	Nous rédigeons un éditorial.	– L'Union européenne et les accords politiques
3 Souvenons-nous p. 132-133	Discours officiel Chronique radiophonique	– Analyser un discours – Faire une chronique	Nous enregistrons une chronique.	– La guerre – La mémoire
4 La cour ! p. 134-135	Plaidoirie (extrait) Émission internet	– Analyser et rédiger le plan d'une plaidoirie – Comprendre l'influence du contexte et de l'opinion publique sur un procès	Nous rédigeons le plan d'une plaidoirie et présentons notre introduction.	– La justice

DOSSIER 11 – Interculturel

LEÇONS	Types de documents	Savoir-faire et savoir agir	Tâches finales	Mots et expressions
1 Tous curieux p. 142-143	Portrait Article	– Comprendre la notion de culture partagée – Exprimer une position de façon implicite	Nous rédigeons un article pour exprimer implicitement notre position sur une initiative culturelle.	– L'accessibilité de la culture – Les lieux culturels et le commerce
2 Les frontières du rire p. 144-145	Émission radiophonique et sketch (extrait) Article	– Déterminer les caractéristiques de l'humour – Présenter et expliquer une scène comique	Nous expliquons les ressorts comiques d'une scène.	– L'humour – La comédie et le succès commercial
3 Porteurs d'identité p. 146-147	Article de loi Témoignages Article	– Nous interroger et débattre sur la notion d'appropriation culturelle	Nous débattons sur un sujet polémique.	– L'appropriation d'une culture – Les effets d'une tendance
4 Étrangéité p. 148-149	Interview Autobiographie Roman autobiograhique (extraits)	– Expliquer des différences culturelles – Faire un récit détaillé au passé	Nous racontons une expérience interculturelle.	– Les différences culturelles

DOSSIER 12 – (R)évolutions écologiques

LEÇONS	Types de documents	Savoir-faire et savoir agir	Tâches finales	Mots et expressions
1 Rapport alarmant p. 154-155	Émission radiophonique Compte-rendu	– Faire des hypothèses sur les impacts du réchauffement climatique – Exposer des conséquences	Nous faisons un compte-rendu oral des conséquences du réchauffement climatique.	– Le réchauffement climatique – La biodiversité
2 Consensus p. 156-157	Vidéo d'animation Article de blog	– Analyser et mettre en place une stratégie argumentative	Nous rédigeons un article pour répondre aux climatosceptiques.	– Le climatoscepticisme – Les mots de l'argumentation
3 Doux dingues p. 158-159	Article Conférence	– Proposer des mesures politiques en faveur de l'écologie	Nous présentons un programme politique écologique.	– L'écologie – La politique
4 Échos logiques p. 160-161	Reportage Roman d'anticipation (extrait)	– Encourager des comportements individuels respectueux de l'environnement – Étudier la fonction d'un personnage dans un roman	Nous mettons en scène un personnage de roman pour défendre une idée. (*écriture créative*)	– La mode et l'éthique – La vie rurale – Les alternatives pour un monde plus écologique

DOSSIER 1

Désir de ville(s)

Nous vivons dans l'espace, dans ces espaces, dans ces villes, dans ces campagnes, dans ces couloirs, dans ces jardins. Cela semble évident. Peut-être cela devrait-il être effectivement évident. Mais cela n'est pas évident, cela ne va pas de soi. C'est réel, évidemment, et par conséquent, c'est vraisemblablement rationnel. On peut toucher. On peut même se laisser aller à rêver. Rien, par exemple, ne nous empêche de concevoir des choses qui ne seraient ni des villes ni des campagnes (ni des banlieues), ou bien des couloirs de métropolitains qui seraient en même temps des jardins. Rien ne nous interdit non plus d'imaginer un métro en pleine campagne (j'ai même déjà vu une publicité sur ce thème mais – comment dire? – c'était une campagne publicitaire). Ce qui est sûr, en tout cas, c'est qu'à une époque sans doute trop lointaine pour qu'aucun d'entre nous en ait gardé un souvenir un tant soit peu précis, il n'y avait rien de tout ça : ni couloirs, ni jardins, ni villes, ni campagnes. [...] Bref, les espaces se sont multipliés, morcelés et diversifiés. Il y en a aujourd'hui de toutes tailles et de toutes sortes, pour tous les usages et pour toutes les fonctions. *Vivre, c'est passer d'un espace à un autre, en essayant le plus possible de ne pas se cogner.*

Georges Perec, *Espèces d'espaces*, éditions Galilée, 1974

1 En petits groupes. Lisez l'extrait littéraire.

a. De quels espaces est-il question ?

b. Expliquez la dernière phrase en italique.

Enki Bilal, *Rendez-vous à Paris*, éditions Casterman, 2006.

2 Par deux.

a. Observez le dessin. Décrivez-le.

b. Quel lien pouvez-vous faire avec l'extrait littéraire ?

3 En petits groupes. Comment imaginez-vous les espaces de demain ? Échangez.

> « Les matériaux de l'urbanisme sont le soleil, les arbres, le ciel, l'acier, le ciment, dans cet ordre hiérarchique et indissolublement. »

Charles-Édouard Jeanneret, dit Le Corbusier (1887-1965)

4 Par deux. Lisez la citation. Comment comprenez-vous les propos de Le Corbusier ? Sont-ils adaptés à l'urbanisme du XXIe siècle ? Échangez.

NON AUX BIDON VILLES
NON AUX VILLES-BIDONS

L'URBANISME EST UN ACTE POLITIQUE
AU SERVICE DU PEUPLE

tous à la
mutualité
mardi 18 juin 68
à 21 h.
entrée gratuite
débat public

organisé par les
étudiants et
professionnels de
l'aménagement
du cadre de vie
et a.p.p.a.u.r

W007746

Affiche, *Non aux bidon villes, non aux villes-bidons. L'urbanisme est un acte politique au service du peuple...* Mai 1968, Arts décoratifs.

5 En petits groupes. Observez l'affiche.

a. Quel est son objectif ?

b. Expliquez le slogan « Non aux bidon villes, non aux villes-bidons ».

6 En petits groupes. Que représente l'urbanisme pour vous ? Échangez.

SAVOIR-FAIRE ET SAVOIR AGIR

Dans ce dossier, nous allons :

- faire un compte-rendu oral de deux documents sur les villes de demain
- dégager les idées principales et secondaires d'un document
- rédiger la synthèse de deux documents sur le logement partagé
- faire des recommandations pour améliorer la mobilité urbaine
- faire la description d'une ville de manière fantastique

▪ Faire un compte-rendu oral de deux documents sur les villes de demain ▸ Doc. 1 et 2

1 Un nouveau monde urbain ?

1

En petits groupes. Préférez-vous la ville ou la nature ? À votre avis, quel environnement offre le meilleur cadre de vie ? Faites la liste de vos arguments « pour » et « contre ». Échangez avec la classe.

document 1

https://lexpansion.lexpress.fr

Fil info — l'express L'Expansion — Rechercher — Se connecter

Combiner le meilleur de la nature et des technologies de l'information : voici la vision de l'architecte Vincent Callebaut

Propos recueillis par Jean-Luc Barberi, publié le 31/07/2018

En 2050, la planète comptera plus de 9 milliards d'habitants. Plus de 6 milliards habiteront en ville. Comment anticiper cette évolution majeure du mode de vie de l'humanité ?

En changeant radicalement nos modèles de développement urbain ! La plupart des cités construites au XXe siècle se sont développées suivant les règles de la charte d'Athènes édictées en 1933 par Le Corbusier et le courant architectural moderniste. Selon cette approche, le citadin vit dans un quartier réservé à sa classe sociale. Il travaille dans un autre. Il fait ses courses et se distrait dans un autre endroit. Et il prend sa voiture pour se déplacer sur les grands axes routiers qui relient tous ces lieux. Il en découle une gentrification* des centres-villes et beaucoup de temps gaspillé dans les embouteillages, responsables de la pollution qui nuit à la santé des habitants et accélère le réchauffement de la planète.

Dans le futur, faut-il encourager les citadins à retourner vivre à la campagne ?

Au contraire. Il faut arrêter l'expansion des banlieues pavillonnaires et inciter leurs habitants à revenir dans les centres urbains, où l'on trouvera le meilleur de la vie à la campagne et tous les avantages de la ville. Ne plus séparer mais rapprocher habitations, services, activités, loisirs pour que les citadins puissent vivre, travailler, se distraire sans avoir à se déplacer sans cesse d'un quartier à l'autre.

Mais concentrer la population dans les centres-villes, c'est créer de nouveaux flux de transports et d'engorgements…

Plus une ville est dense, moins elle est énergivore. La cité du futur sera conçue pour être autosuffisante, produisant elle-même la nourriture et l'énergie dont elle a besoin.

Dans notre projet « Paris 2050 », nous avons montré comment une ville ancienne, sans perdre sa beauté historique, produira l'énergie et l'alimentation nécessaires à ses habitants. […]

Paris intra-muros est l'une des villes les plus densément peuplées du monde. Comment augmenter le nombre d'habitants sans dégrader la qualité de vie ?

À Paris, ce n'est pas la densité d'habitants qui pose un problème mais les embouteillages, les temps de transport et la pollution. Et le manque d'espaces verts. Dans notre projet Paris 2050, nous proposons de construire des villages verticaux et de rehausser des bâtiments existants pour créer de nouveaux logements. Ces ensembles seront couverts d'arbres, de potagers, de vergers et de terrasses végétalisées porteuses de panneaux solaires et d'éoliennes.

Cultiver pour se nourrir en ville, mais où ?

À partir du concept de ferme verticale inventé par l'architecte américain Dickson Despommier, nous avons inventé « Dragonfly », un projet en plein Manhattan, à New York, d'immeubles autosuffisants en énergie et en alimentation qui accueillent des habitations privées et des bureaux.

Terrasses, balcons et toits offrent de nombreux espaces cultivables pour nourrir les habitants de ces deux tours de 575 mètres de hauteur reliées par une serre bioclimatique. […] En mélangeant des billes d'argile et de la terre végétale, on allège le substrat cultivable pour que la structure puisse supporter les cultures en hauteur. L'eau, récupérée en terrasse, descend d'étage en étage avant d'être réinjectée dans un nouveau cycle de culture. La biomasse produite par tous les déchets végétaux alimente le circuit d'énergie et de chauffage de l'immeuble.

Paris 2050 ou Dragonfly ne sont que des projets… futuristes !

Des fermes verticales existent déjà à Toronto et Singapour. Nous avons présenté l'Arboricole à Angers, un projet de bio-immeuble maraîcher couvert par plus de 10 000 arbres, plantes et végétaux capables de nourrir ses occupants. Cet ensemble immobilier de 50 logements, autosuffisant en énergie, alimenté par le solaire et la géothermie, recycle l'ensemble de ses déchets. […]

Selon vous, le citadin du futur sera aussi agriculteur, éleveur, producteur d'énergie…

Nous pensons que les citoyens des villes sont prêts à se changer en « consom'acteurs ». Le temps gagné sur les déplacements pourrait être consacré à renforcer la coopération entre voisins pour des potagers collectifs ou des épiceries collaboratives installées sur le toit des nouveaux villages verticaux. Je crois que les nouvelles générations sont prêtes à ce changement parce qu'elles aspirent à devenir des citoyens actifs du nouveau monde urbain qui s'annonce.

* gentrification (n. f.) : embourgeoisement des centres-villes, au détriment de la classe populaire, souvent reléguée en périphérie.

2. Lisez l'article (doc. 1).
a. Comment les villes ont-elles été construites au XXe siècle ?
b. Relevez le principe sur lequel repose la ville du futur envisagée par Vincent Callebaut.
c. Qu'est-ce qui oppose ces deux types de villes ?

3. En petits groupes. Relisez l'article (doc. 1).
a. Définissez le projet que l'architecte développe pour Paris (organisation des habitations, commodités, gestion des déplacements, type de bâtiments). Ce type de projet existe-t-il déjà ? Justifiez.
b. Notez le terme qui désigne les habitants de la ville décrite par Vincent Callebaut. Comment le comprenez-vous ?
c. Quelles valeurs développerait ce mode de vie auprès des habitants ? Qu'en pensez-vous ? Échangez.

4. Par deux. Lisez à nouveau l'article (doc. 1).
a. Le journaliste utilise un procédé propre à l'interview en reprenant des éléments du discours de son interlocuteur pour construire son questionnement. Relevez des exemples précis dans le texte.
b. À quoi sert ce procédé ?
c. Observez la structure des questions et le début des réponses apportées. À quoi voit-on que c'est la transcription d'une interview orale ?

En petits groupes. Reprenez vos arguments de l'activité 1. Le projet de Vincent Callebaut vous semble-t-il être un compromis satisfaisant entre la ville et la campagne ? Argumentez.

6. Écoutez l'introduction de l'émission (doc. 2).
a. Qui est l'invité ? Pourquoi est-il invité ?
b. Précisez le thème de l'émission.

DOC. 2 – décortiquer (v.) : analyser en détail – s'agglutiner (v.) : se réunir en grand nombre – tentaculaire (adj.) : qui se développe dans toutes les directions.

7. Par deux. Écoutez la première partie de l'émission (doc. 2).
a. Identifiez les contraintes auxquelles les villes doivent faire face aujourd'hui.
b. Quel est le paradoxe mis en avant par le journaliste ?

8. En petits groupes. Écoutez la deuxième partie de l'émission (doc. 2).
a. Citez les différents types de villes évoquées. Quelle solution offrent-elles au paradoxe relevé dans l'activité 7b ?
b. Choisissez un type de ville et relevez-en les caractéristiques.
c. Montrez que les projets présentés dans le document 1 offrent une solution adaptée aux contraintes relevées dans l'activité 7a. Échangez.

En petits groupes.
a. Dans quel type de ville aimeriez-vous vivre ? Expliquez votre choix dans un court texte.
b. Mettez en commun votre choix avec la classe. Quel est le type de ville le plus plébiscité ?
c. Discutez ensemble des commodités que vous aimeriez y ajouter.

Culture et société p. 208

À NOUS !

10. Nous décrivons les villes de demain sous forme de compte-rendu oral.

Stratégies p. 181

Par deux.
a. Prenez des notes pour :
– présenter la situation et les problématiques actuelles (act. 7) ;
– définir les différents types de villes de demain (act. 3 et 8).
b. Reformulez vos notes à l'oral et enregistrez votre compte-rendu.
c. Associez-vous à un autre binôme. Écoutez vos productions et vérifiez que toutes les idées (act. 10a) sont retranscrites.

POUR ALLER PLUS LOIN

En petits groupes. Faites des recherches sur l'un des projets (ville ou bâtiment) de cette leçon (exemples : le casino de Macao, Dragonfly…). Décrivez ce projet et son fonctionnement dans un exposé à la classe.

- Dégager les idées principales et secondaires d'un document ▸ Doc. 1 et 2
- Rédiger la synthèse de deux documents sur le logement partagé ▸ Doc. 1 et 2

2 Autogérer son logement

Préférez-vous un logement individuel ou collectif ? Discutez de votre logement idéal.

document 1 5

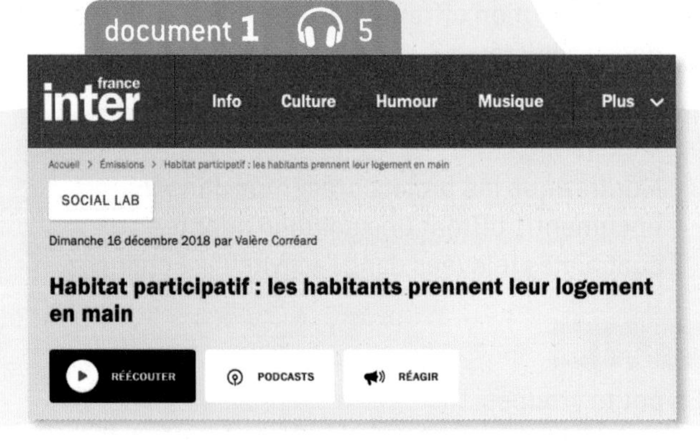

2. 5 Écoutez la chronique (doc. 1).

a. Qui sont les intervenants ?

b. Sur quel principe repose l'habitat partagé ?

3. 5 Par deux. Réécoutez la chronique (doc. 1).

a. Dans la liste ci-dessous, repérez les trois idées principales introduites par le présentateur.
la présentation de l'habitat participatif • un habitat neuf ou ancien • la loi ALUR • la situation de l'habitat participatif en France • la typologie des habitants • la mutualisation des espaces • les principales motivations • les valeurs de partage et d'entraide • la carte des projets actuels

b. Reprenez la liste et associez les idées secondaires aux idées principales.

c. Quelles sont les motivations des personnes qui choisissent l'habitat partagé ?

d. Citez un exemple d'entraide évoqué dans la chronique.

En petits groupes. Aimeriez-vous participer à un projet d'habitat participatif ? Échangez.

DOC. 1 – entraide (n. f.) : aide mutuelle – l'Hexagone (n. m.) : métaphore désignant la France métropolitaine.

5. Lisez la première partie de l'article (doc. 2, l. 1 à 45).

a. Qui est la personne interviewée ?

b. Identifiez la problématique commune au document 1.

c. En quelle année apparaît Kraftwerk ? Qu'est-ce qui le distingue du manifeste *Bolo'bolo* ?

6. Par deux. Lisez la deuxième partie de l'article (doc. 2, l. 46 à 102).

a. Listez les avantages du projet Kraftwerk. Quels sont ceux qui ont déjà été évoqués dans le document 1 ?

b. Repérez l'expression qui montre que Kraftwerk est un succès.

c. Quels sont les pièges de ce type d'habitat ? Comment Kraftwerk permet-il de les éviter ?

d. Quels sont les éléments qui freinent ce type de projet en France ?

7. En petits groupes. Relisez l'article (doc. 2).

a. Relevez les cinq idées développées par la journaliste (act. 5 et 6).

b. Distinguez les idées principales des idées secondaires.

À NOUS !

8. Nous rédigeons une synthèse de documents sur le logement partagé.

▸ Stratégies p. 172

Par deux.

a. Reformulez la problématique commune aux deux documents (act. 5b).

b. Listez dans un tableau les idées principales et secondaires des deux documents (act. 3a, 3b et 7). Comparez-les.

Document 1	Document 2
Idée principale 1 : présentation de l'habitat participatif Idée secondaire 1 : …	Idée principale 1 : … Idée secondaire 1 : histoire de l'habitat participatif en Suisse
Idée principale 2 : …	Idée principale 2 : …

c. Reprenez les idées relevées dans le tableau. Regroupez-les pour élaborer un plan en deux ou trois parties équilibrées.

d. Rédigez une synthèse (200-240 mots).

e. Comparez vos productions.

https://www.wedemain.fr

WE DEMAIN
UNE REVUE, UN SITE, UNE COMMUNAUTÉ POUR CHANGER D'ÉPOQUE

#MANGER MIEUX DEMAIN #MA MAISON DEMAIN #MA VILLE EN TRANSITION #UNE SOCIÉTÉ + COLLABORATIVE #TRAVAILLER DEMAIN
PLANÈTE SOCIÉTÉ-ÉCONOMIE POLITIQUE TECH-SCIENCES WE LIFE OPINIONS

Habitat partagé : en Suisse, l'histoire d'une utopie devenue réalité

D'après l'interview d'Adrien Poullain | par Alice Pouyat | publié le 12 avril 2018

À Zurich, un immense projet d'habitat autogéré, basé sur une utopie libertaire, a vu le jour en 2001. Depuis, le modèle « Kraftwerk » s'est répliqué. Une aventure singulière que relate l'architecte Adrien Poullain dans un ouvrage richement documenté.

« *Lorsqu'un seul homme rêve, ce n'est qu'un rêve. Mais si beaucoup d'hommes rêvent ensemble, c'est le début d'une nouvelle réalité.* » Cet exergue[1] ouvre à juste titre le livre *Choisir l'habitat partagé, l'aventure Kraftwerk*, d'Adrien Poullain (éditions Parenthèses), une singulière aventure dans le monde de l'architecture. Tout commence en 1983 par la parution en Suisse d'un mystérieux manifeste : *Bolo'bolo*. Signé des initiales P. M., ce texte, devenu culte dans les milieux alternatifs, invente de A à Z un nouveau modèle de société basé sur des unités de vie autogérées.

Dix ans plus tard, rallié par deux activistes, son auteur Hans Widmer décide de donner vie à son idéal. Après une longue gestation et quelques concessions avec la réalité, Kraftwerk 1 est construit à Zurich en 2001. Un immense bâtiment composé d'espaces partagés et de 125 logements évolutifs, du studio à la colocation.

Ici, les occupants sont à la fois propriétaires et locataires : ils possèdent des parts de la coopérative, et payent un loyer très modéré. Ils décident ensemble de la gestion des lieux, et participent à des tâches et activités collectives. Un projet favorisant la mixité sociale, le respect de l'environnement, la convivialité… Qui a depuis inspiré trois nouveaux Kraftwerk. Adrien Poullain dresse le bilan de cette utopie devenue réalité.

Un projet unique

Dès la fin du XIXe siècle, cette solution permet aux ouvriers de sortir des centres-villes insalubres, et de se loger de façon abordable. Kraftwerk émerge dans les années 1980, à une autre époque morose, avec du chômage massif, une désindustrialisation, beaucoup de drogue… Dans ce contexte, Kraftwerk réactualise le modèle en le poussant très loin. Aujourd'hui, 20 % des logements sont coopératifs à Zurich mais Kraftwerk est le plus ambitieux.

Influence de *Bolo'bolo* dans l'aventure Kraftwerk

Le début des années 1980 est un peu le « mai 1968 de Zurich », avec une contestation, une scène alternative, des squats, des confrontations assez violentes avec les forces de l'ordre. *Bolo'bolo* répond à une envie collective de réinventer le monde, très utopique. Kraftwerk reprend ses idées mais avec pragmatisme et en s'adaptant à la société suisse contemporaine.

Les facteurs de réussite

Ce modèle d'habitat citoyen est intéressant car il permet aux habitants de reprendre la main sur leur vie. Kraftwerk est un lieu des possibles, où l'on peut inventer, créer. C'est un espace où se retissent des liens sociaux, avec des espaces de rencontre. Un fonds solidaire permet de financer des services collectifs, comme une garderie, une cuisine collective, des voitures partagées, des espaces culturels. Résultat, Kraftwerk est aujourd'hui pris d'assaut… Même les personnes qui y sont entrées sans grande conviction ne s'imaginent plus vivre autrement. Un quatrième Kraftwerk est d'ailleurs en construction à Zurich.

Un intérêt économique

Les loyers sont inférieurs de 30 à 50 % à ceux du marché local. Ils baissent peu à peu, en même temps que le remboursement du prêt d'achat de l'immeuble. Le modèle est donc une bonne façon de lutter contre la spéculation immobilière et la gentrification des centres-villes. Le fonds de solidarité, qui représente un petit pourcentage du loyer de chacun (10 à 50 euros), permet aussi de financer à hauteur de 20 % le loyer de personnes aux revenus plus modestes, ce qui garantit une certaine mixité sociale.

Les écueils[2]

Les occupants sont souvent très impliqués à leur arrivée, prêts à participer à des projets collectifs, mais ils s'essoufflent un peu au fil du temps. Pour garder une dynamique, il faut un renouvellement des habitants. Le risque est aussi de fonctionner en vase clos, de ne plus sortir de la communauté. Contre cela, Kraftwerk accueille aujourd'hui des entreprises extérieures, des crèches et des activités ouvertes aux voisins. La prise de décision collective est aussi complexe et se réduit souvent aux personnes les plus motivées.

Le modèle est-il exportable en France ?

De plus en plus de gens s'intéressent à ce modèle en France, où la situation sociale rappelle celle de Zurich : spéculation dans les centres-villes, crise de l'habitat, chômage… Un million de personnes attendent aujourd'hui un logement social… La loi ALUR, depuis 2014, autorise la création de coopératives d'habitants. Mais il existe trois freins à cette évolution : l'accès au foncier est plus coûteux qu'à Zurich où la ville est propriétaire de terrains vendus à petits prix. Ensuite, la propriété individuelle est très encouragée et appréciée en France. 60 % des Français sont propriétaires, contre 30 % des Suisses. Enfin, les Français ont culturellement une posture citoyenne moins proactive que les Suisses, habitués à une démocratie plus participative. En France, on se repose plus sur l'État, et l'on a moins le sens du collectif.

On voit des petits logements coopératifs qui se créent peu à peu en France, souvent de 10 à 40 personnes. Il serait intéressant de passer à une plus grande échelle pour financer plus de services collectifs sans peser sur la communauté. Je conseille aux personnes intéressées de se rapprocher de la fédération Habicoop. Au final, il manque peut-être un grand projet pionnier en France, une vitrine, comme Kraftwerk, démontrant au grand public qu'il est possible d'inventer de nouvelles façons d'habiter.

1. exergue (n. m.) : inscription en tête d'un ouvrage (épigraphe). 2. écueil (n. m.) : danger, piège.

LEÇON 3 Circulez !

En petits groupes. Échangez sur le fonctionnement de la mobilité urbaine de votre ville (modes de transport, difficultés rencontrées par les usagers, etc.). Prenez des notes et partagez vos remarques avec la classe.

document 1 6 à 8

inter — Info · Culture · Humour · Musique · Plus · Programmes · Replay · Le direct

Accueil > Émissions > L'invité de 6h20 > Trop de trottinettes à Paris ? "C'est le paracétamol de la mobilité" selon Julien de Labaca

L'INVITÉ DE 6H20

Vendredi 7 juin 2019 par Mathilde Munos

Trop de trotinettes à Paris ? "C'est le paracétamol de la mobilité" selon Julien de Labaca

2. 6 **Écoutez la première partie de l'émission (doc. 1).**

a. Présentez l'invité de cette émission.

b. Choisissez la problématique la plus adaptée. Justifiez.
   1. Comment faire face à l'affluence des nouveaux moyens de transport ?
   2. Quelle stratégie mettre en place pour les transports en ville de façon générale ?
   3. Comment encourager et développer de nouveaux moyens de transport en ville ?

c. Dans quel contexte politique s'inscrit cette problématique ? Expliquez pourquoi ce contexte représente un atout.

3. 7 **Par deux. Écoutez la deuxième partie de l'émission (doc. 1).**

a. Quelles sont les deux solutions proposées par Julien de Labaca pour répondre à la problématique de l'émission (act. 2b) ?

b. Repérez les différents modes de transport évoqués. Quels avantages présentent-ils ? D'après l'invité, quelle est leur utilisation optimale ?

c. Expliquez en quoi les nouvelles technologies peuvent être utiles à un double niveau.

4. 8 **En petits groupes. Écoutez l'ensemble de l'émission (doc. 1).**

a. Relevez les expressions utilisées par la journaliste pour désigner l'organisation actuelle des moyens de transport et la nécessité d'agir. Que traduisent-elles de son opinion sur le sujet ? Comment évolue son regard ?

b. Repérez les différents acteurs cités. Comment Julien de Labaca explique-t-il cette situation ?

c. Quels exemples utilise-t-il pour illustrer son point de vue ? Pourquoi est-il particulièrement optimiste ?

DOC. 1 – intermodalité (n. f.) : utilisation de plusieurs moyens de transport au cours d'un même déplacement. – foisonnement (n. m.) : abondance, fourmillement.

document 2 Vidéo n° 1

5. **En petits groupes. Regardez la vidéo (doc. 2). Rédigez des commentaires pour expliquer et encourager la multimodalité.**

6. **Par deux. Lisez l'article (doc. 3).**

a. Identifiez les trois parties de l'article ainsi que leurs thématiques respectives. Faites le lien avec le titre de l'article.

b. Formulez une problématique.

7. **Par deux. Relisez l'article (doc. 3).**

a. Que font les villes pour inciter les voyageurs à abandonner la voiture ?

b. De quoi ont-elles besoin pour que le système soit efficace ? Pourquoi ?

c. Qu'est-ce qui fait que Mulhouse est à la pointe dans ce domaine ? Dites en quoi c'est avantageux pour l'usager.

8. **En petits groupes. Lisez à nouveau l'article (doc. 3).**

a. Repérez les expressions qui qualifient : les déplacements en voiture individuelle • l'implication des villes face à la multimodalité • la place que convoitent les villes et les plateformes • la conséquence du recueil de données sur les usagers

b. Déduisez la position de l'auteure sur la multimodalité et le partage de données. Partage-t-elle le point de vue de Julien de Labaca (doc.1) ?

c. Comment conclut-elle son sujet ? À quoi sert ce procédé ?

En petits groupes. Seriez-vous prêts à partager vos données dans le but d'améliorer vos déplacements urbains ? Échangez.

document 3

Le Monde

Mobilité urbaine, le partage de données entre fluidité et surveillance

Une voiture avec chauffeur au prix de quatre tickets de bus. Au terminus du tramway, les habitants de quartiers périphériques de Nice peuvent, depuis juillet 2018, rentrer chez eux en VTC après 20 heures au prix fixe de 6 euros, à condition d'être abonnés au réseau de transports en commun. La régie Ligne d'Azur, qui gère les transports de la métropole niçoise, a conclu un partenariat avec Uber pour assurer les derniers kilomètres en soirée, suscitant la colère des taxis. Au passage, la métropole récupère de précieuses données numériques sur les trajets et habitudes de ses administrés.
Dans le jargon[1] des urbanistes et des ingénieurs, on appelle cela une stratégie multimodale : conjuguer plusieurs modes de transport au cours d'un même trajet. Une façon d'inciter les particuliers à renoncer à leur auto. On en est encore loin en France, où 80 % des trajets quotidiens sont effectués en solitaire dans une voiture personnelle.
Mais à l'heure de l'urgence climatique, les villes se mettent en ordre de bataille pour inciter le voyageur à abandonner son confortable habitacle. Et cela tombe bien. En quelques années, l'offre de modes de déplacements alternatifs a explosé : trottinette, vélo, scooter, autopartage, covoiturage ou voiture avec chauffeur…
Comment organiser les combinaisons les plus efficaces pour se déplacer d'un point à un autre en consommant le moins possible d'énergies fossiles ? La bataille se joue autant sur le bitume[2] qu'à l'échelle des serveurs numériques, où collectivités et plateformes se disputent le rôle de pilote de la ville.
Le partage des données de mobilité est en effet devenu un enjeu stratégique majeur. « *Les villes ont besoin de ces informations pour améliorer les services publics et les coordonner avec les autres modes de déplacements* », constate Cristina Pronello, chercheuse à l'université de technologie de Compiègne.
Or, si les collectivités sont tenues d'ouvrir leurs données, rien n'oblige pour le moment les acteurs privés à faire de même. La situation pourrait évoluer prochainement avec la future loi d'orientation sur les mobilités, soumise ce mois-ci au vote du Parlement et qui devrait renforcer les moyens de l'acteur public. L'une des mesures-phares prévoit ainsi que l'ensemble du territoire soit couvert par des « autorités organisatrices de mobilité ».
L'étape suivante se profile déjà : expérimenter un seul outil de paiement pour organiser et payer l'ensemble des modes de transport. Depuis septembre, c'est le cas à Mulhouse (Haut-Rhin), où une seule appli et un même abonnement donnent accès aux bus, tramways, vélos et voitures en libre-service, mais aussi aux parcs de stationnement de la ville.
L'atout de ces systèmes intégrés est d'offrir à l'usager le meilleur service en fonction de ses affinités. L'équation est simple : « *Plus le logiciel prédictif de gestion de trafic dispose d'informations sur nos habitudes et nos modes de vie, plus il sera performant pour nous conseiller le mode de transport le plus efficace et nous fera du même coup abandonner la voiture individuelle* », souligne Jacques Priol, consultant et auteur du *Big Data des territoires* (FYP Éditions, 2017).
Circulez, vous êtes tracés ! Mais à quel prix ? « *Dès que l'on utilise ce genre d'algorithme, on déploie des technologies qui peuvent servir à des fins de surveillance*, constate-t-il. *Quand une seule application vous propose le choix entre différents modes de transport, cela veut dire que vos données sont mises en commun, même si toutes ne sont pas hébergées au même endroit. La question est de savoir s'il existe un équilibre entre l'intérêt général et le risque d'affaiblissement des libertés personnelles. Toutes les innovations publiques qui utilisent nos données doivent être regardées à l'aune de cette question.* »
Le passage à la multimodalité pose donc des questions essentielles d'éthique et de gouvernance. Jusqu'où aller ? Quelle place pour l'usager dans de tels dispositifs ? Son rôle doit-il se résumer à produire des données ?

Claire Legros, 27 mars 2019.

1. jargon (n. m.) : lexique propre à un groupe social ou professionnel.
2. bitume (n. m.) : ici, synonyme de trottoir.

10. Nous faisons des recommandations pour améliorer la mobilité urbaine dans notre ville.

En petits groupes.

a. Reprenez les informations échangées dans l'activité 1 sur le fonctionnement de la mobilité urbaine de votre ville et proposez des améliorations (applications, aménagements urbains, etc.).

b. Apportez des réserves à ces améliorations (faisabilité, coûts, entrave aux libertés personnelles, etc.).

c. Présentez vos recommandations sous forme d'un texte argumenté (250 mots). Postez votre texte sur le réseau de la classe. Échangez et choisissez les réflexions les plus pertinentes.

4 La ville et le fantastique

En petits groupes. Présentez un extrait de roman, de film ou de bande dessinée où la ville occupe une place importante. Échangez.

document 1 🎧 9

2. 🎧 9 Écoutez l'émission (doc. 1).

a. Quel est le thème principal ?

b. Listez les villes citées et indiquez leur point commun.

c. Associez chaque œuvre littéraire à une ville.
Dracula • *Superman* • *Docteur Jekyll et Mister Hyde* • *Pétersbourg*

3. 🎧 9 Par deux. Réécoutez l'émission (doc. 1).

a. Retrouvez les éléments de décor qui donnent aux villes leur caractère fantastique.

b. Quelle atmosphère se dégage de ces villes ?

c. Caractérisez la ville qui sert de décor au roman de Lovecraft, *La Musique d'Erich Zann*.

En petits groupes.

a. **Choisissez l'un des extraits présentés dans l'activité 1.**

b. **Décrivez la ville et l'atmosphère qui s'en dégage, sans la citer.**

c. **Le reste de la classe associe votre description à l'œuvre correspondante.**

🎧 DOC. 1 – peu ou prou (loc. adv.) : plus ou moins – fantasmé (adj.) : rêvé, chimérique.

document 2

Paris par Le Corbusier (plan Voisin, 1925).

5. Par deux. Observez la photo (doc. 2).

a. Décrivez-la. À quoi peut-on reconnaître que c'est un plan de Paris ?

b. Imaginez les conditions de vie des habitants de cette ville. Échangez avec la classe.

c. Faites des recherches et présentez les principes architecturaux développés par l'architecte Le Corbusier. Quelles sont ses principales réalisations ?

d. Connaissez-vous d'autres architectes célèbres ? Échangez.

6. En petits groupes. Lisez la présentation en vert (doc. 3).

a. Quand a été écrit le roman ? Quand se déroule l'histoire ?

b. Quel lien pouvez-vous établir avec le document 2 ?

7. Par deux. Lisez la première partie de l'extrait (doc. 3, l. 1 à 10).

a. Quelles sont les particularités des quatre villes mentionnées ?

b. Dites quel bâtiment du XXe siècle a été conservé. Relevez les mots et expressions pour désigner ce bâtiment et expliquez comment il est mis en valeur.

document 3

René Barjavel
Ravage

Dans cette dystopie datant de 1943, Barjavel se projette en 2052 et imagine une ville où certains principes architecturaux de Le Corbusier ont été appliqués, parfois de manière extrême.

Culture et société p. 202

Les studios de Radio-300 étaient installés au 96e étage de la Ville Radieuse, une des quatre Villes Hautes construites par Le Cornemusier[1] pour décongestionner Paris. La Ville Radieuse se dressait sur l'emplacement de l'ancien quartier du Haut-Vaugirard, la Ville Rouge sur l'ancien bois de Boulogne, la Ville Azur sur l'ancien bois de Vincennes, et la Ville d'Or sur la Butte-Montmartre.

5 Des bâtiments qui couvraient jadis celle-ci, seul avait été conservé le Sacré-Cœur, ce spécimen si remarquable de l'architecture du début du XXe siècle, chef-d'œuvre d'originalité et de bon goût. Juché[2] au bord de l'abîme, il dominait la capitale de plus d'un demi-kilomètre. Les avions bourdonnaient autour de ses coupoles, atterrissaient à ses pieds. Le premier et le dernier rayon du soleil doraient ses pierres grises. Souvent, des nuages estompaient ses formes, le séparaient de la terre et l'isolaient en 10 plein ciel, sa vraie patrie. Il paraissait d'autant plus beau que les brumes le dissimulaient davantage.

Quelques érudits, amoureux du vieux Paris, se sont penchés sur les souvenirs du Montmartre disparu, et nous ont dit ce qu'était cet étrange quartier de la capitale. À l'endroit même où devait plus tard s'élancer vers le zénith la masse dorée de la Ville Haute, un entassement de taudis abritait autrefois une bien pittoresque population. Ce quartier sale, malsain, surpeuplé, se trouvait être, paradoxalement, 15 le «lieu artistique» par excellence de l'Occident. Les jeunes gens qui, à Valladolid, Munich, Gênes ou Savigny-sur-Braye, sentaient s'éveiller en eux la passion des beaux-arts savaient qu'il se trouvait une seule ville au monde et, dans cette ville, un seul quartier – Montmartre – où ils eussent quelque chance de voir s'épanouir leur talent. Ils y accouraient, sacrifiaient considération, confort, à l'amour de la glaise ou de la couleur. Ils vivaient dans des ateliers, sortes de remises ou de greniers dont les vitres fêlées 20 remplaçaient un mur, parfois le plafond. [...] Ce vieux quartier fut rasé. Un peuple d'architectes et de compagnons édifia la Ville d'Or. [...]

François Deschamps, restauré[3], prit le chemin de son domicile. Montparnasse sommeillait, bercé d'un océan de bruits. L'air, le sol, les murs vibraient d'un bruit continu, bruit des cent mille usines qui tournaient nuit et jour, des millions d'autos, des innombrables avions qui parcouraient le ciel, des panneaux 25 hurleurs de la publicité parlante, des postes de radio qui versaient par toutes les fenêtres ouvertes leurs chansons, leur musique et les voix enflées des speakers. Tout cela composait un grondement énorme et confus auquel les oreilles s'habituaient vite, et qui couvrait les simples bruits de vie, d'amour et de mort des vingt-cinq millions d'êtres humains entassés dans les maisons et dans les rues.

Vingt-cinq millions, c'était le chiffre donné par le dernier recensement de la population de la capitale. 30 Le développement de la culture en usine avait ruiné les campagnes, attiré tous les paysans vers les villes, qui ne cessaient de croître. À Paris sévissait une crise du logement que la construction des quatre Villes Hautes n'avait pas conjurée. Le Conseil de la ville avait décidé d'en faire construire dix autres pareilles.

Pendant les cinquante dernières années, les villes avaient débordé de ces limites rondes qu'on leur voit sur les cartes du XXe siècle. Elles s'étaient déformées, étirées le long des voies ferrées, des autostrades[4], 35 des cours d'eau. Elles avaient fini par se rejoindre et ne formaient plus qu'une seule agglomération en forme de dentelle, un immense réseau d'usines, d'entrepôts, de cités ouvrières, de maisons bourgeoises, d'immeubles champignons.

Barjavel, *Ravage*, éditions Gallimard, 1943.

1. Le Cornemusier : déformation volontaire du nom de l'architecte Le Corbusier.
2. juché (adj.) : situé sur une hauteur.
3. restauré (adj.) : rassasié
4. autostrade (n. f.) : autoroute.

8. Par deux. Lisez la deuxième partie de l'extrait (doc. 3, l. 11 à 37).

a. Quelles sont les transformations de cette ville à travers le temps ?

b. Repérez les temps des verbes utilisés pour décrire ces transformations. Quel effet cela produit-il sur le lecteur ?

c. Quelle vision l'auteur donne-t-il de la ville du XXe siècle ? De la ville en 2052 ? Justifiez.

9. Par deux. Relisez l'extrait (doc. 3).

a. Identifiez la figure centrale de cet extrait. Qu'est-ce que cela indique sur la place des habitants dans cette ville ?

b. Relevez les termes associés aux sons et à la multitude.

c. Quelle atmosphère de la ville s'en dégage-t-il ?

À NOUS !

10. Nous rédigeons la description fantastique d'une ville.

Par deux.

a. Choisissez une ville réelle, localisez un quartier et choisissez un bâtiment emblématique du lieu.

b. Imaginez cette ville dans le futur, décrivez ses transformations (éléments fantastiques, nouvelles commodités, etc.) et son atmosphère.

c. Précisez votre vision du bâtiment choisi dans la ville du futur.

d. Rédigez un texte où vous décrivez ce quartier (250 mots).

e. Lisez vos productions à voix haute devant la classe.

f. Qu'avez-vous ressenti en écoutant les productions de vos camarades ? Échangez.

POUR ALLER PLUS LOIN Culture et société p. 208

En petits groupes. Imaginez la ville de 2100. Faites des hypothèses sur son aménagement, la mobilité au sein de cette ville, les types d'habitation et la vie des habitants. Présentez votre proposition à la classe. Échangez.

MOTS et EXPRESSIONS

Leçon 1 – Un nouveau monde urbain ?

1. Classez les mots suivants selon qu'ils expriment la grandeur, l'extension ou la densité.
l'engorgement • l'expansion • tentaculaire • le gigantisme • s'agglutiner • les embouteillages • s'étendre • une mégalopole • s'entasser

2. Relevez dans chaque article :
– le modèle urbain et son but ;
– le champ lexical des équipements et des infrastructures.

A

Seine-Saint-Denis.
Un village vertical pour l'entrée de ville à Rosny-sous-Bois

Le village vertical sera composé de deux bâtiments : l'un de 20 étages, l'autre de 15 étages. Les deux bâtiments seront reliés par une passerelle. L'ensemble offrira une surface totale de 28 000 m², répartie en bureaux et logements collectifs. On y trouvera également une crèche. Enfin, le projet contiendra une multitude d'installations pour le public : un lieu de restauration, mais aussi des équipements sportifs et un bar sur le toit, en vue de créer du lien social.

D'après Maëlys Dolbois, actu.fr.

B

L'ONU veut construire une ville flottante autonome et écologique

Oceanix est un projet de vie urbaine autosuffisante sur les mers, adaptée à un monde où les réfugiés climatiques risquent de se multiplier. Bjarke Ingels ambitionne un projet à grande échelle : une ville entièrement autonome et capable de résister à tout type de catastrophe naturelle. Le concept s'articule autour de plateformes hexagonales de 20 000 mètres carrés, chacune pouvant accueillir 300 résidents. Ces structures sont assemblées en « villages » de six hexagones, disposés autour d'une serre. Les bâtiments, entièrement démontables, sont construits à partir de matériaux durables et limités à une hauteur de sept étages.

D'après Céline Deluzarche, futura-sciences.com.

C

Les villes souterraines, une solution pour la surpopulation mondiale

Montréal est souvent citée en exemple lorsque l'on évoque l'urbanisme souterrain et les « villes sous-sol du futur ». Depuis 1962, les habitants peuvent en effet emprunter des passages souterrains qui les mènent au RESO, le réseau piétonnier souterrain. Aujourd'hui, ce sont 32 kilomètres de galeries qui permettent de relier métros, centres commerciaux, universités ou musées, en étant protégé des aléas de la météo. Pour accéder à ce Montréal souterrain, il existe 190 points d'accès, répartis dans divers quartiers.

D'après Eric Butticaz, rts.ch.

Leçon 2 – Autogérer son logement

3. Identifiez dans chaque dialogue à quoi ou à qui les éléments soulignés correspondent (une seule réponse par dialogue).

a. – J'en ai pour 950 euros par mois mais les charges ainsi que l'eau et l'électricité sont comprises.
– C'est plutôt abordable pour le quartier. Le mien est bien plus élevé.

b. – Il m'a augmenté le loyer de 50 euros cette année.
– Encore ? Tu devrais lui en toucher un mot quand même…

c. – 17 m², il est loin d'être spacieux…
– Oui, mais il est meublé et très bien aménagé ! Il possède une kitchenette très fonctionnelle. Une pièce me suffit amplement.

d. – Ce qui me plaît dans mon quartier, c'est que les gens viennent de tous horizons : certains ont de bons revenus, d'autres des revenus plus modestes, il y a des artistes, plein de nationalités différentes… et tout ce petit monde fait bon ménage.
– C'est chouette, toute cette diversité.

e. – Je me sens à l'étroit chez moi et en plus je paye une somme astronomique ! Et puis, cette solitude qui me pèse…
– Ça tombe bien. Tu n'as pas envie de découvrir une nouvelle façon de vivre ? Il reste un T2 disponible dans notre structure. Chacun dispose de son logement mais nous partageons beaucoup d'espaces de vie comme le jardin, la buanderie ou encore la chambre d'amis. Et puis, il faut mettre la main à la pâte pour gérer notre structure : faire le ménage des parties communes, jardiner, organiser des réunions pour nos projets… Mais la convivialité est au rendez-vous !
– Je vais y réfléchir. Je n'ai jamais essayé ce mode de logement…

4. Associez chaque nom à un ou plusieurs adjectif(s).

un habitat • un loyer • un appartement

participatif • autogéré • abordable • citoyen • modéré • meublé • exorbitant

Leçon 3 – Circulez !

5. Trouvez dix mots liés au thème des transports (de bas en haut et de gauche à droite ; verticalement : trois mots ; horizontalement : cinq mots ; en diagonale : deux mots).

A	M	B	D	Z	E	F	E	O	P	C	O	P	N
N	F	O	E	Z	S	C	Q	P	X	H	T	F	L
D	Z	S	B	X	D	F	G	B	T	A	R	A	P
É	V	É	H	I	C	U	L	E	F	U	O	Q	K
P	A	F	D	A	L	Z	R	Q	A	F	T	W	M
L	R	G	F	O	Y	I	W	Y	A	F	T	X	L
A	U	T	O	P	A	R	T	A	G	E	I	D	N
C	I	R	O	F	D	Q	W	É	Y	U	N	E	H
E	A	W	C	G	M	C	D	A	Z	R	E	R	F
M	U	L	T	I	M	O	D	A	L	I	T	É	D
E	O	I	F	K	R	R	M	N	R	D	T	P	S
N	Y	F	A	Q	R	C	O	G	F	Q	E	K	X
T	G	I	W	U	I	C	U	W	O	A	D	F	G
D	A	Q	G	O	A	R	I	L	F	Q	Z	E	J
F	S	T	A	T	I	O	N	N	E	M	E	N	T
Z	F	D	C	O	V	O	I	T	U	R	A	G	E

6. Classez les moyens de transport suivants dans la / les bonne(s) catégorie(s). Ajoutez à chaque catégorie d'autres moyens de transport que vous connaissez.

la trottinette • la voiture avec chauffeur • le VTC • le 4 x 4 • le tramway • la voiture en libre-service • le métro • le jet privé • le skate-board électrique

a. alternatifs : ...
b. très polluants : ...
c. en commun : ...
d. en partage : ...
e. peu ou non polluants : ...

7. Complétez les extraits d'articles avec des mots ou expressions des activités 5 et 6.

a. Annecy : les chauffeurs de taxis et de ... manifestent contre l'implantation d'Uber.
b. L'... est un levier très efficace pour réduire l'usage de la voiture individuelle dans les villes, mais son impact reste encore marginal.
c. Le plan de ... urbaine de la commune a pour ambition de ramener à moins de 50 % la part de voitures particulières en 2030.
d. Contre le ... sauvage à Rouen, des bornes rétractables pourraient faire leur retour.
e. Les cyclistes plébiscitent Strasbourg, Grenoble et La Rochelle pour les ... à vélo.

Leçon 4 – La ville et le fantastique

8. Trouvez le mot commun pour chaque phrase.

a. Avec 282 243 habitants, et 465 000 si l'on compte l'..., la ville de Montpellier se hisse au septième rang français en termes de population. – 59 communes font partie de l'... de Lyon, appelée Le Grand Lyon ou encore Lyon Métropole.
b. Ce lundi, la circulation sur l'A9 : l'... qui relie la France à l'Espagne a été interrompue suite à des manifestations. – La construction de la Coastal Road à Mumbai, immense ... destinée à alléger la circulation automobile dans la mégapole indienne, a été gelée en juillet par la justice pour préserver le front de mer.
c. Situé à une trentaine de kilomètres d'Inverness, le château d'Urquhart, ... au XIIIe siècle, est fascinant. – Un nouvel hôtel 5 étoiles sera bientôt ... au bord du lac d'Annecy.
d. La vieille ville de Fès est un vrai ..., les touristes sont nombreux à s'y perdre ! – Les enfants ont adoré l'attraction du ... d'*Alice au pays des merveilles*, à Disneyland, et ils ont réussi à trouver le bon chemin pour parvenir au château de la Reine de cœur !
e. Une usine ... va devenir le théâtre d'une incroyable soirée techno en région parisienne. – Nombreuses sont les églises ... à trouver une deuxième vie : lieux d'exposition, caves à vin, bibliothèques ou encore espaces culturels.
f. La légende tenace de l'existence d'un ... reliant le château de Castelnau-de-Lévis à la cathédrale d'Albi ressurgit de manière récurrente. – Grâce à l'immense réseau ..., plusieurs quartiers de la ville de Montréal peuvent être traversés bien au chaud, à l'abri des intempéries.
g. Attendez-vous à frissonner lors d'une visite guidée du ... de Greyfriars Kirkyard et des caveaux hantés d'Édimbourg. – À la fois lieu de recueillement, monument parisien, immense parc de 44 hectares et musée à ciel ouvert, le ... du Père-Lachaise est une source inépuisable de promenades, plébiscité chaque année par plus de 3 millions de visiteurs.
h. Les ... qui proliféraient dans la ville disparaissaient à chaque campagne de rénovation des quartiers. – Après l'effondrement de deux immeubles, Marseille s'inquiète du mal-logement : 100 000 personnes vivraient dans des ... .
i. Chicago a vu sortir de terre les premiers ...-... après l'incendie qui a ravagé la ville en 1871. – Le cabinet d'architecte Clouds AO a imaginé avec Analemma Tower un ....-.... gigantesque accroché à un astéroïde et qui se baladerait dans le ciel !

DOSSIER 2

Alimentation, « un plaisir à ras de terre » ?

RESTAURANT Orgiac

NOSTALGIE DE LA GÉNÉRATION MALBOUFFE

Envie
Foodporn
plaisir / décadence / retour vers le futur / mangez gras / sucré / salé

Les plus
Plaisirs d'enfance inavouables… à prix décadents, doublures orgiaques bienvenues.

Prix
40 € – 80 €

Horaires
Mercredi - dimanche. 11 heures - 23 heures

« Pour votre santé, évitez de manger trop gras, trop sucré, trop salé. » Et votre plaisir alors ? Justement, chez Orgiac, on prend un malin plaisir à désobéir ! Vous vous souvenez des chips de patates OGM, des vins pleins de sulfites, des raviolis en boîte goût ketchup, des crêpes Nutella de votre enfance ? Et la folie du burger et tacos des années 2010 ? Orgiac s'est donné pour mission de reproduire ces goûts franchement décadents avec les moyens du bord dans une ambiance totale foutraque. **Jules et Ambroise dégottent les dernières patates OGM vendues à prix d'or, reproduisent à s'y méprendre un Nutella à se damner – malgré la pénurie de chocolat et d'huile de palme –, expérimentent un ketchup méga régressif – malgré l'omniprésence de légumes « oubliés »…**
On l'aura compris, ils sont contraints de rester un peu bio, un peu écolo, et de revoir certaines recettes version 2050. Décadent, mais avec panache !

WWW.MANGERVERSLEFUTUR.ORG

Virginie Brégeon de Saint-Quentin, *Foodingue*, Guide 2050, éditions Ferrandi, Paris.

1

En petits groupes.

a. Lisez le titre de l'article. Que signifie le terme « malbouffe » ? À quels aliments l'associez-vous ?

b. Lisez l'article.
1. Quel paradoxe soulève ce document sur notre rapport à l'alimentation ?
2. Comment envisagez-vous l'alimentation du futur ? Échangez.

2

En petits groupes.
Lisez l'extrait littéraire.

a. Quels sont « les privilèges de l'enfance » selon Simone de Beauvoir ?

b. Gardez-vous de votre enfance un souvenir particulier lié à l'alimentation ? Échangez.

En revanche, je profitais passionnément du privilège de l'enfance pour qui la beauté, le luxe, le bonheur sont des choses qui se mangent ; devant les confitures de la rue Vavin, je me pétrifiais, fascinée par l'éclat lumineux des fruits confits, le sourd chatoiement des pâtes de fruits, la floraison bigarrée des bonbons acidulés ; vert, rouge, orange, violet : je convoitais les couleurs elles-mêmes autant que le plaisir qu'elles me promettaient. J'avais souvent la chance que mon admiration s'achevât en jouissance. Maman concassait des pralines dans un mortier, elle mélangeait à une crème jaune la poudre grenue ; le rose des bonbons se dégradait en nuances exquises : je plongeais ma cuiller dans un coucher de soleil. Les soirs où mes parents recevaient, les glaces du salon multipliaient les feux d'un lustre de cristal. Je faisais craquer entre mes dents la carapace d'un fruit déguisé, une bulle de lumière éclatait contre mon palais avec un goût de cassis ou d'ananas : je possédais toutes les couleurs et toutes les flammes, les écharpes de gaze, les diamants, les dentelles ; je possédais toute la fête. Les paradis où coulent le lait et le miel ne m'ont jamais alléchée, mais j'enviais à Dame Tartine sa chambre à coucher en échaudé : cet univers que nous habitons, s'il était tout entier comestible, quelle prise nous aurions sur lui ! Adulte, j'aurais voulu brouter les amandiers en fleur, mordre dans les pralines du couchant. Contre le ciel de New York, les enseignes au néon semblaient des friandises géantes et je me suis sentie frustrée.
Manger n'était pas seulement une exploration et une conquête, mais le plus sérieux de mes devoirs : « Une cuiller pour maman, une pour bonne-maman… Si tu ne manges pas, tu ne grandiras pas. » On m'adossait au mur du vestibule, on traçait au ras de ma tête un trait que l'on confrontait avec un trait plus ancien : j'avais gagné deux ou trois centimètres, on me félicitait et je me rengorgeais.

Simone de Beauvoir, *Les Mémoires d'une jeune fille rangée*, éditions Gallimard, 1958.

3 Par deux. Observez l'image.

a. Décrivez-la. Que dit-elle de nos modes d'alimentation actuels ?

b. Quelles informations attendriez-vous d'une application nutritionnelle ? En utilisez-vous une ? Partagez vos expériences.

> **« L'agriculture ne sert plus à nourrir les populations, mais à produire des devises. »**
>
> Robert Linhart, *Le sucre et la faim*, 1981.

4 Par deux. Lisez la citation.

a. Quelle évolution de la production agricole met-elle en lumière ?

b. L'agriculture peut-elle, selon vous, retrouver sa fonction originelle ? Faites référence à des exemples précis et échangez.

5 En petits groupes. Expliquez le double sens de l'expression « un plaisir à ras de terre ». Échangez.

SAVOIR-FAIRE ET SAVOIR AGIR

Dans ce dossier, nous allons :

- définir une notion à partir d'une carte mentale
- exprimer des goûts alimentaires et décrire les émotions associées
- comprendre l'influence de l'alimentation sur la santé
- étudier et restituer des données chiffrées
- analyser et commenter un fait de société
- donner des conseils pour faire des achats alimentaires
- présenter les avantages et les inconvénients des applications nutritionnelles

- Définir une notion à partir d'une carte mentale ▸ Doc. 1
- Exprimer des goûts alimentaires et décrire les émotions associées ▸ Doc. 2

LEÇON 1 Faim émotionnelle

1

En petits groupes. Quel est votre plat préféré ? À quel sens l'associez-vous principalement ? Parlez des émotions qu'il vous procure. Échangez.

document 1

https://www.migrosmagazine.ch

MIGROS MAGAZINE

M | CONNEXION

Quand les émotions s'invitent à table

Les émotions assurent notre survie, mais elles constituent des entités complexes qui nous échappent fréquemment et que nous comprenons à peine. Le psychologue Michael Macht, de l'université de Würzburg en Allemagne, est d'accord avec cette affirmation, d'un point de vue scientifique : « De nombreux individus comprennent mieux leur déclaration d'impôts que leurs émotions… »
De fait, ces dernières sont étroitement liées à notre comportement alimentaire. Par « alimentation émotionnelle », on entend la nourriture que nous ingérons surtout pour combler des besoins émotionnels et non pour satisfaire notre estomac. Ce phénomène explique aussi pourquoi certains régimes alimentaires échouent souvent lamentablement. Manifestement, la nécessité de manger dictée par les sentiments n'exprime aucune faim véritable mais résulte plutôt d'un manque psychique, que l'on compense, à court terme, par un apport de calories.
La « faim émotionnelle » se traduit par certains signes spécifiques, parmi lesquels le besoin impérieux de nourriture « de confort », de repas irréfléchis, inattentifs et excessifs. Elle se manifeste aussi par le désir de vouloir toujours davantage au lieu de se sentir rassasié, par l'absence de réactions de l'estomac ou de sentiments de satiété mais aussi par un sentiment de culpabilité une fois le « méfait » accompli. Quand manger constitue l'acte dominant et la manière de composer avec nos émotions, quand la tristesse, la solitude, l'épuisement, la colère, le stress ou l'ennui nous poussent en direction de la cuisine, c'est que nous sommes déjà pris dans une fâcheuse spirale.
Réfréner les impulsions négatives en mangeant ne constitue donc pas une solution étant donné que les vrais sentiments demeurent masqués. En cela, la nourriture émotionnelle présente plusieurs aspects : les personnes tendues ont par exemple tendance à manger davantage, à absorber de la nourriture sans avoir faim ou quand leur estomac ne réclame rien.
Il ne s'agit pas d'un manque de discipline personnelle. Le comportement blâmable est dû à d'autres causes. Elles peuvent résulter du contexte dans lequel vivent les individus : chagrins d'amour, soucis professionnels, perte de confiance, peur de l'échec, problèmes d'enfance non résolus, manque d'estime personnelle, sentiment d'infériorité. […]
La plupart des « mangeurs émotionnels » ont de la peine à identifier et à reconnaître leurs sensations, même celles relatives à la faim et à la satiété. À long terme, il peut s'ensuivre des maladies et des troubles alimentaires. Ce qui est sournois dans cette situation, c'est que manger de manière malsaine exerce une action apaisante. Les études du psychologue Michael Macht soulignent ce fait : « Nous consommons surtout les aliments gras ou à forte teneur en sucre susceptibles de nous soulager. » Ces études démontrent en outre que les sentiments négatifs et les comportements alimentaires sont étroitement corrélés. […]
Il n'est pas facile de mettre en veilleuse les facteurs de stress externes qui peuvent conduire à manger inconsidérément ou de conserver une attitude équilibrée dans chaque situation de vie. D'où la recommandation d'adopter un « *mindful eating* » (manger en pleine conscience) afin de renforcer la vigilance sur ses habitudes alimentaires et de bien repérer les éléments déclenchants.

Johanna Zielinski, juin 2017.

2. Lisez l'article (doc. 1) et identifiez-en le thème.

3. En petits groupes. Relisez l'article (doc. 1).

a. Vrai ou faux ? Justifiez vos réponses.
1. Manger permet d'éliminer les émotions négatives.
2. La volonté peut aider à réduire la pulsion liée à la nourriture.
3. L'environnement amplifie les troubles de la faim.
4. La faim émotionnelle consiste à consommer n'importe quel aliment.
5. La faim émotionnelle peut avoir des impacts sur la santé.

b. Déduisez les caractéristiques de la faim émotionnelle. Comment est-elle perçue ? Justifiez.

c. À quoi est opposée la faim émotionnelle ?

d. Proposez un autre titre à cet article. Partagez avec la classe et sélectionnez un titre commun.

4. Par deux. Lisez à nouveau l'article (doc. 1).

a. Repérez dans le texte les synonymes des expressions suivantes (plusieurs réponses possibles).
manger • un besoin compulsif • corriger

b. Relevez les phrases qui expriment l'opposition.
Exemple : *Les émotions assurent notre survie, mais elles constituent des entités complexes qui nous échappent fréquemment et que nous comprenons à peine (l. 1 à 3).*
Listez les autres expressions que vous connaissez pour exprimer l'opposition.

5

En petits groupes.

a. Listez les émotions positives et négatives liées à l'alimentation.

b. Déterminez les facteurs favorisant ces émotions (lieu de consommation, situation personnelle, etc.).

c. Faites une carte mentale reprenant ces différents éléments.

d. À l'aide de votre carte, expliquez le sens de l'expression « manger en pleine conscience ».

document 2 10

6. 10 Écoutez l'extrait du livre audio (doc. 2).

a. Décrivez la scène (où se trouve le personnage, ce qu'il fait).

b. Comment les autres personnes réagissent-elles au choix du personnage principal ?

7. 10 Par deux. Réécoutez l'extrait du livre audio (doc. 2).

a. Repérez les deux autres desserts proposés dans le menu. Quelle est leur particularité ?

b. De quoi est composé le banana split ? Quel sens y est principalement associé ici ?

DOC. 2 – lorgner (v. t.) : regarder du coin de l'œil. – goguenard (adj.) : moqueur. – déférent (adj.) : respectueux.

8. 10 En petits groupes. Écoutez à nouveau l'extrait du livre audio (doc. 2).

a. Expliquez la phrase : « On a trop fait ces derniers temps dans le camaïeu raffiné, l'amertume ton sur ton. » Échangez.

b. À quoi le narrateur associe-t-il son dessert ? Justifiez.

c. Par quelle pensée le narrateur est-il perturbé ? Identifiez le sentiment associé à cette pensée.

9. En deux groupes. Lisez le texte de Philippe Delerm (transcriptions p. 7).

a. Relevez les expressions désignant le banana split : un groupe repère les expressions positives et l'autre les expressions négatives.

b. Quelles remarques pouvez-vous faire sur l'organisation de la description ? Commentez le choix de l'auteur.

c. À votre avis, quelles émotions éprouve le narrateur ? Échangez.

d. La situation de cet extrait correspond-elle à « une faim émotionnelle » (doc.1) ? Justifiez.

10

En petits groupes. La gourmandise est-elle « un vilain défaut » ? Échangez.

À NOUS

11. Nous réalisons un recueil de plaisirs minuscules.

Seul(e).

a. Pensez à un plat, à un mets particulier qui vous renvoie à un sentiment agréable.
Exemples : *la première gorgée de bière, les loukoums chez l'Arabe, le croissant du trottoir**...

b. Décrivez ce plat.

c. Précisez le contexte de la dégustation : le lieu, le moment de la journée, l'occasion particulière et éventuellement les autres personnes présentes ainsi que leurs réactions.

d. Listez vos émotions et précisez à quels sens elles sont associées.

e. Dans un texte de 250 mots, décrivez la scène et détaillez les émotions ressenties.

En groupes.

f. Lisez et enregistrez les textes à la manière d'un livre audio et échangez vos impressions.

g. Regroupez vos productions sous forme d'un recueil et partagez-le sur le réseau de la classe.

* « plaisirs minuscules » décrits par Philippe Delerm dans son ouvrage.

LEÇON

2 Ration journalière

- Comprendre l'influence de l'alimentation sur la santé ▸ Doc. 1 et 2
- Étudier et restituer des données chiffrées ▸ Doc. 1 et 2

1

En petits groupes. À votre avis, quels sont les différents facteurs qui influencent les choix alimentaires ? Échangez et listez-les. Partagez avec la classe.

document 1 Vidéo n° 2

Changer de regard sur l'alimentation, CERDD.

2. Regardez la vidéo (doc. 1).

a. Repérez les intervenants. Associez un domaine à chacun.
scientifique • sociologique • psychologique

b. Résumez en une phrase l'avis des intervenants sur le sujet traité.

c. Que représentent les infographies ? Repérez les chiffres associés.

d. Quel est l'objectif de ce reportage ?

3. Par deux. Regardez à nouveau la vidéo (doc. 1).

a. Pourquoi la phrase « T'auras ton dessert si t'as mangé ta soupe ! » a-t-elle une incidence sur notre comportement alimentaire ? A-t-on le même rapport au sucré dans votre pays ? Échangez.

b. Quels sont les autres facteurs qui influencent les comportements alimentaires ? Justifiez.

c. D'après vous, quelles sont les grandes bases d'une alimentation équilibrée ? Échangez.

▸| Culture et société p. 206

4. En petits groupes. Observez les deux graphiques (doc. 2). À votre avis, quel est leur objectif ? Proposez un titre à chaque graphique.

DOC. 1 – encrage (n. m.) : inscription.

5. Par deux. Lisez l'article (doc. 2).

a. Associez chaque graphique à l'un des paragraphes. Justifiez.

b. Comparez les informations données par les graphiques à celles dans l'article. Quelles informations le journaliste ajoute-t-il concernant le choix des aliments et les modalités de l'enquête ?

c. Expliquez l'intérêt de chacun des supports.

6. Par deux. Relisez l'article (doc. 2).

a. Complétez le texte en utilisant les termes suivants.
notable • par rapport • légèrement inférieur • deux fois moins élevé • davantage • deux fois moins • l'accroissement

> La quantité d'aliments consommée est ... chez les individus ayant arrêté leurs études avant le bac. Le choix des aliments se porte ... sur les pommes de terre que sur les légumes ... aux individus qui ont suivi un cursus universitaire. En outre, on note qu'ils consomment ... de produits biologiques.
> Par ailleurs, ... du recours aux compléments alimentaires est surtout ... auprès des classes les plus favorisées, le nombre de consommateurs étant ... chez les individus ayant un niveau d'études inférieur au bac.

b. Relevez les conséquences de l'alimentation sur la santé. Comparez-les aux données du document 1.

c. Quelles sont les principales conclusions de cette étude ?

7. Par deux. Lisez à nouveau l'article (doc. 2).

a. Retrouvez l'ordre dans lequel figurent les informations suivantes. Qu'apportent les intertitres ?
analyses des données • conclusions • présentation de l'étude

b. Identifiez les phrases extraites de l'étude. Comment apparaissent-elles ? Quel est leur intérêt ?

c. Relevez les expressions qui permettent au journaliste de faire référence aux contenus de l'étude.
Exemple : *« cette étude met en lumière » (l. 8).*

8 

En petits groupes. La « malbouffe » est-elle un sujet de préoccupation dans votre pays ? Si oui, ce phénomène touche-t-il toutes les classes sociales ? Échangez.

L'alimentation, grand marqueur des inégalités sociales en France

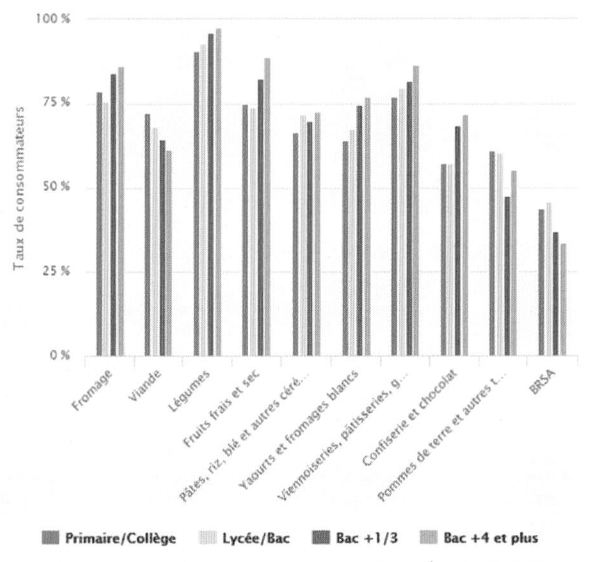

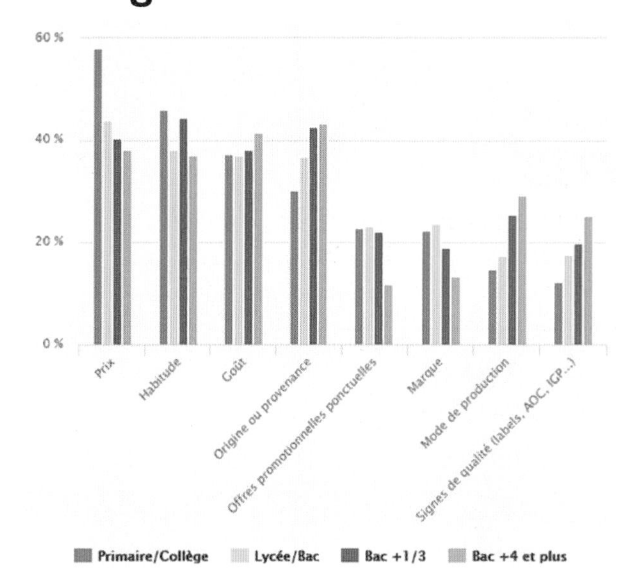

Source : Évolution des habitudes et modes de consommation, ANSES, 2017.

Mercredi 12 juillet, l'Agence nationale de sécurité sanitaire de l'alimentation (Anses) a publié sa troisième étude sur les habitudes alimentaires des Français (INCA 3). Réalisé tous les sept ans, ce vaste rapport analyse de manière minutieuse les comportements et habitudes alimentaires des Français. [...]

Au-delà de la sédentarisation de la population, de la consommation insuffisante de fruits et de légumes et l'usage excessif du sel, cette étude met en lumière la relation étroite entre habitudes, en termes de nutrition et d'inégalités sociales.

Chez les adultes, la consommation alimentaire est positivement associée au niveau d'études. Le rapport souligne que la ration journalière (quantité totale d'aliments consommés) varie de «*2864* [grammes par jour] *pour un niveau d'études primaire ou collège à plus de 3061 grammes par jour pour un niveau d'études supérieur au bac*».

Choix des aliments

Au niveau des aliments, les personnes ayant suivi des études supérieures consomment plus de fruits et de légumes, mais également plus de fromages, de yaourts et fromages blancs ou encore de chocolat. Au contraire, les individus qui se sont arrêtés au primaire ou au collège boivent plus de sodas et privilégient la viande (hors volaille) et les pommes de terre.

Produits bio et compléments alimentaires

Le déséquilibre social se manifeste également lorsque l'on cible certains produits, comme les aliments issus de l'agriculture biologique. Un individu exerçant la profession de cadre ou ayant au minimum le bac en consomme deux fois plus qu'un ouvrier ayant arrêté son cursus au collège ou au lycée.

Entre 2006-2007 et 2014-2015, le nombre de consommateurs de compléments alimentaires est passé de 12 % à 19 % chez les enfants et de 20 % à 29 % chez les adultes. Le rapport ne manque pas de préciser que la consommation de ces produits augmente en fonction du diplôme obtenu par un individu. «*Il est ainsi multiplié par deux entre un niveau d'études primaire ou collège et un niveau d'études supérieur au bac.*» Cette consommation peut s'avérer dangereuse, les compléments alimentaires pouvant s'avérer à risques s'ils sont pris sans conseils médicaux.

Les niveaux d'études élevés moins regardant sur le prix

Au cours de l'étude, les participants ont dû signaler les trois principaux facteurs influençant leurs choix lors de l'achat de produits alimentaires, d'après une liste de seize critères.

Les résultats montrent que plus l'individu de référence du ménage est diplômé, plus l'accent est mis sur des critères de qualité du produit : provenance, mode de production, signes de qualité ou composition nutritionnelle. Au contraire, la priorité est le prix, la marque ou les offres promotionnelles lorsque le niveau d'études diminue. [...]

Surpoids et obésité

Le différentiel social est encore plus criant lorsque l'on évoque le statut pondéral des individus interrogés. Les chiffres exposés dans l'étude dévoilent une prévalence* au surpoids et à l'obésité fortement liée au niveau d'études et à la profession. «*Dans l'ensemble de la population, la prévalence du surpoids, et plus encore celle de l'obésité, diminue quand le niveau d'études augmente*», explique le rapport. [...]

Clément Le Foll, *Le Monde*, 18 juillet 2017

*prévalence (n. f.) : nombre de cas d'une maladie à un instant donné.

►| Stratégies p. 180

9. Nous analysons un rapport d'études dans un article.

En petits groupes.

a. Cherchez un rapport d'étude portant sur les comportements alimentaires dans votre pays.
Exemple : *une étude sur la consommation de la viande.*

b. Identifiez les différentes rubriques du rapport et relevez les données les plus marquantes (écarts importants).

c. Organisez le plan de votre article en classant les informations. Écrivez les intertitres.

d. Rédigez les conclusions générales et les différentes parties de votre article (250 mots).

e. Partagez les résultats de votre étude avec la classe et sur le réseau et comparez les habitudes alimentaires.

LEÇON

3 La colère des agriculteurs

1

En petits groupes.

▸| Culture et société p. 206

a. Connaissez-vous le « terroir français » ? Faites des recherches et présentez à la classe un produit du terroir français (type de produit, caractéristiques, origine régionale).

b. Existe-t-il une appellation similaire dans votre pays ? Échangez.

Michel Houellebecq
Sérotonine
roman

document 1

Le narrateur, Florent-Claude Labrouste, est un ancien cadre du ministère de l'Agriculture qui vient de quitter son travail. Dépressif suite à plusieurs ruptures amoureuses et autres déceptions professionnelles, il décide de retrouver Aymeric d'Harcourt, son ancien camarade de l'école d'agronomie. Celui-ci a repris la ferme de son père au sortir de ses études.

« Dis-moi, Florent… continua-t-il très doucement, dis-moi ce que tu en penses, j'écouterai ton point de vue. Est-ce qu'on est vraiment foutus, est-ce qu'on peut essayer de faire quelque chose ? Est-ce que je dois essayer de faire quelque chose ? Ou bien est-ce que je dois me comporter comme mon père, revendre la ferme, renouveler mon inscription au Jockey-Club et finir ma vie comme ça, tranquille ? Dis-moi ce que tu en penses. » […]

5 « Tu vois, dis-je, de temps en temps, on ferme une usine, on délocalise une unité de production, mettons qu'il y a soixante-dix ouvriers de virés, ça donne un reportage sur BFM, il y a un piquet de grève, ils font brûler des pneus, il y a un ou deux politiques locaux qui se déplacent, enfin ça fait un sujet d'actu, un sujet intéressant, avec des caractéristiques visuelles fortes, la sidérurgie ou la lingerie c'est pas pareil, on peut faire de l'image. Là, bon, tous les ans, tu as des centaines d'agriculteurs qui mettent la clef sous la porte. […] Le nombre d'agriculteurs a 10 énormément baissé depuis cinquante ans en France, mais il n'a pas encore suffisamment baissé. Il faut encore le diviser par deux ou trois pour arriver aux standards européens, aux standards du Danemark ou de la Hollande – enfin, j'en parle parce qu'on parle de produits laitiers, pour les fruits, ça serait le Maroc ou l'Espagne. Là, il y a un peu plus de soixante mille éleveurs laitiers ; dans quinze ans, à mon avis, il en restera vingt mille. Bref, ce qui se passe en ce moment avec l'agriculture en France, c'est un énorme plan social, le plus grand plan social à l'œuvre 15 à l'heure actuelle, mais c'est un plan social secret, invisible, où les gens disparaissent individuellement, dans leur coin, sans jamais donner matière à un sujet sur BFM. » […]

« Une fois qu'on aura divisé le nombre d'agriculteurs par trois », poursuivis-je avec cette fois la sensation d'être au cœur de l'échec de ma vie professionnelle, et de me détruire moi-même à chaque parole que je prononçais, en même temps si j'avais eu un succès personnel à aligner, si j'avais réussi à faire le bonheur d'une femme ou au 20 moins d'un animal mais même pas, « une fois qu'on sera aux standards européens, on n'aura toujours pas gagné, on sera même au seuil[1] de la défaite définitive, parce que là, on sera vraiment en contact avec le marché mondial, et la bataille de la production mondiale, on ne la gagnera pas. » […]

Cette fois j'avais été clair, j'aurais difficilement pu l'être davantage, et je ne restai que quelques minutes. Au moment où je me levai pour prendre congé, Aymeric me jeta un regard bizarre, où je crus lire une pointe d'amusement – 25 mais c'était peut-être, plus vraisemblablement même, une pointe de folie. […]

J'allumai la cafetière, avalai mon comprimé de Captorix et défis l'emballage d'une nouvelle cartouche de Philip Morris avant d'allumer BFM, et tout me sauta aussitôt à la figure, […] le bruit ambiant chez les éleveurs de la Manche et du Calvados s'était synthétisé en drame, une fracture locale s'était concrétisée en une séquence de déchaînement lourd, et une configuration historique assortie d'un mini-récit s'était aussitôt organisée. […] 30 Il y avait chez les responsables politiques une gêne, un embarras très inhabituel chez eux, aucun ne manquait de souligner qu'il fallait, jusqu'à un certain point, comprendre la détresse et la colère des agriculteurs, et en particulier des éleveurs, le scandale de la suppression des quotas laitiers revenait comme un impensé obsédant, coupable, dont personne ne parvenait tout à fait à s'affranchir, seul le Rassemblement national[2] semblait tout à fait clair sur ce sujet. Les conditions insupportables que la grande distribution faisait peser sur les producteurs étaient 35 elles aussi un sujet honteux, que chacun, à part peut-être les communistes – j'appris à cette occasion qu'il existait encore un Parti communiste, et qu'il avait même des élus –, préférait essayer d'éluder. Le suicide d'Aymeric, je m'en rendais compte avec un mélange d'effarement[3] et de dégoût, allait peut-être avoir des effets politiques, là où rien d'autre n'aurait pu le faire.

Michel Houellebecq, *Sérotonine*, éditions Flammarion, 2019.

1. être au seuil de (exp.) : être à la limite de. 2. Parti français d'extrême droite. 3. effarement (n. m.) : stupéfaction.

2. Lisez le titre de l'œuvre et son introduction (doc. 1).
- a. Qui sont les deux personnages dans cet extrait ? Qu'ont-ils en commun ? Quelles caractéristiques les opposent ?
- b. Cherchez la définition de « sérotonine ». Que vous évoque ce titre ?

3. En petits groupes. Lisez la première partie de l'extrait du roman (doc. 1, l. 1 à 25).
- a. Déterminez le sujet de la discussion entre les deux personnages.
- b. À quels secteurs Florent compare-t-il l'agriculture ? Quelle différence souligne-t-il ?
- c. Quel regard pose-t-il sur la situation actuelle ?
- d. Faites des hypothèses sur la suite du texte.

4. Par deux. Lisez la deuxième partie de l'extrait du roman (doc. 1, l. 26 à 38).
- a. Quels événements ont lieu ? Correspondent-ils à vos hypothèses (act. **3d**) ?
- b. Identifiez les réactions qu'ils suscitent auprès des politiques.
- c. Relevez les informations complémentaires données sur la situation des agriculteurs.

5. En petits groupes. Lisez l'extrait du roman (doc. 1).
- a. Listez le vocabulaire du conflit social.
- b. Répertoriez les expressions qui montrent que Florent a une vision éclairée de l'avenir des agriculteurs. Quels sont les temps et les pronoms employés ?
- c. Repérez la phrase qui témoigne de son sentiment face à cet avenir.
- d. Qu'apportent ces différents éléments ?

6 En petits groupes.
- a. **Comment comprenez-vous maintenant le titre du roman ?**
- b. **Que pensez-vous du choix de sujet de ce livre ? Donnez votre point de vue à l'écrit. Échangez.**

7. 11 Écoutez le reportage (doc. 2).
- a. Quel est le sujet de ce reportage ?
- b. Quel lien pouvez-vous établir avec le document 1 ?

document 2 11

8. 11 Par deux. Réécoutez le reportage (doc. 2).
- a. Déterminez les points communs et les différences entre ce supermarché et un supermarché traditionnel.
- b. À quelle difficulté est confronté le gérant du magasin ?

9 En petits groupes.
- a. **Réfléchissez aux avantages de cette structure pour les producteurs et pour les clients.**
- b. **Pensez-vous que ce type de supermarché puisse constituer une menace pour la grande distribution ? Échangez.**
- c. **Connaissez-vous d'autres types d'initiatives mises en place pour faire face à la crise que les agriculteurs traversent ? Faites des recherches et présentez une initiative à la classe.**

10. Nous présentons un exposé sur un fait de société.

►| Stratégies p. 182

Par deux.
- a. **Choisissez un fait de société dans votre pays.**
  - Déterminez la catégorie de population concernée.
  - Faites des recherches sur : l'élément déclencheur de cette situation, le contexte et l'évolution du phénomène.
  - Analysez les répercussions sur la société et sur la catégorie de population concernée. Si possible, étudiez le traitement de ce phénomène par les médias.
  - Listez les solutions proposées par la population et/ou par le gouvernement.
  - Imaginez l'évolution de cette situation dans le futur.
- b. **Rédigez le plan (différentes parties, exemples) de votre présentation.**
- c. **Présentez à l'oral votre fait de société à la classe.**
- d. **Commentez les faits présentés.**

- Donner des conseils pour faire des achats alimentaires ▸ Doc. 1
- Présenter les avantages et les inconvénients des applications nutritionnelles ▸ Doc. 1 et 2

4 #mieuxmanger

1

En petits groupes. Qu'est-ce qu'un bon produit alimentaire pour vous ? Comment le choisissez-vous ? Échangez.

document 1

https://www.ledauphine.com/france-monde/2019/02/28/savoir-ce-que-l-on-mange-pieges-et-solutions

Menu Connexion ledauphine.com Le journal Abonnement La boutique

CONSOMMATION **Savoir ce que l'on mange : pièges et solutions**

a. _______________

Au fil des années, manger français, local et authentique est devenu un argument de vente dans les rayons. La grande distribution s'est emparée du phénomène, les consommateurs se disant prêts à payer plus cher ces articles. Plusieurs produits jouent donc à fond la carte de l'origine... parfois à la limite de la mention mensongère.

b. _______________

Faites-vous la différence entre les logos officiels et les slogans marketing apposés sur les produits ? Sachez que des mentions telles que « C'est bon la France », « 100 % origine garantie », ou « Terroir garanti » ainsi que des drapeaux bleu-blanc-rouge ou régionaux sur les paquets sont parfois trompeurs et n'authentifient en rien leur provenance réelle. [...]

Vous pouvez faire confiance aux mentions « origine France » ou « produit de France » qui vous indiqueront que le produit que vous achetez (des huîtres, des olives, du miel...) a été récolté en France et éventuellement transformé sur un site français. N'hésitez pas non plus devant les labels AOP, Appellation d'origine protégée (beurre, fromages...), AOC, Appellation d'origine contrôlée (vins...), IGP, Indication géographique protégée (charcuterie...), ou encore le Label Rouge, qui garantit une qualité supérieure, et la « Spécialité traditionnelle garantie », gage de savoir-faire traditionnel.

LE « NUTRI-SCORE », QU'EST-CE QUE ÇA VAUT ?

L'étiquetage nutritionnel « Nutri-Score » lancé en novembre 2017 par le gouvernement pour lutter contre la « malbouffe » peine à s'imposer. Cette échelle, qui classe de A à E les produits alimentaires en fonction de leurs qualités nutritionnelles, était censée guider les choix des clients dans les rayons et pousser industriels et distributeurs à améliorer la qualité de leurs recettes. Les annonceurs ont jusqu'au 1er janvier 2021 pour faire figurer ce logo sur leurs affichages publicitaires. [...]

c. _______________

L'autre astuce des entreprises pour mieux vendre est de vanter des produits plus sains qu'ils ne sont réellement : les barres de céréales, les poudres chocolatées ou les céréales pour enfants pleines de « vitalité », « enrichies en vitamines » qui sont de vraies bombes caloriques ; certaines briques de soupe « du potager » ou des poêlées de légumes surgelées qui regorgent* de sucres ajoutés, de sel ou d'amidon modifié de blé ou de maïs [...].

Au rayon frais, méfiez-vous aussi de tout ce qui se trouve sous blisters plastiques tels que les sandwichs et les charcuteries industriels à prix bas et à durée de conservation longue : ils sont en général bourrés d'additifs et de conservateurs de type sorbates, nitrites, sulfites, texturants, colorants et autres antioxydants. [...]

Les additifs ont d'abord été introduits pour la conservation des aliments et la prévention du développement de pathogènes dangereux comme le botulisme, la listériose ou la salmonellose, mais aussi afin de donner son aspect ou sa consistance au produit. Ainsi, les jambons blancs ou les lardons d'un rose éclatant tiennent leur couleur des nitrates et nitrites (E249, E250, E251, E252). On leur injecte également de l'eau, du gras et des sucres pour leur apporter de la densité, de la texture et du goût.

RECONNAÎTRE LES LOGOS BIO, COMMERCE ÉQUITABLE, PÊCHE DURABLE...

Le label Agriculture biologique (« AB ») est le plus connu des six labels officiels (Bio Europe, Bio Cohérence, Cosmébio...) répondant au cahier des charges de l'INAO (Institut national de l'origine et de la qualité). Le plus connu des certificats équitables, Fairtrade/Max Havelaar, garantit que le produit a été acheté à un prix correct et qu'il a été réalisé dans des conditions respectueuses des droits de l'homme et de l'environnement. Il est régulièrement critiqué pour avoir certifié des multinationales. « Pêche durable » et « MSC pêche durable » certifient que les produits vendus sous ces logos sont respectueux de l'environnement maritime.

d. _______________

[...] Les industriels utilisent souvent des sucres nocifs de céréales comme le fructose et le glucose, des purées de fruits avec conservateurs chimiques, et divers additifs texturants (dans les mousses par exemple).

Il faut également fuir les « 0 % » et les produits allégés : remplacer le sucre par des édulcorants de synthèse (aspartame, sucralose, acésulfame K...) ou naturel (stévia...) « conduit à des modifications néfastes du métabolisme des graisses et de l'énergie », assure une étude publiée dans *Medical Xpress* en juillet 2017. [...]

Quant aux marques qui fondent leur marketing sur l'aspect « santé » (« bon pour le transit », « améliore votre cholestérol », etc.), il ne s'agit que d'arguments marketing, car le yaourt traditionnel est déjà un produit « santé » en lui-même.

e. _______________

Pour sortir la tête de cette jungle aux fausses informations, les clients ont pris pour habitude d'utiliser des applications qui scannent le code des articles et les notent, la plus connue étant Yuka, déjà téléchargée plus de 8 millions de fois – contre un million d'utilisateurs l'an dernier.

*regorger (v. i.) : déborder, contenir en très grande quantité.

2. Par deux. Lisez l'article (doc. 1).

a. Quel est son objectif ?

b. Rétablissez l'ordre des intertitres.
Trouver du « made in France » • Se méfier des additifs et des conservateurs • Allégés, zéro, argument « santé »... • Déjouer les mentions trompeuses • Des applications pour s'en sortir

3. Par deux. Relisez l'article (doc. 1).

a. Identifiez les deux pièges auxquels sont confrontés les consommateurs dans un supermarché. Pourquoi risquent-ils de tomber dans ces pièges ?

b. Repérez les produits « à risques » mentionnés dans cet article. Quelle est leur particularité ?

c. Que font de plus en plus de consommateurs aujourd'hui ? Faites-vous la même chose ? Échangez.

4. En petits groupes. Lisez les encadrés (doc. 1).

a. Associez-les à une (ou plusieurs) partie(s) de l'article. Justifiez.

b. Qui attribue ces étiquetages ? Qu'apportent-ils aux produits ?

5. En petits groupes. Lisez à nouveau l'article (doc. 1).

a. Relevez les différents conseils donnés. Comment sont-ils formulés (temps, pronom, lexique) ?

b. Connaissez-vous d'autres expressions pour donner des conseils ?

c. Reformulez les conseils donnés dans l'article en utilisant vos propres expressions.

6

En petits groupes. ▸| Culture et société p. 206

a. **Listez les labels, les logos et les slogans présents sur les produits alimentaires de votre pays.**

b. **Faites des recherches pour identifier leur fiabilité.**
Exemples : *appellations officielles, recommandations nutritionnelles du gouvernement...*

c. **Distinguez les informations utiles et les informations imprécises.**

d. **Rédigez les conseils à donner aux consommateurs francophones pour se repérer parmi les informations mentionnées.**

POUR ALLER PLUS LOIN

AOP, AOC, IGP, Label Rouge : à quoi correspondent ces différentes indications (l. 19 à 22) ?
Répartissez ces différentes appellations par groupes et faites des recherches. Présentez-les à la classe.

7. 12 Par deux. Écoutez l'émission (doc. 2).

a. Identifiez les différents intervenants.

b. Expliquez le fonctionnement des applications mobiles de consommation.

c. Quelle est la raison principale de l'engouement des consommateurs ?

d. Expliquez comment ces applications permettent de déjouer les problèmes soulevés dans le document 1 (act. **3a**).

8. 12 Par deux. Réécoutez l'émission (doc. 2).

a. Vrai ou faux ? Justifiez vos réponses.
1. Les produits référencés sont toujours bio.
2. Ces applications indiquent uniquement la composition des aliments.
3. Ces applications ont un impact sur les habitudes alimentaires.
4. Les applications actuelles utilisent une base de données déjà existante.
5. Les pouvoirs publics contrôlent les contenus des applications.
6. Les données recueillies ne peuvent pas être utilisées à des fins publicitaires.

b. Quel débat soulèvent ces applications ? Échangez.

9. Nous échangeons sur les avantages et les inconvénients des applications nutritionnelles.

En petits groupes.

a. **Reprenez les pièges auxquels sont confrontés les consommateurs dans un supermarché (act. 3a).**

b. **Listez les informations données par les applications et déduisez les avantages qu'elles représentent.**

c. **Notez les limites de ces applications pour le consommateur.**

d. **Échangez et faites part de vos conclusions à la classe.**

MOTS et EXPRESSIONS

Leçon 1 – Faim émotionnelle

1. a. Classez les mots ou expressions suivants en lien avec l'alimentation dans deux catégories : les émotions ou les sensations.

un sentiment d'infériorité • la nourriture de confort • l'ennui • le manque de confiance en soi • soulager • en colère • satisfaire son estomac • exprimer la faim • la fatigue • un repas excessif • rassasié(e) • réfréner les impulsions négatives • tendu(e) • apaisant(e) • manger inconsidérément • un trouble alimentaire • stressant(e) • compenser un manque psychique • la culpabilité • la solitude • la satiété

b. Complétez l'article avec des mots de l'activité 1a. Faites les accords nécessaires.

Un événement ... et on se précipite sur de .... Doit-on s'en inquiéter ?

Manger est le fait d'... pour ... et se sentir .... Mais on peut aussi manger pour combler des besoins émotionnels, ... ou .... La nourriture exerce ici une action .... Quand vous êtes triste, ..., ... ou ..., vous pouvez très bien vous dire « je vais m'offrir un gâteau car ça va me ... ». Ce n'est pas grave, sauf quand ces comportements deviennent des habitudes quotidiennes et occasionnent ainsi des ... qui peuvent avoir des effets néfastes sur la santé.

Leçon 2 – Ration journalière

2. Reformulez les phrases suivantes à l'aide des expressions utiles de l'encadré. (Plusieurs formulations sont possibles.)

Expressions utiles

multiplier par – diviser par – enregistrer une baisse de X % – observer une hausse de X % – diminuer de – augmenter de – se stabiliser – mettre en lumière – mettre en évidence – être en forte progression – être en chute libre

Exemple : L'étude montre qu'il y a dix fois plus d'enfants concernés par l'obésité qu'il y a quarante ans.

→ *L'étude montre que le nombre d'enfants concernés par l'obésité a été multiplié par dix en quarante ans.*

a. En 2016, parmi les consommateurs de viande, 45 % mangeaient de la viande bio contre 74 % en 2019.
b. Le rapport souligne la relation étroite entre les habitudes alimentaires et le niveau socioprofessionnel.
c. Cette année encore, pas de grand changement au niveau de la consommation de chocolat : les Français en ont acheté 14 500 tonnes pour Pâques contre 14 450 tonnes l'année dernière.
d. Le recours aux compléments alimentaires est passé de 12 à 19 % chez les enfants.
e. Les personnes interrogées ont consommé trois fois moins de sucre que l'année dernière.
f. Depuis 1960, les ménages consacrent à l'alimentation une part de plus en plus réduite de leurs dépenses de consommation : 20 % en 2014 contre 35 % en 1960.

3. a. Complétez le tableau avec des mots et expressions du document 1 p. 26 (vidéo). Ajoutez d'autres expressions que vous connaissez.

Les professionnels de la chaîne alimentaire	Les spécialistes de l'équilibre alimentaire	Les nutriments essentiels à l'organisme	Les produits chimiques utilisés dans les plats transformés	Les problèmes de santé pouvant être liés à l'alimentation
Les agriculteurs, ...	...	Des vitamines, ...	Un conservateur, ...	...

b. Utilisez ces mots et expressions pour expliquer ce qu'est une alimentation saine et équilibrée ainsi que ses bienfaits.

Leçon 3 – La colère des agriculteurs

4. Associez les mots aux définitions correspondantes.

a. un standard européen
b. la ferme
c. la production
d. un éleveur / une éleveuse
e. un paysan / une paysanne
f. le terroir
g. l'élevage laitier
h. les quotas laitiers

1. Une exploitation agricole.
2. Un système normatif commun à l'ensemble des États de l'Union européenne.
3. Un instrument de maîtrise quantitative permettant de contrer l'effondrement du prix du lait et du beurre.
4. L'ensemble des terres d'une région fournissant un ou plusieurs produits caractéristiques, par exemple un vin.
5. L'ensemble des activités visant à produire du lait, souvent à partir d'un élevage bovin.
6. Une personne vivant à la campagne du travail de la terre.
7. Un professionnel garant du bon développement des animaux dont il a la charge.
8. Le rendement d'une ferme.

5. Classez les mots et expressions en lien avec le commerce dans les catégories proposées.
être fidèle • mettre en rayon • rayonner • faire du volume • avoir du mal à écouler les stocks • s'approvisionner • apprivoiser • imposer ses prix • la grande distribution • le gérant • le responsable des achats • le responsable d'étage • un caddie • une charrette • être en rupture de stock • un magasin de producteurs • une carte de fidélité • une carte vitale • un consommateur • un supermarché

a. Types de commerce : … b. Personnes : … c. Actions : … d. Problèmes : … e. Objets : …

Leçon 4 – #mieuxmanger

6. Complétez l'article avec les mots suivants. Faites les accords nécessaires.
marché • consommateur (2x) • produit • slogan • mention • application • marque • grande distribution • offre • label

Le marketing des produits alimentaires a conduit à des évolutions de la consommation. Revue de détail de diverses actions de marketing.

⦿ Miser sur le bio, synonyme de qualité
Des … de grande consommation proposent des références bio à côté de leurs … standards.

⦿ Placer du « sans » en guise de « plus »
Le mot « sans » devient une nouvelle entrée pour les … . Le « sans conservateur » est le plus courant. Au rayon fruits et légumes, le … « Zéro résidu de pesticides », lancé en 2018, est très vite monté en puissance. Sur les bouteilles de vin, la … « sans sulfites ajoutés » est de plus en plus fréquente.

⦿ Du végétal pour envisager le futur
Les légumes secs retrouvent une nouvelle jeunesse. Les industriels en font un angle d'attaque dans leurs nouvelles … .

⦿ Mettre l'accent sur le producteur et le local
Les … du type « C'est qui le Patron ?! » ou « Récoltons l'avenir » revendiquent une juste rémunération et un accompagnement des agriculteurs. Ils répondent à une volonté du … de défendre les agriculteurs français et de consommer plus local.

⦿ Médiatiser les « super-aliments » sur Instagram
Pour la clientèle de la … …, l'utilisation d'… qui décodent l'étiquette et la composition du produit transformé encourage de nouveaux réflexes de consommation. Graines de chia, baies de goji et d'açaï ou encore avocat sont les nouvelles stars d'un régime alimentaire sain et envahissent les comptes Instagram. Le … de l'avocat a d'ailleurs connu un boom depuis quatre ans.

Compréhension des écrits

Lisez l'article puis répondez aux questions.

▸| Stratégies p. 168

À quoi ressemblera l'habitat en 2049 ?

C'est désormais une certitude : l'ampleur de la crise écologique va nous obliger à revoir notre façon de nous déplacer et de manger. Mais pas seulement. Notre habitat, lui aussi, va devoir évoluer…

L'habitat résidentiel, à lui seul, consomme 31 % de notre énergie et émet 10 % de nos gaz à effet de serre. « *Ce secteur est un gisement d'économies d'énergie majeur* », résume Nicolas Doré, chef de service adjoint du service bâtiment de l'Agence de l'environnement et de la maîtrise de l'énergie (Ademe).

Les défis d'avenir à surmonter sont nombreux : il va falloir, demain, loger de plus en de monde, surtout dans les villes, tout en utilisant de moins en moins de ressources, mais aussi adapter nos logements aux changements climatiques, les rendre à la fois plus sobres et plus confortables, et enfin concilier cette exigence de sobriété avec la demande de sur-mesure qui émane de la société. Vaste programme !

Quid des matériaux

Pour économiser l'énergie et émettre moins de gaz à effet de serre, ce sont d'abord les matériaux que nous utilisons qu'il va falloir changer.

Parmi les priorités : réduire l'usage du béton, responsable de près de 7 % des émissions de CO_2 dans le monde – et qui pose aussi des problèmes de prélèvements excessifs de sable et d'eau.

Cette évolution prend forme déjà, ici ou là. Des architectes, comme le Parisien Dimitri Roussel, développent de plus en plus de projets construits à partir de structures en bois, y compris pour des constructions de grande hauteur. Selon le fondateur de l'agence Dream, le bois n'a que des atouts. Il est écologique, avec « *un bilan carbone deux fois plus performant que le béton et l'acier* », il présente aussi des avantages économiques, puisqu'il « *optimise le temps de construction* » et « *pourrait permettre de vitaliser les territoires ruraux* ». Enfin, il procure à ceux qui habitent de tels bâtiments une « *plus grande sensation de bien-être* ».

Au-delà même de la question des matériaux, pour limiter les besoins énergétiques, Nicolas Doré souligne la nécessité de revenir à des « *principes de construction basiques et anciens, mais qui ont été oubliés* », comme la prise en compte de l'environnement naturel qui nous entoure.

Alors que s'annoncent des étés de plus en plus chauds, la direction des vents dominants ou encore la végétation doivent être davantage intégrées au moment de la construction. L'objectif ? Obtenir un habitat plus sobre, mais aussi confortable, car mieux ventilé, mieux éclairé, mieux insonorisé, mieux chauffé.

L'utilisation de la climatisation

Reste que la construction de bâtiments neufs ne représente qu'une petite partie du défi à relever. Près des trois quarts des bâtiments qui seront présents en 2050 sont en effet déjà sortis de terre ! Le défi, c'est donc aussi et surtout la rénovation de l'habitat, et notamment la lutte contre ce qu'on appelle les « passoires thermiques », très énergivores. Pour y parvenir, Nicolas Doré préconise « *de mieux isoler murs, combles, fenêtres, planchers pour diminuer les besoins en chauffage* », mais aussi de privilégier des pompes à chaleur.

D'après le Réseau pour la transition énergétique, si rien n'est fait, nous pourrions atteindre en 2050 le chiffre astronomique de plus d'un million de climatiseurs…

Un troisième défi attend la France : l'organisation des villes. Il va falloir loger, demain, de plus en plus de monde dans un espace sans cesse plus limité. Comment ? Au nom de la densification, certains architectes prônent le rehaussement de certains immeubles d'un ou deux étages.

Habitats modulables et pièces à partager

L'habitat du futur sera écologique, mais aussi modulable. Pour répondre au bouleversement des structures familiales, au vieillissement de la population et à la transformation des trajectoires de vie, de moins en moins linéaires, nombre de spécialistes appellent au développement de logements « évolutifs ». Autrement dit, des logements dont le nombre de pièces pourra être augmenté ou réduit facilement, *via* des systèmes de cloisons amovibles.

Autre piste à suivre : le développement, en ville, où la place manque cruellement, de pièces et d'équipements partagés – comme l'électroménager – au sein d'un même immeuble. Les bénéfices d'un tel système sont nombreux : gagner de la place chez soi en mutualisant certains services encombrants, réaliser des économies d'énergie *via* le partage d'un même équipement, mais aussi tisser du lien social, notamment pour les personnes âgées, confrontées au risque d'isolement.

Technologie et logements de demain

Des entreprises ont d'ores et déjà commencé à développer de multiples services d'habitat dit « connecté », comme le pilotage à distance de la lumière, de la porte, des volets ou encore du niveau de chauffage, *via* un smartphone.

Et ce n'est qu'un début, à entendre les principaux acteurs de ce secteur. « *La maison de demain va se transformer en plateforme de services. Elle connaîtra les habitudes de ceux qui y habitent, anticipera leurs besoins et leur proposera automatiquement des solutions* », avance Serge Darrieumerlou, directeur innovation du groupe Somfy.

Cet habitat « sur mesure » est porteur de nombreuses promesses, selon le dirigeant : « *Cette technologie "douce" va aider les seniors à rester chez eux plus longtemps, en rendant certaines tâches du quotidien plus simples et plus fluides.* »

Alléchantes, ces évolutions impliquent toutefois de conserver une certaine vigilance. « *La technologie peut générer des économies d'énergie mais* […] *entraîne aussi de nouveaux usages et donc de nouvelles consommations d'énergie* », met en garde Nicolas Doré. Sans compter que la fabrication de ces produits de haute technologie nécessite des métaux rares (le lithium par exemple), dont l'extraction pose des problèmes écologiques et sociaux.

Enfin, la maison connectée n'est pas non plus sans risque pour notre vie privée. Le développement de ces services pourrait permettre aux entreprises de s'immiscer encore davantage dans notre intimité et de récolter nombre d'informations sur nos habitudes de consommation. Des données précieuses car monétisables. Pourra-t-on, dès lors, vraiment continuer à parler de « chez soi » ?

D'après Sébastien Billard, www.nouvelobs.com.

1. **De quoi traite cet article ?**
a. De l'émergence des logements partagés.
b. De la transformation de nos lieux de vie.
c. De la place de la nature en milieu urbain.

2. **Pourquoi le journaliste prône-t-il la simplicité de l'habitat ?**

3. **Pourquoi certains architectes préfèrent-ils utiliser du bois ?** *(3 réponses attendues)*

4. **Vrai ou faux ? Choisissez la bonne réponse et recopiez la phrase ou la partie du texte qui justifie votre réponse.**
Les nouvelles constructions de logements constituent un enjeu mineur.
☐ Vrai
☐ Faux
Justification : ...

5. **Que propose Nicolas Doré ?**
a. De promouvoir l'utilisation de matériaux recyclés.
b. De rendre les logements existants plus adaptés.
c. De limiter la multiplication d'édifices nouveaux.

6. **À quel phénomène les villes vont-elles devoir s'adapter ?**
a. À l'accélération des nouvelles technologies.
b. À l'augmentation de la population urbaine.
c. À l'évolution des normes environnementales.

7. **Vrai ou faux ? Choisissez la bonne réponse et recopiez la phrase ou la partie du texte qui justifie votre réponse.**
Les habitats évolutifs résoudront des problèmes sociaux.
☐ Vrai
☐ Faux
Justification : ...

8. **Selon le journaliste, quels sont les atouts des équipements partagés ?**
(Plusieurs réponses possibles, 2 réponses attendues)

9. **Vrai ou faux ? Choisissez la bonne réponse et recopiez la phrase ou la partie du texte qui justifie votre réponse.**
a. La maison du futur exercera une fonction de conseil.
☐ Vrai
☐ Faux
Justification : ...
b. La maison du futur risque de réduire l'autonomie des personnes âgées.
☐ Vrai
☐ Faux
Justification : ...

10. **Quel est le paradoxe mis en avant par Nicolas Doré au sujet des nouvelles technologies ?**

11. **En quoi le journaliste est-il sceptique concernant la maison connectée ?**

DOSSIER 3

Prenons soin de nous

Frida Kahlo,
Les deux Frida,
1939.

1

a. Observez le tableau. Décrivez-le et donnez votre interprétation personnelle.

b. De quelle pratique médicale actuelle pourrait-on le rapprocher ?

« Les incessants progrès de la chirurgie, de la médecine et de la pharmacie sont angoissants : de quoi mourra-t-on dans vingt ans ? »

Philippe Bouvard, animateur et journaliste.

2

Par deux.

a. Lisez la citation. Identifiez le ton de l'auteur.

b. Partagez-vous ce point de vue ?

« Au moment d'être admis(e) à exercer la médecine, je promets et je jure d'être fidèle aux lois de l'honneur et de la probité.

Mon premier souci sera de rétablir, de préserver ou de promouvoir la santé dans tous ses éléments, physiques et mentaux, individuels et sociaux.

Je respecterai toutes les personnes, leur autonomie et leur volonté, sans aucune discrimination selon leur état ou leurs convictions. J'interviendrai pour les protéger si elles sont affaiblies, vulnérables ou menacées dans leur intégrité ou leur dignité. Même sous la contrainte, je ne ferai pas usage de mes connaissances contre les lois de l'humanité.

J'informerai les patients des décisions envisagées, de leurs raisons et de leurs conséquences.

Je ne tromperai jamais leur confiance et n'exploiterai pas le pouvoir hérité des circonstances pour forcer les consciences.

Je donnerai mes soins à l'indigent et à quiconque me les demandera. Je ne me laisserai pas influencer par la soif du gain ou la recherche de la gloire.

Admis(e) dans l'intimité des personnes, je tairai les secrets qui me seront confiés. Reçu(e) à l'intérieur des maisons, je respecterai les secrets des foyers et ma conduite ne servira pas à corrompre les mœurs.

Je ferai tout pour soulager les souffrances. Je ne prolongerai pas abusivement les agonies. Je ne provoquerai jamais la mort délibérément.

Je préserverai l'indépendance nécessaire à l'accomplissement de ma mission. Je n'entreprendrai rien qui dépasse mes compétences. Je les entretiendrai et les perfectionnerai pour assurer au mieux les services qui me seront demandés.

J'apporterai mon aide à mes confrères ainsi qu'à leurs familles dans l'adversité.

Que les hommes et mes confrères m'accordent leur estime si je suis fidèle à mes promesses ; que je sois déshonoré(e) et méprisé(e) si j'y manque. »

Le serment d'Hippocrate, texte revu par l'Ordre des médecins en 2012.

3

En petits groupes. Lisez le texte.

a. À quel moment les médecins prononcent-ils ce texte ? Dans quel but ?

b. Dans quelle position place-t-il le médecin ?

c. Ce texte, dont l'auteur est mort en 370 avant Jésus-Christ, vous semble-t-il correspondre à la pratique actuelle de la médecine ? Échangez.

4

En petits groupes. Observez la caricature.

a. Identifiez le trouble dont souffre la patiente.

b. Comment cherche-t-elle à se soigner ?

c. Que pensez-vous de ces méthodes ? En connaissez-vous d'autres ? Échangez.

SAVOIR-FAIRE ET SAVOIR AGIR

Dans ce dossier, nous allons :

- nous interroger sur le don d'organes
- comprendre et reformuler les difficultés d'un parcours médical
- rapporter les résultats d'une enquête scientifique
- expliciter une découverte scientifique
- expliquer la spécificité d'un système d'études
- exprimer dans un journal intime les problèmes liés à une profession
- présenter un sujet polémique
- expliquer le fonctionnement d'une thérapie alternative

LEÇON

- S'interroger sur le don d'organes ▸ Doc. 1 et 2
- Comprendre et reformuler les difficultés d'un parcours médical ▸ Doc. 3

1 Un don d'un genre spécial

1 ▸ Culture et société p. 207

En petits groupes. Lisez le document 1. Comparez cette loi à celle en vigueur dans votre pays. Faites des recherches si nécessaire. Qu'en pensez-vous ?

document 1

Chaque Français est considéré comme donneur par défaut. En France, il n'existe pas de registre du « oui » mais un « registre national des refus », géré par l'Agence de la biomédecine. Tout le monde est libre de s'opposer au don d'organes, mais il faut le faire savoir !

LA MUTUELLE générale

document 2

Claire déballe ses affaires, dispose ses produits dans le cabinet de toilette, branche le chargeur de son téléphone portable, le pose sur son lit ; elle privatise les lieux. Appelle ses fils – ils courent sur le macadam, dans le couloir du métro, elle entend l'écho de leurs pas dans les couloirs, on est là, on arrive, ils halètent d'angoisse. Ils se méprennent : elle n'a pas peur de l'intervention. Ce qui la tourmente, c'est l'idée de ce nouveau cœur, et que quelqu'un soit mort aujourd'hui pour que tout cela ait lieu, et qu'il puisse l'envahir et la transformer, la convertir – histoires de greffes, de boutures, faune et flore.
Elle tourne en rond dans la chambre. Si c'est un don, il est tout de même d'un genre spécial, pense-t-elle. Il n'y a pas de donneur dans cette opération, personne n'a eu l'intention de faire un don, et de même, il n'y a pas de donataire, puisqu'elle n'est pas en mesure de refuser l'organe, elle doit le recevoir si elle veut survivre, alors quoi, qu'est-ce que c'est ? La remise en circulation d'un organe qui pouvait faire encore usage, assurer son boulot de pompe ? Elle commence à se déshabiller, s'assied sur le lit, ôte ses boots, ses chaussettes. Le sens de ce transfert dont elle bénéficie par le jeu d'un hasard invraisemblable – la compatibilité inouïe de son sang et de son code génétique avec ceux d'un être mort aujourd'hui –, tout cela devient flou. Elle n'aime pas cette idée de privilège indu, la loterie, se sent comme la figurine en peluche que la pince saisit dans le fatras[1] de bidules[2] amoncelés derrière une vitrine de la fête foraine. Surtout, elle ne pourra jamais dire merci, c'est là toute l'histoire. C'est techniquement impossible, merci, ce mot radieux chuterait dans le vide. Elle ne pourra jamais manifester une quelconque forme de reconnaissance envers le donneur et sa famille, voire effectuer un contre-don *ad hoc*[3] afin de se délier de la dette infinie, et l'idée qu'elle soit piégée à jamais la traverse. Le sol est glacé sous ses pieds, elle a peur, tout se rétracte. […]
On frappe et on entre direct dans la chambre sans attendre de réponse, c'est Emmanuel Harfang. Il se plante devant elle, lui déclare le cœur va être prélevé vers vingt-trois heures, les données de l'organe sont impeccables, puis il se tait, l'observe : vous voulez me parler. Elle s'assied sur le lit, arrondit le dos, pose les mains bien à plat sur le matelas, et croise les chevilles, ses pieds sont ravissants, ses ongles sont vernis, laqués de rouge vif, ils éclatent dans la chambre chlorotique comme des pétales de digitales justement, j'ai des questions, des questions sur le donneur, Harfang secoue la tête, l'air de penser qu'elle exagère, elle connaît la réponse. On en a déjà parlé. Mais Claire insiste, ses cheveux blonds forment des crochets contre ses joues. Je voudrais pouvoir y penser. Elle ajoute, persuasive : par exemple, d'où vient-il ce cœur qui n'est pas parisien ? Harfang la dévisage, fronce les sourcils, comment sait-elle déjà cela ? puis consent : Seine-Maritime. Claire ferme les yeux, accélère : *male* or *female* ? Harfang, du tac au tac[4], *male* ; il gagne la porte ouverte sur le couloir, elle l'entend qui s'absente, rouvre les paupières, attendez, son âge *please*. Mais Harfang a disparu.

Maylis de Kerangal, *Réparer les vivants*, éditions Verticales, 2014.

1. fatras (n. m.) : ensemble confus, hétéroclite.
2. bidule (n. m. fam.) : truc.
3. ad hoc (loc. adj.) : adéquat, approprié.
4. du tac au tac (exp.) : ici, répondre rapidement.

2. Lisez le titre du roman (doc. 2). Que vous évoque-t-il ?

3. Lisez l'extrait du roman (doc. 2).

a. Présentez les différents personnages et expliquez ce qu'ils font.

b. Comment chacun considère-t-il la greffe ? Justifiez.

4. Par deux. Relisez l'extrait du roman (doc. 2).

a. Associez les émotions suivantes à un ou plusieurs personnages. Par quoi sont-elles causées ?
tourmenté(e)(s) • optimiste(s) • redevable(s) • résigné(e)(s) • stressé(e)(s) • coupable(s) • agacé(e)(s)

b. Pourquoi l'idée de « don » semble-t-elle absurde pour Claire ?

c. Quels mots sont employés pour souligner ce hasard particulier dont Claire a bénéficié ? À quoi le compare-t-elle ?

d. Repérez les réflexions de Claire et les questions qu'elle pose à Harfang. Que révèlent-elles de la législation en matière de dons d'organes ?

5. Par deux. Lisez à nouveau l'extrait du roman (doc. 2).

a. Dites comment l'auteure fait ressortir la présence du cœur dans la construction et le rythme des phrases.

b. Que provoquent sur la lecture :
– la forme particulière des dialogues ;
– l'alternance des gestes et des pensées de Claire ?

6

En petits groupes. Selon une récente campagne de l'Agence de biomédecine dédiée au don d'organes, ce sont les receveurs qui ont le plus de mal à accepter le don. Qu'en pensez-vous ? Échangez.

document 3 13 et 14

7. 13 **En petits groupes. Écoutez la première partie du podcast (doc. 3).**

a. Quel est le thème de cet épisode ?

b. Comment cette pratique est-elle perçue dans chacune des trois parties (introduction, générique, témoignage téléphonique) ? Justifiez.
longue et compliquée • émotionnellement difficile • controversée

DOC. 3 – ovocyte (n. m.) : cellule sexuelle de la femme.

8. 14 **Par deux. Écoutez la deuxième partie du podcast (doc. 3).**

a. Qui est Harmonie ? En quoi se rapproche-t-elle du personnage de fiction de Claire (doc. 2) ?

b. Vrai ou faux ? Justifiez.
1. Il est interdit de faire plus de deux dons d'ovocytes en France.
2. Un entretien psychologique est nécessaire pendant le parcours de don.
3. Les hommes comme les femmes ne peuvent pas donner leurs gamètes après 40 ans.
4. Le donneur / La donneuse est toujours seul(e) à faire le choix de donner ses gamètes.
5. On n'est pas obligé(e) d'avoir déjà eu un enfant pour pouvoir donner ses gamètes.
6. On ne procède à aucune intervention chirurgicale pour prélever les gamètes.

9. 14 **Par deux. Réécoutez la deuxième partie du podcast (doc. 3). Aidez-vous si nécessaire de la transcription (p. 8 et 9).**

a. « Ils s'aiment ; ça, c'est sûr » : à votre avis, pourquoi la documentariste commence-t-elle par cette phrase ? Que cherche-t-elle à souligner ?

b. Comment insiste-t-elle sur la difficulté de ce parcours médical ? Relevez des exemples.

c. Expliquez les expressions « la galère » et « le coup de bol ». À quel registre de langue ces mots appartiennent-ils ? Trouvez des synonymes dans le registre courant.

d. Qu'exprime Harmonie à travers l'expression « quitte à encaisser [la déception] de me dire qu'il y a aucun enfant issu de ce don d'ovocytes » ? Proposez une autre formulation.

e. Relevez le vocabulaire lié à la procréation.

À NOUS !

10. Nous enregistrons un podcast pour présenter les difficultés d'un parcours médical.

En petits groupes.

a. Choisissez un problème médical.
Exemple : *le diabète*.

b. Formulez une problématique sous forme de question.
Exemple : *Comment bien vivre avec le diabète ?*

c. Sélectionnez des documents variés écrits et/ou audio sur le sujet (forum de discussion, article scientifique, témoignage, etc.). Partagez-vous la lecture et/ou l'écoute de ces documents.

d. Relevez les différentes étapes du parcours de soin. Mettez en commun.

e. Rédigez une présentation de ce parcours en respectant le plan suivant :
– une introduction qui présente le sujet et la problématique ;
– un exemple concret qui atteste de la complexité du parcours.

f. Lisez et enregistrez votre podcast (5 minutes au maximum).

g. Partagez-le avec le groupe et publiez-le sur le réseau de la classe.

- Rapporter les résultats d'une enquête scientifique ▸ Doc. 1
- Expliciter une découverte scientifique ▸ Doc. 2

LEÇON 2 Entre progrès et crainte

1 **En petits groupes. Faites une recherche pour présenter les dernières avancées médicales (les prothèses imprimables en 3D, les exosquelettes...). Certaines d'entre elles vous font-elles peur ? Pourquoi ? Échangez.**

document 1

SCIENCES ET AVENIR **En France, 78 % des patients interrogés n'accepteraient pas des diagnostics ou actes de soins entièrement automatisés, sans contrôle humain, d'après une nouvelle étude.**

Les trois quarts des patients refuseraient que certains diagnostics ou actes de soins soient entièrement réalisés *via* l'intelligence artificielle et les objets connectés, sans l'intervention d'un médecin ou d'un autre professionnel de santé, montre une étude publiée vendredi 14 juin 2019. Les patients qui s'y montrent réticents craignent que les décisions des machines soient moins pertinentes que celles des humains, et se méfient des risques de piratage de leurs données numériques de santé.

Interrogés sur leur volonté d'adopter ou de rejeter quatre outils basés sur l'intelligence artificielle, 35 % ont déclaré qu'ils refuseraient au moins l'un d'entre eux et 41 % ne les adopteraient « *qu'à la condition que leur utilisation soit contrôlée par un être humain* ». Les outils proposés aux participants à l'étude étaient la détection de cancer de la peau par analyse de photographies, les capteurs connectés permettant la détection en temps réel de l'aggravation de maladies chroniques, une chemise connectée pour piloter des soins de kinésithérapie et un robot conversationnel (« *chatbot* ») permettant d'aider les patients à déterminer le niveau d'urgence de leur problème de santé, ont détaillé les auteurs, trois épidémiologistes français de l'université Paris Descartes et de l'Hôtel-Dieu, à Paris. Seuls 22 % des patients accepteraient certaines de ces interventions automatisées sans contrôle humain et seuls 3 % des patients accepteraient une automatisation complète des quatre interventions présentées, ajoutent-ils.

Les participants, environ 1 200 patients suivis dans toute la France pour diverses maladies chroniques telles que le diabète, des troubles de la thyroïde, la dépression ou encore des pathologies cardiaques, font partie de la « Communauté de patients pour la recherche », ou ComPaRe, une cohorte[1] de 28 000 volontaires pour contribuer à la recherche médicale en répondant aux questionnaires de chercheurs. Les données recueillies « *ont été calibrées pour obtenir des estimations représentatives de la population française de patients chroniques* », précise l'étude, publiée dans la revue *Nature Digital Medicine*.

Entre progrès et crainte d'une mauvaise utilisation des données

Si ces technologies « *ont généré beaucoup de "battage médiatique"* », d'après les auteurs de la publication, moins de la moitié des patients (47 %) voient globalement l'intelligence artificielle et les objets connectés comme « *une grande opportunité de progrès pour leur santé* ». Parmi les bénéfices potentiels les plus cités par ces patients, on retrouve la perception de ces technologies comme des moyens d'« *améliorer leur suivi et la réactivité des soins* », de « *réduire le fardeau[2] de leur traitement* » et de « *faciliter le travail des soignants* ».

Ceux qui y voient avant tout un « *grand danger* » craignent un « *remplacement inapproprié de l'intelligence humaine* », des « *risques importants de piratage* » des données ou encore un « *mauvais usage des données de santé par des tiers* » comme les assurances. Cette étude montre la nécessité de mieux « *prendre en compte les perceptions et les besoins des patients* », pour « *tirer le meilleur parti de la technologie sans remettre en cause la relation humaine dans l'acte médical, créer un fardeau supplémentaire ou s'immiscer dans la vie des patients* », concluent les auteurs.

Par *Sciences et Avenir* avec AFP le 14.06.2019, mis à jour le 17.06.2019.

1. cohorte (n. f.) : groupe de personnes engagées dans une étude. 2. fardeau (n. m.) : poids, charge.

2. Par deux. Lisez l'article (doc. 1).

a. Quelle est la problématique ?

b. Comment l'enquête a-t-elle été réalisée ?

c. Donnez un titre à cet article puis comparez avec les autres groupes. Votez pour le meilleur titre.

3. Par deux. Relisez l'article (doc. 1).

a. Parmi les propositions suivantes, retrouvez le(s) résultat(s) présenté(s) dans cet article.

1. Près d'un patient interrogé sur deux considère que les nouvelles technologies participeront à l'amélioration de leur santé.
2. Une petite minorité des personnes ayant répondu à l'enquête pourrait s'en remettre complètement à l'intelligence artificielle pour prendre en charge tous les actes médicaux présentés.
3. Une large majorité pense que l'intelligence artificielle est complètement inutile.

b. Quels sont les arguments en faveur des nouvelles technologies ? Quelles sont les dérives redoutées ?

4. Par deux. Lisez à nouveau l'article (doc. 1).

a. Comment le journaliste prend-il ses distances par rapport aux résultats et aux propos qu'il rapporte ?

b. Distinguez les verbes qui montrent que les personnes interrogées sont :
– pour les objets connectés et l'intelligence artificielle ;
– contre les objets connectés et l'intelligence artificielle.

c. Repérez les mots et expressions spécifiques à l'enquête.

En petits groupes. Formulez les questions qui ont été posées par les enquêteurs et répondez-y.

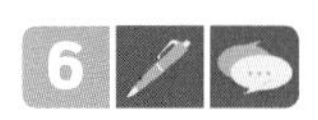

En petits groupes.

a. Préparez une enquête sur un sujet médical ou scientifique. Réalisez un questionnaire à choix multiple (cinq questions).

b. Soumettez votre questionnaire aux étudiants de votre école.

c. Recueillez et analysez les résultats de votre enquête. Présentez-les à la classe.

document 2 Vidéos n° 3a à 3d

Laurent Lévy, PDG de Nanobiotix

7. Par deux. Visionnez la première partie de l'extrait de la conférence (doc. 2, 3a).

a. Présentez Laurent Lévy et le domaine dans lequel il travaille.

b. En quoi son travail pourrait-il représenter une grande avancée médicale dans le futur ?

DOC. 2 – membrane (n. f.) : enveloppe souple entourant un organe ou une cellule. – aimant (n. m.) : objet qui attire le fer et quelques autres métaux.

8. Par deux. Visionnez la deuxième partie de l'extrait de la conférence (doc. 2, 3b).

a. Complétez le tableau et détaillez les deux événements les plus importants du parcours de Laurent Lévy.

	Expérience menée	Objet développé et caractéristiques	But de l'expérience
1er événement	...	...	...
2e événement	...	...	...

b. En quoi la technologie développée par Laurent Lévy est-elle plus efficace que les traitements actuels contre le cancer ?

9. Par deux. Visionnez la troisième partie de l'extrait de la conférence (doc. 2, 3c).

a. Le patient souffre d'un sarcome des tissus mous. Expliquez quelles parties du corps touche cette maladie et pourquoi cette affection a été choisie.

b. Les résultats sont-ils positifs ? Justifiez.

10. Par deux. Visionnez l'extrait de la conférence en entier (doc. 2, 3d). Aidez-vous de la transcription si nécessaire (p. 9 et 10).

a. Quels moyens Laurent Lévy utilise-t-il pour transmettre ses connaissances à un public qui n'est pas spécialiste ? Donnez des exemples.

b. Relevez les interrogations, les indicateurs temporels, les connecteurs logiques et les reprises qui lui permettent de structurer et de faire progresser son discours.

c. Laurent Lévy utilise des visuels comme support à sa présentation. Relevez les passages qui permettent de faire le lien entre son discours et les visuels.

À NOUS !

11. Nous faisons une miniconférence sur une découverte scientifique.

En petits groupes.

a. Choisissez une découverte scientifique.

b. Listez les différentes étapes de cette découverte. Prenez des notes.

c. Anticipez les difficultés de compréhension en explicitant les mots ou concepts qui peuvent poser problème.

d. Préparez des supports visuels.

e. Présentez votre découverte en 10 minutes maximum.

▸ Culture et société p. 207

POUR ALLER PLUS LOIN

En petits groupes. Imaginez une invention médicale qui vous semble importante pour le futur. Faites des hypothèses sur ses caractéristiques et son but. Présentez votre invention à la classe. Échangez.

- Expliquer la spécificité d'un système d'études ▸ Doc. 1
- Exprimer dans un journal intime les problèmes liés à une profession ▸ Doc. 2

3 Une vie de sacrifice

En petits groupes. Quelle image avez-vous de la profession de médecin ? Cette image correspond-elle au titre de la leçon ?

document 1 15 à 17

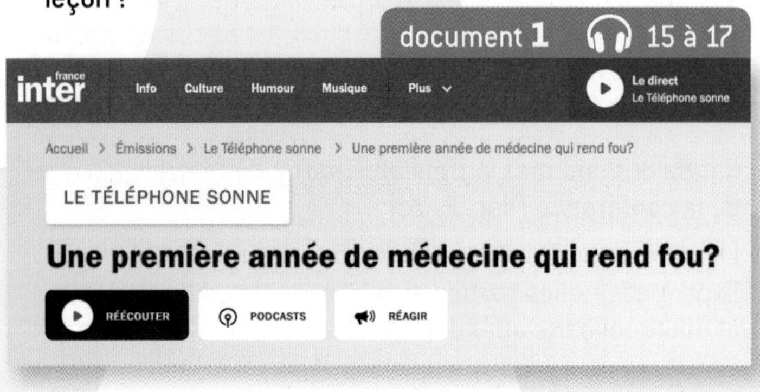

2. 15 **Par deux. Écoutez la première partie de l'émission (doc. 1).**

a. Quel est le problème abordé et quelles sont les questions qu'il entraîne ?

b. Présentez les trois invités.

c. Expliquez les extraits suivants. Quel portait dressent-ils de l'étudiant en médecine ?
   - « Il est sous l'eau. »
   - « Oui, il faut s'acharner et faire le Jedi. »
   - « Celui qui pète les plombs, c'est dommage pour lui, mais enfin, ça fait une place de plus. »
   - « À moins que ce ne soit pas si grave cet abattage du début parce qu'au final, c'est l'après qui compte. »

3. 16 **Par deux. Écoutez la deuxième partie de l'émission (doc. 1).**

a. Présentez la particularité de la première année de médecine par rapport aux autres années d'études.

b. Quelle aide est mise en place ? Par qui ? Pour quoi ?

c. Reformulez les opinions de Jean-Luc Dumas et de Thomas Lilti.

d. De quel côté se range la journaliste ? Justifiez. Expliquez l'injustice dont parle Thomas Lilti.

4. 17 **Par deux. Écoutez la troisième partie de l'émission (doc. 1).**

a. Quel nouvel élément le témoignage d'Agnès apporte-t-il à la discussion ? Bastien Spatola en a-t-il conscience ? Justifiez.

b. Citez quatre causes de la difficulté des études de médecine évoquées par Thomas Lilti pour appuyer le témoignage d'Agnès.

c. « On a l'impression (...) que quand on a passé la première année, (...) on est rangé des voitures, loin s'en faut. » Expliquez le sens de cette phrase prononcée par la journaliste et ce qu'elle résume.

En petits groupes. Quels sont les problèmes rencontrés par les étudiants dans votre pays ? Varient-ils selon les domaines d'études ? Échangez.

6. En petits groupes. Lisez l'extrait littéraire (doc. 2).

a. Qui est le narrateur ? Quel est le genre de ce texte ?

b. Identifiez les deux parties du texte. Donnez-leur un titre. Justifiez votre choix.

c. Repérez la phrase de transition entre les deux parties. Comment le narrateur se sent-il ?

d. Identifiez l'expression utilisée pour parler du problème que rencontre le secteur médical. Expliquez-la.

7. Par deux. Relisez l'extrait littéraire (doc. 2).

a. En quoi les jeunes médecins d'aujourd'hui se distinguent-ils de ceux de l'ancienne génération ? Qu'en pense le narrateur ?

b. Expliquez ce qui, d'après le narrateur, freine les jeunes à se lancer dans des études de médecine.

c. Qui sont les personnes que le narrateur rencontre successivement ? Quelle est leur attitude ?

d. Expliquez pourquoi le narrateur se dit « qu'en fait d'internes, ce sont les préfets, les sous-préfets et les doyens des facultés de médecine qu'on devrait envoyer en stage dans les cabinets des généralistes, surtout dans ceux des médecins ruraux ! ». Quel sentiment éprouve-t-il ?

8. Par deux. Lisez à nouveau l'extrait littéraire (doc. 2).

a. Que sous-entendent les paroles suivantes ?
   - Et encore. (l. 12)
   - Du moins, espérons-le... (l. 23)
   - Bon courage (l. 25)

b. Relevez la métaphore qui reprend la phrase de transition entre les deux parties. Expliquez-la.

c. Retrouvez dans le texte les expressions signifiant : « se sacrifier » et « part à la dérive ».

DOC. 1 – À la rentrée 2020, la Première année commune aux études de santé (Paces) disparaît au profit de nouveaux parcours universitaires, tandis que le *numerus clausus*, très décrié, est également supprimé.

document 2

Il faut bien le reconnaître : ma profession n'est plus attractive. C'est une vie de sacrifice, d'engagement. La satisfaction qu'on en tire n'est pas monétisable.
Elle est dans la reconnaissance, qui va jusqu'à l'affection, que l'on reçoit pour avoir été là quand il le fallait, pour avoir su comprendre un malade, pour avoir pris le temps d'accompagner une famille dans un moment délicat. Pour avoir su soigner, guérir. Il y a des liens qui se tissent, une humanité qui s'exprime qui valent tous les trésors du monde.
Est-ce que cela suffit aux jeunes médecins d'aujourd'hui ? Je comprends qu'ils rêvent de pouvoir prendre des vacances à Majorque ou Miami, d'offrir une belle maison à leurs enfants, de passer des week-ends auprès d'eux et des nuits complètes dans leur lit. Tout le monde ne peut faire le choix de se dédier corps et âme à son métier. J'en suis conscient. Comme je suis très conscient, aussi, que dans une civilisation où tout va très vite, il est difficile pour des jeunes gens de se lancer dans des études qui ne les feront accéder à la vie professionnelle qu'à partir de leurs trente ans… Et encore. Entre-temps, c'est beaucoup d'énergie et d'argent dépensés pour se former, sans garantie réelle d'arriver au bout du cursus. Sans garantie non plus d'avoir au final un juste retour de leur investissement de départ. Dans la situation actuelle, je considère que les futurs médecins, ou les jeunes qui démarrent, sont autant victimes d'un système qui part à vau-l'eau que les patients eux-mêmes.
Face à l'indifférence de mes pairs, j'essaie de ne pas me laisser gagner par le découragement.
Je continue mon chemin. Si une porte claque, il y a peut-être une fenêtre ouverte quelque part. Profitant, un soir, d'un cocktail organisé à l'issue de je ne sais quelle inauguration au conseil général[1], où le préfet[2] est présent, je manœuvre pour avoir deux minutes en tête à tête avec lui afin de lui exposer mon problème. Il me renvoie immédiatement vers son directeur de cabinet pour prendre rendez-vous. Quelques jours plus tard, je suis au Puy dans le bureau dudit « dir cab », jeune énarque[3] à la poignée de main ferme qui me reçoit obligeamment, mais en pensant à autre chose. L'entretien est assez bref ; il se défausse en me suggérant de m'adresser au sous-préfet à Brioude, « qui sera plus à même de vous soutenir. Du moins, espérons-le… »
Ce n'est pas tellement ce dernier mot qui me choque, mais celui qui vient après, au moment où nous nous quittons sur le pas de la porte : « Bon courage », me dit-il. Je reprends la route avec ça dans l'oreille, et un sentiment de grande solitude.
À Brioude, je me heurte, une fois encore, à un fonctionnaire qui ne m'accorde qu'une oreille distraite. Au fond, le message qu'on me fait passer au fur et à mesure de mes rencontres, c'est clairement : « Aide-toi, le Ciel t'aidera. » Je croise des gens qui n'ont en réalité pas la moindre idée de ce qu'est un médecin de campagne, de son quotidien et de son utilité.
En rentrant à Saugues, je me dis qu'en fait d'internes, ce sont les préfets, les sous-préfets et les doyens[4] des facultés de médecine qu'on devrait envoyer en stage dans les cabinets des généralistes, surtout dans ceux des médecins ruraux !
Je réalise que personne ne s'intéresse réellement à la question de la désertification médicale qui n'est pourtant pas une préoccupation nouvelle. Déjà, en 1983, au moment où *Paris Match* m'avait suivi, le sujet était d'actualité.

Georges Vieilledent, *Médecin de campagne, une vie*, éditions Calmann-Lévy, 2014.

1. Conseil général (n. m.) : assemblée d'élus qui administre un département. 2. préfet (n. m.) : représentant de l'État au niveau du département. 3. énarque (n. m.) : ancien élève de l'ENA, grande école qui forme de hauts fonctionnaires. 4. doyen (n. m.) : ici, personne qui dirige une université.

9. a. Quelles sont les caractéristiques de ce type d'écrit (énonciation, temps) ?
b. Relevez les procédés par lesquels le narrateur exprime son point de vue.

10 En petits groupes. Comparez la situation des médecins de campagne dans votre pays à celle évoquée dans l'extrait littéraire (doc. 2). Échangez.

11. Nous racontons notre expérience dans un journal intime.

a. Choisissez un parcours d'études réputé pour sa difficulté.
Exemple : *la médecine, le droit, la préparation à un concours d'entrée pour une grande école*
Faites des recherches si nécessaire.
b. En vous appuyant sur votre expérience et/ou sur vos recherches personnelles, rédigez un témoignage à la manière du document 2. Présentez les difficultés de ce parcours et les solutions mises en place.
c. Lisez votre récit au groupe et partagez-le sur le réseau de la classe.

- Présenter un sujet polémique ▸ Doc. 1
- Expliquer le fonctionnement d'une thérapie alternative ▸ Doc. 2

LEÇON 4 Se soigner au naturel

1

En petits groupes. Les médecines alternatives séduisent de plus en plus de Français : 40 % y ont recours, selon un sondage récent. Qu'en pensez-vous ? Comparez avec la situation dans votre pays.

document **1**

https://www.neonmag.fr

NEON SAVOIRS INUTILES VIDÉOS LE SHOP NEON LE MAGAZINE NEWSLETTER CONNEXION

Homéopathie, hypnose et huiles essentielles : « Fake Med » ou médecine alternative ?

Un début de rhume ? « *Tiens, un peu d'huile essentielle de ravintsara et de romarin !* » Un tour de reins ? « *Appelle mon magnétiseur, il est incroyable !* » On a tous un ami qui ne jure que par des traitements alternatifs. Ce réflexe s'est durablement installé dans le quotidien des Français.

Selon le Conseil national de l'Ordre des médecins, 40 % des Français ont recours aux médecines alternatives complémentaires (MAC). Les laboratoires Boiron, leader mondial de l'homéopathie, ont réalisé plus de 600 millions d'euros de chiffre d'affaires en 2016. À l'échelle mondiale, ces thérapies ont le vent en poupe : plus de 83 millions d'Américains les pratiquent, en Suisse les médecines complémentaires sont reconnues dans la Constitution. Bref, se soigner au naturel n'est plus seulement l'affaire de votre tata baba cool.

Un engouement qui fait grincer des dents dans le monde de la santé. Dans une tribune[1] publiée le 18 mars 2018 sur le site du *Figaro*, 124 médecins et professionnels de la santé s'insurgent contre ces « *fake médecines* » à « *l'efficacité non prouvée* ». Ils réclament « *l'exclusion de ces disciplines ésotériques*[2] *du champ médical* ». Sur Twitter, les médecins raillent sous le hashtag #FakeMed des protocoles de soin de l'autisme à base de granules et de prescriptions de gouttes d'arnica. Naturopathie, réflexologie, hypnose, méditation… L'OMS a listé pas moins de 400 médecines alternatives et complémentaires. Quatre sont reconnues officiellement en France : la mésothérapie (injections sous-cutanées de médicaments), l'acupuncture, l'ostéopathie et l'homéopathie. Elles peuvent être pratiquées légalement par des médecins et certains thérapeutes.

La première cible de l'exaspération des signataires de la pétition « FakeMed » : l'homéopathie, la seule MAC remboursée par la Sécurité sociale à hauteur de 30 %, et pourtant exemptée de l'obligation de fournir des résultats pharmacologiques, toxicologiques et cliniques. En 2017, le Conseil national australien pour la santé et la recherche médicale (NHMRC) a passé au crible[3] plus de 200 études analysant ses effets, pour en conclure qu'elle agit, au mieux, comme un *placebo*.

La ministre de la Santé Agnès Buzyn a tranché le 12 avril sur RMC : « *Les Français y sont attachés* […] *et ça ne fait pas de mal.* » Pourtant, la Mission interministérielle de vigilance et de lutte contre les dérives sectaires (Miviludes) reste attentive. « Nous recensons chaque année au moins 1 000 signalements de patients qui ne sont pas bien pris en charge par certains thérapeutes de médecines alternatives », assure Serge Bilsko, président de la Miviludes. Selon l'organisme, 60 % des Français qui y ont recours souffrent d'un cancer. « *Le plus risqué dans ces pratiques de médecine alternative, c'est de prendre du retard sur le traitement d'une maladie grave.* »

Que recouvre cette controverse ? Le monde médical a beau tempêter, le succès des traitements alternatifs devrait lui imposer un examen de conscience. Les polémiques sur le Levothyrox, la Dépakine ou le vaccin Meningitec ont alimenté la défiance des Français. […]

Et les patients rejettent de plus en plus le paternalisme, voire l'attitude maltraitante d'une partie du personnel médical. « *Nous avons en France une médecine psychologiquement légère. Il faut prendre le temps de parler aux gens* », admet volontiers Serge Blisko. « *Les patients veulent être davantage associés aux décisions qui concernent leur santé, ils développent leur esprit critique, et c'est une bonne chose.* » […]

Jean-Louis Poitoux est magnétiseur et coupeur de feu en Haute-Savoie, et n'a pas la prétention de savoir guérir le cancer. Ça a beau faire quarante-deux ans qu'il pratique, il ne sait toujours pas comment son pouvoir de guérison fonctionne. « *Je n'ai pas d'explication, je suis un portail à travers lequel une force s'exprime.* » Ce retraité s'est installé en auto-entreprise en toute légalité et reçoit en consultation chez lui. Il s'est fait connaître par le Centre hospitalier Alpes-Léman (CHAL) et figure sur la liste de l'hôpital parmi sept coupeurs de feu. De jour comme de nuit, le service des urgences lui passe des patients au téléphone. Armé de son combiné, Jean-Louis Poitoux affirme éradiquer leurs maux à distance : « *je visualise la zone et j'imagine que je passe ma main dessus* », raconte-t-il.

Un coup de main, presque télépathique et bénévole, que l'établissement hospitalier accepte volontiers. « *Le centre ne souhaite ni faire la promotion de ces pratiques, ni les refuser catégoriquement* […]. *On sait que ça existe, ça marche sur certains patients, pourquoi s'en priver ?* » s'interroge le responsable de la communication du CHAL. Sur cette question ambiguë, le monde médical ne pose pas de diagnostic simple.

Coline Vazquez et Lola Bodin Adriaco, article publié dans le magazine *Neon* en juin-juillet 2018.

1. tribune (n. f.) : page de journal proposée à quelqu'un ou à un groupe pour qu'il exprime publiquement ses idées. 2. ésotérique (adj.) : obscur, occulte. 3. passer au crible (exp.) : examiner une situation dans le détail.

2. Lisez l'article (doc. 1). Choisissez ci-dessous le chapeau qui convient. Justifiez.

a. Les médecines alternatives séduisent et divisent. Une pétition les qualifiant de « Fake Med » a réclamé leur exclusion du champ médical. Quelle place leur accorder ?

b. Homéopathie, aromathérapie, ayurvéda, hypnose… De plus en plus de Français se tournent vers les thérapies non conventionnelles pour se soigner. Cet engouement traduit-il une défiance à l'égard des sciences ?

3. En deux groupes. Relisez l'article (doc. 1).

a. Chaque groupe complète une ligne du tableau.

	Qui ?	Arguments	Exemples
Pour les médecines alternatives	…	…	…
Contre les médecines alternatives	…	…	…

b. Les médecines alternatives connaissent-elles un succès important ? Justifiez en citant des chiffres.

c. À qui profite le boom des médecines alternatives ?

4. Par deux. Lisez à nouveau l'article (doc. 1).

a. Relevez le vocabulaire en lien avec le succès et la contestation et complétez cette liste avec les expressions que vous connaissez déjà.

b. Repérez et expliquez la phrase qui montre que les auteures de l'article prennent parti quant au succès des médecines alternatives.

En petits groupes. Présentez les différentes thérapies citées dans cet article. Les connaissez-vous ? Qu'en pensez-vous ?

document 2 18

Hypnose © Getty - Francesco Carta fotografo

DOC. 2 – fourmillement (n. m.) : picotement. – fusible (n. m.) : fil d'alliage permettant de couper le courant si l'intensité est trop forte.

6. 18 Écoutez l'émission (doc. 2).

a. Qui est Frédéric Donatelli ? Pourquoi intervient-il dans l'émission ?

b. À quel cliché l'hypnose est-elle fréquemment associée ?

c. Listez les problèmes mentionnés qu'elle permet de traiter.

7. 18 Par deux. Réécoutez l'émission (doc. 2).

a. Que se passe-t-il au niveau :
– du corps ?
– du conscient ?
– de l'inconscient ?

b. Vrai ou faux ? Justifiez.

1. L'hypnose transforme les pensées pendant le sommeil.
2. On connaît tous cette expérience.
3. L'hypnothérapeute a un pouvoir.
4. La volonté de changement du patient est nécessaire pour que le processus fonctionne.

8. 18 Par deux. Écoutez à nouveau l'émission (doc. 2).

a. Relevez les mots et expressions liés au contrôle ou à son contraire.

b. Pourquoi Frédéric Donatelli utilise-t-il la métaphore du « fusible » ?

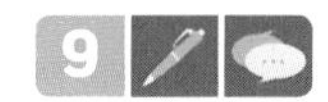

En petits groupes.

a. Rédigez une note explicative sur le fonctionnement de l'hypnose en reprenant les réponses des activités précédentes.

b. Comparez avec les autres groupes.

c. Choisissez la note la plus claire et la plus complète.

À NOUS !

10. Nous présentons une polémique.

En petits groupes.

a. Choisissez une polémique dans le domaine des thérapies conventionnelles ou alternatives. Faites des recherches et prenez des notes.

b. Présentez votre polémique à la classe.

c. Recueillez les avis des étudiants de votre classe. Invitez-les à justifier leur opinion.

d. Avec les informations dont vous disposez (sujet de la polémique, arguments des défenseurs et des détracteurs), rédigez un article (250 mots) à la manière du document 1.

MOTS et EXPRESSIONS

Leçon 1 – Un don d'un genre spécial

1. Choisissez la proposition correcte.

La donation / Le don d'organes et de tissus permet de *greffer / transférer* des malades. Le remplacement du ou des organes défaillants du malade par un organe *sanitaire / en bonne santé* du *donneur / donataire* peut permettre de sauver la vie du *greffeur / receveur*, comme dans le cas d'une *opération / transplantation* cardiaque, ou d'améliorer considérablement sa qualité de vie, comme dans le cas d'*une greffe / un transfert* de rein. Cet acte est gratuit et le corps est rendu à la famille une fois *le prélèvement / l'enlèvement* effectué en bloc opératoire.

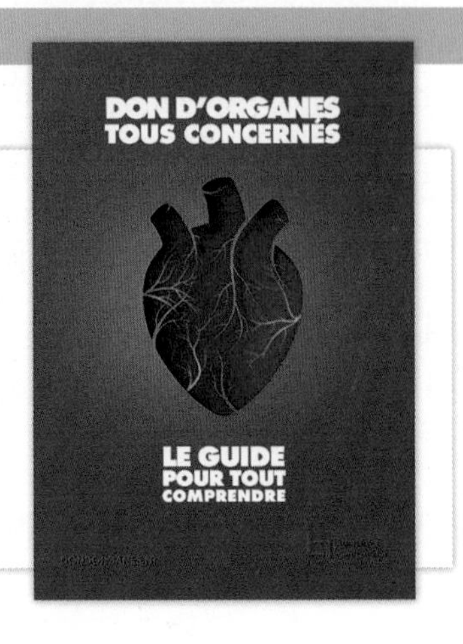

2. Reformulez les éléments soulignés.

a. Le don d'ovocytes et de spermatozoïdes est encadré par la loi.
b. Marie attendait un bébé depuis deux mois, malheureusement, elle a perdu le bébé.
c. De nombreux couples ont aujourd'hui recours à une assistance médicale à la procréation.
d. La recherche de la meilleure concordance possible entre celui qui donne et celui qui reçoit un organe est une règle fondamentale.
e. Élise a donné naissance à sa fille à la maternité des Lilas.
f. L'infirmière fait des injections quotidiennes à la patiente pour la stimulation ovarienne.

Leçon 2 – Entre progrès et crainte

3. Proposez un ou plusieurs synonyme(s) pour les mots et expressions suivants.

a. un groupe de personnes engagées dans une étude médicale
b. les personnes interviewées
c. une enquête
d. recevoir des informations pour les conserver
e. refuser
f. avoir peur
g. accepter une idée
h. dire
i. ne pas faire confiance
j. désapprobateur

4. a. Observez le nuage de mots et identifiez la maladie.

CHIRURGIE TUMEUR TRAITER CHIMIOTHÉRAPIE PATIENT CELLULES RADIOTHÉRAPIE ORGANE TISSUS TRAITEMENT OPÉRER

b. À l'aide de la liste de mots, expliquez l'origine de cette maladie, ses différents traitements et leurs buts.

Leçon 3 – Une vie de sacrifice

5. Trouvez l'intrus.

a. un généraliste • un médecin • un préfet
b. un interne • un doyen d'université • un stagiaire
c. un médecin du travail • un médecin rural • un médecin de campagne
d. un collègue • un pair • un sous-préfet
e. la désertification médicale • la pénurie de médicaments • le manque de médecins
f. un fonctionnaire • un cabinet de médecin • un directeur de cabinet
g. se dédier corps et âme à • se sacrifier pour • se préoccuper de

6. a. Associez les mots aux définitions correspondantes.

1. le bachotage
2. le concours
3. la faculté
4. le numerus clausus
5. la prépa
6. le primant
7. le redoublant
8. le tutorat

a. Examen qui permet de classer les étudiants avec un nombre limité de reçus.
b. Structure constitutive d'une université chargée de l'enseignement et de la recherche dans un champ disciplinaire déterminé.
c. Accompagnement individualisé ou en petits groupes pour aider des étudiants qui ont des difficultés à préparer un examen ou un concours.
d. Stage de préparation (de quelques semaines ou de plusieurs mois) à la première année de médecine.
e. Étudiant de première année inscrit pour la première fois dans un cursus.
f. Vient du latin, signifie « nombre fermé ». Limite fixée chaque année du nombre d'étudiants ou de professionnels admis dans certains cursus.
g. Préparation intense d'un examen ou d'un concours, mais trop rapidement, sans viser à une formation de l'esprit.
h. Étudiant qui fait deux fois la même année scolaire.

b. Terminez librement les phrases suivantes avec un mot de l'activité 6a.

Exemple : À partir de la rentrée 2020, les étudiants inscrits en première année de médecine passeront un examen classique pour valider leur année car le gouvernement … → *a voté la suppression du numerus clausus*.

1. Ses parents, tous deux médecins, étaient conscients que la première année de médecine serait ardue pour leur fils, aussi ont-ils choisi de …
2. Pierre et Francesca ont brillamment réussi leur première année à force de …
3. Pour réussir le concours, Lola, dont la famille a des revenus modestes, a décidé de …

Leçon 4 – Se soigner au naturel

7. a. Trouvez l'intrus parmi les termes suivants. Justifiez.

fake médecine • médecine complémentaire • médecine conventionnelle • médecine naturelle • discipline ésotérique • MAC

b. Parmi les termes restants, identifiez les deux expressions négatives.

8. Repérez les onze mots et expressions sur les médecines alternatives, puis classez-les dans les catégories proposées.

azxwcanceropdfhuilesessentiellesaqxantibiotiqueojnanaturopathieopmldermatologueartiohoméopathieoplmn
magnétismerertícvcardiologueavbnxwgranulesazexdtplaceboopuierostéopathiemaguvaccinuhgfdhypnothérapieygcdz
acupunctureoperjkgynécologuertfgmlgouttesvzexnokméditationwxc

a. Type(s) de médecine alternative : …
b. Type(s) de remèdes : …
c. Effet(s) psychologique(s) : …

9. Complétez le dialogue avec des mots de l'activité 8.

– J'ai perdu le sommeil. Je ne ferme plus l'œil de la nuit.
– Tu as essayé l'… ?
– Ah ben oui, trois mini … bourrées de sucre à faire fondre sous la langue, et après tu crois que tu es guéri : mais bien sûr ! Ce fameux processus psychologique, l'effet …, désolé, mais sur moi, ça ne fonctionne pas.
– Et l'… ?
– Le type qui te dit de compter jusqu'à trois et après tu t'endors et tu obéis à tout ce qu'il te dit ? Hors de question. J'ai peur qu'il prenne le contrôle de mon esprit et me fasse faire n'importe quoi !
– Et l'… ?
– Tu es fou ! J'ai la phobie des aiguilles.
– Pourquoi tu n'achètes pas un bouquin sur les … ? J'en ai offert un à ma mère et elle ne jure que par ça maintenant : quelques … de lavande derrière l'oreille et elle dort d'une traite. Sinon, tu sais, depuis quelque temps, je fais de la … : je m'assois, je ferme les yeux et j'écoute ma respiration pendant plusieurs minutes. Qu'est-ce que ça me détend ! Tu devrais essayer !
– Je suis un peu sceptique. Me soigner au naturel, ce n'est peut-être pas pour moi. Je préfère compter les moutons, finalement !

DOSSIER 4

À corps et à cri

« L'accessibilité handicap est un droit qui permet à chacun de considérer son appareillage orthopédique comme une surface d'expression. Notre vision chez U-exist : laisser s'exprimer la création personnelle par l'Art-thérapie, afin d'aider à la reconstruction identitaire de chacun. Croyez en vos rêves et *jouez de votre différence* ! »

1 En petits groupes. Observez la photo et lisez la légende. Décrivez la photo et justifiez le slogan. Ce type d'appareillages peut-il aider à « la reconstruction identitaire » ? Échangez.

Édouard est un rescapé de la Première Guerre mondiale. Il fait partie de ces «gueules cassées», des soldats qui ont été gravement blessés au visage. Symboles de cette Grande Guerre que l'on voudrait oublier, ils éprouvent des difficultés à retrouver leur place dans la société.

Édouard écrivit au docteur Maudret qu'il refusait toute intervention esthétique de quelque ordre que ce soit et demanda à être rendu à la vie civile dans les meilleurs délais.
– Avec cette tête-là ?
Furieux le médecin. Il avait la lettre d'Édouard dans la main droite, de l'autre il lui tenait fermement l'épaule face au miroir.
Édouard regarda longuement ce magma boursouflé dans lequel il retrouvait, perdus, comme voilés, les caractères du visage qu'il avait connu. Les chairs, repliées, composaient des gros coussins d'un blanc laiteux. Au milieu de la face, le trou, en partie résorbé par ce travail d'étirement et de retournement des tissus, était une sorte de cratère plus lointain qu'auparavant, mais toujours aussi rougeoyant. On aurait dit un contorsionniste de cirque capable d'avaler entièrement ses joues et sa mâchoire inférieure, et incapable de faire le chemin inverse.
– Oui, confirma Édouard, avec cette tête-là.

Au revoir là-haut, Pierre Lemaitre, éditions Albin Michel, 2013.

2 Par deux. Lisez le chapeau et l'extrait littéraire. Expliquez la réaction du médecin. Vous semble-t-elle justifiée ? Échangez.

3 En petits groupes.

a. Quelle importance le regard des autres a-t-il sur l'apparence physique dans ces deux documents ?

b. Assiste-t-on à un changement sur ce sujet actuellement ? Échangez.

> “Ce que cache mon langage, mon corps le dit. Mon corps est un enfant entêté, mon langage est un adulte très civilisé...”

Roland Barthes, *Fragments d'un discours amoureux*, éditions du Seuil, 1977.

En petits groupes.

a. Lisez la citation. Comment la comprenez-vous ?

b. Selon vous, pourquoi Roland Barthes met-il en opposition le langage et le corps ? Partagez-vous son point de vue ?

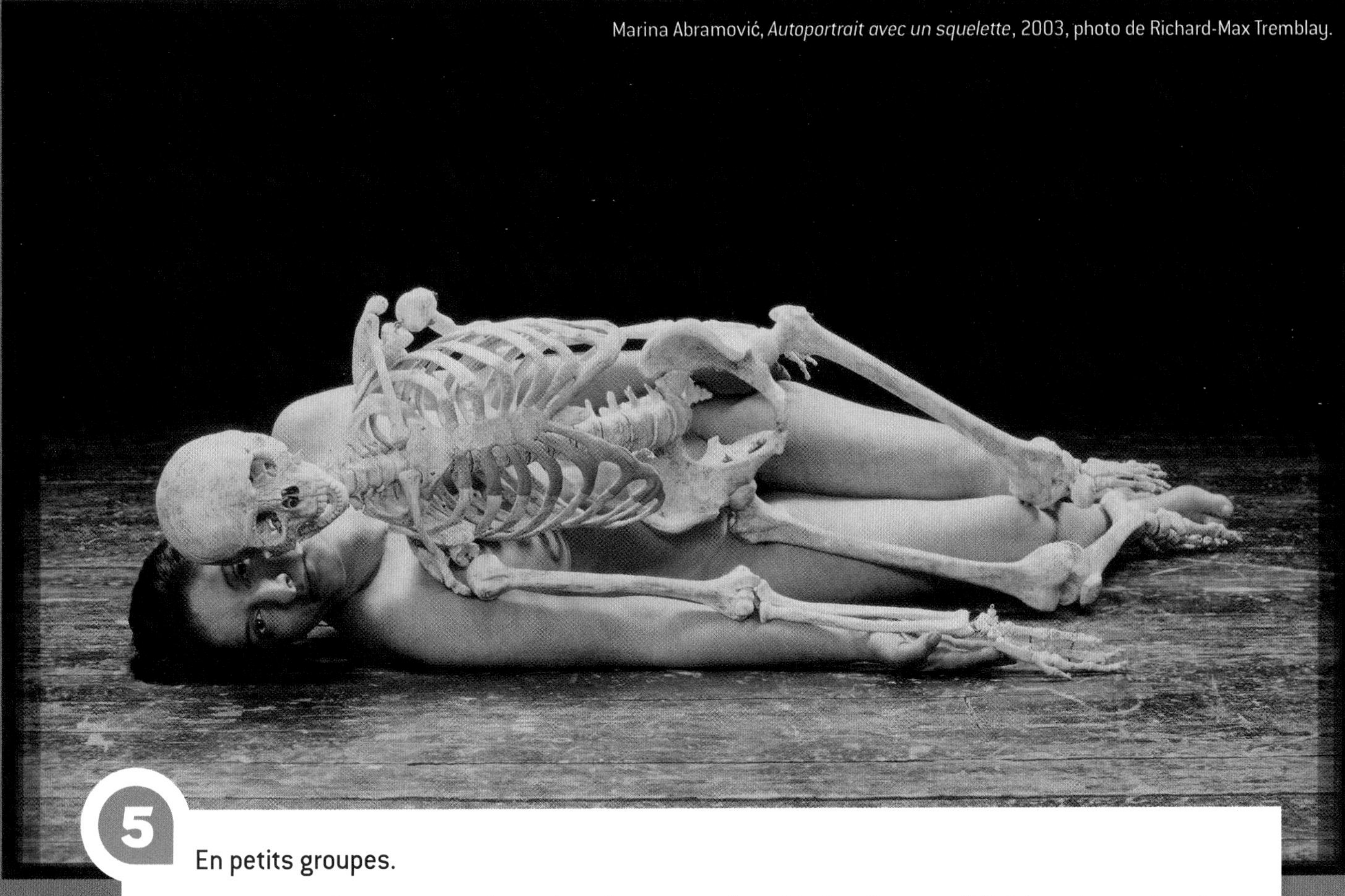

Marina Abramović, *Autoportrait avec un squelette*, 2003, photo de Richard-Max Tremblay.

5

En petits groupes.

a. Lisez la légende de la photo. D'après vous, qui est Marina Abramović ? Faites des recherches.

b. Observez la photo. Que vous inspire-t-elle ?

c. Ce genre de performance peut-il être considéré comme un acte artistique ? Échangez.

SAVOIR-FAIRE ET SAVOIR AGIR

Dans ce dossier, nous allons :

- commenter une tendance
- dénoncer une inégalité
- déclamer un slam
- interpréter le langage corporel
- décrire et analyser une œuvre d'art
- interpréter le travail d'un(e) artiste

LEÇON 1 #bodypositive

En petits groupes. Connaissez-vous des influenceurs ou des influenceuses ? Quels sont leurs messages ? Répondent-ils à des tendances propres à une culture ou existe-t-il des tendances internationales ? Échangez.

2. Regardez la vidéo (doc. 1).

a. Qui sont les personnes interviewées ?

b. Pourquoi leur consacre-t-on un reportage ?

3. Par deux. Regardez à nouveau la vidéo (doc. 1).

a. Repérez les objectifs de ces personnes.

b. Quelle autre personne intervient dans ce reportage ? Qu'apporte son intervention au reportage ? Reformulez en une phrase sa position sur les personnes interviewées.

En petits groupes. Pensez-vous que les réseaux sociaux puissent influencer la définition des standards de beauté aujourd'hui ? Échangez.

5. En petits groupes. Observez le document 2.

a. Qui est l'auteure ? Sur quel support et à qui adresse-t-elle son message ?

b. À votre avis, qu'est-ce que le #bodypositive ? Peut-on le relier au document 1 ? Justifiez.

6. Par deux. Lisez l'article (doc. 2).

a. Vrai ou faux ? Justifiez.

1. L'auteure n'a pas spontanément adhéré au #bodypositive.
2. Elle estime que le mouvement bodypositive permet aux femmes de se libérer de leurs complexes.
3. Elle considère qu'il y a des abus dans l'emploi du #bodypositive.
4. L'auteure ne souhaite plus faire partie du mouvement bodypositive.

b. Reformulez les idées principales de l'auteure.

7. En petits groupes. Relisez l'article (doc. 2).

a. Expliquez la différence entre le #bodypositive et le mouvement bodypositive.

b. Pourquoi la position de l'auteure a-t-elle évolué ?

c. Listez les propositions faites par l'auteure pour soutenir le mouvement bodypositive. Qu'apporte cette influenceuse à ses lecteurs ?

8. En petits groupes. Lisez à nouveau l'article (doc. 2).

a. Comment la blogueuse implique-t-elle ses lecteurs ? Identifiez les procédés utilisés (pronom, types de phrase, lexique, etc.).

b. En quoi ce document se distingue-t-il d'un article de presse ? Repérez ses caractéristiques (organisation, style).

c. Que pensez-vous du style utilisé ? Échangez.

À NOUS !

9. Nous commentons une tendance pour un blog.

En petits groupes.

a. Identifiez une tendance actuelle (mode, beauté, etc.) dans votre pays. Identifiez les principales caractéristiques de ce phénomène.

b. Recherchez des témoignages positifs et négatifs.

c. À la manière de la blogueuse (doc. 3), commentez cette tendance à l'aide d'exemples.

d. Rédigez un article de blog. Lisez vos articles, comparez les tendances et échangez. Postez-les sur le réseau de la classe.

document 2

https://framboisepoudree.fr

framboisepoudree.

lifestyle, food & lots of love[1]

9 avril 2019
Oxana

Le hashtag #bodypositive et moi, c'est fini.

J'en avais déjà brièvement parlé, [...] à ses débuts, le mouvement *bodypositive* m'a énormément emballée. Je trouvais ça génial que les femmes (et pas que les femmes) oppressées par la société, victimes de grossophobie quotidienne (au travail, chez le médecin, etc.) ou encore de notre société validiste, disent enfin « stop » et montrent qu'on n'a absolument pas besoin de faire une taille précise ou de ressembler à un certain « type » de corps pour être bien dans sa peau, être sexy et s'aimer telle qu'on est, sans vouloir changer quoi que ce soit.

Il y avait là-dedans **un côté libérateur**, un message très fort, et j'y ai vraiment cru. J'ai cru que les marques de vêtements allaient enfin revoir leur vision (extrêmement limitée et toxique) de la mode. Dans la réalité, il y a certes du progrès (les sites comme ASOS et Missguided, par exemple, ne retouchent plus les photos des mannequins – grande taille ou non – et on voit nettement plus de diversité parmi les corps ; des bourrelets, des vergetures, etc.). Mais petit a, j'ai bien peur que ce ne soit pas suffisant et le fait que ce genre de démarche suscite des applaudissements presque ahuris, alors que c'est juste... *normal et la moindre des choses* ?, en dit long sur le chemin qu'il reste à parcourir dans notre société.

Et surtout, petit b... J'ai le sentiment (et en parcourant le net, il se trouve que je suis loin d'être la seule) que **l'univers de la body positivité est devenu une échappatoire pour celles·eux qui ont des complexes**. [...] Le fait est que plus j'y pensais, plus je prenais le temps d'écouter les personnes concernées, et moins j'y croyais, à ce hashtag qu'on voit désormais partout.

Alors certes, vous me direz, on peut être mal dans sa peau en faisant un 36 comme en faisant un 46. À la différence près que le premier correspond nettement plus aux « standards » de la beauté définis par la société actuelle et les médias, à savoir un corps mince (et valide). Quant au deuxième, il est nettement moins facile à vivre dans notre société. Lorsqu'une personne fait un 46 et dit qu'elle s'aime et ne veut pas perdre du poids, elle a au mieux droit à un : « Oh c'est génial que tu t'assumes et que t'aies confiance en toi, moi je pourrais pas ! » Au pire, on la croit pas. Ou, encore pire, on commence à lui dire qu'elle doit penser à sa santé, lui parler de son IMC et on ose lui dire – parfois gentiment, parfois non – qu'elle doit perdre les kilos « en trop » pour éviter telle ou telle maladie.

Peut-être ne serez-vous pas d'accord avec moi – *mais je serai intéressée de connaître votre opinion et d'échanger avec vous !* – mais le fait est que, selon moi, les deux ne sont pas comparables. Pour être tout à fait honnête, je trouve que ça a tendance à non seulement attirer les projecteurs sur soi, mais aussi à décrédibiliser **le but premier du terme qui est la bodypositivité, à savoir donner de la visibilité à des corps qui sortent de cette norme qu'on essaie de nous imposer, des corps différents de ceux qu'on voit sur nos écrans, dans les magazines et dans les vitrines**. Cela me gêne de voir dans le #bodypositive la photo d'une fille mince, avec à la limite quelques vergetures à peine visibles, affirmant fièrement qu'elle est bodyposi avec une légende de type « Je m'aime et je m'assume *malgré mes kilos en trop et mes défauts* ! »

Et si on commençait simplement par arrêter de dire que ce sont des défauts ?

Et si on faisait preuve d'humilité en ce qui concerne le mouvement bodypositive et **qu'on laissait avant tout la parole aux personnes stigmatisées et discriminées** dans la vie de tous les jours ?

Si vous avez un peu suivi les actualités dernièrement, vous savez que le #grosse a été censuré sur Instagram, car, je cite, « encourageant des comportements dangereux ». À l'heure où les milliers de comptes *fit*[2] et le #thinspo (inspiration pour être mince) **ne connaissent aucune censure**. Vous la voyez un peu mieux, l'inégalité de traitement ? Et ce n'est qu'un minime aperçu du problème.

J'ai beau avoir été complexée pour plein de raisons pendant une bonne partie de mon adolescence (je continue doucement à me défaire de ces vieux démons), je n'utilise plus le #bodypositive sous mes photos et je lui préfère toujours le #selflove ou le #loveyourbody. On peut dire que le message reste globalement le même, mais ça évite de s'accaparer un réel combat qui, à la base, n'a pas été créé pour des personnes comme moi. Car soyons francs, avec mon 40/42, la taille considérée comme *in-between*[3], je n'ai pas une seule fois dans ma vie été touchée par la violence et les injustices que peuvent subir les personnes de tailles plus grandes. Pourtant si on en croit les ridicules idéaux de beauté, j'en ai des détails « à rectifier ». Des vergetures, des cicatrices, de la cellulite sur les cuisses.

Mais **je ne veux plus m'approprier une lutte qui ne me concerne pas personnellement**, un combat contre **une discrimination et une oppression systémique**. Aujourd'hui, je souhaite surtout être une alliée du mouvement bodypositive, et être une alliée pour moi, ça veut dire :

– se taire à certains moments et laisser les personnes concernées parler ;
– être capable de se mettre à la place d'autrui ;
– réaliser que nos problèmes d'estime de soi ne peuvent pas se mesurer aux injustices que certain·es peuvent subir au quotidien [...].

Je trouve qu'être **#bodyposi c'est très bien, mais ne pas s'approprier une lutte sociale quand on n'est pas directement concerné·e, c'est mieux**. Je vous laisse sur ces quelques extraits de l'article de la blogueuse Kiyémis, que je trouve très pertinents. [...]

« Enfin, un mouvement qui prônait l'amour de soi, et qui me rappelait les conversations qui régnaient dans mes forums de grosses. "Nous y avons toute notre place ! Ce mouvement repose sur nos épaules !" Naïvement encore, je pensais ce mouvement subversif, car il interrogeait les normes de beauté en vigueur, des normes d'un corps mince, aux traits dits "européens". [...]

Plus je cliquais sur les #bodypositive, moins je voyais de corps qui me ressemblaient. Le jeu des réseaux sociaux faisait qu'au sein même de ce qu'on appelle la "sphère body-positive", les corps les plus valorisés via les *likes* étaient ceux qui déviaient le moins de la norme. »

LOVE, Oxy

1. *lifestyle, food & lots of love* (angl.) : mode de vie, nourriture & beaucoup d'amour. 2. *fit* (ab. angl.) : *fitness*. 3. *in-between* (angl.) : entre-deux.

LEÇON 2 Visibles et invisibles

document 1

RAPLIQ — Regroupement activistes pour l'inclusion Québec

LE MANIFESTE

Défense et revendication des droits des personnes en situation de handicap

Notre Refus Global, Notre Manifeste Révolutionnaire

Nous sommes tous du 20e et 21e siècle. Nous sommes néEs ici et ailleurs. Nous parlons des milliers de langues. Nous sommes riches et pauvres. Nos amours sont célébrées et taboues. Nos identités sont multiples. Nos voix sont plurielles. Nous vivons sur une terre aujourd'hui appelée le Québec et nous sommes solidaires au-delà de toutes frontières.

Nous sommes visibles et invisibles. Plusieurs d'entre nous portent le stigma d'handicapéEs à cause de la différence de nos corps et de nos esprits par rapport aux normes souvent perçues comme étant naturelles, idéales et impératives. Nous nous battons pour que nos différences visibles et souvent invisibles soient reconnues et valorisées afin de vivre sans la tâche essoufflante et oppressante de cadrer dans une normalité qu'on nous force à performer.

Nous reconnaissons l'« handicapisme » comme un système d'oppression basé sur une hiérarchie des habilités définies comme étant normales et nécessaires. Nous vivons aussi le racisme, le sexisme, l'homophobie, la transphobie, l'âgisme et tous les autres systèmes d'oppression. Nous nous battons pour faire reconnaître l'intersection de ces différents systèmes d'oppression dans nos vies.

Le handicap est généralement défini par les instances gouvernementales comme étant un fonctionnement physique et mental anormal. Nous insistons sur le fait que le concept de normalité est une invention humaine qui est apparue avec l'arrivée des statistiques au début du 19e siècle. Nous sommes conscients que le handicap continue d'être considéré comme une tragédie humaine. Pourtant, nos récits de vie sont plus complexes ; ils sont composés de grandes joies et de grandes peines. La véritable tragédie du handicap n'est pas située dans nos corps et dans nos esprits, elle est située dans l'exclusion et la marginalisation qui s'y rattachent. Encore aujourd'hui. Nous n'avons ni besoin d'être sauvéEs ni besoin d'être normaliséEs. Nous n'avons pas besoin de charité.

Nous avons été historiquement marginaliséEs. Nous nous souvenons des institutions. Nous nous souvenons de la stérilisation forcée. Nous nous souvenons des *freak shows*. Nous nous souvenons des villes qui se sont construites sans tenir compte de notre présence nous privant ainsi de l'exercice de notre citoyenneté. Nous écrivons peu à peu notre histoire. Elle commence à être enseignée dans les universités et nous savons qu'un jour elle apparaîtra dans les manuels d'histoire. Nous nous souvenons que les groupes marginalisés ont, à un moment ou un autre de l'histoire, été considérés comme étant inférieurs physiquement et mentalement par rapport à la norme masculine hétérosexuelle blanche. Nous nous souvenons que ces groupes ont rejeté le stigma du handicap laissant ainsi l'histoire raconter le handicap comme un motif raisonnable menant à la marginalisation. Nous nous unissons puisque nous sommes souvent marginaliséEs au sein même des autres groupes marginalisés et croyons en la nécessité de créer un mouvement social réellement inclusif visant l'élimination de toute forme d'oppression et de discrimination.

Nous reconnaissons le travail effectué par des milliers d'entre nous afin de faire du Québec un endroit inclusif. Nous reconnaissons les progrès accomplis depuis les quarante dernières années. Malgré les progrès et le travail actuellement en cours, nous sommes toutefois forcéEs de constater que nos droits fondamentaux sont encore bafoués et que notre participation à la vie sociale est continuellement en péril et bien souvent ne tient qu'à un fil.

Nous nous souvenons d'une époque où nous sommes descenduEs dans la rue. Nous nous souvenons d'une époque où nous avons cru que les générations après nous n'auraient pas à se battre pour les mêmes choses que nous. Nous comprenons que la Révolution tranquille a été trop tranquille pour nous. Nous n'avons besoin que d'un petit peu plus de soleil pour faire fleurir les bourgeons de notre révolution.

Les frontières de nos rêves ne sont plus les mêmes.

Notre devoir est simple. Notre refus est solidaire.

Refus d'être sciemment ségrégéEs dans des systèmes parallèles. Refus de fermer les yeux sur les actes d'exclusion commis et endossés par la société québécoise. Refus de se taire sous le prétexte que nos idées sont nuisibles à la bonne entente entre le mouvement de défense des droits des personnes en situation de handicap et les différents pouvoirs. Refus de normaliser nos corps et nos esprits afin de favoriser l'émergence d'une culture valorisant le handicap au lieu de le stigmatiser. Refus d'attendre patiemment et naïvement notre tour dans un contexte de réduction des dépenses de l'État.

Si nos activités se font pressantes, c'est que nous ressentons violemment l'urgent besoin de l'union. Nous partageons nos différentes façons de nous battre. Nous créons un espace pour changer le Québec ensemble.

Nous, activistes pour l'inclusion en situation de handicap, nous rassemblons, avec nos proches et nos alliéEs, pour créer un espace dans lequel nous pourrons nous supporter, réagir, rappliquer, répliquer et célébrer. Nous unissons nos forces pour éclaircir le chemin vers un Québec inclusif. Nous nous engageons à promouvoir l'inclusion par tous les moyens d'action et de résistance non violents inimaginables. Nous avons choisi de ne plus tolérer l'intolérable. Nous avons choisi de parler d'exclusion car ceci est incontournable afin de comprendre le concept de l'inclusion. Nous ne cherchons pas à créer des discordances avec nos alliéEs mais plutôt à enrichir le mouvement associatif des personnes en situation de handicap en lui offrant une voix originale, radicale et solidaire.

Que tous ceux tentés par l'aventure se joignent à nous.

D'ici là, sans repos ni halte, en communauté, de sentiment avec les assoifféEs d'un mieux être, sans crainte des longues échéances, dans l'encouragement ou la persécution, nous poursuivrons dans la joie notre sauvage besoin de libération. Nous écrivons notre histoire. Nous organisons Notre Révolution. Nous signons Notre *Refus global*.

Laurence Parent, pour le RAPLIQ

* Le texte en italique provient du manifeste *Le Refus global*, écrit par Paul-Émile Borduas (1948). Il remettait en question les valeurs traditionnelles et rejetait l'immobilisme de la société québécoise de l'époque.

En petits groupes. Comment le handicap est-il perçu dans votre pays ? Existe-t-il des droits spécifiques pour les personnes handicapées ? Échangez.

2. En petits groupes. Observez l'acronyme du collectif (doc. 1). De quel verbe ce mot est-il dérivé ? Proposez des synonymes dans le registre courant.

3. Par deux. Lisez le manifeste (doc. 1).

a. Quel est le but de ce document ? Qui désigne le pronom « nous » ? Qui sont les destinataires ? Justifiez.

b. Identifiez les quatre parties et donnez-leur un titre.
Exemple : *première partie (l. 1 à 19) → présentation du collectif.*

c. Identifiez les paragraphes qui évoquent la situation des personnes handicapées dans le passé. Cette situation a-t-elle évolué ? À quel événement le collectif fait-il référence pour renforcer son constat ?

d. Expliquez l'importance des phrases en italique.

4. Par deux. Relisez le manifeste (doc. 1).

a. Listez les revendications. Quelle est l'idée commune ?

b. Repérez les structures grammaticales utilisées pour exprimer ces revendications.

c. Relevez les termes appartenant aux champs lexicaux de l'exclusion et de la lutte. En quoi l'opposition de ces deux champs lexicaux renforce-t-elle l'idée principale (act. a) ?

5. En petits groupes. Lisez à nouveau le manifeste (doc. 1).

a. Expliquez l'objectif de ce mouvement inclusif.

b. Comment l'inclusion apparaît-elle dans l'écriture du texte ? Donnez des exemples.

c. Existe-t-il de tels procédés d'écriture inclusive dans votre langue ? Qu'en pensez-vous ? Échangez.

6

En petits groupes. Connaissez-vous d'autres manifestes ? Faites des recherches si nécessaire. À quels domaines sont-ils associés ? Échangez sur leur impact.

document 2 19

Synopsis du film *Patients*

L'arrivée en rééducation d'un jeune tétraplégique. De façon crue, sans pathos, le slameur [Grand Corps Malade], aidé par Mehdi Idir, raconte sa propre histoire.

Un saut dans une piscine pas assez remplie et Ben se brise une cervicale. Le voilà « tétraplégique incomplet » – état grave, mais pas désespéré – dans un centre de rééducation. Lentement, au fil des jours et des semaines, Ben apprend à bouger un doigt. Puis un bras et même une jambe. Il s'accroche, même s'il apprend, en cours de route, de la part du médecin chef, que c'en est fini de ses ambitions sportives : jamais plus il ne rejouera au basket. Même entraîner les autres lui sera interdit...

D'après www.telerama.fr, 01/03/2017.

7. 19 Par deux. Lisez le synopsis et écoutez l'interview de Grand Corps Malade (doc. 2).

a. Quel est le thème du film ?

b. Expliquez les raisons qui ont poussé le réalisateur à faire ce film.

8. 19 Par deux. Réécoutez l'interview (doc. 2).

a. Que représente l'intimité du handicap pour le réalisateur ?

b. Expliquez la phrase : « Le handicap restera toujours ta première identité. »

c. Reformulez l'espoir du réalisateur en quelques mots. Quel lien y a-t-il entre cet espoir et Handi-partage ?

d. Quel impact ce film peut-il avoir sur l'opinion publique ? Échangez.

9

En petits groupes.

a. En quoi la démarche du réalisateur diffère-t-elle du manifeste (doc. 1) ? Justifiez.

b. Selon vous, quel est le ton ou le support le plus efficace ? Échangez.

À NOUS !

10. Nous rédigeons un manifeste pour dénoncer une inégalité.

En petits groupes.

a. Choisissez une forme d'exclusion que vous voulez dénoncer et trouvez un nom pour votre collectif.

b. Présentez cette forme d'exclusion (origine, personnes concernées, événements marquants, etc.).

c. Définissez les attentes des personnes qui en souffrent et listez leurs revendications.

d. Rédigez un manifeste en respectant les éléments qui composent ce type de support (act. 3, 4 et 5).

e. Partagez vos manifestes avec la classe et votez pour le meilleur. Publiez-les ensuite sur le réseau de la classe.

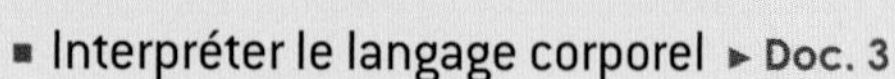

- Déclamer un slam ► Doc. 1 et 2
- Interpréter le langage corporel ► Doc. 3

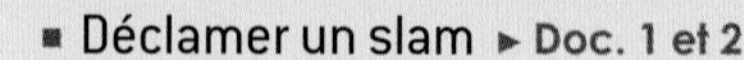

LEÇON

3 Le langage du corps

1 En petits groupes. Faites des recherches sur le slam (origine, style, etc.). Présentez-les à la classe à l'aide d'exemples. ►| Culture et société p. 192

document 1 20

2. 20 **Écoutez le slam (doc. 1).**

a. Identifiez le thème principal.

b. Que ressentez-vous à l'écoute de ce document ? Échangez.

3. 20 **Par deux. Réécoutez le slam (doc. 1).**

a. Listez les parties du corps citées, puis classez-les. la tête • les membres supérieurs • les membres inférieurs • le buste

b. Selon le refrain, qui prend les décisions ?

4. Par deux. Lisez le slam (doc. 2).

a. Reprenez la liste de l'activité **3a** et complétez-la si nécessaire.

b. Comment les parties du corps sont-elles mises en avant dans ce slam ?

c. Expliquez la particularité de la dernière partie (l. 45 à 58).

document 2

Le Langage du corps Grand Corps Malade

Le corps humain est un royaume où chaque organe veut être le roi
Y'a le cœur, la tête, les couilles, ça vous le savez déjà
Mais les autres parties du corps ont aussi leur mot à dire
Chacun veut prendre le pouvoir et le pire est à venir
5 Il y a bien sûr la bouche qui a souvent une grande gueule
Elle pense être la plus farouche mais se met souvent le doigt dans l'œil
Elle a la langue bien pendue pour jouer les chefs du corps humain
Elle montre les dents, c'est connu, mais n'a pas le cœur sur la main
Seulement la main n'a pas forcément le monopole du cœur
10 Elle aime bien serrer le poing, elle aime jouer les terreurs
Elle peut même faire un doigt, elle ne fait rien à moitié
La main ne prend pas de gants et nous prend vite à contre-pied
Le pied n'a pas de poil dans la main mais manque d'ambition
Au pied levé je dirais comme ça que le pied n'a pas le bras long
15 Les bras, eux, font des grands gestes pour se donner le beau rôle
Ils tirent un peu la couverture mais gardent la tête sur les épaules

On peut être timide ou on peut parler fort
D'toute façon ce qui décide c'est le langage du corps
On peut avoir l'esprit vide ou un cerveau comme un trésor
20 D'toute façon ce qui domine c'est le langage du corps
C'est le langage du corps
C'est le langage du corps

Quand la bouche en fait trop la main veut marquer le coup
Pour pas prendre sa gifle la bouche prend ses jambes à son cou
25 La bouche n'a rien dans le ventre, elle préfère tourner le dos
Et la main sait jouer des coudes, la tête lui tire son chapeau
Mais l'œil n'est pas d'accord et lui fait les gros yeux
Ils sont pas plus gros que le ventre mais l'œil sait ce qu'il veut
Car l'œil a la dent dure, le corps le sait, tout le monde le voit
30 À part peut-être la main qui pourrait bien s'en mordre les doigts
Et la jambe dans tout ça eh bien elle s'en bat les reins
Elle est droite dans sa botte et continue son chemin
Personne ne lui arrive à la cheville quand il s'agit d'avancer
Même avec son talon d'Achille, elle trouve chaussure à son pied
35 Les pieds travaillent main dans la main et continuent leur course
Jamais les doigts en éventail, ils se tournent rarement les pouces
Ça leur fait une belle jambe, toutes ces querelles sans hauteur
Les pieds se foutent bien de tout ça, loin des yeux loin du cœur

On peut être timide ou on peut parler fort
40 D'toute façon ce qui décide c'est le langage du corps
On peut avoir l'esprit vide ou un cerveau comme un trésor
D'toute façon ce qui domine c'est le langage du corps
C'est le langage du corps
C'est le langage du corps

45 Pour raconter l'corps humain, rien n'est jamais évident
Je m'suis creusé la tête et même un peu cassé les dents
Alors ne faites pas la fine bouche, j'espère que vous serez d'accord
Que c'texte est tiré par les cheveux, mais que petit à petit il prend corps
J'ai pas eu froid aux yeux mais je reste un peu inquiet
50 Je croise les doigts pour qu'au final je retombe sur mes pieds
Ne soyez pas mauvaise langue même si vous avez deviné
Que pour écrire ce poème je me suis tiré les vers du nez

On peut être timide ou on peut parler fort
D'toute façon ce qui décide c'est le langage du corps
55 On peut avoir l'esprit vide ou un cerveau comme un trésor
D'toute façon ce qui domine c'est le langage du corps
C'est le langage du corps
C'est le langage du corps

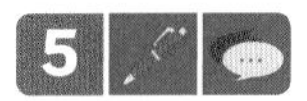

En petits groupes.

a. Choisissez une strophe (doc. 2) et relevez quatre expressions imagées.

b. Cherchez la définition de chaque expression et préparez un exercice d'association.

Exemple :

1. une grande gueule	a. se tromper grossièrement
2. se mettre le doigt dans l'œil	b. personne qui parle fort mais qui, souvent, agit peu

Solutions : a2 – b1

c. Échangez vos exercices entre les groupes.

d. Faites les exercices et corrigez-les avec la classe.

e. Proposez des expressions de votre langue liées au corps. Expliquez-les.

En petits groupes. ▸| Stratégies p. 181

a. 20 Réécoutez le slam (doc. 1) et identifiez les groupes rythmiques.

Exemple :

Il y a bien sûr la bouche / qui a souvent une grande gueule /
Elle pense être la plus farouche / mais se met souvent le doigt dans l'œil /

b. Répartissez-vous les vers et, à la manière de Grand Corps Malade, déclamez ce slam devant la classe. Votez pour la meilleure déclamation.

document 3 Vidéo n° 5

Le langage du corps, France TV

7. Par deux. Regardez l'émission (doc. 3).

a. Quel est le sujet de cette émission ? Quel lien pouvez-vous établir avec le document 1 ?

b. Repérez les parties du corps évoquées. Complétez les catégories (act. 3a.).

c. Expliquez la place de la gestuelle dans les deux situations analysées (l'entretien d'embauche et la politique) ?

8. Par deux. Regardez à nouveau l'émission (doc. 3).

a. Associez les interprétations suivantes à un geste.
se sentir agressé(e) • s'extraire de la réalité • évaluer une situation • montrer de l'inquiétude • mentir • séduire

b. Relevez les différents types de poignée de main et leur interprétation respective.

c. Reformulez en une phrase ce que traduit la gestuelle corporelle selon l'invitée.

d. Pensez-vous que l'étude de la gestuelle soit fiable ? Échangez.

En petits groupes. Dans votre pays, les mains et les expressions faciales occupent-elles une place importante dans la communication ? Avez-vous remarqué des différences avec d'autres cultures ? Échangez.

À NOUS !

10. Nous interprétons la gestuelle corporelle à partir d'une vidéo.

En petits groupes.

a. Choisissez une vidéo avec une ou plusieurs personnes dont les gestes sont bien visibles (entretien d'embauche, situation du quotidien, etc.).

b. Visionnez la vidéo sans le son et listez les mouvements de la / des personne(s) que vous voulez analyser.

c. Notez vos interprétations (intentions, émotions).

d. Projetez la vidéo dans la classe et présentez votre analyse. Échangez.

- Décrire et analyser une œuvre d'art ▸ Doc. 1
- Interpréter le travail d'un(e) artiste ▸ Doc. 1 et 2

4 Un corps « animé »

1

En petits groupes. Choisissez une œuvre d'art où le corps est le sujet principal. Présentez-la à la classe (auteur, pays, époque, parties du corps représentées, position du corps sur le tableau, etc.). Échangez.

▸ Culture et société p. 204-205

document 1 21

Jean-Auguste-Dominique Ingres, *La Source*, 1820-1856.

2. Par deux. Observez le tableau (doc. 1). Échangez vos impressions.

3. 21 En petits groupes. Écoutez l'audioguide (doc. 1).

a. Listez les éléments dont parlent les trois personnes : l'attitude et l'expression du sujet, le format du tableau, le sujet principal, etc. Mettez en commun avec la classe.

b. Quelle impression générale est mise en relief ? Comparez-la avec vos propres impressions.

4. 21 Par deux. Réécoutez l'audioguide (doc. 1).

a. Listez les parties du corps évoquées et associez-y des éléments de description.
Exemple : *le visage → rond, régulier, jeune.*

b. Que ressent Théophile Gautier face à ce tableau ? Expliquez.

5

En petits groupes. Selon vous, qu'apportent les audioguides à la compréhension d'une œuvre ? Quels sont leurs inconvénients ? Échangez.

6. Par deux. Lisez l'article (doc. 2).

a. Quelles sont les caractéristiques des différentes performances de Marina Abramović ?

b. Qu'ont en commun les deux dernières performances mentionnées dans l'article (l. 32 à 45) ?

7. Par deux. Relisez l'article (doc 2).

a. Relevez le lexique lié à l'expérimentation des limites du corps.
Exemple : *à bout de force.*

b. Expliquez la phrase « Marina Abramović use de son corps comme d'un terrain d'expression politique » (l. 1) et précisez les revendications de l'artiste.

c. Justifiez le titre : « La performance à corps et à cri ».

8. En petits groupes. Lisez à nouveau l'article (doc. 2).

a. Quel est le point de vue de l'auteur de l'article sur les performances « Balkan baroque » et « *The Artist is Present* » ?

b. Partagez-vous son point de vue ? Échangez.

9

En petits groupes. Pensez-vous que le corps puisse être un objet artistique ? Échangez.

10. Nous analysons et interprétons une œuvre d'art pour un audioguide.

Par deux.

a. Choisissez une des œuvres présentées (act. 1) et faites si nécessaire des recherches supplémentaires sur le contexte de sa réalisation et sur l'artiste.

b. Reprenez les éléments de la description et de l'analyse d'une œuvre (act. 3 et 4) et décrivez l'œuvre.

c. Écrivez un texte pour l'audioguide et enregistrez-le.

d. Organisez une mini exposition dans la classe, affichez les reproductions des œuvres et écoutez les audioguides correspondants.

document 2

https://www.lezephyrmag.com

LIBRAIRIE NEWSLETTER

leZéphyr

PORTRAITS REVUE PODCASTS

Marina Abramović, la performance à corps et à cri

JÉRÉMY FELKOWSKI × 11 JANVIER 2018

Marina Abramović use de son corps comme d'un terrain d'expression politique. Retour, entre coups d'éclat et introspections, sur la carrière d'une artiste totale.

Meurtres, épuration, soif de domination... Plus que tout, ces termes font écho à l'œuvre de Marina Abramović. Serbe d'origine, l'artiste a lutté durant une centaine d'heures contre son propre corps, contre le temps et l'indifférence des pouvoirs politiques pour incarner l'indicible.

Balkans baroques

Quelque part dans le vieux Venise, une femme gît à bout de force. Autour d'elle, deux tonnes d'os de bœuf jonchent le parquet de la galerie où elle s'est retranchée voici quatre jours. Sans cesse, elle a gratté, récuré, décapé fémurs et tibias, plongeant indistinctement les mains au fond de l'énorme monticule de chair et de sang tandis que les photos de ses proches étaient projetées sur les murs voisins. Est-ce la démence qui a poussée Marina Abramović à se cloîtrer ainsi, seule, face à la nuit glaciale de la Biennale et aux photos de ses parents projetées sur les murs voisins ? Sans doute. Mais pas seulement. [...]

Lorsque [en 1997] les organisateurs de la Biennale ont contacté Marina Abramović, ils entendaient lui confier un rôle d'ambassadrice en lui attribuant la représentation du pavillon de la Yougoslavie. Outre le fait d'être la toute première femme à représenter les Balkans lors de l'événement, elle ne pouvait ignorer l'exposition publique que cette mission lui conférait. Son pays était en guerre et elle devait le faire savoir. [...] Et c'est ce qu'elle fit au travers de « Balkan baroque », l'une de ses installations les plus marquantes. Durant quatre jours et six heures, curieux et connaisseurs se sont succédé sous le pavillon yougoslave pour assister au funeste spectacle.

Interroger le monde

Depuis ses études à l'académie des Beaux-Arts de Belgrade au début des années 1970, Marina Abramović a voué sa carrière à la transgression et à l'appréhension des limites de sa propre endurance. À l'image d'un René Descartes qui interrogeait sans cesse le monde et sa réalité, elle nous parle du corps dans la société et du dialogue inaudible qui unit l'artiste et son œuvre.

Très tôt, elle met en pratique sa démarche en usant de psychotropes pour éprouver sa résistance au travers d'installations dangereuses. [...]

Repoussant ce qu'elle perçoit comme étant SA limite, elle travaille sans relâche, provoque, s'agite et sert l'émergence d'une contre-culture bouillonnante. En 1974, elle enroule par exemple un python autour de sa tête comme un turban, et se couche au centre d'une étoile de flammes. De 1976 à 1988, elle collabore avec Ulay, amant et âme sœur artistique, avec qui elle réalise une série de happenings. Leurs « *relation works* » mêlent volontiers le temps, l'espace et le rapport à l'autre.

Dans les mémoires

En 1988, alors que le couple est sur le point de se séparer, Abramović et Ulay entreprennent un dernier projet commun. L'un de la région du Hebei à l'Est, l'autre de celle du Gansu à l'Ouest, les deux artistes partent pour un périple de trois mois et de 4 000 kilomètres. Chacun marchant vers l'autre jusqu'à l'épuisement, ils se rejoignent finalement dans la province de Shaanxi. Paradoxe de cette performance, ils officialisent leur séparation au moment même où leurs routes se croisent face aux montagnes verdoyantes du centre de la Chine.

Au-delà de son apparition, le corps dans l'art est également affaire d'expression. En 2010, à la faveur d'une rétrospective dédiée à son œuvre, Marina Abramović prépare « *The Artist is Present*[1] », une installation qui restera dans les mémoires. Le dispositif est simple : une table, deux chaises et le silence... Seule, assise au milieu de la grande salle au sixième étage du MoMa (Museum of Modern Art) de New York, elle fait face au cortège de milliers d'inconnus. Sans mot dire, elle plonge son regard dans le leur.

Certains restant quelques minutes, d'autres plusieurs heures, chacun peut ainsi se confronter à la présence réelle et physique de l'artiste, sans artifice, sans discours et sans cérémonial. Seule l'apparition d'Ulay fit réagir l'artiste. Voyant son ancien amant s'installer face à elle, elle se mit à pleurer, brisant le silence qui avait soudain envahi les lieux. Pour tout discours, laisser parler son corps... Marina Abramović s'est progressivement imposée comme une figure tutélaire du *Body Art*[2] ; un courant qu'elle transcende par la vidéo, la photo, la sculpture et le soin avec lequel elle règle la scénographie de ses performances. Comme les ultimes traces de son art, ces documents circulent sur le web et dans les galeries, parfois à prix d'or.

1. *The Artist is Present* (angl.) : L'artiste est présent. 2. *Body Art* (angl.) : art corporel.

MOTS et EXPRESSIONS

Leçon 1 – #bodypositive

1. Associez les mots et expressions de même sens ou de sens proche (7 paires).
Exemple : *une norme → un standard.*

se sentir bien dans son corps
une norme
photoshopper
être bien dans sa peau
casser les codes
un complexe
discriminer
s'accepter
un défaut
un standard
briser les modèles
s'assumer
stigmatiser
retoucher une photo

2. Complétez le message.

Instagram expliqué à ma grand-mère
Mamie,
Instagram, c'est un r_s___ s____l qui compte un milliard d'u____s_t____ dans le monde entier. Tu te rends compte ? Ce qui lui a permis d'avoir tout ce succès, c'est la présence de célébrités et de marques que l'on peut s__v__ grâce à leurs photos postées quotidiennement.
Il y a des instagrameurs professionnels, ce sont les i_f____c____. Ils ont un large __d____r_. En effet, leur ___f_l est suivi par des milliers d'_b___é_ . Ils postent des c___h__ d'eux hyper valorisants qui permettent de lancer des modes, de faire la p___o___n, de v__t_r et de vendre de super produits… qui seront démodés deux semaines après parce qu'on en aura découvert de nouveaux, bien sûr… Ils sont vus comme des e___p__s à suivre. Ils reçoivent des centaines de commentaires ultra-positifs. Tu peux aussi les contacter en m_____e privé si tu ne veux pas être lue par tout le monde. Alors, tu t'inscris ?

Leçon 2 – Visibles et invisibles

3. Remplacez les mots et expressions soulignés par d'autres de même sens ou de sens proche.

Au Festival international du film sur <u>l'invalidité</u>, tout le monde rêve d'une société sans <u>interdit</u> où vivre ensemble avec nos différences serait une richesse. Pour cette nouvelle édition, le festival s'installe à Lyon. Ville des frères Lumière, ville du cinéma par excellence, Lyon est aussi une ville engagée, récompensée par le premier prix de l'Access City Award en 2018. Cinéma, défense des droits des personnes <u>invalides</u>, voilà des raisons essentielles pour que le Festival s'installe à Lyon.
Amitié, amour, <u>dérision</u>, histoires fantastiques, blessures <u>qui se voient</u> ou <u>ne se voient pas</u>, messages d'espoir constituent l'essence de cette troisième édition du festival. Nous vous invitons à vous laisser embarquer par ces univers différents où tous les possibles se rejoignent.
La première soirée sera consacrée à deux films, bien connus du grand public, qui ont changé notre regard.

Tout le monde debout, de Franck Dubosc
Franck Dubosc a décidé de traiter le sujet sur le ton de la comédie. C'est en voyant sa mère en <u>chaise pour handicapé physique</u> que l'humoriste a eu l'idée de cette histoire d'amour entre une femme <u>paralysée des deux jambes</u> (Alexandra Lamy) et un homme prêt à tout pour la séduire.

Intouchables, d'Olivier Nakache et Éric Toledano
Deuxième plus gros succès français de l'histoire au box-office, *Intouchables* est basé sur la vie de l'homme d'affaires Philippe Pozzo di Borgo, <u>paralysé des quatre membres</u> à la suite d'un accident de parapente. Incarné à l'écran par François Cluzet, il se lie d'amitié avec Driss (Omar Sy), un jeune de banlieue engagé comme aide à domicile. Les <u>boutades</u> du jeune Driss séduisent Philippe qui rejette <u>le secours</u> des autres.

Leçon 3 – Le langage du corps

4. Retrouvez la partie du corps à l'aide des définitions.

a. Il se serre quand on est triste, s'emballe quand on est amoureux et s'arrête quand on meurt.
b. Elle est composée de dix-sept muscles et possède des papilles gustatives. Il est très douloureux de se la mordre.
c. Elle désigne la bouche d'un animal.
d. Ce sont les extrémités articulées des mains.
e. Cette articulation joint le bras au thorax.
f. C'est la partie du corps qui unit la tête au torse.
g. C'est la partie du pied que l'on pose en premier quand on marche.
h. C'est à cet endroit que le bras se plie.

5. a. Complétez les expressions idiomatiques suivantes avec les mots trouvés dans l'activité 4.

1. Avoir la tête sur les… .
2. Avoir le … sur la main.
3. Avoir une grande … .
4. Prendre ses jambes à son … .
5. Jouer des … .
6. Avoir un … d'Achille.
7. S'en mordre les … .
8. Être une mauvaise … .

b. Utilisez chaque expression dans une phrase.

6. Choisissez la proposition correcte.

a. Quand on est surpris(e), on *se pince la racine du nez / hausse les sourcils*.
b. Pour saluer quelqu'un chaleureusement, on lui donne une poignée de main *franche / du bout des doigts*.
c. Quand on ment, on *cligne des yeux très fort / regarde fixement son interlocuteur*.
d. Quand on réfléchit, on *croise les bras / se caresse le menton*.
e. On *fronce les sourcils / fait les yeux doux* pour exprimer de l'inquiétude.

Leçon 4 – Un corps « animé »

7. Choisissez la proposition correcte pour la description du tableau.

La Naissance de Vénus, Sandro Botticelli, 1840.

Sur *la toile / le dessin* de Botticelli, Vénus est d'apparence virginale.

Nue / vêtue, sa longue *raie / chevelure* d'or couvre son *pubis / ventre* mais laisse apparaître *ses courbes / ses compositions* féminines. Elle pose sa main droite sur *sa nuque / sa poitrine*. Sa tête est *droite / inclinée*. Vénus est représentée au moment où sa conque accoste sur l'île de Chypre.

Botticelli a utilisé des contours *sombres / clairs* autour de son corps pour la faire ressortir plus nettement *du premier plan / de l'arrière-plan* et créer *un contraste / un accord* avec sa peau *laiteuse / bronzée*. Sur la gauche du tableau, on repère Zéphyr dont le souffle « l'a portée sur les flots de la mer ». *Sa position / Sa localisation* oblique et l'ouverture de son bras droit vers *l'arrière / l'avant* soulignent le mouvement que l'air, dessiné par quelques rayons blanc-gris sortant de *sa bouche / ses narines*, impulse à la conque sur laquelle se trouve Vénus. Sur l'île, une jeune fille, vêtue d'une robe large dans les tons blancs et gris fleurie de bleu, l'attend. Le motif fleuri de sa robe qui répond aux fleurs entourant Zéphyr évoque *la personnification / la personnalité* du Printemps, sur le même modèle que *l'allégorie / la métaphore* du Printemps. Le peintre présente une déesse à qui la seule *performance / beauté* physique suffit à conférer un caractère divin : *dureté / délicatesse* de la carnation, harmonie des proportions… Son épaule gauche *relevée / abaissée* et son *bassin / ventre* légèrement monté rappellent le mouvement hérité de la statuaire antique.

D'après http://www.oeuvres-art.com/naissance-venus.html.

DALF 2

I Compréhension de l'oral

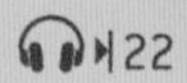

DOCUMENT 1

▸| Stratégies p. 184

1. **Pour Françoise Daunet, comment la relation médecin-patient a-t-elle évolué avec les informations disponibles sur Internet ?**

2. **Qu'observe Lucie Maurou chez les professionnels de santé face à l'émergence d'Internet ?**
a. Du scepticisme. b. De l'indifférence. c. De la curiosité.

3. **Selon Lucie Maurou, concernant le diagnostic médical…**
a. le médecin doit avoir un rôle plus pédagogique.
b. les patients doivent éviter de consulter Internet.
c. les forums de santé doivent être mieux contrôlés.

4. **Pour Lucie Maurou, il est très positif que les patients…**
a. se montrent attentifs à leur santé.
b. fassent confiance à leurs médecins.
c. participent à des forums spécialisés.

5. **Pour Lucie Maurou, de quelle manière Internet encourage-t-il les médecins à s'adapter ?**
(2 réponses attendues)

6. **Quelle est la principale critique des patients français vis-à-vis de la médecine ?**

7. **Pour Lucie Maurou, les entreprises qui auraient des projets dans le domaine médical…**
a. pensent surtout à l'aspect financier.
b. connaissent assez mal la médecine.
c. s'adressent aux mauvais interlocuteurs.

8. **Pour Lucie Maurou, à quelle condition les nouvelles technologies sont-elles bénéfiques pour la médecine ?**

II Production écrite : l'importance de l'apparence

ÉPREUVE N° 1 – Synthèse de documents

▸| Stratégies p. 172

Faites une synthèse des documents proposés. Fourchette acceptée : entre 200 et 240 mots.
– Vous devez rédiger un texte unique en suivant un ordre qui vous est propre, et non mettre deux résumés bout à bout ;
– vous ne devez pas introduire d'autres idées ou informations que celles qui se trouvent dans les documents, ni faire de commentaires personnels ;
– vous pouvez réutiliser les mots clés des documents, mais non des phrases entières.

TEXTE 1

La tyrannie de l'apparence

À l'école, à la fac, au travail… Avant même nos compétences, c'est notre physique qui est jugé. Une dictature du beau dénoncée par le sociologue Jean-François Amadieu.

Tout le monde le pressent et personne ne veut y croire : notre vie tout entière est soumise à la tyrannie des apparences. Professeur de sociologie, Jean-François Amadieu a recensé trente ans d'études américaines et européennes sur le sujet et en tire une conclusion effarante : toute notre vie, dans tous les domaines, en amour comme au travail, notre apparence conditionnera nos relations aux autres.

Les regards qui se portent sur le nourrisson dans son berceau ne sont pas neutres. Un bébé beau attirera force sourires alors qu'un enfant moins séduisant créera une certaine gêne chez les adultes.

« *On ne peut pas dire qu'une mère ou un père préfèrera un enfant plus beau que ses frères et sœurs,* explique Jean-François Amadieu. *En revanche, les études ont prouvé que les activités seront différentes selon que l'enfant est beau ou laid. Par exemple, une mère jouera beaucoup avec son nourrisson s'il est beau, tandis qu'elle focalisera sur les apprentissages s'il est disgracieux. Il est d'ailleurs prouvé que ces enfants réussiront mieux à l'école que la moyenne.* »
À la maternelle déjà, les enfants beaux sont privilégiés. Les enseignants ont une meilleure opinion d'eux, leur accordent davantage d'attention. Cette bienveillance engendre une confiance chez l'enfant qui l'accompagnera toute sa vie. D'autant qu'elle va mettre en place une dynamique du succès qui se poursuivra à l'âge adulte.
Diplôme en poche, vous pensiez être délivré de la dictature des apparences ? Erreur. « *Une apparence avenante est cruciale au moment de l'embauche, mais également pour une bonne intégration au sein de l'entreprise,* explique Jean-François Amadieu. *Elle permet une meilleure évaluation des performances et favorise un bon déroulement de carrière.* » Le candidat sera jugé d'abord sur des critères extérieurs : soin apporté à sa personne, poids, beauté physique, etc. 50 % des employeurs jugent qu'un physique séduisant est un critère important de recrutement. « *Les beaux sont jugés plus intelligents, plus ambitieux, plus chaleureux, plus sociables, plus équilibrés et moins agressifs.* » Ainsi, de nombreux spécialistes du recrutement estiment, consciemment ou pas, qu'une personnalité équilibrée se voit. Pire, les études prouvent qu'à diplôme équivalent, un candidat au physique peu avenant sera recruté à un salaire moindre.
« *Bien sûr, nous préférerions que ce soient les mérites de chacun qui déterminent l'obtention des diplômes, l'accès aux emplois, etc., plutôt qu'un critère arbitraire et primitif,* admet Jean-François Amadieu. *Mais c'est en disant la vérité sur cette discrimination qu'on peut élaborer des stratégies visant à limiter, sinon contrer, l'emprise des apparences. Bien connue et bien utilisée par tous, elle peut aussi permettre de bousculer l'ordre imposé.* »

D'après Violaine Gelly, www.psychologies.com.

TEXTE 2

La beauté favorise-t-elle la réussite ?

Un physique avenant serait une garantie de succès, notamment dans le domaine professionnel. Pourtant, les beaux n'ont pas toujours le beau rôle.
Avant de savoir si la beauté favorise la réussite, encore faut-il la définir. Les critères esthétiques valorisés fluctuent énormément d'une période de l'histoire à l'autre mais également dans l'espace et en fonction de critères socioculturels.
Les canons esthétiques de notre époque agissent comme des injonctions. Chercher à s'y conformer aboutit bien souvent à une souffrance. Notre environnement nous présente des normes de beauté qui influencent notre comportement.
La beauté est d'abord une expérience émotionnelle. Et elle peut en effet faire consensus. En condition expérimentale dénuée de tout contexte, quels que soient l'âge du participant, sa culture d'origine ou son morphotype, on observe par imagerie cérébrale que les mêmes zones du cerveau, celles de la récompense et du plaisir, s'activent devant les photographies de beaux visages. En dehors de ces phases expérimentales, notre ressenti de la beauté prend en compte d'autres critères : on parle notamment de « beauté intérieure ». Notre expérience vécue de la personne vient moduler la première impression purement esthétique qu'on a eue d'elle.
On nous « vend » l'idée qu'une personne belle est une belle personne, ce qui induit qu'elle est forcément heureuse, épanouie, talentueuse et parée de toutes les vertus. On a tous tendance à agir dans le sens de ces stéréotypes, et à nous comporter de manière bienveillante avec les personnes au physique attrayant. C'est pour cela que… les beaux sont avantagés !
Mais l'extrême beauté en particulier peut aussi être l'objet d'une forme de discrimination : elle inquiète, fait peur, crée chez ceux qui sont moins beaux des émotions négatives, et peut ainsi constituer un frein à la promotion, à l'embauche… Et donner lieu à d'autres stéréotypes. Par exemple, une personne belle serait superficielle et idiote. Même les beaux peuvent avoir à pâtir de leur apparence physique.
On ne peut évidemment pas faire abstraction de l'apparence physique. Mais on a aussi toute latitude comportementale pour réagir au stimulus de la beauté : ai-je envie d'en tenir compte ? On est libre de se positionner à l'égard du rôle que la beauté joue dans nos vies.

D'après Marlène Duretz, www.lemonde.fr.

ÉPREUVE N° 2 – Essai argumenté – 250 mots minimum ▸| **Stratégies p. 174**

Le site Internet d'un journal francophone lance un débat sur les discriminations liées à l'apparence physique. Sous la forme d'un message destiné aux lecteurs du site, vous dénoncez la trop grande place donnée à l'apparence dans les médias et sur les réseaux sociaux en citant des exemples concrets. Vous proposez également des solutions possibles pour sortir de ce mode de pensée et réduire les discriminations.

DOSSIER 5

Dans quel monde vit-on ?

Les jouets occupent plusieurs rangées de rayons rigoureusement séparés en « Garçons » et « Filles ». Aux uns, l'exploit – Spiderman –, l'espace, le bruit et la fureur – voitures, avions, chars, robots, punching-balls –, le tout décliné dans des rouges, verts, jaunes violents. Aux autres, l'intérieur, le ménage, la séduction, le pouponnage. « Ma petite supérette », « Mes accessoires de ménage », « Ma mini-Tefal », « Mon fer à repasser », « Ma baby-nurse ». Un « Sac aliments » transparent est rempli hideusement, entre étron et vomi, de croissants et autres nourritures en plastique. Entrevoir une trousse de docteur au milieu de cet arsenal ménager me soulage presque. [...] Je suis agitée de colère et d'impuissance. Je pense aux Femen*, c'est ici qu'il vous faut venir, à la source du façonnement de nos inconscients, faire un beau saccage de tous ces objets de transmission. J'en serai.

Annie Ernaux, *Regarde les lumières mon amour*, éditions Flammarion, 2013.

1

En petits groupes. Lisez l'extrait littéraire et observez l'illustration.

a. D'après Annie Ernaux, en quoi les supermarchés représentent-ils l'état de la société actuelle en France? La situation est-elle la même dans votre pays ? Échangez.

b. Quelles origines ces deux auteures attribuent-elles aux inégalités entre les femmes et les hommes ?

c. Ce débat doit-il être réservé aux femmes ? Échangez.

* Femen : mouvement féministe radical fondé en Ukraine.

Et aussi parce que, pour que l'émancipation des femmes soit totale, ce serait quand même bien qu'elles arrivent à l'atteindre toutes seules...

© Marina Spaak, *Femmes plurielles*, février 2017.

> « On devient vieux dans le regard des autres, pas dans sa tête. »

Titre d'un article, magazine *Usbek & Rica*, 12 novembre 2018.

2

En petits groupes. Lisez le titre de l'article. Quel regard portez-vous sur la vieillesse ? Pour vous, est-ce seulement une transformation physique ? Échangez.

Ezk, *Dans quel monde Vuitton ?*, art urbain à La Rochelle, 2015.

Par deux. Observez et expliquez l'image. Sur quel jeu de mots repose la question accompagnant le dessin ? Échangez.

En petits groupes.

a. Parmi les valeurs présentées dans l'ensemble des documents, laquelle vous touche le plus ? Pourquoi ?

b. Présentez à la classe une œuvre qui illustre selon vous la lutte contre les inégalités. Échangez.

SAVOIR-FAIRE ET SAVOIR AGIR

Dans ce dossier, nous allons :

- comprendre et expliquer le message d'une chanson
- résumer oralement un discours
- rédiger une biographie
- comprendre une chronique humoristique
- interpréter et écrire un poème
- comparer des modes de vie à différents âges
- distinguer et adapter les registres de langue

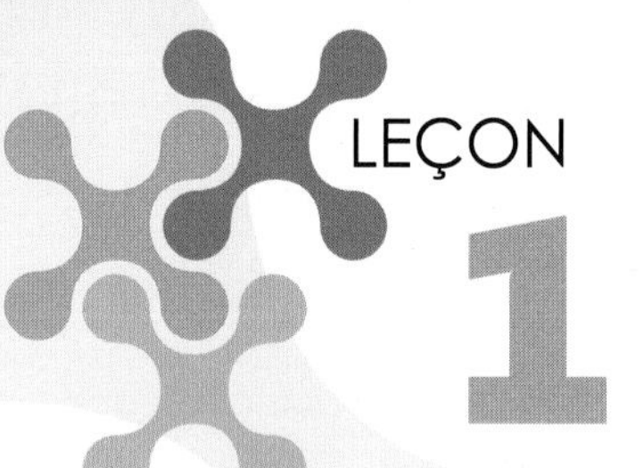

LEÇON 1 Le chant des combattants

document 1

1975 : avec **Hexagone**, Renaud livre une critique au vitriol des travers français.

François Olislaeger, *Le 1, Refrains d'époque* (Repères illustrés), infographie du *1*, n° 163, juillet 2017.

1. Observez et lisez le document 1.

a. Quelle est la particularité de la chanson présentée ? Connaissez-vous le chanteur et la chanson ?

b. Comment décririez-vous la chanson française ? Échangez.

▸ | **Culture et société p. 192**

document 2

le un 1

« Nous avons été élevés au grain de Souchon et de Renaud »

Je fais partie de ceux qui considèrent que la chanson a toujours dit la société. On y livre son intimité, ses fractures personnelles, sa relation à l'autre, son envie ou son bonheur d'être amoureux, son désespoir d'être quitté. Cette implication de l'intime dit forcément beaucoup sur les autres.
Depuis que la chanson moderne existe, elle a toujours dit le monde, elle l'a parfois questionné, bousculé, [...] c'est le lien de reconnaissance sociale, le socle d'une caste sociale, c'est le collectif, encore plus à une période où la télévision ou la radio n'existent pas. Les chansons révolutionnaires ont joué ce rôle en 1789, en 1848 ou lors de la Commune de Paris. Les poilus* dans les tranchées chantaient eux aussi pour se donner du courage. Plus tard, l'une des premières chansons de Charles Trenet est *Boum !*, en 1938. L'année suivante, le monde explose... Mais, à partir de l'après-guerre, c'est l'inverse : on sent la volonté d'oublier la guerre. On veut inventer une nouvelle philosophie faite de plaisirs. L'arrivée du jazz et du swing dans la chanson française en change la facture : on se met à écrire dans la rythmique. [...]
La période qui va de la fin des années 1950 à l'après-68 constitue un moment clé. Toute une génération d'artistes s'engage à dire le monde. Mais il faut aussi sortir de ce cliché qui consisterait à dire qu'il y a eu un âge d'or de la chanson française engagée. Ce serait injuste d'oublier que, de la fin des années 1960 jusqu'à aujourd'hui, on a des auteurs comme Maxime Le Forestier, Jacques Higelin, Alain Souchon, Francis Cabrel ou Renaud.
Mes parents ont eu comme chanteur Brassens, moi j'ai eu Renaud. Ce dernier considère que le plus grand bonheur de sa vie, c'est quand Georges Brassens lui a dit que ses chansons étaient bien construites. Voilà l'importance des filiations !
Cet engagement continue aujourd'hui. Je pense bien sûr au hip-hop. On cherchera à comprendre le monde de la fin des années 1980 jusqu'aux années 2000 en lisant les textes d'IAM, de MC Solaar, comme on le fait avec ceux de Brassens pour les années 1950. Les rappeurs ont accompli un travail de mémoire extraordinaire à travers leur façon de sampler [ou d'échantillonner, c'est-à-dire d'extraire quelques notes d'une composition pour s'en servir dans une autre]. Eux-mêmes ont été des explorateurs car ils sont allés à la découverte du patrimoine de la chanson française en écrivant. Ils nous ont appris qu'ils s'éduquaient en même temps qu'ils nous proposaient leur vision du monde. [...] Parler de l'intime, c'est parler du monde, et inversement. Ces deux types de chansons ont la même importance.
Quand on voit l'obscurantisme et les extrémismes prendre une part aussi importante dans la société française chez des catégories parmi les plus inattendues, on ne peut s'empêcher de se dire que, nous, nous avons eu la chance d'être élevés au grain des chansons de Souchon et de Renaud. Quand vous avez écouté ceux-là, vous avez normalement une chance d'être ouvert au monde, d'être curieux. Vous êtes susceptibles de vous intéresser à ce qu'était la guerre d'Algérie, la Commune, à la problématique du régionalisme, de la corruption, des flux migratoires... [...]
Beaucoup de gens disent que la peinture, la littérature ou le cinéma sont des arts plus estimables à cause de Gainsbourg qui a déclaré que « *la chanson est un art mineur pour les mineurs* ». Elle reste pourtant le vecteur le plus immédiat pour s'ouvrir au monde. En plus du contenu, elle affine une sensibilité. C'est le territoire de la liberté absolue mais aussi de la concision. La chanson, c'est l'art de dire des choses puissantes en peu de mots. [...]

Le 1, n° 163, juillet 2017, entretien avec Didier Varrod, journaliste et producteur radio, auteur de documentaires.
Propos recueillis par Éric Fottorino et Gabrielle Tuloup.

* poilus : nom donné aux soldats français de la Première Guerre mondiale.

2. Par deux. Lisez l'article (doc. 2).

a. Identifiez le thème des chansons citées dans cet article.

b. À quelles périodes correspondent-elles ? Repérez les connecteurs temporels utilisés. En connaissez-vous d'autres ? Mettez en commun avec la classe.

3. Relisez l'article (doc. 2).

a. D'après Didier Varrod, quelle est la mission de la chanson sur le plan individuel ? collectif ? À quelle citation s'oppose-t-il ?

b. Reformulez sa définition de la chanson.

c. Partagez-vous son opinion ? Échangez.

4 En petits groupes. D'après Didier Varrod, « *les rappeurs ont accompli un travail de mémoire extraordinaire* » en samplant des morceaux du patrimoine de la chanson française.

a. Que pensez-vous de cette technique musicale ?

b. Selon vous, est-il important de défendre le patrimoine musical ? Échangez.

document 3 Vidéos n° 6a à 6c

Kery James, *Banlieusards*

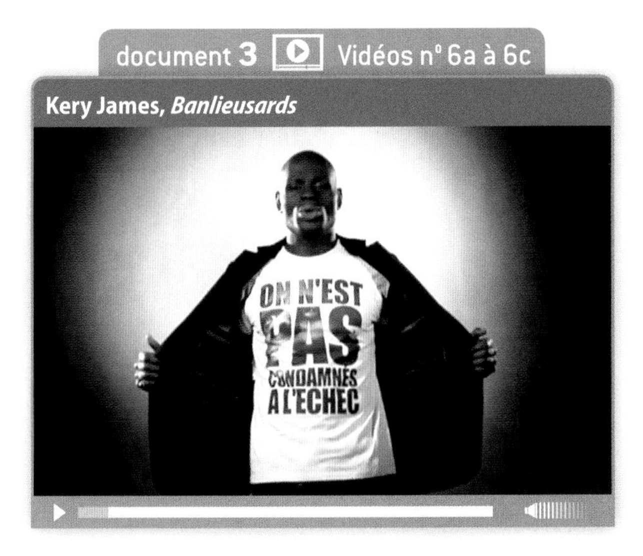

5. Regardez la première partie du clip (doc. 3, 6a).

a. Quel est le sens du terme « banlieusards » ?

b. Identifiez les deux catégories de population dont parle le chanteur. Comment les caractérise-t-il ?

c. Quel est le parcours de Kery James ? Pourquoi l'évoque-t-il ?

d. Quel lien pouvez-vous établir avec le document 2 ?

DOC. 3 – oseille (n. f., fam.) : argent.

6. Par deux. Regardez la deuxième partie du clip (doc. 3, 6b).

a. Relevez les conseils que donne le chanteur pour enrayer la situation actuelle.

b. À qui Kery James fait-il référence dans cette deuxième partie ? Pourquoi ?

c. Reformulez le message que le chanteur souhaite transmettre. Où ce message apparaît-il et sous quelle forme ?

7. En petits groupes. Regardez le clip en entier (doc. 3, 6c).

a. Kery James utilise les mots « babtous », « keufs », « tromé », « chanmé » : cherchez la définition de ces termes et classez-les selon qu'ils relèvent du verlan ou de l'argot. En connaissez-vous d'autres ? Mettez en commun avec la classe. Culture et société p. 199

b. Comment comprenez-vous la phrase : « Les yeux dans les bleus mais des bleus dans les yeux* » ? Trouvez deux autres métaphores dans la chanson.

c. En quoi cette chanson se distingue-t-elle des autres ? Quelle est la particularité de sa structure ?

d. Appréciez-vous le genre musical et l'interprétation de cette chanson ? Pensez-vous qu'ils renforcent le message ? Échangez.

À NOUS !

8. Nous expliquons le message d'une chanson engagée.

Seul(e) ou en petits groupes.

a. **Choisissez une chanson engagée de votre pays.**

b. **Listez les revendications de cette chanson.**

c. **Analysez la structure de la chanson (refrain, chœur) et le type d'écriture utilisé (lexique, métaphores, rimes).**

d. **Présentez votre chanson à la classe.**

– Expliquez le contexte d'écriture (événement historique, contexte économique et/ou social, etc.).
– Faites écouter la chanson (ou des extraits choisis).
– Choisissez les paroles qui vous semblent importantes, traduisez-les et expliquez-en le sens dans le contexte.

POUR ALLER PLUS LOIN

Faites des recherches sur les chanteurs évoqués dans cette leçon. Écrivez un texte de présentation où vous mettrez en relation la chanson avec son contexte d'écriture. Précisez le message transmis en sélectionnant des paroles de la chanson.

**Les yeux dans les bleus* est un documentaire sur la victoire de l'équipe de France de football en Coupe du monde en 1998. Cette phrase est reprise en chanson par les supporters lors des matches.

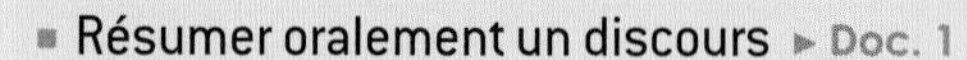

- Résumer oralement un discours ▸ Doc. 1
- Rédiger une biographie ▸ Doc. 2

2 L'égale de l'homme

En petits groupes. Comment se déroule la journée pour le droit des femmes (8 mars) dans votre pays? Échangez. ▸ Culture et société p. 196

document 1 23

Ruffin fait le ménage à l'Assemblée

2. 23 **Par deux. Observez la photo et écoutez le discours (doc. 1).**

a. Quelles caractéristiques montrent qu'il s'agit d'un discours à l'Assemblée ? À votre avis, à quel bord politique appartient François Ruffin ? Faites des recherches pour vérifier votre réponse.

b. Repérez les informations sur les conditions de travail des femmes de ménage à l'Assemblée nationale ? En quoi s'opposent-elles à leur cadre de leur travail ?

c. Identifiez les professions et les employeurs. Comment François Ruffin explique-t-il la précarité ?

d. Expliquez le sens propre et le sens figuré du titre. Résumez en une phrase l'idée principale de ce discours.

3. 23 **En petits groupes. Réécoutez le discours (doc. 1).**

a. Repérez les trois grandes parties de l'allocution.

b. Comment François Ruffin commence-t-il son discours ? Pourquoi ? Identifiez les types d'exemples utilisés. Que permettent-ils à François Ruffin ?

c. Relevez et interprétez le champ lexical du service.

d. Quelles demandes formule-t-il ? Identifiez le mode employé et l'effet recherché.

e. Pensez-vous, comme François Ruffin, que les conditions de travail des femmes soient représentatives de leur statut dans la société ? Qu'en est-il dans votre pays ? Échangez.

Par deux.

a. Relisez vos réponses aux activités 2 et 3 et retranscrivez les informations (type de document, contexte, thème, constats, revendications) sous forme de notes.

b. Faites un résumé oral du discours de François Ruffin de 1 minute. La classe vérifie que les principaux éléments y figurent et choisit le meilleur résumé.

5. Lisez l'article (doc. 2).

a. Quelles caractéristiques de la vie de Benoîte Groult sont mises en relief ? Expliquez le titre.

b. Cet article est une nécrologie : en quoi se distingue-t-il d'une biographie ?

c. Quels ont été les engagements de Benoîte Groult ? Identifiez les facteurs qui les ont influencés. Comment ses engagements se sont-ils traduits dans sa vie personnelle ?

6. En petits groupes. Relisez l'article (doc. 2).

a. À quelles difficultés Benoîte Groult a-t-elle été confrontée dans son travail d'auteure ? Repérez comment la journaliste introduit et commente les propos de ses détracteurs. Quel effet produisent ces différents commentaires ?

b. Montrez que la journaliste cherche à élever Benoîte Groult au rang de figure féministe.

7. Par deux. Lisez à nouveau l'article (doc. 2).

a. Retrouvez le plan de la nécrologie de Benoîte Groult en mettant les différentes parties dans l'ordre.
Influences sur le mouvement féministe • Annonce de sa disparition • Résumé des faits marquants de sa vie • Conclusion • Présentation de son environnement familial • Énoncé de ses choix de vie • Portée de son premier livre • Détails sur son œuvre et son engagement

b. Analysez et justifiez les temps employés dans chaque partie.

c. Cet article vous a-t-il donné envie de découvrir l'œuvre de Benoîte Groult ? Échangez.

DOC. 1 – sororité (n. f.) : devoir de solidarité entre femmes.

document 2

BENOÎTE GROULT, **AINSI SOIT-ELLE**

Benoîte Groult est morte à l'âge de 96 ans. Essayiste, romancière, militante féministe fervente, tout au long du XXe siècle, elle a occupé une place importante dans le champ des idées, en même temps que sa sœur Flora.

Écrivaine, essayiste, féministe, Benoîte Groult est de la trempe[1] de celles qui ont traversé et marqué l'histoire du féminisme du XXe siècle. Avec Marie Laurencin comme marraine, une mère dessinatrice de mode et un père styliste de meubles, tous deux réputés, Benoîte Groult évolue dans un milieu bourgeois et fréquente le Paris intellectuel et artistique de son époque. «On ne naît pas femme, on le devient», écrira Simone de Beauvoir. Ainsi Benoîte prendra-t-elle conscience plus tard, au gré de son expérience et de son apprentissage de la vie, du sort réservé à la femme dans la société. *Ainsi soit-elle*, en 1975, fait entendre la voix de l'émancipation féminine et devient le texte fondateur d'une militante engagée pour les droits de la femme en France et dans le monde.

Regard bleu pétillant, malicieux, l'itinéraire de cette jeune fille de bonne famille ne cesse de surprendre. Tour à tour professeure de lettres, journaliste, elle a à peine 19 ans quand la Seconde Guerre mondiale la confine dans l'appartement familial avec, pour seules héroïnes, la Sainte Vierge et Jeanne d'Arc. Pour tuer l'ennui, sa mère conseille à ses deux filles, Benoîte et Flora, de tenir un journal de bord. Chaque jour, l'une et l'autre noteront leur quotidien, leurs émotions, leurs désirs étouffés. Le soir venu, lecture est faite à la table familiale. Ce *Journal à quatre mains* sera publié en 1962 et connaîtra un succès foudroyant.

Un premier livre sous forme d'électrochoc

Benoîte Groult disait ne s'être «émancipée qu'à l'âge de 35 ans». Sa prise de conscience féministe a tôt fait[2] de la classer dans les écrivaines féministes. Étiquette non seulement qu'elle ne réfute pas mais qu'elle revendique haut et fort. Lorsque paraît en 1975 *Ainsi soit-elle*, ouvrage dans lequel elle dénonce les mutilations génitales féminines, une partie de la presse se déchaîne. Pascal Jardin, dans le magazine *Lui*, fustige «*les ovariennes cauchemardesques et les syndicalistes de la ménopause*». Maurice Clavel aura la délicatesse de la qualifier de «*mal baisée*». Dès lors qu'il s'agit des femmes et de leur condition, ces messieurs, aussi brillants soient-ils, écument de rage et s'avèrent d'une grossièreté des plus violentes. Mais les lectrices et lecteurs, eux, seront au rendez-vous et ce livre agira comme un électrochoc.

Ce qui saute aux yeux, chez Benoîte Groult, c'est ce désir permanent d'émancipation féminine, de recherche inlassable des multiples chemins qui mènent à la liberté de chacune avec cette conscience exacerbée des autres. Elle sait, dès le départ, que sa vie sera «*un parcours d'obstacles*». Elle aurait pu se marier sagement et élever ses enfants comme il était de tradition. Elle se mariera trois fois, divorcera deux fois, aura deux filles et aura avorté de nombreuses fois dans les conditions épouvantables d'alors. Mais elle est tenace et avance, d'abord à tâtons, gagnant en assurance, en indépendance. Dans *Ainsi soit-elle*, elle ne manque pas de sel en écrivant: «*Il est vrai que j'ai un cerveau de femme, j'aurais dû vous l'avouer plus tôt. C'est un ordinateur plus rudimentaire, dame! Et qui comporte peu de circuits et absorbe moins de données. Je suis née comme ça et j'ai beau avoir fait des études dites supérieures parce que j'ai eu la chance de naître au XXe siècle où, par suite du relâchement des mœurs, on a fini par nous ouvrir les portes des lycées et des facultés, comme on permet de guerre lasse*[3] *à l'enfant qui vous a enquiquiné*[4] *toute la journée de jouer avec la boîte à outils de papa, je ne parviens pas à me sentir l'égale de l'homme.*»

Benoîte Groult réhabilite aussi de grandes figures féminines ignorées par les gardiens du temple de l'Histoire écrite et déclinée au masculin. En premier lieu Jeanne d'Arc, la première à franchir le pas et à jouer dans la cour des hommes et des rois. Mais aussi Louise Labé, Marguerite de Navarre, Flora Tristan, Rosa Luxemburg et, bien sûr, Olympe de Gouges, figure de la Révolution française, si dérangeante qu'elle finira sur l'échafaud, à qui elle consacrera un essai et écrira à son propos: «*Elle a eu l'audace de changer un mot, un seul, à l'article 1 de la Déclaration des droits de l'homme:* "Toutes les FEMMES naissent libres et égales en droit." *Ce seul mot était un défi lancé aux hommes. Il procédait d'une idée si novatrice, si dérangeante, si révolutionnaire en mot, qu'il menaçait l'équilibre de la famille et celui de la société. Il justifiait aux yeux de la majorité de ses contemporains qu'Olympe fût condamnée au ridicule, à la violence, puis à la mort, et qu'elle laissât à la postérité le souvenir d'une irresponsable.*»

Benoîte Groult avait un sens de l'humour contagieux et déstabilisateur. Elle s'amusait des cris d'orfraie provoqués par sa description d'un homme nu «*vu de dos et à quatre pattes*» qu'elle compare à «*une chauve-souris*». Elle qui préférait l'enthousiasme à la sérénité présidera la commission pour la féminisation des noms de métier: «*Quand il n'y a pas de mots pour nous, c'est que nous n'existons pas*», disait-elle. Elle se heurtera à l'opposition de l'Académie française, se fera traiter de «*précieuse ridicule*». Viendront d'autres romans, *Les Trois Quarts du temps* (1983), récit dénonçant la phallocratie sous toutes ses coutures, puis *Les Vaisseaux du cœur* (1988), une histoire d'amour qui sera un autre succès de librairie. Ensuite *Histoire d'une évasion* (1997), qui mêle souvenirs personnels et parcours des femmes. En 2006, avec *La Touche étoile*, elle s'attaque à un autre tabou, la vieillesse et la mort librement consentie. Elle milite pour l'Association pour le droit de mourir dans la dignité (ADMD), jugeant sur le sujet «*notre pays rétrograde*». Pour elle, «*le refus de la naissance choisie et de la mort choisie, c'est la même idéologie contre la liberté*». «*Elle est morte dans son sommeil comme elle l'a voulu, sans souffrir*», a indiqué sa fille Blandine de Caunes. Il est grand temps de redécouvrir cette écrivaine joyeuse et ombrageuse qui aimait la vie, les hommes, les enfants et cultiver son jardin…

Marie-José Sirach, *L'Humanité*, 22 juin 2016.

1. être de la trempe (exp.) : avoir la même valeur, le même courage.
2. avoir tôt fait de (exp.) : être prompt à faire quelque chose.
3. de guerre lasse (exp.) : abandon après une période de patience.
4. enquiquiner (v.) : agacer.

En petits groupes.
Parmi les arguments féministes de ces deux documents (act. 3d et 5c), lequel vous paraît le plus efficace ? Échangez.

9. Nous écrivons la biographie d'une personne engagée.

Par deux.

a. Choisissez une personnalité connue pour ses engagements (politiques, sociaux) et faites des recherches sur sa vie, sur la (les) action(s) qu'elle a menée(s).

b. Cherchez les réactions qu'a eues le public par rapport à son engagement. Choisissez des citations pour illustrer votre portrait.

c. Rédigez une biographie (500 mots) en soulignant l'admiration que vous avez pour cette personne. Échangez.

d. Partagez vos biographies sur le réseau de la classe.

LEÇON

3 Terre d'accueil

- Comprendre une chronique humoristique ▸ Doc. 1
- Interpréter et écrire un poème ▸ Doc. 2

1 En petits groupes. Que représente pour vous une « terre d'accueil » ? Décrivez les valeurs que celle-ci doit offrir. Échangez.

document 1 24

2. 24 Lisez la présentation et écoutez la chronique (doc. 1).

a. Sur quoi les questions posées par Guillaume Meurice portent-elles ?

b. Quelle vision les personnes interrogées partagent-elles ?

c. Déduisez le but de cette chronique.

3. 24 En petits groupes. Réécoutez la chronique (doc. 1).

a. Quel constat Guillaume Meurice fait-il de la situation politique en France ?

b. Relevez les antiphrases* qu'il utilise et expliquez l'effet produit.

c. Que pouvez-vous en déduire sur la question de l'immigration en France ?

d. Que reproche Guillaume Meurice au gouvernement français ? Quel lien pouvez-vous établir avec les réponses des personnes interrogées ?

4. 24 En petits groupes. Écoutez à nouveau la chronique (doc. 1).

a. Repérez le maximum de phrases qui appartiennent au registre familier. Transposez-les dans un registre courant.

b. Qu'apporte ce registre à cette chronique ?

5 Pensez-vous que l'humour soit un bon moyen de parler de sujets graves ? Échangez.

6. Par deux. Lisez le poème (doc. 2).

a. Quels sont les sens du terme « colonne » ? Établissez un lien entre la forme et le titre du poème.

b. Repérez les questions posées par le poète. Sur quoi Laurent Gaudé souhaite-t-il faire réagir ? Quel lien pouvez-vous établir avec le document 1 ?

c. Quels sont les éléments qui composent un poème classique ? En quoi le poème de Laurent Gaudé se distingue-t-il ? Quel effet cela produit-il à la lecture ?

7. Par deux. Lisez la première partie du poème (doc. 2, v. 1 à 63).

a. De qui parle Laurent Gaudé ? Qu'apporte l'utilisation du pronom « nous » ?

b. À quelles difficultés est confrontée cette « colonne » ? Montrez que ces difficultés ne trouvent pas de solution. Citez des vers du poème.

c. Comment l'auteur traduit-il la promiscuité et la perte d'identité de ces personnes ? Justifiez votre réponse à partir d'exemples précis (forme du texte, lexique employé).

8. En petits groupes. Lisez la deuxième partie du poème (doc. 2, v. 64 à 86).

a. Que représente la colonne dans cette dernière strophe ? En quoi cette strophe se distingue-t-elle du reste du poème ?

b. Repérez le champ lexical de la lumière. Quel sens apporte-t-il au poème ?

* antiphrase : énoncé ou mot dans une phrase laissant entendre le contraire de ce que l'on pense.

DOC. 1 – Jordan Bardella : membre du Rassemblement national, parti d'extrême-droite français. – Gorafi : site d'informations parodique français (anagramme du journal *Le Figaro*). – bouc émissaire (n. m.) : individu ou groupe désigné pour endosser tous les torts. – émissaire (n. m.) : personne chargée d'une mission.

Dans le livre *Osons la fraternité !, Les écrivains aux côtés des migrants*, trente écrivains prennent la parole pour dénoncer la violence de l'exil forcé.

La Colonne

Quand avons-nous commencé
À n'être plus
Que foule,
Masse,
5 Groupe sombre de visages et de mains ?
Quand
Avons-nous perdu ce qui nous donnait lumière et vie ?
Nous avançons les uns derrière les autres, attendons
Les uns contre les autres, dormons
10 Les uns
Sur les autres,
Si proches, les uns
Se toussant sur les autres,
Si serrés
15 Les uns les
Autres à n'en faire plus
Qu'un au milieu des
Autres.

Maudite colonne
20 À chaque pas,
Nous sentons ton souffle
Qui est le nôtre.
Enfants et valises au bout des bras,
À ne plus savoir lesquels sont à nous.
25 Quand sommes-nous devenus cette chose
Qui fait se fermer les portes et les visages ?
À notre passage, le jour tombe
Et le froid se réjouit de mordre.
À notre passage,
30 On s'écarte,
Le malheur passe
Et sourit
Car nous sommes son armée.

Quand avons-nous commencé à n'être plus que cette entité floue
35 Plus grosse qu'une famille, moins forte qu'un peuple ?
Colonne d'ombres éparses,
Ou serrées, selon qu'il faut marcher le long d'une route
Ou se presser devant un camion qui distribuera du chaud – soupe ou couverture…
Colonne d'ombres
40 Encombrée,
Timide presque dans ses gestes.
Les hommes n'ont jamais porté les enfants avec tant de patience.
Les regards n'ont jamais parcouru les paysages avec tant d'indifférence.
Nous nous retournons parfois,
45 Avec toutes nos têtes,
Sur la date lointaine de notre départ
Et nous le sentons :
Malgré tous nos efforts,
Marcher ne nous a menés nulle part,
50 Ni supplier,
Ni forcer notre courage.
Nous errons sur les routes,
Nous piétinons dans les camps.

Quand sommes-nous devenus si silencieux,
55 Et si dociles à la peine ?
Nous sommes arrêtés,
Dans nos vies, nos cœurs,
Arrêtés blessés.
Quand quitterons-nous la nécessité ?
60 Aurons-nous des noms à nouveau, des histoires, des voix ?
Aurons-nous de l'espace autour de nous et un avenir au bout de nos pas
Ou sommes-nous condamnés encore pour longtemps à la cohue des corps
Et à l'haleine partagée ?

Un jour viendra, nous le savons,
65 – Nous nous le répétons comme une prière cachée au creux des jours –
Où la colonne disparaîtra.
Peut-être pas pour nous, mais pour ceux que nous tenons serrés dans nos bras.
Le jour viendra
Où nous ne lui appartiendrons plus,
70 Où nous serons hommes et femmes libres à nouveau.
Nous le murmurons à nos enfants :
Un jour viendra où ils retourneront à la vie.
Enfants des routes de l'aube et des feux de camp au crépuscule.
Ce jour-là, ne les regardez pas avec compassion,
75 Ne leur tendez pas la main avec des sourires d'aumône,
Car ce jour-là, ils seront princes sur terre,
Plus grands que vous,
Silencieux et souverains
Portant dans leur regard
80 À jamais
La lumière étrange et forte de ceux qui furent éprouvés,
– Et dans leur dos,
La colonne de murmures et de peines
Lointaine comme un souvenir qui s'efface,
85 La colonne
Dont ils auront su se libérer.

Laurent Gaudé, « La Colonne », dans *Osons la fraternité ! Les écrivains aux côtés des migrants*, éditions Philippe Rey, 2018.

▸ | Culture et société p. 201

9. Nous écrivons un poème.

Par deux.

a. Choisissez une injustice que vous souhaitez dénoncer.
b. Déterminez des métaphores que vous pouvez associer à cette injustice. Associez un champ lexical à une de ces images.
c. Réfléchissez à la forme que vous souhaitez donner à votre poème et déterminez le nombre de strophes.
d. Rédigez un poème de 20 à 30 vers pour décrire l'injustice choisie et échangez vos impressions.
e. Lisez-le aux autres groupes et publiez-le sur le réseau de la classe.

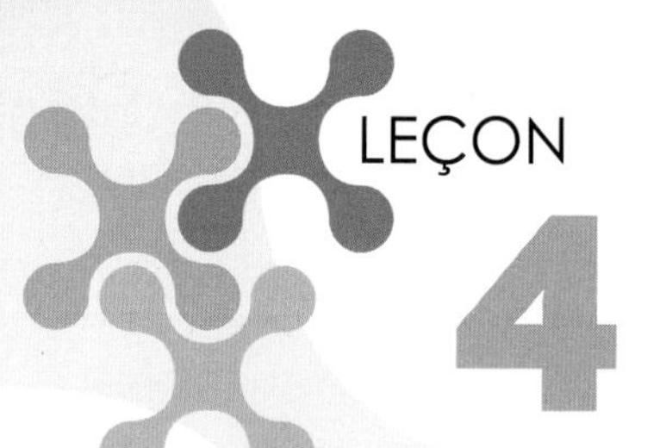

LEÇON

- Comparer des modes de vie à différents âges ▸ Doc. 1 et 2
- Distinguer et adapter les registres de langue ▸ Doc. 1 et 2

4 À nos âges

En petits groupes. À votre avis, à quel âge atteint-on chaque étape de la vie (enfance, adolescence, âge adulte, vieillesse) ? On parle souvent de « crise » lors de ces passages : qu'en pensez-vous ? Échangez.

document 1

Libération

PAUL CAUUET, JOUER LA CARTE VERMEIL

Par Jean-Manuel Escarnot – 29 juillet 2018

Le dessinateur toulousain, auteur des *Vieux Fourneaux*, se délecte des aventures dessinées de ses trois fripouilles, adaptées au cinéma.

« Faire chier le système le plus longtemps possible, vu qu'à nos âges, il n'y a plus guère que lui que l'on peut encore besogner. » Faute de changer le monde, Pierrot, Émile et Antoine, les héros de la BD *Les Vieux Fourneaux*, deux cent cinquante piges au compteur à eux trois, profitent de leur vieillesse pour emboucaner au maximum le grand capital et ses sbires. Tatoués, fumeurs de Gitanes, perclus[1] d'arthrose, le trio se moque de la morale. Soudés par une commune aversion envers l'autorité, ils dégomment à tout-va les réacs, les bien-pensants, les bobos, les cons, les nuisibles, les actionnaires et autres patrons de labos pharmaceutique. Vivifiant. On se dit qu'on aimerait bien vieillir comme eux. Signe des temps : vendus à un million et demi d'exemplaires, les quatre albums de la série se trouvent aussi bien dans les rayons des supermarchés que sur les étagères du Taslu[2], la bibliothèque de la ZAD[3] de Notre-Dame-des-Landes.

On rencontre Paul Cauuet, 38 ans, le dessinateur des *Vieux Fourneaux*, à la Mine, l'atelier collectif logé sous les toits d'un immeuble toulousain proche de la place du Capitole. Il y marne sept heures par jour, après avoir déposé à vélo sa gamine à l'école. Ce matin, il a les traits tirés du type qui a « *la tête dans le guidon et le guidon sous l'eau* ». En ce moment, « *ça carbure à mort* », dit-il en souriant. Il reste cool malgré le film adapté de la BD avec Pierre Richard, Eddy Mitchell et Roland Giraud, qui sort le 22 août, et les planches du cinquième album à livrer. Au boulot, il a toujours le temps de saluer ses collègues d'atelier et de répondre au téléphone à sa compagne, qui enseigne l'art floral japonais, en quête des clés du garage. Il sert aussi le café avant d'embrayer sur la genèse des *Vieux Fourneaux* : « *Avec Wilfrid Lupano, le scénariste, on en avait marre du jeunisme dans la BD, avec des personnages beaux et forts ayant tout compris de la vie. On aimait les vieux de Groland*[4]*, le grand-père Simpson, tout ce côté "négatif" et en même temps super marrant de la vieillesse. On a imaginé une histoire se passant aujourd'hui avec des personnages de l'âge de nos grands-parents. Quand ils sont nés, on labourait encore les champs avec les bœufs. Aujourd'hui, ils s'échangent des textos. Cette génération a connu un bond technologique incroyable, sans imaginer son impact sur l'environnement. Ils ont un vécu que n'ont pas des personnages de 25 ans* », explique Paul Cauuet.

Pour lier la sauce, les deux auteurs y mettent une louche d'histoires personnelles. « *On a situé le premier tome chez nous, dans le Sud-Ouest. J'ai dessiné la maison de mes grands-parents près de Moissac, sur les coteaux dans le Tarn-et-Garonne. Wilfrid a grandi à Pau où ses parents tenaient un bar. On a fait infuser tout ça.* »

Le succès a suivi dans des « *proportions de dingues* ». « *On a tapé juste car c'est une histoire qui fait du bien aux gens. Ils aiment ces personnages. Ils ont envie de les retrouver. C'est une comédie sociale. L'époque actuelle est plutôt anxiogène et pas très funky. On est loin d'Euro Disney,* poursuit-il. *Rien qu'en France, c'est assez terrible avec les milices qui reviennent contre les migrants dans les Alpes, les CRS partout dans les facs et dans les ZAD. Ce côté un peu intouchable de la vieillesse permet aux* Vieux Fourneaux *d'utiliser le temps qu'il leur reste pour retarder la Machine ou du moins pour la gripper. Ils sont subversifs. Ils font chier tout le monde, sans peur des conséquences.* »

[...]

Né à Toulouse, ce père d'une fille de 6 ans et d'un garçon de 2 ans se souvient d'une enfance heureuse. Les vacances et les week-ends à la campagne dans la maison du grand-père maternel, agriculteur près de Moissac. À l'écoute, ses parents l'ont laissé suivre sa voie. « *Tous les enfants dessinent. La plupart finissent par arrêter. À l'école, j'étais celui qui dessinait bien au fond de la classe. J'ai continué au lycée. À la maison, il y avait un terreau. Mon père avait vécu de sa peinture à un moment, et ma mère était assez balèze aussi. Après le bac, mon père m'a dit de continuer là-dedans. Je me suis inscrit en arts appliqués à la faculté du Mirail. J'ai eu mes vrais premiers cours de dessin à ce moment. J'ai compris comment faire une ébauche, choper une attitude, un mouvement. À 22 ans, j'ai signé mon premier contrat chez Delcourt. Il y a des gens qui ont une vie de merde. Moi, je n'ai pas l'impression d'avoir galéré.* »

L'an dernier, en septembre, il s'est pointé sur le tournage du film tiré des *Vieux Fourneaux*. « *Il s'agissait d'une scène de manif dans les années 70 à Villemur-sur-Tarn, sur le site des anciennes usines Molex. Les CRS étaient en tenue d'époque, et il y avait d'anciens ouvriers parmi les figurants. Les décorateurs avaient fait un travail énorme sur les détails. C'était super* », s'extasie-t-il. « *En plus d'être un auteur, Paul est quelqu'un de simple. Dès le départ, nous nous sommes bien entendus. Il m'a accueilli chez lui, à Moissac, comme si j'étais de la famille* », dit de lui Christophe Duthuron, le réalisateur de l'adaptation. « *Paul, c'est un instinctif. Il a beaucoup évolué dans son travail,* ajoute Wilfrid Lupano, de retour d'un séjour de trois jours sur la ZAD de Notre-Dame-des-Landes. *Il est assez atypique dans sa façon de bosser. Si ce n'est pas pour raconter une histoire, il ne dessine pas.* »

Les week-ends, Paul Cauuet se régale en se baladant sur les marchés : « *Il y a de plus en plus de vieux. Ils sont faciles à dessiner. C'est comme les vaches, ils ne bougent pas vite. Quand je vais du côté de Moissac, j'ai l'impression d'être au parc d'attractions.* » Malgré la longueur de la file dans les séances de dédicaces, il aime toujours autant le contact avec le public : « *Les gens nous disent :* "Ça ne nous fait plus peur de vieillir" *ou* "J'aimerais bien être comme ça plus tard !" *Beaucoup nous disent aussi :* "Lui, on dirait tellement mon père ou mon mari." *Ils retrouvent un aspect de quelqu'un qu'ils connaissent. Ça fait vraiment plaisir.* » Avant de le laisser travailler, on lui demande comment il se voit vieillir. Il répond : « *Vieillir tout simplement. C'est déjà beaucoup !* »

1. perclus (adj.) : impotent, qui éprouve des difficultés à se déplacer. 2. Taslu : bibliothèque spécialisée en politique et en écologie. 3. ZAD : Zone à Défendre. 4. Groland : pays fictif, imaginé en 1992 dans le cadre d'émissions de divertissement.

2. Lisez l'article (doc. 1).

a. Qui est Paul Cauuet ? Pourquoi cet article lui est-il consacré ?

b. Relevez les moments importants de sa vie, de sa naissance à aujourd'hui.

3. Par deux. Relisez l'article (doc. 1).

a. Identifiez ce qui a poussé les auteurs à écrire cette bande dessinée. Dites ce qui les a inspirés (personnages, endroits, situations, etc.).

b. Selon les auteurs, quel est l'atout de l'âge avancé des personnages ?

c. Expliquez ce qui justifie la volonté de faire « une comédie sociale », d'après l'auteur. Donnez des exemples.

d. Comment Paul Cauuet explique-t-il les causes de son succès ?

4. En petits groupes. Lisez à nouveau l'article (doc. 1).

a. Quel est le style employé par le journaliste pour écrire cet article ? Selon vous, le registre correspond-il à la catégorie d'âge évoquée dans la bande dessinée ? Échangez.

b. Partagez l'article entre les groupes (l. 1 à 36, l. 37 à 66, l. 67 à 92). Relevez le lexique familier. Pour chacun des mots ou expressions relevés, trouvez deux synonymes dans le même registre, puis ajoutez un intrus.

Exemple :
une fripouille : une canaille – un escroc – un simplet.
Intrus : un simplet.

Échangez vos activités et identifiez les intrus.

c. Mettez vos réponses en commun avec la classe. Donnez le synonyme des mots ou expressions trouvés en français courant.

5

Comment les personnes âgées sont-elles perçues dans votre pays ? Échangez.

document 2 Vidéo n° 7

DOC. 2 – pile-poil (adv. fam.) : exactement.

6. En deux groupes. Regardez la vidéo (doc. 2).

a. Quel est le thème traité ? Pourquoi le youtubeur l'aborde-t-il ?

b. Classez les différences (changements physiques, tenues vestimentaires, décors, musique) selon l'âge évoqué (chaque groupe s'occupe d'un âge).

c. Ces changements sont-ils vraiment typiques des trentenaires ? En voyez-vous d'autres ? Échangez.

7. En petits groupes. Regardez à nouveau la vidéo (doc. 2).

a. Identifiez les actions que Norman accomplit ponctuellement. Qu'est-ce qu'il envisage de faire depuis qu'il est « vieux » ?

b. Expliquez l'expression « prendre un coup de vieux ».

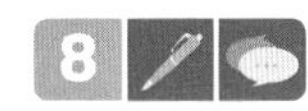

8

En petits groupes. Regardez une nouvelle fois la vidéo (doc. 2).

a. Listez les différentes situations (ex. : achat d'un skate board). Expliquez les effets comiques (situations, lexique utilisé).

b. Qu'est-ce qui rassure Norman dans le fait d'avoir 30 ans aujourd'hui ? Relevez les points positifs de cet âge. Quelle est la conclusion de Norman ? Faites le lien avec le document 1.

c. Retrouvez le mot-valise utilisé pour définir les trentenaires. À partir de quels mots est formé l'autre mot-valise « adulescent » ? À votre avis, que veut-il dire ? Proposez un autre mot-valise en rapport avec les époques de la vie. ▸ Culture et société p. 199

À NOUS !

9. Nous comparons les modes de vie de deux générations.

Par deux.

a. Choisissez deux âges séparés de dix ans. Répertoriez les changements entre ces deux âges (tenues vestimentaires, musique, transformations physiques, etc.).

b. Réfléchissez aux registres de langue et aux expressions propres aux différents âges. Trouvez des visuels pour illustrer votre propos.

c. À la manière de Norman, faites une vidéo où vous présenterez les différences entre les âges. Adaptez le registre de langue selon les âges.

d. Échangez avec les autres groupes et partagez vos vidéos sur le réseau de la classe.

MOTS et EXPRESSIONS

Leçon 1 – Le chant des combattants

1. Reformulez les mots soulignés en verlan dans un registre courant.
a. Elle est chanmée ta nouvelle voiture !
b. Il faut aller manger à l'Abribus, le chef est rebeu et ses couscous sont trop bons !
c. J'ai vu Kery James en concert. Un truc de ouf !
d. Alex organise une teuf la semaine prochaine. Tu viens avec oim ?
e. Encore un PV de 90 euros pour excès de vitesse : je suis vraiment vénère.
f. Je peux pas venir à la soirée. J'avais promis à ma reum que j'irais au ciné avec elle.

2. Reformulez le résumé décalé de *Madame Bovary* en registre courant.
L'histoire, elle se passe ni à Ripa ni en lieuban. Y a pas de tromé, y a pas de keuf. C'est l'histoire d'un keum qui s'appelle Charles Bovary. C'est pas une caillera. Il est juste chelou et relou. Il rencontre une petite meuf qui s'appelle Emma. Charles et Emma se marient et vont habiter dans un minuscule lagevi de Normandie. Emma, elle se fait iech. Elle commence à regarder les autres keums. Elle se fait chébran. Elle finit par se faire tej par ses deux amants. C'est super auch pour elle parce qu'elle se retrouve complètement à oilp : plus d'argent, plus de keums. Il ne lui reste que Charles, son mari zarbi. Elle décide de rirmou.

3. a. Proposez un antonyme pour les mots et expressions suivants.
Exemple : réussir > échouer
1. lâche
2. ceux d'en haut
3. gagnant
4. derrière les barreaux
5. armé
6. éclairé
7. prédateur
8. coupable
9. fort

b. Choisissez une paire d'antonymes et écrivez un court texte sur le thème de l'engagement social ou des inégalités.
Exemple : *Louisa a grandi dans les beaux quartiers de Paris. Malika, quant à elle, a passé toute son enfance et son adolescence dans une banlieue réputée difficile. On aurait pu croire que Louisa réussirait là où Malika échouerait. C'est pourtant l'inverse qui s'est produit. Deux vies loin des clichés.*

Leçon 2 – L'égale de l'homme

4. a. Lisez la biographie. Choisissez les marqueurs temporels corrects. Plusieurs réponses sont possibles.
b. Identifiez le vocabulaire mélioratif (positif) et dépréciatif (négatif) associé à Émilie Gourd.

Portait d'Émilie Gourd (1879-1946) : une passionaria féministe

Personnalité charismatique, inépuisable et dotée d'un sens de l'initiative extraordinaire, Émilie Gourd ne verra malheureusement pas son combat le plus cher aboutir de son vivant : l'octroi du droit de vote aux Suissesses. Comme toutes les figures emblématiques du féminisme *du XXe siècle / dans le XXe siècle / au XXe siècle*, Émilie Gourd a aussi eu ses détracteurs, qualifiée de vieille fille aigrie par certains, considérée comme une hystérique par d'autres.
C'est 1879 / C'est en 1879 / C'est l'année 1879 qu'elle voit le jour dans une famille de la haute bourgeoisie protestante de Genève. Elle y reçoit une éducation ouverte et portée vers le progrès social. *Dès / Aussitôt / Sitôt* l'obtention de son certificat de capacité*, elle se mobilise et s'implique dans de nombreuses sociétés de charité et s'inscrit à la Faculté de lettres de Genève. La jeune femme s'y forge rapidement une opinion féministe profonde et devient une figure de proue de ce mouvement. Elle s'engage dans l'Association genevoise pour le suffrage féminin. Son talent de militante s'y développe, malgré la frilosité générale qui règne à Genève autour de cette question *en ce moment / à cette époque / à cette époque-là*.

Émilie Gourd se fait *alors / dès lors / jusqu'alors* une réputation de fervente féministe. Elle est nommée secrétaire du comité de l'Alliance nationale de sociétés féminines suisses *à vingt-quatre ans / à l'âge de vingt-quatre ans / à vingt-quatre* et entre *un an plus tard / un an après / l'année suivante* dans l'Union des femmes. Elle œuvre au premier plan du féminisme à l'échelle nationale et internationale, en accumulant des postes de renom. Elle sera notamment présidente de l'Association suisse pour le suffrage féminin *de 1914 à 1928 / entre 1914 et 1928 / à partir de 1914 en 1928.*
Elle lance le journal « Le Mouvement féministe » *au 10 novembre 1912 / 10 novembre 1912 / le 10 novembre 1912* pour promouvoir le mouvement suffragiste. Elle en sera la rédactrice en chef *jusqu'au / jusqu'à / jusqu'en* sa mort. Avec son style percutant, elle s'investit totalement dans cette aventure.

D'après www.avenir-suisse.ch

* En Suisse, le certificat fédéral de capacité est décerné à la fin d'une formation professionnelle d'une durée de trois ou quatre ans. Cette formation permet d'acquérir les connaissances et les compétences nécessaires à l'exercice d'un métier.

Leçon 3 – Terre d'accueil

5. Complétez le texte avec les mots suivants : *apaiser, bouc-émissaire, estimation, fracturé, hiérarchiser, immigration, immigré, migrant, xénophobie*. Faites les accords nécessaires.

L'... serait-il l'éternel ... de l'arène politique en France ? C'est bien la question que l'on se pose en temps de crise. La ... ne semble pas diminuer et inquiète alors que les dernières ... montrent bien la baisse drastique du nombre de ... en France, phénomène expliqué notamment par une politique migratoire restrictive. Le sujet de l'..., loin d'... les tensions, les exacerbe dans un pays ... comme la France qui en viendrait à ... les immigrés.

6. Décrivez la photo et imaginez les circonstances. Utilisez les mots proposés.

fuir
crépuscule
passage
se presser
ombres
migrants
départ
se retourner
errer
réfugiés
marcher

Leçon 4 – À nos âges

7. Transformez ces phrases dans un registre courant.

a. Tu emboucanes tout le salon avec tes clopes ! Va fumer dehors, papi...
b. Je comprends pas, t'as à peine 30 ans et t'es hyper réac. Mon grand-père est bien plus cool que toi sur ces questions-là.
c. On laisse plus aucune liberté aux gamins aujourd'hui, c'était pas comme ça à mon époque.
d. J'ai passé toute ma vie à galérer en bossant à l'usine. Alors maintenant, je prends du bon temps, c'est bien mérité !

8. Transformez ces phrases dans un registre familier.

a. La BD *Les Vieux fourneaux* détruit tous les clichés sur la vieillesse. J'ai beaucoup ri en la lisant !
b. En 1968, mon père a été très actif lors des manifestations. Durant tout le mois de mai, il n'est pas venu une seule fois à son travail.
c. Sais-tu qui est Fauja Singh ? C'est le plus vieux marathonien du monde, il a 101 ans. Il est extrêmement fort !
d. Tu prends quelque chose de spécial, mamie ? Tu as une énergie incroyable en ce moment !

DOSSIER 6

TAF (Travail à faire)

“ L'emploi qu'un homme finit par obtenir est rarement celui pour lequel il se croyait préparé. ”

Marguerite Yourcenar

1 En petits groupes.
Lisez et expliquez la citation. Partagez-vous ce point de vue ? Échangez.

2 En petits groupes.

a. Observez la photo. Décrivez-la.

b. Lisez la légende. La contestation permet-elle d'améliorer les conditions de travail ? Échangez.

Paris, quai de Javel, 25 mars 1938. Rose Zehner dans l'atelier de sellerie de l'usine Citroën en grève.
© Willy Ronis/Ministère de la Culture

« Il me dit que tout le monde avait besoin de travail
que tous les hommes avaient besoin de travail
comme de l'air pour respirer.
Car me dit-il si l'on prive un homme de son travail on le prive de respirer.
À quoi pourrait bien servir notre temps nous dit-il si nous ne l'occupions pas principalement dans le travail ?
Car notre temps sans le travail ne serait rien, ne servirait à rien même.
Nous nous en apercevons bien lorsque nous cessons de travailler.
Nous sommes tristes. Nous nous ennuyons.
Et nous tombons malades.
Le travail est un droit mais c'est aussi un besoin, pour tous les hommes.
C'est même notre commerce à tous.
Car c'est cela que nous vivons.
Nous sommes pareils à des commerçants,
des marchands.
Nous vendons notre travail. Nous vendons notre temps.
Ce que nous avons de plus précieux.
Notre temps de vie. »

Joël Pommerat, *Les Marchands*, éditions Actes Sud, 2005.

3 En petits groupes. Lisez l'extrait de la pièce de théâtre. Quelles vertus sont attribuées au travail ? Vous paraissent-elles réalistes ? Quel message l'auteur souhaite-t-il faire passer ?

© Voutch

— Personne ne sortira de cette pièce avant que nous n'ayons pu répondre à ces 2 questions : a) Qui a organisé cette réunion ? b) Dans quel but ?

4 En petits groupes.

a. Observez le dessin et lisez la légende. Qu'est-ce qui produit l'effet comique ?

b. Quelle place occupent les réunions professionnelles dans votre pays ?

c. Associez ce dessin à un ou plusieurs documents de la double page. Justifiez.

SAVOIR-FAIRE ET SAVOIR AGIR

Dans ce dossier, nous allons :

- réaliser une revue de presse
- rédiger une accroche d'offre d'emploi
- témoigner d'une expérience dans le cadre d'un entretien
- comprendre une situation de conflit
- rapporter un discours
- présenter la situation de l'emploi dans son pays
- intégrer des témoignages dans une analyse

LEÇON

1 Les bienveilleurs

1

En petits groupes. Que vous évoque la notion de bonheur au travail ? Selon vous, bonheur et travail sont-ils compatibles ? Échangez.

document 1

Les nouveaux défis du management

Des questions nouvelles portant sur le sens du travail ou les relations humaines au sein des entreprises obligent ces dernières à repenser la manière de motiver leurs équipes.

La vogue des open spaces

[…] « *Au début, les chefs d'entreprise pensaient que les open spaces allaient permettre aux salariés d'échanger et d'être plus créatifs* », témoigne Gilles Teneau, chercheur en sciences de gestion. « *Mais on s'est rendu compte que ces nouveaux aménagements n'amélioraient ni les communications ni le travail collaboratif. Et que les salariés perdaient en intimité.* » [...]

« La pression compétitive entre salariés n'a jamais cessé d'augmenter. »

Malgré ces critiques, les open spaces fleurissent et ne cessent d'évoluer jusqu'à déboucher[1] sur le bureau flexible: le « flex office ». Plus de bureau personnel. Chacun s'installe chaque jour où il peut. On touche ici aux limites du modèle: « *Les salariés n'arrivent plus à créer de liens avec leurs collègues et peinent à trouver un endroit pour travailler. Cette mutation engendre un sentiment d'interchangeabilité et donc, de l'insécurité* », détaille Jean-Claude Delgènes. […]

Un management bienveillant et exigeant

Comment redonner du sens au travail ? Pour Olivier Truong, membre de la chaire du changement à l'ESSEC, « *le fait d'adopter une organisation du travail à la fois bienveillante et exigeante peut être une solution* ». Concrètement, les dirigeants doivent fixer des objectifs réalisables, complimenter, être optimistes, reconnaître leurs erreurs et repérer les personnes en souffrance.

Et de fait, certains se sont déjà attelés[2] à la tâche. Comme Boris Derichebourg, dirigeant de Derichebourg Multiservices, qui emploie 30 000 personnes. « *Il y a cinq ans, j'ai remarqué qu'un cadre de l'entreprise était moins performant que d'habitude,* témoigne-t-il. *J'ai appris deux mois plus tard que cette personne avait eu un problème familial important.* » Le chef d'entreprise a alors pris la décision d'ouvrir les comités de direction par un temps de parole au cours duquel les managers sont invités à évoquer leur situation personnelle et professionnelle. « *Nous sommes tous confrontés à cinq catégories de problèmes: les parents qui vieillissent, les enfants, la santé, les séparations et les problèmes d'argent.* » […]

La pointe la plus avancée de ce modèle réside dans l'embauche de « chief happiness officers », ou managers du bonheur, que l'on voit fleurir un peu partout. Une innovation à manier avec précaution pour ne pas tomber dans un nouvel excès qui risquerait, à son tour, de créer le stress que chaque nouveauté managériale est censée chasser. […]

La Croix, Romane Ganneval, 18 mai 2019.

1. déboucher (v.): aboutir. 2. s'atteler à (v.): entreprendre une tâche.

document 2

Interrogeons le mythe du « bonheur au travail »

Rien n'est plus suspect qu'un propos qu'on tient pour une évidence et dont on n'interroge pas la signification… La question du « bonheur au travail » semble prendre ce chemin. Magazines, articles, enquêtes, sondages, livres, reportages, *think tanks*, formations, écoles… : le sujet est très présent, on peut au moins dire qu'il crée de l'audience… Il est par ailleurs utilisé parfois pour attirer les « meilleurs » candidats chez les recruteurs, on leur promet du bonheur s'ils rejoignent l'équipe…

Au sommet de la glorification du bonheur au travail se trouve le CHO, *chief happiness officer*, souvent traduit par « responsable du bonheur en entreprise »… fonction occupée par des DRH « nouvelle génération » qui disposeraient de recettes pour rendre heureux les salariés, et qui peuvent se faire aider par des consultants spécialisés en bonheur…

Loin de moi la volonté d'incriminer ces derniers, qui souvent s'engagent dans leur mission avec une grande détermination et des méthodes rationnelles conçues avec sérieux, pour autant je m'interroge sur **la définition** que tous ces spécialistes donnent au mot bonheur… Et j'ai beau chercher, je ne la trouve pas. […]

On souhaite tous être heureux, c'est plus facile de se sentir en phase avec notre environnement pour avancer, pour conserver son enthousiasme et son envie de participer aux projets. C'est plus facile mais ce n'est pas pour autant une donnée si simple à formaliser car d'un moment à l'autre, je ne suis pas le même et ce qui me rend heureux maintenant, je ne sais pas tout à fait ce que c'est, et cela peut varier tout au long de ma vie, vie orientée par le principe de plaisir comme nous le rappelait Freud qui dit aussi que ce but est inaccessible et que chacun choisit ses propres procédés (*cf. Le Malaise dans la culture*). […]

Et si c'était cela, la clé de **l'intelligence managériale** ? Favoriser la lucidité, l'éthique, le courage et le dialogue, comme réponse à des besoins, plutôt que le bonheur, réponse « marketée » et « packagée » face à une attente non interrogée ?

Les ingénieurs font très bien la différence entre attente et besoin dans l'élaboration d'un cahier des charges pour un projet, afin d'apporter des réponses pertinentes… Alors à quand le cahier des charges du management des hommes ?

Ne pas se laisser influencer par les attentes telles qu'elles sont exprimées, mais comprendre leurs enjeux pour répondre aux vrais besoins…

Mediapart, Nelly Margotton, 17 septembre 2018.

document 3

PHILIPPE LAURENT
« Le bonheur professionnel repose sur quatre roues »

Philippe Laurent, ancien moine devenu coach, conférencier et formateur spécialisé dans le bonheur au travail, nous explique quelques joyeux principes.

Quelques conseils pour cultiver le bonheur professionnel ?
N'oubliez pas qu'une journée est conditionnée par son début. Après que vous vous êtes levé, prenez un temps pour vous et n'ouvrez pas votre ordinateur tout de suite. Vous risqueriez d'être submergé par un tsunami de courriels ! Mettez à jour votre TAF (travail à faire, NDLR) en vous demandant ce que vous serez content d'avoir fait le soir après avoir quitté le bureau. Organisez-vous. Planifiez votre semestre, votre mois, votre semaine, et votre journée en vous adaptant au mieux à la réalité. Établissez deux ou trois objectifs prioritaires pour votre journée et bloquez le temps nécessaire pour les réaliser. Lorsque vous aurez quitté votre travail, déconnectez-vous ! Fermez votre ordinateur, du moins vos fichiers professionnels, écoutez de la musique, changez de vêtements, faites du sport, voyez des amis… Faites ce que vous voulez, mais prenez le temps de la pause et de la détente. Vous n'en serez que mieux reposé et plus motivé le lendemain.

Kaizen, propos recueillis par Benoît Helme, 18 juin 2019.

2. Lisez les titres et les sources des trois articles (doc. 1, 2 et 3). Identifiez le thème commun.

3. Par deux. Lisez l'article de *La Croix* (doc. 1).
- a. Relevez les deux types de bureaux présentés. Favorisent-ils le bien-être au travail ? Justifiez.
- b. Expliquez la notion de « management bienveillant et exigeant ». Quelles sont les limites de cette nouveauté ? Échangez.

4. Par deux. Lisez l'article de *Mediapart* (doc. 2).
- a. Identifiez la place de la journaliste dans cet article. Comparez avec le document 1.
- b. Quel est le point de vue de la journaliste sur l'engouement du bonheur au travail ? Justifiez.
- c. Repérez la critique qu'elle fait de la gestion du bonheur au travail. Quelle solution propose-t-elle ?

5. Par deux. Lisez l'article de *Kaizen* (doc. 3).
- a. Que prônent les conseils de Philippe Laurent ? Comment ses conseils sont-ils exprimés ?
- b. Proposez d'autres conseils pour favoriser le bonheur au travail. Échangez.

6. En petits groupes. Relisez les trois articles (doc. 1, 2 et 3).
- a. Reprenez les idées principales ainsi que les mots-clés des trois articles (act. 3, 4 et 5). Dites comment le bonheur est traité dans chaque article.
- b. Faites un résumé de chaque article en utilisant les mots-clés que vous avez relevés.

7

En petits groupes.
- a. Quelles sont les caractéristiques d'une revue de presse ? Faites des recherches si nécessaire. Sont-elles populaires dans votre pays ?
- b. Si vous deviez faire une revue de presse, dans quel ordre présenteriez-vous ces articles (doc. 1, 2 et 3) ? Justifiez.

document 4 25

8. 25 Par deux. Écoutez la revue de presse (doc. 4).
- a. Repérez les trois journaux ou magazines cités et les sujets abordés dans chacun d'entre eux.
- b. Comment le journaliste clôt-il son intervention ?

9. 25 En petits groupes. Réécoutez la revue de presse (doc. 4).
- a. Identifiez l'article (doc. 1, 2 ou 3) cité par le journaliste. Quelle nouvelle information apparaît dans cette revue de presse ? Reformulez-la en une phrase.
- b. Repérez et définissez les néologismes (mots inventés) cités par le journaliste.

10. 25 Par deux. Écoutez à nouveau la revue de presse (doc. 4).
- a. Comment le journaliste introduit-il sa revue de presse ?
- b. Listez les formules utilisées pour citer les journaux et les extraits d'articles.
- c. Relevez les deux passages dans lesquels les journalistes font une transition entre deux sujets. Que remarquez-vous ?

À NOUS !

11. Nous réalisons une revue de presse.

En petits groupes.
- a. Choisissez un sujet d'actualité et recherchez trois ou quatre articles (journal, site Internet, etc.) associés.
- b. Sélectionnez les extraits les plus pertinents et faites le plan de votre revue de presse.
- c. Rédigez-la en mentionnant les sources et en faisant des transitions.
- d. Enregistrez votre revue de presse et présentez-la à la classe. Commentez.

- Rédiger une accroche d'offre d'emploi ▸ Doc. 1
- Témoigner d'une expérience dans le cadre d'un entretien ▸ Doc. 2

LEÇON 2 Super candidat

En petits groupes. Quelles sont les différentes étapes lors d'une recherche d'emploi dans votre pays ? Listez-les et mettez en commun. Échangez.

document 1A

1. Hello, si toi aussi t'es un **ninja du dev**, n'hésite pas à nous call, pour qu'on se fasse un insta, une storie et qu'on se whatsapp en direct live, histoire de[1] parler de ton new job.

2. Notre entreprise recherche son **auditeur** grand ponte de formation bac + 5 : vous êtes rompu[2] au procès interne des PME[3]…

3. Venez rejoindre un collectif de talents qui évolue et développe l'entreprise grâce à l'intelligence collective. Point de patron, mais du collaboratif à tous les étages de manière transversale. On recherche notre **happiness manager** pour développer le bonheur de nos salariés.

4. Notre entreprise recherche son futur **chef des ventes.** Nous pensons que rien n'est dû au hasard et qu'on récolte ce que l'on sème. Dans cette perspective, il faudra avoir l'âme d'un compétiteur pour démarcher, séduire, accrocher, transformer en clients vos futurs prospects[4].

1. histoire de (fam.) : dans le but de. 2. rompu à (adj.) : exercé à. 3. PME (ac.) : petite et moyenne entreprise. 4. prospect (n. m.) : client potentiel.

2. En petits groupes. Lisez les accroches d'offres d'emploi (doc. 1A).

a. Selon vous, par quels types d'entreprise (start-up, PME, multinationale…) ces extraits d'annonces ont-ils été rédigés ? Échangez.

b. Relevez les éléments typiques d'une offre d'emploi.

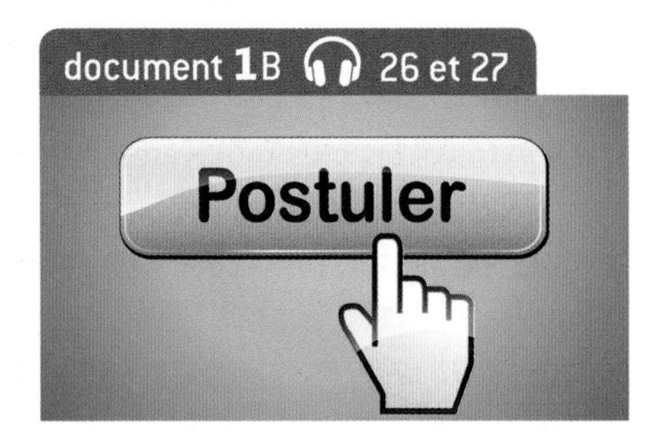

3. 26 Par deux. Écoutez la première partie de la chronique (doc. 1B).

a. Quel est le but de cette chronique ?

b. Dites ce qui a poussé Sébastien Nau à aborder ce sujet.

c. Relevez les documents nécessaires pour répondre à une offre d'emploi. Comparez avec votre pays.

4. 27 En petits groupes. Écoutez la chronique en entier (doc. 1B).

a. Vérifiez vos hypothèses (act. 2a).

b. Quelles sont les particularités linguistiques des annonces 1, 2 et 4 (doc. 1A) ?

c. Comment la journaliste résume-t-elle la conclusion de Sébastien Nau ?

d. Ces annonces vous donnent-elles une impression positive de l'entreprise ? Y répondriez-vous ? Échangez.

Par deux.

a. **Choisissez un type d'entreprise et un poste à pourvoir.**

b. **Rédigez une accroche d'offre d'emploi qui corresponde au type d'entreprise.**

c. **Échangez vos accroches d'offres d'emploi et commentez-les.**

En petits groupes. À votre avis, quelles sont les clés d'un entretien d'embauche réussi ? Échangez.

7. En petits groupes. Lisez le titre et le chapeau (l. 1 à l. 5) du témoignage (doc. 2).

a. Faites des hypothèses sur la ou les raison(s) du refus de la candidate.

b. Comment comprenez-vous l'injonction « ouvrez-la » (l. 2) ? Échangez.

8. Par deux. Lisez le témoignage (doc. 2).

a. La candidate a-t-elle répondu à une offre d'emploi ? Justifiez.

b. Expliquez la politique de recrutement de cette entreprise.

c. En quoi l'attitude du recruteur s'oppose-t-elle aux attentes de la candidate ? Justifiez en citant des passages du texte.

document 2

https://www.cadremploi.fr

CADREMPLOI Offres d'emploi Actualité Conseils

Témoignage : « J'ai osé l'ouvrir en entretien d'embauche ! »

I., candidate

I*, diplômée et motivée, vient pourtant de refuser un job... très bien payé.
Son message : candidats, ouvrez-la... pour ne pas devenir une erreur de recrutement de plus !

I, 28 ans, nous a contacté spontanément pour témoigner de sa dernière expérience en entretien de recrutement. Elle espère que son analyse fera réagir les candidats qui, en ces temps difficiles, peuvent être incités à accepter des emplois – ou des conditions de travail – les éloignant de leurs objectifs.

* À la demande du témoin, le prénom a été changé.

« Le jour J, quand j'entre dans le bureau du recruteur, l'ambiance est vite posée. Le recruteur, qui a reçu ma candidature spontanée et cherche justement à étoffer son équipe, me demande quelques instants pour terminer un mail. Je m'assois face à lui ; son bureau est encombré de dossiers et de mémos volants. Pas le choix, je pose ma pochette sur mes genoux (elle tombera à deux reprises durant l'entretien). Il y a pourtant une autre table – débarrassée – dans la pièce, mais bon... Notre échange commence avec un café et un jus de fruit : les deux pour lui, puisque rien ne m'est proposé. Je suis traitée comme une subalterne et j'en déduis que la barrière hiérarchique doit être forte au sein de l'entreprise. Ça me met la puce à l'oreille.

Un climat délétère

Le recruteur commence... par présenter son parcours au sein de l'institution. Il est arrivé dans un contexte tendu, sur fond de guerres intestines. Je le remercie pour son honnêteté, utile pour comprendre les enjeux et les rapports de force dans l'entreprise. Il poursuit. Face à ces tensions, il a adopté des mesures fortes : « *Les nouvelles méthodes de management que j'ai instaurées passent mal.* » J'ose mettre les pieds dans le plat, en lui demandant : « *Pour quelle raison, à votre avis ?* » Il a, dit-il, « *voulu les remettre au travail* ». Bref, le recruteur dévoile volontairement un climat social délétère, dans une structure visiblement plombée par le clanisme et la stagnation. Ce qu'il faut comprendre ? Que le « *candidat adéquat* » devra posséder de fortes qualités relationnelles pour s'intégrer auprès d'une équipe moins motivée et moins dynamique que lui. Des différences générationnelles marquées sont à prévoir. Il faudra sans doute se montrer adaptable, nouer des liens avec des personnes dont je ne partagerai pas les préoccupations quotidiennes. Je me sens mal...

Je demande des précisions sur le poste

Je n'ai encore reçu aucune info sur le poste à pourvoir... J'aborde le sujet en demandant pourquoi aucune offre d'emploi n'a été publiée. J'apprends que c'est parce que l'emploi est actuellement pourvu par une personne dont la période d'essai ne sera pas renouvelée. Le recruteur en est à sa 3e tentative sur le même poste mais personne n'est à la hauteur. Là, il opère un revirement et cherche à me rassurer : « *votre travail se cantonnera à* » ; « *il se limitera à* » ; « *il consistera juste à...* » Je m'inquiète : visiblement, je suis surqualifiée pour le poste, qui ne correspond pas aux missions pour lesquelles j'ai envoyé une candidature spontanée.

On me propose un salaire de ouf...

À l'issue de cet échange surréaliste, il me propose le poste. Le hic, c'est que le salaire est extrêmement tentant. Au point de me faire hésiter. Je me force à mettre en parallèle mes aspirations et l'offre en toute honnêteté. Je veux investir dans l'entreprise ma personnalité, mon énergie et mon temps. Mais j'ai besoin de nouer une relation de confiance avec un supérieur qui m'accorde de l'attention aux moments clés de la vie professionnelle. Je conçois mon emploi comme un projet à long terme. L'appât du gain est puissant, j'ai besoin du job, mais j'écoute les signaux d'alerte et je refuse.

Conclusion : candidats, ouvrez-la !

Aujourd'hui, je ne suis plus la même « candidate ». Je sais qu'à l'avenir je poserai aux recruteurs toutes les questions nécessaires – même les questions sensibles – pour savoir où je vais mettre les pieds. Après tout, l'entretien d'embauche est l'unique temps où déceler les affinités managériales. Après, il est trop tard ! Avec des conséquences majeures : stress ou démotivation, non-renouvellement de la période d'essai ou démission, puis une expérience sur le CV difficile à valoriser, voire le « trou dans le CV » tant redouté. J'espère que mon expérience pourra faire réagir d'autres candidats. Car la conclusion concerne tout le monde : en tant que candidat, on a le droit et même le devoir de parler ! Il ne faut pas quitter l'entretien d'embauche si on a des questions, si on ne cerne pas exactement le profil du poste et son environnement. Ni écouter ceux qui disent qu'en temps de crise on ne peut pas refuser un poste, surtout s'il est bien payé. Notre avenir professionnel est en jeu, justement. Et je ne deviendrai pas une « erreur de recrutement » de plus. »

I., candidate © Cadremploi.fr

9. En petits groupes. Relisez le témoignage (doc. 2).

a. Identifiez les différentes étapes de l'entretien d'embauche et associez-y le ressenti de la candidate.

b. Relevez les passages aux discours direct et indirect. Qu'apportent-ils au témoignage ?

c. Comment la candidate termine-t-elle son témoignage ? Quel est son objectif ?

10

En petits groupes. La candidate n'est pas d'accord avec « ceux qui disent qu'en temps de crise on ne peut pas refuser un poste, surtout s'il est bien payé. » Qu'en pensez-vous ? Échangez.

11. Nous témoignons d'une expérience lors d'un entretien.

Par deux.

a. Définissez le contexte d'un entretien (embauche, convocation, etc.) ainsi que le profil de l'interlocuteur (recruteur, professeur, etc.).

b. Déterminez les différentes étapes de l'entretien en précisant pour chacune d'elles votre ressenti.

c. Rédigez votre texte (250 mots) en reprenant les caractéristiques du témoignage (act. 9).

d. Lisez les témoignages et échangez. Publiez-les ensuite sur le réseau de la classe.

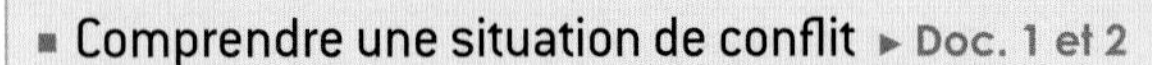
- Comprendre une situation de conflit ▸ Doc. 1 et 2
- Rapporter un discours ▸ Doc. 2

LEÇON

3 Camarades, camarades !

En petits groupes. Quels sont les recours en cas de situation de crise (sociale, économique) au sein d'une entreprise dans votre pays ? Échangez. ▸ Culture et société p. 196

document 1 Vidéo n° 8

Caterpillar ferme son usine en Belgique : le choc.

2. En petits groupes. Regardez le reportage (doc. 1).

a. Expliquez la situation dans l'entreprise.

b. Quelle est la fonction dans l'entreprise de chacune des trois personnes interviewées ?

c. Qui rapporte les informations suivantes ?
actions des salariés • conditions de travail • déroulement du conseil d'entreprise • sentiments des salariés • suites de l'affaire

3. Par deux. Regardez à nouveau le reportage (doc. 1).

a. Comment les salariés ont-ils été informés de la fermeture de leur entreprise ? Comment cette fermeture s'est-elle conclue ?

b. Quel sont les reproches des différents témoins ?

c. Que pensez-vous du choix des témoignages ? Qu'apportent les commentaires du journaliste ? Échangez.

En petits groupes.

a. Faites des recherches sur un mouvement social de votre pays. Expliquez les revendications des grévistes ainsi que les éventuelles conséquences sur les citoyens.

b. Comparez les mouvements présentés et échangez.

5. En petits groupes. Lisez l'introduction et l'extrait du roman (doc. 2).

a. Qui sont les personnes présentes ? Quel est leur rôle ?

b. À quel moment et dans quel lieu se déroule la scène ? Pourquoi les grévistes sont-ils contraints de se réunir clandestinement ?

c. Identifiez les points communs et les différences avec le document 1.

6. Par deux. Relisez l'extrait du roman (doc. 2).

a. Quelles mesures la direction envisage-t-elle de mettre en place pour faire face à la grève ?

b. Repérez les arguments avancés par Étienne pour justifier la poursuite de la grève.

c. Comment son personnage évolue-t-il dans l'extrait ? Analysez ses gestes et le ton qu'il adopte.

d. Le comportement des mineurs suit-il l'évolution d'Étienne ? Ce dernier a-t-il atteint son objectif ?

7. En petits groupes. Lisez à nouveau l'extrait du roman (doc. 2).

a. L'auteur emploie le discours narrativisé : il résume certains passages du discours d'Étienne et les inclut à la narration. Exemple : « Il dit sa répugnance contre la grève » (l. 14-15). Repérez d'autres exemples dans l'extrait.

b. Relevez dans le texte d'autres propos d'Étienne, classez-les et complétez le tableau.

Types de discours	Exemples	Caractéristiques
discours direct	…	– discours détaché de la narration – ponctuation caractéristique : guillemets, tirets …
discours indirect libre	*Les mineurs ne l'avaient pas voulue, c'est la Direction qui les avait provoqués, avec son nouveau tarif de boisage.* …	– discours inclus dans la narration – absence de ponctuation caractéristique …

c. Pourquoi l'auteur fait-il le choix d'utiliser ces différentes formes de discours ? À quels moments du discours correspondent-ils ? Quel effet chaque discours produit-il à la lecture ?

Étienne Lantier, personnage principal de *Germinal*, arrive à Montsou après avoir été licencié de son ancien poste. Il s'engage dans la mine où travaillent la majeure partie des habitants. Les conditions de travail difficiles associées à de nouvelles réformes en leur défaveur conduisent les employés à se mettre en grève. Étienne, discret à ses débuts, se documente sur les droits des travailleurs et prend progressivement position dans le conflit.

« Camarades ! camarades ! »
La rumeur confuse de ce peuple s'éteignit dans un long soupir tandis que Maheu étouffait les protestations de Rasseneur. Étienne continuait d'une voix éclatante :
« Camarades, puisqu'on nous défend de parler, puisqu'on nous envoie des gendarmes, comme si nous étions des brigands, c'est ici qu'il faut nous entendre ! Ici, nous sommes libres, nous sommes chez nous, personne ne viendra nous faire taire, pas plus qu'on ne fait taire les oiseaux et les bêtes ! »
Un tonnerre lui répondit, des cris, des exclamations.
« Oui, oui, la forêt est à nous, on a bien le droit d'y causer… Parle ! »
Alors, Étienne se tint un instant immobile sur le tronc d'arbre. La lune, trop basse encore à l'horizon, n'éclairait toujours que les branches hautes ; et la foule restait noyée de ténèbres, peu à peu calmée, silencieuse. Lui, noir également, faisait au-dessus d'elle, en haut de la pente, une barre d'ombre.

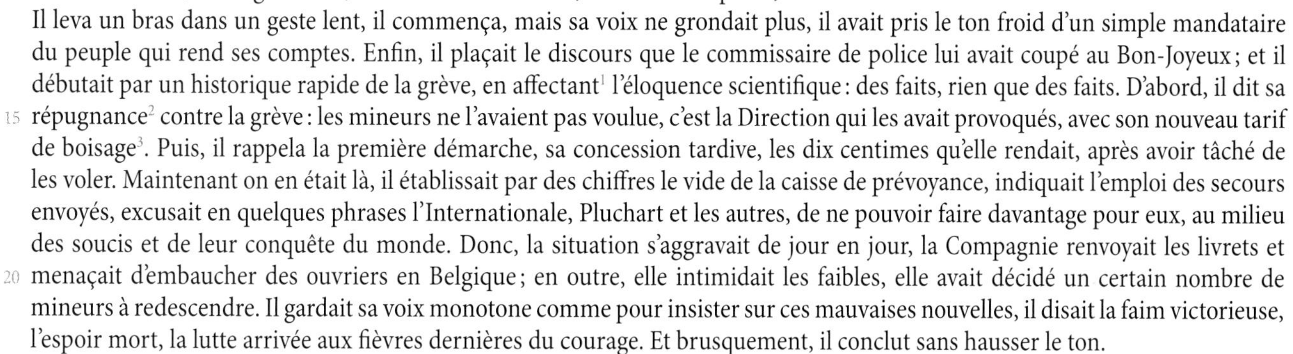

Il leva un bras dans un geste lent, il commença, mais sa voix ne grondait plus, il avait pris le ton froid d'un simple mandataire du peuple qui rend ses comptes. Enfin, il plaçait le discours que le commissaire de police lui avait coupé au Bon-Joyeux ; et il débutait par un historique rapide de la grève, en affectant[1] l'éloquence scientifique : des faits, rien que des faits. D'abord, il dit sa répugnance[2] contre la grève : les mineurs ne l'avaient pas voulue, c'est la Direction qui les avait provoqués, avec son nouveau tarif de boisage[3]. Puis, il rappela la première démarche, sa concession tardive, les dix centimes qu'elle rendait, après avoir tâché de les voler. Maintenant on en était là, il établissait par des chiffres le vide de la caisse de prévoyance, indiquait l'emploi des secours envoyés, excusait en quelques phrases l'Internationale, Pluchart et les autres, de ne pouvoir faire davantage pour eux, au milieu des soucis et de leur conquête du monde. Donc, la situation s'aggravait de jour en jour, la Compagnie renvoyait les livrets et menaçait d'embaucher des ouvriers en Belgique ; en outre, elle intimidait les faibles, elle avait décidé un certain nombre de mineurs à redescendre. Il gardait sa voix monotone comme pour insister sur ces mauvaises nouvelles, il disait la faim victorieuse, l'espoir mort, la lutte arrivée aux fièvres dernières du courage. Et brusquement, il conclut sans hausser le ton.
« C'est dans ces circonstances, camarades, que vous devez prendre une décision ce soir. Voulez-vous la continuation de la grève ? et, en ce cas, que comptez-vous faire pour triompher de la Compagnie ? »
Un silence profond tomba du ciel étoilé. La foule, qu'on ne voyait pas, se taisait dans la nuit, sous cette parole qui lui étouffait le cœur ; et l'on n'entendait que son souffle désespéré au travers des arbres.
Mais Étienne, déjà, continuait d'une voix changée. Ce n'était plus le secrétaire de l'association qui parlait, c'était le chef de bande, l'apôtre apportant la vérité. Est-ce qu'il se trouvait des lâches pour manquer à leur parole ? Quoi ! depuis un mois, on aurait souffert inutilement, on retournerait aux fosses, la tête basse, et l'éternelle misère recommencerait ! Ne valait-il pas mieux mourir tout de suite, en essayant de détruire cette tyrannie du capital qui affamait le travailleur ? Toujours se soumettre devant la faim jusqu'au moment où la faim, de nouveau, jetait les plus calmes à la révolte, n'était-ce pas un jeu stupide qui ne pouvait durer davantage ? Et il montrait les mineurs exploités, supportant à eux seuls les désastres des crises, réduits à ne plus manger, dès que les nécessités de la concurrence abaissaient le prix de revient. Non ! le tarif de boisage n'était pas acceptable, il n'y avait là qu'une économie déguisée, on voulait voler à chaque homme une heure de son travail par jour. C'était trop cette fois, le temps venait où les misérables, poussés à bout, feraient justice.
Il resta les bras en l'air.
La foule, à ce mot de justice, secouée d'un long frisson, éclata en applaudissements, qui roulaient avec un bruit de feuilles sèches. Des voix criaient :
« Justice !… Il est temps, justice ! »

Émile Zola, *Germinal*, 1885.

1. affecter (v. t.) : feindre, afficher. 2. répugnance (n. f.) : dégoût.
3. boisage (n. m.) : action de consolider (une galerie) avec du bois.

En parlant de *Germinal*, Zola a écrit : « La lutte du capital et du travail. C'est là qu'est l'importance du livre, je le veux prédisant l'avenir, posant la question qui sera la plus importante du XXe siècle. »
En quoi cette citation est-elle visionnaire ? Commentez-la et échangez.

9. Nous rapportons un discours pour expliquer une situation de crise.

a. Reprenez le mouvement social choisi à l'activité 4 et trouvez une interview des acteurs de ce mouvement.
b. Sélectionnez des dialogues qui témoignent de la situation (éléments factuels, appel à la continuation du mouvement, etc.) et traduisez-les.
c. Répertoriez les étapes de la contestation et associez-les aux dialogues.
d. Rédigez un texte (250 mots) pour raconter l'événement, dans lequel vous intégrerez différentes formes de discours pour traduire la situation et les différentes impressions (act. 7). Partagez vos écrits et publiez-les sur le réseau de la classe.

LEÇON

4 Les eldorados de l'emploi

- Présenter la situation de l'emploi dans son pays ▸ Doc. 1
- Intégrer des témoignages dans une analyse ▸ Doc. 2

1

En petits groupes. Dans quel pays aimeriez-vous partir travailler ? Pourquoi ? Échangez.

▸ Culture et société p. 194-196

document **1** Vidéos n° 9a à 9c

Le Canada, nouvel eldorado de l'emploi

2. En petits groupes. Regardez la première partie du reportage (doc. 1, 9a).

a. Qui sont les quatre personnes interviewées ? Repérez les secteurs d'activité cités.

b. Relevez les points communs entre Karine Poulin et Nicolas Jean.

c. Quelle est la situation de l'emploi au Canada ? Décrivez les avantages de la Beauce pour les travailleurs.

3. En petits groupes. Regardez la deuxième partie du reportage (doc. 1, 9b).

a. Expliquez la position du maire de Québec par rapport au recrutement des Français.

b. En quoi l'accord entre le gouvernement québécois et Pôle emploi pourrait-il apporter une réponse satisfaisante ? Sur quelle condition repose cet accord ?

c. Identifiez les raisons de l'expatriation de Julianne Virolle.

4. Par deux. Regardez le reportage en entier (doc. 1, 9c). Aidez-vous si nécessaire de la transcription (p. 20 à 22).

a. À l'aide des réponses données aux activités précédentes, répertoriez les termes et les expressions qui permettent de décrire la situation de l'emploi dans un pays. Classez-les par catégorie.

b. Connaissez-vous d'autres termes ? Proposez-les à la classe et échangez.

DOC. 1 – partenariat (n. m.) : association d'entreprises ou d'institutions en vue de mener une action commune.

5

En petits groupes.

a. Faites des recherches sur la situation de l'emploi dans votre pays et exposez-les à la classe.

b. Comment l'organisation du travail dans votre pays est-elle perçue par les étrangers ? Listez les clichés le plus souvent associés à votre pays. Échangez.

6. Par deux. Lisez l'article (doc. 2).

a. Résumez son but en une phrase.

b. Quels clichés sont associés au monde du travail en France ?

c. Listez les particularités du travail en France décrites par les différents intervenants. Quel(s) cliché(s) confirment-ils ?

7. En petits groupes. Relisez l'article (doc. 2).

a. Repérez les structures qui permettent d'introduire les témoignages.
Exemple : *C'est ce qu'a constaté Chadia Traboulsi.* (l. 11)

b. Les témoignages sont-ils plutôt positifs, négatifs ou partagés ? Justifiez.

c. Quelle est la conclusion de l'article ? Faites le lien avec le document 1.

d. Comparez les clichés listés en act. 5b avec ceux associés à la France (act. 6b). Échangez.

À NOUS !

8. Nous recueillons des témoignages sur le monde du travail.

En petits groupes.

a. Choisissez des particularités liées au monde du travail (hiérarchie, réunions, congés, etc.) dans votre pays.

b. Interviewez des salariés de votre entourage sur ces particularités.

c. Rédigez un article (250 mots) où vous présenterez les spécificités du monde du travail dans votre pays. Illustrez-le avec les témoignages recueillis.

d. Comparez vos travaux (thématiques, témoignages, etc.). Publiez votre article sur le réseau de la classe.

https://www.welcometothejungle.com

Welcome to the Jungle — S'INFORMER CHOISIR UN MÉTIER DÉCOUVRIR LES ENTREPRISES TROUVER UN JOB BEHIND THE CODE

Au-delà des clichés : comment le travail en France est-il perçu par les étrangers ?

La France est le cinquième pays d'Europe à accueillir le plus de travailleurs étrangers. Ils représentent en proportion 6 % de la population active du pays. Les clichés négatifs dont hérite la France concernant son organisation du travail sont nombreux. Pour les résumer : « Les Français sont des fainéants, ils ne travaillent que 35 heures par semaine, sont tout le temps en vacances ou en grève et trouvent encore le moyen de se plaindre. » Pourtant, nous sommes parmi les travailleurs les plus productifs du monde. Avant de se jeter des fleurs, voyons quand même ce que pensent réellement les étrangers ayant eu une expérience de travail en France et qui ont plus de recul que nous !

L'organisation du travail en France : vieux jeu ?

Rapport à la hiérarchie

Nombreux sont les économistes et entrepreneurs qui écrivent aujourd'hui pour promouvoir une organisation du travail plus souple et plus participative. En France, pourtant, beaucoup d'entreprises restent très hiérarchisées. C'est ce qu'a constaté Chadia Traboulsi, franco-libanaise. « *Le manque de confiance des supérieurs en leurs collaborateurs était flagrant. Dans la majorité des cas, on part du principe que le salarié fait tout pour glander*[1]*. C'est assez malsain.* »
On retrouve un peu le même son de cloche chez Lenor Hards, une Dublinoise qui après avoir travaillé dans une grosse boîte américaine en Irlande a été embauchée dans une entreprise à Lille. Elle explique sa surprise lors de sa première réunion d'équipe en présence du directeur de la boîte : « *Un de mes collègues était en plein milieu d'une présentation et le directeur, visiblement exaspéré et mécontent, lui a coupé la parole devant tout le monde en faisant comprendre que ses idées n'étaient pas les bonnes. C'était tellement gênant, difficile de repartir motivé après un tel manque d'écoute !* » Riad Kacim a une opinion bien différente. Il est marocain, aujourd'hui installé comme consultant en stratégie digitale : « *Le rapport à la hiérarchie dans les deux entreprises où j'ai travaillé était hyper fluide. On nous demandait d'apporter notre vision des choses et de l'argumenter. Si nos idées tenaient la route, c'est notre vision qui l'emportait, pas celle du chef.* »

Présentéisme, réunionite et efficacité

Autre élément qui ressort des témoignages : le présentéisme. À l'heure où l'on parle de plus en plus de télétravail, de *remote*, de *freelancing*, apparemment certaines boîtes françaises continuent de penser que si on n'est pas là, on ne travaille pas, et si on n'est pas là tard, on ne travaille pas bien. Lenor a rapidement vu la différence avec son expérience à Dublin : « *Dans mon précédent job, l'organisation était moderne, je pouvais décider au dernier moment de gérer mon travail depuis chez moi et on ne regardait pas mes horaires tant que mes objectifs étaient atteints. Ici, en France, le directeur de la boîte passe son temps à traquer les salariés qui quittent le travail un peu trop tôt à son goût, notamment pour aller chercher leurs enfants à l'école, même si le travail est fait.* »
Conséquence directe, Chadia a été surprise de constater l'inefficacité de beaucoup de personnes, la lenteur des prises de décision et l'inaction générale. Elle parle de réunionite extrême ! « *Mais qu'est-ce que c'est que ces réunions qui durent 2 heures ? C'est le b. a.-ba du business, elles ne devraient durer qu'une heure max. Les gens passent plus de temps à parler de ce qu'il faudrait faire qu'à le faire, c'est hallucinant !* »

La France, écosystème des acquis sociaux et des coutumes

La fameuse pause déj

On ne vous apprend rien en rappelant qu'en France nous avons la réputation de nous plaindre et donc de nous battre pour nos droits : heures sup, congés payés, pause déj, autant de traditions qui sont parfois surprenantes pour les travailleurs de nationalités différentes. Là encore, les avis divergent. Chadia ne comprend pas la longueur de ces déjeuners. Lenor non plus, elle dit parfois s'ennuyer lors de sa pause et finit donc souvent par retourner travailler. Au contraire, Matthew Hill, un cameraman australien qui travaille toute l'année dans plusieurs pays différents, raconte : « *Même si mon employeur est américain, quand nous avons un événement sur le sol français, il doit respecter le droit du travail français. Je sais que je suis en France quand je vois les gens s'attabler pour déjeuner, prendre le temps alors que l'on est sous l'eau. Dans les autres pays, il est très rare que je puisse m'accorder une pause le midi, chez vous, c'est sacré, c'est comme une bulle, personne n'y déroge*[2] *et il n'y a qu'en France que l'on voit des bouteilles de vin sur la table du déjeuner, j'adore !* »

35 heures, heures sup, congés

Aussi, notre contrat de travail sur la base des 35 heures est connu du monde entier, même si bien souvent, les étrangers en ignorent les détails et subtilités. Comme pour la pause déj, Matthew explique : « *Quand je travaille aux États-Unis, en Australie ou en Grande-Bretagne, mon tarif journalier est fixe, et il m'arrive de faire plus de 15 heures par jour sans pause. En France, mon employeur est obligé d'appliquer votre législation des heures supplémentaires, du coup mes journées sont plus rarement à rallonge, et si c'est le cas, ma rémunération augmente. C'est un bonheur !* »
Samantha Rose est canadienne et elle a travaillé en France il y a quelques années comme assistante de langue étrangère dans un lycée. Elle témoigne avec humour de cette expérience : « *Ce qui m'a le plus marquée, c'est votre rapport aux vacances, j'ai l'impression qu'il y en avait toutes les trois semaines, ce qui ne m'a pas déplu ! Et votre enthousiasme à faire le pont le plus souvent possible m'a amusée.* » Pour continuer sur les différences culturelles, Sae Hiko vient du Japon, là où les congés se comptent en jours et que la plupart des employés n'osent pas prendre par culpabilité. « *Au Japon, je n'avais jamais fait l'expérience de partir en vacances, de déconnecter pour revenir plus en forme et motivée. Je pense que ça contribue à être plus productif et les vacances ou les RTT*[3] *fonctionnent comme des carottes*[4]*, c'est important pour tenir le coup toute l'année. Je pense que la France est vraiment en avance pour tout cela. Même lorsque j'ai un impératif ou un rendez-vous personnel, je peux demander à aménager mes horaires exceptionnellement. Ce serait inenvisageable au Japon.* »

Tips d'intégration : la bise & l'apéro

Si chaque entreprise est différente et chaque cas particulier, beaucoup d'étrangers racontent leur perplexité face à certaines coutumes françaises ou règles implicites qu'ils ont dû adopter pour s'intégrer. La numéro 1 ? La mystérieuse bise française. Samantha nous dit : « *Au début, j'ai trouvé le rituel de la bise surprenant. Je travaillais dans un environnement scolaire et je trouvais bizarre de faire la bise à mes collègues dans une situation professionnelle. Ce que j'ai encore moins compris, c'est pourquoi les hommes faisaient la bise aux femmes mais se serraient la main entre eux…* »
Même constat pour Lenor, qui n'a commencé à créer du lien avec ses collègues qu'une fois intégré le rituel du matin : « *Quand j'ai commencé en France, je trouvais mes collègues froids les premières semaines, j'avais du mal à nouer le contact. Un jour, une salariée m'a dit en blaguant que je ne lui disais jamais bonjour le matin quand j'arrivais, alors que je le disais bien à tout le monde oralement ! J'ai donc commencé à faire la bise à tout le monde le matin et le soir en partant, ça prend un temps fou, mais c'est vrai que ça rapproche aussi, j'ai vu le changement.* » Riad, lui, considère qu'il n'y pas spécialement de règles à suivre pour s'intégrer correctement dans une entreprise française, si ce n'est d'être un fervent adepte de l'apéro, qu'il qualifie de « *sport national* » !
Chaque pays a ses spécificités culturelles et organisationnelles au travail. La France semble à la fois forte de ses acquis sociaux mais aussi parfois encore figée dans le temps. Il est difficile d'avoir du recul sur soi-même lorsque l'on n'a pas d'autres expériences en dehors de son pays. C'est pour cela que les témoignages et anecdotes de ces travailleurs de nationalités étrangères sont un éclairage intéressant sur la réalité du monde du travail en France, et peuvent nous encourager à aller voir ailleurs aussi.

1. glander (v. fam.) : paresser. 2. déroger à (v.) : enfreindre, ne pas appliquer. 3. RTT (f.) : temps de repos attribué suite au passage de 39 à 35 heures hebdomadaires. 4. carottes (n. f. fam.) : ici récompense.

MOTS et EXPRESSIONS

Leçon 1 – Les bienveilleurs

1. Trouvez des synonymes.

a. un chef d'entreprise (*3 synonymes*)
b. un cadre (*3 synonymes*)
c. l'ensemble des employés (*2 synonymes*)

2. a. Donnez une définition précise des anglicismes suivants.

1. un open space
2. un flex office
3. le management
4. un burn-out

b. Proposez d'autres anglicismes dans le domaine du travail et expliquez-les.

3. Complétez l'article avec les mots suivants. Faites les accords nécessaires.

relation humaine • hiérarchie • salarié • travail collaboratif • dirigé • chef d'entreprise • managérial • entreprise • modèle de gestion • patron

Et si les ... étaient devenus obsolètes ?
C'est ce que défendent les partisans de l'holacratie, un ... qui vise à abolir les ... .

Ni boss ni fiche de poste. « Chez nous, tout le monde fait la caisse à tour de rôle, et chacun est son propre ... », explique Hugo Mouraret qui travaille à Scarabée Biocoop.
Née dans les années 2000 aux États-Unis, l'holacratie fait disparaître l'organisation traditionnelle. Chaque ... devient responsable de l'organisation de son travail. Les relations de subordination laissent place au ... .
Objectif ? Libérer les talents, apaiser les ..., faciliter le fonctionnement des ... . « Dans le modèle pyramidal, les gens ont l'habitude de moins réfléchir. Et il y a un grand gâchis d'énergie ! Avec l'holacratie, au contraire, personne n'est subordonné ; l'entreprise est ... par sa raison d'être, non par un hiérarque », explique Bernard Marie Chiquet, fondateur d'iGi Partners, l'agence qui diffuse cette organisation et qui a accompagné Scarabée Biocoop dans son changement ... .

D'après https://www.wedemain.fr.

Leçon 2 – Super candidat

4. Reformulez les éléments soulignés.

a. La rencontre a été cauchemardesque. Pas une seule question sur mes expériences professionnelles ou sur mes motivations. L'homme qui était là pour me poser des questions n'a fait que se plaindre en me parlant de l'ambiance horrible de l'entreprise.
b. Je déteste rédiger ce type de courrier. Des paragraphes entiers à se vanter dans un style ampoulé... Ça ne sert vraiment à rien.
c. Nous cherchons à étoffer notre équipe. C'est la raison pour laquelle nous lançons une grande campagne pour embaucher de nouvelles personnes. Il y a de nombreux emplois que l'on peut obtenir. N'hésitez pas à candidater.
d. Pense à envoyer une candidature même dans les entreprises qui ne publient pas d'annonces ! Cela fonctionne souvent très bien pour obtenir un emploi !
e. Ils m'ont remercié après mes trois semaines de test. Je n'ai plus qu'à me replonger dans mes recherches d'emploi.

5. a. Choisissez la proposition correcte.

1. L'entretien d'embauche est l'occasion de déceler les *affinités / infinités* managériales.
2. Un candidat peut facilement se laisser séduire par *l'appétit / l'appât* du gain.
3. Nos dernières recrues sont de grands *pontes / ponts* de l'audit interne. Ils sont *promus / rompus* au processus de surveillance et de gouvernance des entreprises.
4. Lors du recrutement d'un commercial, on s'assurera qu'il soit suffisamment *accrocheur / décrocheur / raccrocheur* et sache *marketer / marcher / démarcher* de nouveaux clients.

b. Expliquez le sens des mots et expressions choisis.

Leçon 3 – Camarades, camarades !

6. a. Formez une phrase en associant les éléments de chaque colonne.

1. Une fois de plus, la direction
2. Comme nous l'avons déjà indiqué à la presse au début du mouvement,
3. Camarades, l'heure est venue de
4. Nous sommes conscients qu'avec la fermeture de l'usine,
5. Qui vote pour
6. Il faut que nous prenions des mesures

a. faire bloc face à la tyrannie des classes dirigeantes !
b. pour endiguer le mouvement de contestation.
c. ne souhaite pas nous affronter.
d. la continuation du mouvement ?
e. préfère fuir face à l'inéluctable.
f. nous sommes prêts à entamer des négociations avec les délégués syndicaux.
g. c'est une partie de votre vie qui s'écroule.
h. nous rassembler.

b. Pour chaque phrase, dites qui les prononce : les grévistes ou les dirigeants ?

7. a. Associez les mots de même sens ou de sens proche (5 paires).

ouvrier • misère • contestation • protestation • délégué • pauvreté • négociation • représentant • travailleur • discussion

b. Employez un mot de chaque paire dans un court paragraphe sur le thème du travail et des conflits sociaux.

Leçon 4 – Les eldorados de l'emploi

8. Associez les mots ou expressions aux phrases.

a. la pénurie de main-d'œuvre
b. ratisser large
c. débaucher
d. le plein emploi
e. le coût avantageux de la vie
f. un eldorado de l'embauche
g. recommencer à zéro

1. Nous manquons d'ouvriers spécialisés dans le secteur automobile.
2. La Beauce affiche un taux de chômage quasi nul.
3. Mon mari et moi avions envie d'une nouvelle vie : nouveau job, nouveau pays, nouveaux amis…
4. Notre région regorge d'emplois divers et variés.
5. Quinze employés sont partis car ils ont été contactés par un concurrent direct.
6. Notre campagne de recrutement s'adresse au monde entier.
7. Il y en a plus dans le porte-monnaie des travailleurs.

9. Terminez librement les phrases avec les mots suivants. Faites les accords nécessaires.

présentéisme • management participatif • réunionite • journée à rallonge • acquis social

a. Voici un petit guide pour bien organiser vos séances de travail avec vos salariés afin d'éviter qu'ils …
b. Impossible d'envisager un télétravail dans le cabinet de conseil où j'exerce car …
c. L'ambiance est devenue délétère à partir du moment où la direction …
d. Le comité de direction attend la remise du projet la semaine prochaine si bien que notre charge de travail est décuplée et que …
e. Nous avons constaté une augmentation de la motivation, de l'engagement et de la productivité depuis que …

10. Répondez librement.

Dans votre pays…

a. Les employés se plaignent-ils souvent ?
b. Ont-ils un bon rapport professionnel avec leurs supérieurs ?
c. L'organisation du travail est-elle souple ? Hiérarchisée ?
d. Favorise-ton le télétravail ?

Compréhension écrite

Lisez l'article puis répondez aux questions.

Stratégies p. 168

Le télétravail à 100 %

Où va le travail ? Ils ont choisi l'Ardèche comme cadre de vie et lieu de travail. Depuis bientôt trois ans, Rachel Peter et Jean-Baptiste Audras travaillent depuis leur maison de Saint-Péray, petite commune située près de Valence. Tous deux sont salariés chez Whodunit, une agence de création de sites Internet. « *On a fait le choix du télétravail. C'est devenu notre mode de vie* », explique Jean-Baptiste Audras. Chaque salarié de Whodunit se connecte de chez lui. Ils habitent à Nantes, Metz, Paris ou encore Lyon. Car l'agence n'a pas de bureau : c'est une entreprise en télétravail à 100 %.

Ces entreprises converties au 100 % télétravail sont peu nombreuses, mais le modèle se développe, à en croire Rodolphe Dutel, fondateur du site remotive.io. Sa plateforme rassemble un millier de sociétés qui recrutent des télétravailleurs. En 2016, elles n'étaient que deux cents. Il s'agit « *aussi bien de petites start-up de dix personnes que d'entreprises valorisées au-delà d'un milliard de dollars, comme Automattic* », souligne M. Dutel.

La technologie n'est pas le seul secteur concerné. « *On trouve aussi des entreprises en télétravail complet dans l'e-commerce ou la formation en ligne* », observe Clément Marinos, maître de conférences en économie à l'université Bretagne-Sud, faisant l'hypothèse que « *ce modèle prendra de l'ampleur, car les secteurs concernés ont tendance à créer de l'emploi* ».

> *« Peu à peu, on a tous eu envie de quitter la capitale »*, Émilie Lebrun, de Whodunit

Whodunit a sauté le pas en 2018. « *Quand on a créé l'agence dix ans plus tôt, c'était le rêve d'avoir des bureaux, ça faisait sérieux* », raconte Émilie Lebrun, qui dirige la société. En 2010, les cinq fondateurs s'installent dans un open space du 11e arrondissement de Paris. Le basculement vers le télétravail s'est fait progressivement. « *L'un de nous a commencé à travailler de chez lui deux jours par semaine pour limiter les trajets*, poursuit Mme Lebrun. *Peu à peu, on a tous eu envie de quitter la capitale. En même temps, on avait besoin de recruter, il fallait s'agrandir.* » S'ouvre alors une période délicate, où une partie de l'équipe travaille à distance, l'autre dans les bureaux. « *Cela ne marchait pas*, constate Mme Lebrun. *Il y avait deux clans, avec chacun sa façon de communiquer. On a fini par se séparer des locaux.* »

Dans la galaxie des entreprises avec 100 % de télétravail, certaines ne sont même jamais passées par la case bureau. C'est le cas de BoondManager, une start-up de vingt-huit salariés spécialisée dans l'édition d'outils de gestion, créée en 2009 par deux frères, l'un vivant à Lille, l'autre à Brest. « *Très vite, on s'est aperçu du gain de temps et du plaisir de bosser de chez soi* », raconte Anthony Lambert, cofondateur. Sans envisager de prendre des locaux, ils commencent à recruter aux quatre coins du pays. « *Plus on recrutait des personnes à distance, plus on s'apercevait qu'on était un ovni en France*, poursuit M. Lambert. *Au départ, on n'osait pas le dire à nos clients. On ne voulait pas renvoyer l'image du petit qui n'a pas les moyens de se payer des bureaux. On l'assume vraiment depuis trois ans. Aujourd'hui, c'est même un atout dans le recrutement.* »

Le phénomène s'explique par un entremêlement de facteurs. « *La pression immobilière dans les grandes métropoles et la pénurie de talents dans la technologie ont poussé les entreprises à recruter sans frontière géographique* », souligne Clément Marinos. Parallèlement, la technologie s'est améliorée et de nouveaux outils collaboratifs – de partage de documents, de messagerie, de vidéoconférence, etc. – sont apparus. Certains investisseurs, convaincus que le télétravail est une révolution en marche, dépensent même des millions pour créer des réalités virtuelles d'entreprises, avec salles de réunion, avatars des collaborateurs...

Parmi les avantages cités par ces entreprises, les économies engendrées sur le foncier et surtout la possibilité de grandir vite. O'clock, une école « sans murs » de développeurs Web, est passée de quatre collaborateurs à sa création, en 2017, à quarante-six aujourd'hui. « *J'ai fait le calcul, nous aurions dû déménager six fois en deux ans si nous avions eu des locaux* », rapporte Dario Spagnolo, son président. Du côté des salariés, fini les transports, les open spaces bruyants. « *C'est à la fois plus de temps pour travailler et plus de temps libre* », estime Aimée Le Roux, formatrice chez BoondManager.

Reste que ce mode de fonctionnement nécessite des ajustements. Et pas des moindres. D'abord parce qu'« *il vient heurter le modèle de management dominant en France, où le manager veut avoir ses collaborateurs sous ses yeux*, relève Alain d'Iribarne, sociologue du travail. *Il faut passer d'une logique de présentiel à un contrôle par les résultats, la tradition américaine.* » Ensuite parce qu'il implique de pallier l'absence de discussions informelles de bureau. « *Cela suppose de surcommuniquer* », témoigne M. Spagnolo. Chez O'clock, « *tout le monde a accès à toutes les discussions* ».

Autre défi : comment maintenir la cohésion d'équipe quand on ne se voit pas ? « *On a mis le paquet pour créer une communauté, une identité propre* », témoigne Anthony Lambert. Chez BoondManager. Les visioconférences sont régulières. Surtout, l'équipe se réunit trois fois par an pour un séminaire – « *le carburant du télétravail* », selon M. Lambert –, pour « *partager de bons moments et resserrer les liens* ».

Enfin, le télétravail n'est pas fait pour tout le monde. Si 80 % des personnes qui pratiquent le télétravail en sont satisfaites, selon Alain d'Iribarne, « *le tout-télétravail n'est pas plébiscité, car la plupart des travailleurs ont besoin de socialisation*, souligne le sociologue. *Ce qui est apprécié, c'est plutôt une combinaison du télétravail avec des lieux en présentiel : les bureaux de l'entreprise, mais aussi les espaces de coworking, qui se multiplient* ». Du côté des entreprises, toutes ne s'y retrouvent pas non plus. Certaines ont même fait marche arrière. En 2017, la société américaine IBM a rapatrié l'ensemble de ses salariés dans ses bureaux. La firme a estimé que « *cela pénalisait l'entreprise dans sa capacité à innover* », rapporte Clément Marinos. Facebook, de son côté, s'est mis à offrir une prime à ses salariés localisés près du siège californien. Une façon d'inciter à rester groupé.

D'après Aurélie Collas, www.lemonde.fr

1. **Vrai ou faux ? Choisissez la bonne réponse et recopiez la phrase ou la partie du texte qui justifie votre réponse.**

Pour l'instant, le télétravail à 100 % concerne essentiellement des entreprises de petite taille.

☐ Vrai
☐ Faux
Justification : …

2. **D'après Clément Marinos, quelle raison explique le développement du télétravail à 100 % dans certains secteurs ?**

a. L'absence de réunions.
b. L'embauche croissante.
c. Le besoin d'économiser.

3. **Avant de passer au télétravail à 100 %, quel problème Émilie Lebrun constatait-elle ?**

a. Les échanges entre collègues étaient mis à mal.
b. Les projets avançaient à des rythmes différents.
c. Les écarts de salaires provoquaient des tensions.

4. **Vrai ou faux ? Choisissez la bonne réponse et recopiez la phrase ou la partie du texte qui justifie votre réponse.**

a. Les frères Lambert ont longtemps hésité sur le mode d'organisation de leur entreprise.

☐ Vrai
☐ Faux
Justification : …

b. Dès sa création, BoondManager a voulu mettre en avant le caractère novateur de son entreprise.

☐ Vrai
☐ Faux
Justification : …

5. **Selon Clément Marinos, pour quelles raisons les entreprises dématérialisées se sont-elles développées ?** ***(3 réponses possibles, 2 réponses attendues)***

6. **D'après l'article, certaines entreprises préfèrent avoir 100 % de télétravailleurs car…**

a. les salariés travaillent de manière plus efficace.
b. le recrutement d'experts étrangers est plus facile.
c. elles développent plus rapidement leurs activités.

7. **Selon Alain d'Iribarne, que nécessite le télétravail à 100 % ?**

a. Des formations régulières pour les salariés.
b. Des changements dans la culture d'entreprise.
c. Des logiciels collaboratifs très onéreux.

8. **Que fait BoondManager pour créer un état d'esprit propre à son entreprise en dépit du télétravail ?** ***(2 réponses attendues)***

9. **Pour Alain d'Iribarne, quel serait le mode de travail idéal pour les salariés ?**

10. **Certaines entreprises considèrent aujourd'hui que le travail en présentiel…**

a. favorise le bien-être.
b. améliore la créativité.
c. simplifie la prise de décision.

DOSSIER 7

Vague à l'âme

Antoine Chereau, *Alors, heureux ?*, Pixel Fever 2018.

JE REFUSE QU'ON M'OBLIGE À ÊTRE HEUREUX !

QU'EST-CE QUE TU ES RINGARD !

CHEREAU

1 En petits groupes. Observez l'illustration.

a. Expliquez l'humour de la situation.

b. Peut-on obliger quelqu'un à être heureux ? Échangez.

> “ Une société sans pensée utopique est inconcevable. Utopie au sens de désir d'un mieux. ”
>
> Jean-Claude Carrière, *Entretiens sur la fin des temps*, éditions Fayard, 1998.

2 Par deux. Lisez la citation. Cherchez l'étymologie du terme « utopie » et proposez votre définition à la classe.

Catherine Deneuve : Oui, quand je vais au cinéma avec des gens que je ne connais pas, dans le noir, et que je regarde l'écran, c'est comme dans un film de Woody Allen : j'ai l'impression par moments de rentrer dans l'écran. Au théâtre, sûrement à cause des lumières, du velours rouge, je reste une spectatrice, une spectatrice privilégiée, mais une spectatrice. Au cinéma, je deviens l'héroïne de l'histoire, je suis prise.

Patrick Modiano : Exactement comme quand on lit un roman. Au cinéma, les émotions sont très proches de celles du roman…

Catherine Deneuve : Quand on lit un roman, on le reconstruit avec ses yeux : on imagine les gros plans, les plans larges, les travellings… Parce que je crois que le cinéma, comme le roman, laisse le champ plus libre à l'imagination. Le théâtre est une représentation alors que le cinéma imite la vie.

Patrick Modiano : Oui…

Cannes et autres lieux de mémoire : Catherine Deneuve et Patrick Modiano, Frédéric Bonnaud, *Les Inrockuptibles*, 1997.

3 Par deux. Lisez l'extrait.

a. Dans quels domaines artistiques les deux personnes interviewées se sont-elles fait connaître ? Faites des recherches si nécessaire.

b. Partagez-vous leurs visions sur le cinéma, le théâtre et le roman ? Échangez.

Portrait de famille, singe
© Delphine Harrer

En petits groupes. Observez l'illustration.

a. Décrivez-la.

b. Échangez vos impressions et vos interprétations.

c. En quoi l'animal se rapproche-t-il de l'homme ? Partagez vos éventuelles expériences.

SAVOIR-FAIRE ET SAVOIR AGIR

Dans ce dossier, nous allons :

- analyser et interpréter un extrait de théâtre
- exprimer un point de vue critique sur un film
- écrire la suite d'un extrait littéraire
- prendre position sur l'industrialisation du bonheur
- argumenter en faveur de la médiation animale
- comprendre les enjeux de l'utopie en fonction des époques
- décrire une utopie

LEÇON

1 Bouleversant !

- Analyser et interpréter un extrait de théâtre ▸ Doc. 1
- Exprimer un point de vue critique sur un film ▸ Doc. 2

document 1

Après douze ans d'absence, Louis retourne dans son village natal pour annoncer à sa famille sa mort prochaine.

LA MÈRE. – C'est l'après-midi, toujours été ainsi :
Le repas dure longtemps,
On n'a rien à faire, on étend ses jambes.
CATHERINE. – Vous voulez encore du café ?
5 SUZANNE. – Tu vas la vouvoyer toute la vie, ils vont se vouvoyer toujours ?
ANTOINE. – Suzanne, ils font comme ils veulent !
SUZANNE. – Mais merde, toi, à la fin !
Je ne te cause pas, je ne te parle pas, ce n'est pas à toi que je parle !
10 Il a fini de s'occuper de moi, comme ça, tout le temps,
tu ne vas pas t'occuper de moi tout le temps,
je ne te demande rien.
ANTOINE. – Comment est-ce que tu me parles ?
Tu me parles comme ça,
15 jamais je ne t'ai entendue.
Elle veut avoir l'air,
c'est parce que Louis est là, c'est parce que tu es là,
tu es là et elle veut avoir l'air.
SUZANNE. – Qu'est-ce que ça à voir avec Louis,
20 qu'est-ce que tu racontes ?
Ce n'est pas parce que Louis est là,
qu'est-ce que tu dis ?
Merde, merde et merde encore !
Compris ? Entendu ? Saisi ?
25 Et bras d'honneur si nécessaire ! Voilà, bras d'honneur !
LA MÈRE. – Suzanne !
Ne la laisse pas partir,
qu'est-ce que c'est que ces histoires ?
Tu devrais la rattraper !
30 ANTOINE. – Elle reviendra.
LOUIS. – Oui, je veux bien, un peu de café, je veux bien.
ANTOINE. – « Oui, je veux bien, un peu de café, je veux bien. »
CATHERINE. – Antoine !
ANTOINE. – Quoi ?
35 LOUIS. – Tu te payais ma tête, tu essayais.
ANTOINE. – Tous les mêmes, vous êtes tous les mêmes !
Suzanne !
CATHERINE. – Antoine ! Où est-ce que tu vas ?
LA MÈRE. – Ils reviendront.
40 Ils reviennent toujours.
Je suis contente, je ne l'ai pas dit, je suis contente que nous soyons tous là,
tous réunis.
Où est-ce que tu vas ?
Louis !
45 *Catherine reste seule.*

Jean-Luc Lagarce, *Juste la fin du monde*, éditions Les Solitaires intempestifs, 1990.

1 En petits groupes. Que pensez-vous des adaptations de livres au cinéma ? Échangez et listez vos arguments. Citez des exemples précis de films dont les adaptations vous ont touché(e)s ou au contraire déçu(e)s.

2. Par deux. Lisez l'extrait de la pièce (doc. 1).
- a. Qui sont les personnages ? De quoi parlent-ils ?
- b. Racontez le début et la fin de la scène. Qu'en déduisez-vous sur l'atmosphère qui règne dans cette famille ?

3. En petits groupes. Relisez l'extrait de la pièce (doc. 1).
- a. Associez un adjectif ci-dessous à chacun des personnages. Ajoutez un synonyme à chacun d'eux. Mettez en commun avec la classe.
  dépassé • poli • agressif • discret • colérique
- b. Quelles sont les relations entre les personnages ?

4. En petits groupes. Lisez à nouveau l'extrait de la pièce (doc. 1).
- a. Observez et décrivez la mise en forme des dialogues. Quel effet produit-elle sur la lecture ?
- b. Repérez le champ lexical de la parole (exemple : cause, parle, etc.) et les répétitions. Montrez qu'ils traduisent les problèmes de communication entre les personnages.

5 Seul(e).
- a. Quelles émotions ressentez-vous à la lecture de cet extrait (doc. 1) ?
- b. Quel personnage produit sur vous l'impression la plus forte ? Expliquez votre choix dans un texte argumenté (250 mots).

document 2 28

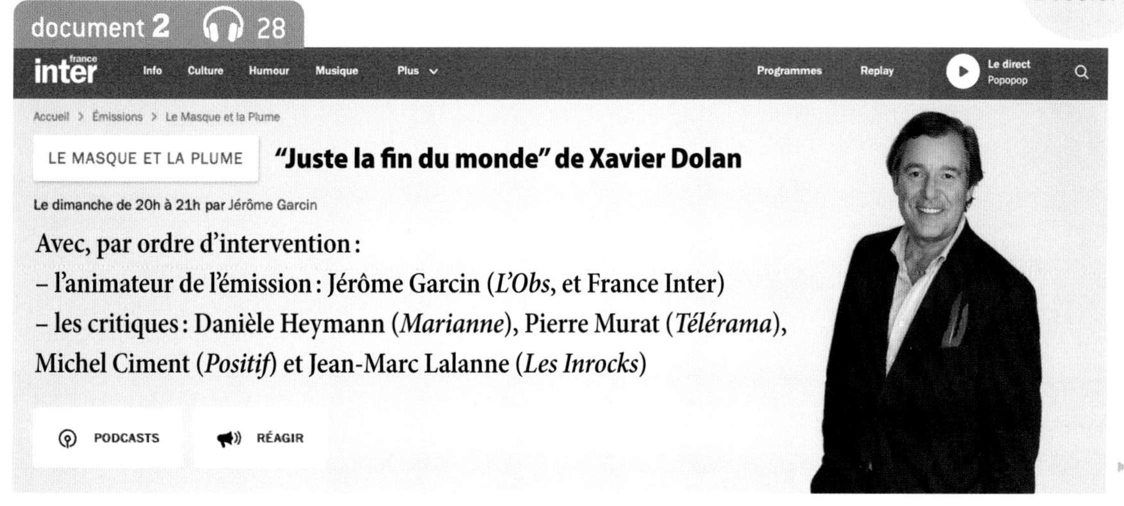

Culture et société p. 203

6. En petits groupes.

a. Comment imaginez-vous la scène du document 1 (décor, position des personnages, etc.) ? Échangez.

b. Choisissez chacun un personnage et interprétez la scène. Utilisez l'intonation adaptée au caractère du personnage (act. 3a).

c. Désignez l'interprétation qui vous semble la plus fidèle à l'extrait.

7. 28 Écoutez l'extrait de l'émission *Le Masque et la Plume* (doc. 2).

a. De quel type d'émission s'agit-il ? Comment comprenez-vous le nom de cette émission ?

b. Quel rôle l'animateur joue-t-il ?

c. Quels personnages de la pièce sont cités (act. 2a) ? Associez les noms des acteurs aux personnages.
Nathalie Baye • Marion Cotillard • Gaspard Ulliel • Vincent Cassel

8. 28 En petits groupes. Réécoutez l'extrait de l'émission (doc. 2).

a. Sur quel(s) élément(s) chaque intervenant base-t-il sa critique ?
ses impressions personnelles • les relations entre les personnages • le jeu des acteurs • les éléments cinématographiques • les dialogues • l'interprétation du film

b. Dites, pour chacun, s'il a un avis positif, mitigé ou négatif.

9. En petits groupes. Lisez la transcription (p. 22-23).

a. Relevez les phrases utilisées par les intervenants pour parler de leurs impressions personnelles sur les différents personnages.

b. Analysez ces phrases (nature et place du sujet, types de propositions, lexique employé, registre de langue). Quel est l'effet produit ?

10. Par deux.

a. Définissez les termes suivants. Faites des recherches si nécessaire.
un dispositif cinématographique • un film choral • un dialogue fleuve • un champ • un contre-champ

b. Connaissez-vous d'autres termes spécifiques à la technique cinématographique (les types de plan, les mouvements de caméra, etc.) ? Échangez avec la classe.

11. En petits groupes. Vous fiez-vous à la critique pour choisir un film ? Échangez.

À NOUS !

12. Nous échangeons nos impressions sur un film.

a. Listez des films que plusieurs d'entre vous ont vus. Formez des groupes selon les films.

En petits groupes.

b. Notez les sensations et les émotions que vous avez ressenties lors du visionnage.

c. Répertoriez les caractéristiques propres à ce film (jeu des acteurs, procédés cinématographiques).

d. Désignez un(e) animateur(trice) dans le groupe.

e. À tour de rôle, donnez vos points de vue sur le film en insistant à la fois sur les procédés cinématographiques et sur les émotions que vous avez ressenties. Intervenez lorsque vous souhaitez apporter une précision importante. L'animateur(trice) modère l'échange.

Stratégies p. 186

DOC. 2 – dialogue fleuve (fam.) : dialogue qui n'en finit pas.
friand (adj.) : qui recherche et aime (qqch.).

▪ Écrire la suite d'un extrait littéraire ▸ Doc. 1
▪ Prendre position sur l'industrialisation du bonheur ▸ Doc. 2

LEÇON

2 Routinite aiguë

document 1

« AU DEBUT, IL NE DIT RIEN. Il resta juste ainsi, immobile, sa main chaude sur mon épaule, en signe d'empathie.
Quand mes larmes se tarirent, sa femme qui, entre temps, avait déposé devant moi la tasse de thé fumant, m'apporta aussitôt quelques mouchoirs puis disparut à l'étage pressentant sans doute que sa présence risquait d'interrompre une confession salutaire.
5 – Ex… Excusez-moi, c'est ridicule ! Je ne sais pas ce qui m'arrive… En ce moment, je suis à vif, et là-dessus, cette journée effroyable, vraiment, c'est trop !
Claude était allé se rasseoir sur le fauteuil en face de moi et m'écoutait attentivement. Quelque chose, en lui, appelait la confidence. Il plongea son regard dans le mien. Pas un regard scrutateur ni intrusif. Un regard bienveillant, grand comme des yeux, grands comme des bras ouverts.
10 Mes yeux rivés aux siens, je sentais que je n'avais pas à tricher. Que je pouvais me livrer sans masque. Mes petits verrous intérieurs lâchaient les uns après les autres. Tant pis. Ou tant mieux ?
Je lui confessai les grandes lignes de mon vague à l'âme, lui expliquai comment des microfrustrations accumulées avaient fini par gangréner[1] ma joie de vivre alors que j'avais tout, *a priori*, pour être épanouie…
– Vous voyez, ça n'est pas que je suis malheureuse, mais je ne suis pas vraiment heureuse non plus… Et c'est affreux cette
15 sensation que le bonheur m'a filé entre les doigts ! Pourtant, je n'ai aucune envie d'aller voir un médecin ; il serait capable de me dire que je fais une dépression et de me gaver de médicaments ! Non, c'est juste cette espèce de morosité… Rien de grave, mais quand même… C'est comme si le cœur n'y était plus. Je ne sais plus si tout ça a un sens !
Mes paroles semblèrent l'émouvoir, au point que je me demandai si elles ne le renvoyaient pas à quelque chose de très personnel. Alors que nous nous connaissions depuis moins d'une heure, il s'était installé entre nous un surprenant climat de
20 connivence. Étrangère un instant plus tôt, voilà que je franchissais avec ma confession plusieurs degrés d'intimité d'un coup, créant un trait d'union précoce entre nos histoires.
Ce que j'avais livré de moi avait visiblement touché chez lui une corde sensible qui l'animait d'une authentique motivation à me réconforter.
– « ***Nous avons autant besoin de raisons de vivre que de quoi vivre*** », affirmait l'abbé Pierre[2]. Alors, il ne faut pas dire que ça
25 n'a pas d'importance. Ça en a énormément, au contraire ! Les maux de l'âme ne sont pas à prendre à la légère. À vous écouter parler, je crois même savoir de quoi vous souffrez…
– Ah oui, vraiment ? demandai-je en reniflant.
– Oui…
Il hésita un instant à poursuivre, comme s'il essayait de deviner si j'allais être réceptive ou non à ses révélations… Il dut juger
30 que oui, car il enchaîna, sur le ton de la confidence :
– Vous souffrez probablement d'une forme de routinite aiguë.
– Une quoi ?
– Une routinite aiguë. C'est une affection de l'âme qui touche de plus en plus de gens dans le monde, surtout en Occident. Les symptômes sont presque toujours les mêmes : baisse de motivation, morosité chronique, perte de repères et de sens, difficulté
35 à être heureux, malgré une opulence de biens matériels, désenchantement, lassitude…
– Mais, comment vous savez tout ça ?
– Je suis routinologue.
– Routino-quoi ?
Il semblait habitué à ce genre de réaction, car il ne se départit pas de son flegme et bienheureux détachement.
40 Il m'expliqua alors en quelques phrases ce qu'était la routinologie, cette discipline novatrice encore méconnue en France, mais déjà bien répandue dans d'autres parties du monde. Comment les chercheurs et scientifiques s'étaient rendu compte que de plus en plus de gens étaient touchés par ce syndrome. Comment, sans être en dépression, on pouvait ressentir malgré tout une sensation de vide, un vrai vague à l'âme et traîner la désagréable impression d'avoir tout pour être heureux mais pas la clé pour en profiter.
45 Je l'écoutais avec des yeux ronds, buvant ses paroles qui dépeignaient si bien ce que je ressentais, ce qui l'engagea à poursuivre :
– Vous savez, la routine paraît un mal bénin à première vue, mais elle peut causer de véritables dégâts sur la population : entraîner des épidémies de sinistrose, des tsunamis de vague à l'âme, des vents d'humeur noire catastrophiques. Bientôt, le sourire sera en voie de disparition ! Ne riez pas, c'est la vérité ! Sans parler de l'effet papillon ! Plus le phénomène s'étend, plus il touche une large population… Une routinite mal endiguée peut faire baisser la cote d'humeur d'un pays tout entier !

Raphaëlle Giordano, *Ta deuxième vie commence le jour où tu apprends que tu n'en as qu'une*, éditions Eyrolles, 2015.

1. gangréner (v.) : dégrader, ronger. 2. L'abbé Pierre a consacré sa vie et son énergie à lutter contre la misère. Fondateur des Compagnons d'Emmaüs, il est le symbole du don et de la charité.

En petits groupes. Existe-t-il des expressions associées au bonheur dans votre langue ? Partagez avec la classe.
Exemples : *heureux comme un coq en pâte, l'argent ne fait pas le bonheur…*

2. Lisez la première partie de l'extrait du roman (doc. 1, l. 1 à 23).
   a. Qui sont les personnages ? Quels sont les problèmes rencontrés par la narratrice ?
   b. Relevez le lexique associé à ce que ressent la narratrice.
   c. Comment le comportement du deuxième personnage évolue-t-il dans ce passage ?

3. Par deux. Lisez la deuxième partie de l'extrait du roman (doc. 1, l. 24 à 49).
   a. D'après Claude, de quoi est atteinte la narratrice ?
   b. Listez les symptômes décrits par Claude. Associez-les aux états d'âme de la narratrice (act. 2b).
   c. Selon Claude, quelles sont les conséquences de cette maladie ? Analysez les procédés utilisés pour dramatiser cette maladie.
   d. À votre avis, à quel moment du roman se situe cet extrait ? Mettez en relation le titre du livre et la maladie dont parle Claude. Quelle est l'intention de l'auteure à travers ce livre ?

4. En petits groupes. Relisez l'extrait du roman (doc. 1).
   a. Expliquez la phrase : « Nous avons autant besoin de raisons de vivre que de quoi vivre » (l. 24). Comment apparaît-elle dans l'extrait ? Quel effet produit-elle sur la narration ?
   b. Justifiez les temps utilisés dans la description des lieux et la progression de l'histoire.
   c. Observez la ponctuation de l'ensemble du texte. Que traduisent les points de suspension dans les dialogues ? Expliquez l'emploi des autres signes. Quel effet cela produit-il à la lecture ?
   d. L'auteure a choisi le roman pour exprimer ses idées. Qu'est-ce que cela apporte par rapport à un autre genre d'écrit (essai, article) ?

Seul(e) ou par deux.
   a. Imaginez le réveil de la narratrice après cet échange (doc. 1) (émotions ressenties, regard sur son problème, décision qu'elle va prendre suite au diagnostic de Claude…).
   b. Écrivez le début du chapitre suivant (250 mots) en respectant la forme du récit (temps utilisés, ponctuation). Votre écrit commencera par l'amorce suivante : « Le lendemain matin, je me réveillai avec une migraine terrible… »

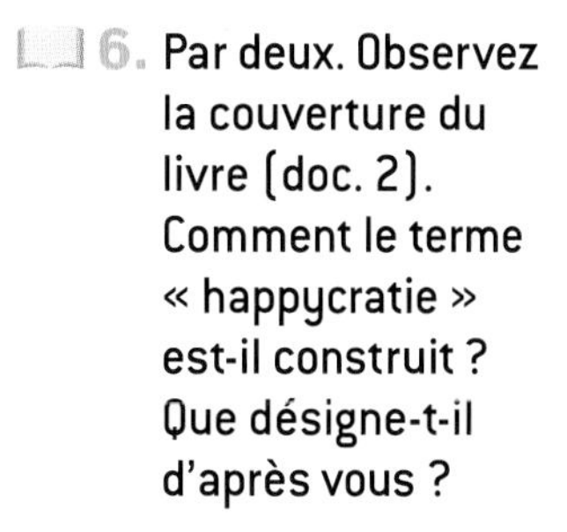

6. Par deux. Observez la couverture du livre (doc. 2). Comment le terme « happycratie » est-il construit ? Que désigne-t-il d'après vous ?

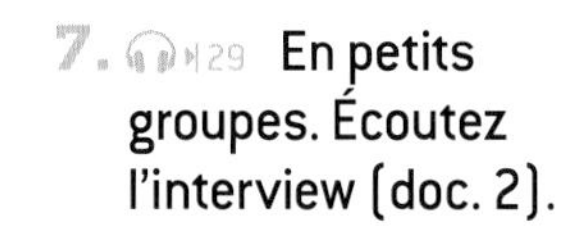

7. 29 En petits groupes. Écoutez l'interview (doc. 2).
   a. Qui est Eva Illouz ?
   b. Repérez la discipline dont elle parle. Où et quand cette discipline est-elle née ? Expliquez son principe.
   c. Selon le journaliste, avec quel courant économique cette discipline va-t-elle de pair ?
   d. Identifiez les conséquences de ce phénomène sur l'individu, selon Eva Illouz. Quel exemple donne-t-elle pour illustrer son propos ? En quoi le document 1 répond-il au principe de l'happycratie ?

8. 29 En petits groupes. Réécoutez l'interview (doc. 2).
   a. Reformulez la définition qu'Eva Illouz donne de l'happycratie. À votre avis, de quelles vertus parle-t-elle ? Vérifiez vos hypothèses à l'activité 6.
   b. Expliquez la théorie de Martin Seligman.
   c. Qu'est-ce qu'Eva Illouz entend par « solidarités choisies » ?

En petits groupes. La question du bonheur fait-elle débat dans votre pays ? Existe-t-il des livres qui traitent de ce sujet ? Échangez.

Stratégies p. 182

10. Nous prenons position sur l'idée d'industrialisation du bonheur.

En petits groupes.
   a. Donnez une définition du développement personnel et de la psychologie positive.
   b. Cherchez les points positifs de ces disciplines et associez-y des exemples (livres, conférences, personnalités, etc.).
   c. Identifiez les limites de ces disciplines (modes de vie, risques, etc.).
   d. Présentez votre point de vue sous forme d'un exposé oral.

LEÇON 3 Animal-sensible

▸ Culture et société p. 197 **document 1**

Les animaux sont des êtres vivants doués de sensibilité. Sous réserve des lois qui les protègent, les animaux sont soumis au régime des biens.

Article 515-14 du Code civil, 2015.

1. En petits groupes. Lisez l'article du Code civil (doc. 1).
- a. Quel statut cet article confère-t-il aux animaux ? À votre avis, dans quelles situations s'applique-t-il ?
- b. Que pensez-vous de la mise en place d'un code civil pour les animaux ? Échangez.
- c. Faites l'état des lieux des droits des animaux dans votre pays et présentez votre travail à la classe.

document 2 Vidéo n° 10

La médiation animale

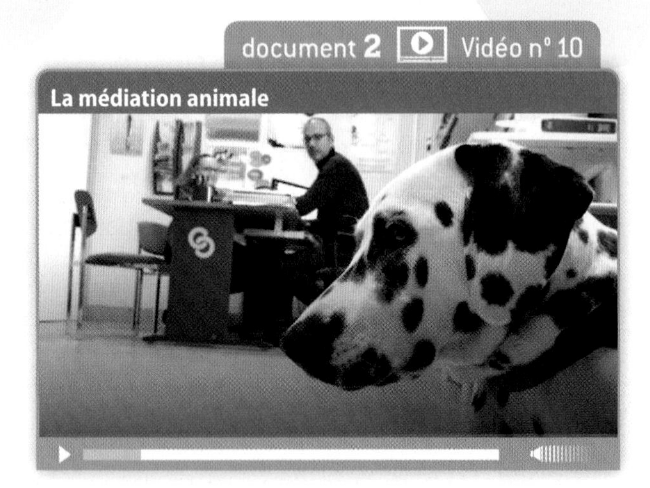

2. Par deux. Regardez la vidéo (doc. 2).
- a. Où se déroule le reportage ? Quels sont les publics visés ? Qui est à l'initiative de ce projet ?
- b. Comment Pollen intervient-elle ?
- c. Repérez l'image utilisée pour qualifier le rôle de Pollen dans cet établissement et expliquez les avantages de l'animal sur les différents publics.
- d. Que pensez-vous de cette initiative ? Avez-vous déjà entendu parler d'une expérience similaire ? Échangez.

3

En petits groupes.
- a. Faites des recherches sur l'usage de la médiation animale dans votre pays. Présentez-les à la classe.
- b. L'animal est-il un thérapeute plus humain ? Prenez des notes et échangez.

4. Par deux. Lisez l'article (doc. 3).
- a. Quelle décision a conduit à repenser le statut des animaux ? À quelle thèse s'oppose-t-elle ?
- b. Identifiez les domaines d'études dans lesquels on établit une ressemblance entre l'homme et l'animal.
- c. Reformulez en une phrase la différence entre émotions et sentiments.

5. En petits groupes. Relisez l'article (doc. 3).
- a. Pour convaincre son public, le journaliste évoque de nombreux faits scientifiques : repérez-les. Comment sont-ils mentionnés (connecteurs, lexique) ? Parmi ces éléments, lesquels pourraient justifier l'intervention de Pollen (doc. 2) ?
- b. Quelles réserves émet le journaliste ? Comment les formule-t-il ?

6. En petits groupes. Lisez à nouveau l'article (doc. 3).
- a. Identifiez les trois parties de l'article et donnez-leur un titre. Quel est le type de plan choisi par le journaliste ? ▸ Stratégies p. 176
- b. Comment le journaliste choisit-il d'interpeller le lecteur ? Est-ce efficace, selon vous ?

7. Nous rédigeons une lettre pour proposer une médiation animale.

En petits groupes.
- **a.** Trouvez un centre thérapeutique francophone qui pourrait faire intervenir des animaux.
- **b.** Répertoriez les arguments en faveur de la médiation animale (act. 2c et 3).
- **c.** Reprenez les éléments scientifiques démontrant les émotions ressenties par les animaux (act. 5a).
- **d.** Rédigez une lettre au directeur du centre pour le convaincre d'accéder à votre demande. Respectez les codes de la lettre formelle. ▸ Stratégies p. 178
- **e.** Publiez votre lettre sur le réseau de la classe.

POUR ALLER PLUS LOIN

En petits groupes. À partir des différents documents de cette leçon, échangez sur la place des animaux dans notre société (rapports à l'homme, fonctions dans la société).

https://www.lecho.be
Accueil Les Marchés LIVE Mon Argent LOGIN ABONNEZ-VOUS
L'Echo
ACTU > CULTURE > GÉNÉRAL

L'animal a-t-il des émotions ? Et des sentiments ?

SIMON BRUNFAUT | 03 mars 2018

L'année dernière, le gouvernement wallon a adopté un décret qui reconnaît les animaux comme des êtres sensibles. Sur ce point, la Belgique est en retard par rapport à la France, l'Allemagne et le Luxembourg, même si la cruauté envers les animaux est punie par la loi. Les animaux pourraient ainsi ne plus être considérés comme de simples biens et acquérir à terme le statut de sujet. Quoi qu'il en soit, les droits de l'animal devraient différer de ceux des personnes morales par le fait même de leur sensibilité, qui nécessite des mesures particulières. […]

Habituellement, on impute[1] à Descartes et à ses successeurs la conception moderne de l'animal-objet. Pour Descartes, défenseur d'un dualisme entre l'âme et le corps, le corps est une machine, un système matériel connaissable par la science. **Mais l'homme possède une âme, pas l'animal.** La conséquence de ce principe est terrible : l'homme peut traiter les animaux comme des entités dépourvues de sensibilité.

Les animaux sont des objets, de vulgaires choses.

D'un point de vue économique, la société de consommation a intégré ces thèses en faisant de l'animal-objet un animal-marchandise. Il en va de même pour les textes juridiques qui, hormis quelques exceptions, s'en tiennent au statut d'objet pour qualifier l'animal.

Même si le modèle de l'animal-objet reste encore omniprésent dans nos sociétés occidentales, une autre conception, en phase avec les avancées scientifiques contemporaines, a vu le jour : celle de l'animal-sensible. En ouvrant le dictionnaire du comportement animal de David McFarland, qui date de 1990, on pouvait déjà lire à la référence « émotions » : « *L'une des principales différences entre l'émotion humaine et l'émotion animale est que, si les êtres humains connaissent une grande variété d'émotions […], les animaux, eux, n'en ressentent que très peu […]. L'animal n'a, semble-t-il, que des émotions qui correspondent à certains problèmes de survie et pour lesquels la pression d'adaptation est extrêmement forte.* »

Plus personne ne nie aujourd'hui l'importance de l'émotion. Il est désormais communément admis qu'elle est présente à tous les niveaux de notre activité réflexive, motrice et sociale. […]

Les progrès de la connaissance scientifique ont ainsi démontré l'extraordinaire ressemblance du fonctionnement des corps animaux et humains. Dans tous les domaines, que ce soit la génétique, la physiologie, la pathologie, la psychologie, et même la culture, **la frontière entre l'homme et l'animal semble disparaître au fur et à mesure**. Ceci est d'autant plus vrai en ce qui concerne la capacité à éprouver de la douleur.

Le neuropsychiatre Boris Cyrulnik s'est intéressé à ces questions. « *Des études canadiennes ont ainsi montré la détresse et le traumatisme des vaches séparées de leur veau et menées dans des salles de traite le lendemain même de la naissance de leur petit.* »

Le neurobiologiste Robert Dantzer a même démontré que les animaux peuvent souffrir de folie lorsque l'homme leur impose des conditions de vie telles qu'ils ne peuvent plus adopter un comportement naturel. Dans un autre registre, le biologiste Bernd Würsig a observé le comportement des baleines au large de l'Argentine. Elles se caressent doucement, s'enlacent et entrelacent leurs nageoires avant l'accouplement. Impossible de ne pas voir là une forme d'étreinte ainsi que l'ébauche d'un sentiment amoureux.

Si on ne peut plus contester que les animaux disposent d'un certain registre émotionnel, la question est celle-ci : quelle est la nature exacte des sentiments qu'ils éprouvent, et dans quelle mesure ces émotions peuvent être comparées aux nôtres ? N'y a-t-il pas un risque d'anthropomorphisme ? **Bien que la tendance à humaniser le comportement des animaux soit naturelle, elle peut être évidemment source d'erreurs.**

En 2015, une vidéo a refait surface sur les réseaux sociaux. La scène se passe dans un zoo : un enfant est tombé dans la fosse des gorilles et s'est évanoui. Contre toute attente, on y voit un gorille prêter attention à l'enfant, s'approcher de lui, le toucher, comme s'il s'agissait de l'un des siens. Est-ce la démonstration de la présence d'un sentiment de compassion ou d'altruisme chez nos lointains cousins ?

Selon le neurologue Antonio Damasio, **il faut bien distinguer les émotions et les sentiments.** « *Les émotions sont des manifestations visibles ou détectables dans le corps (par dosage d'hormones ou par enregistrement des ondes) ; les sentiments, eux, sont des images mentales, donc cachées.* »

L'émotion suscite donc une réaction chimique dans le corps. Le sentiment est l'idée de l'émotion, sa représentation. Une émotion peut devenir un sentiment à partir du moment où nous pouvons établir un lien entre ce qui survient dans notre corps et ce qui provoque cette transformation.

En d'autres mots, l'émotion devient sentiment dès lors qu'il est possible pour le sujet d'identifier les causes et les effets. « *Pour savoir si tel ou tel animal éprouve ou non des sentiments, il faudrait pouvoir vérifier si, dans son cerveau, il existe une cartographie de son organisme, comme c'est le cas chez l'humain* », précise Antonio Damasio.

Ce qui veut dire que certains animaux développent une conscience, une forme de comportement moral plus élaboré : la culpabilité du chien qui a fait une bêtise, le gorille qui bombe le torse pour exprimer sa fierté ou son orgueil, etc. Comme l'explique Boris Cyrulnik, « *dans les années 1970, l'expérience réalisée par Gordon Gallup a fourni une parfaite illustration du phénomène de la reconnaissance de soi. Une tache de peinture a été déposée sur le sourcil d'un grand singe endormi. À son réveil, confronté à son reflet, celui-ci a directement porté la main à son sourcil : il avait conscience de lui-même. Cette expérience a été depuis répétée avec d'autres espèces.* »

Toutefois, les scientifiques estiment que les sentiments humains sont plus complexes parce que notre cerveau peut se créer une certaine image du passé et du futur. Le neurobiologiste Jean-Didier Vincent distingue quant à lui les « émotions primordiales » – l'amour, le désir – des émotions ordinaires, « *celles que partagent les êtres humains et les animaux supérieurs* ». « *Les émotions primordiales constituent le propre de l'homme, passant par les instances du désir et de la conscience partagée.* »

C'est pourquoi l'homme peut éprouver une joie qu'il qualifiera d'« intense » ou une tristesse qu'il nommera « profonde », **car cette émotion s'inscrit dans une histoire** (et aussi une histoire commune), elle est toujours en relation avec ce qu'il a vécu, ce qu'il va vivre et ce qu'il veut vivre. Outre cette différence, subsiste l'épineuse[2] question du langage. Si le silence de l'animal n'empêche pas une certaine communication, il est clair que le langage permet à l'homme de donner une dimension plus riche à son expérience sensible. […]

1. imputer (v.) : attribuer à quelqu'un la responsabilité d'un acte répréhensible. 2. épineux (adj.) : plein de difficultés.

LEÇON

- Comprendre les enjeux de l'utopie en fonction des époques ▸ Doc. 1, 2 et 3
- Décrire une utopie ▸ Doc. 1, 2 et 3

4 Nouvelles utopies

1 ▸ Culture et société p. 202

En petits groupes. Cherchez un livre, une pièce de théâtre ou un film qui évoque un monde utopique et présentez-le / la à la classe.

document **1**

Ce roman met en scène Gargantua, un géant, père de Pantagruel. Cette œuvre prend place dans le courant humaniste de la Renaissance. Né suite à la découverte de textes antiques, ce mouvement artistique européen est caractérisé par la foi en l'homme et par un intérêt marqué pour toutes les formes de la connaissance.

L'abbaye de Thélème

Toute leur vie était organisée non par des lois, des statuts ou des règles, mais selon leur vouloir et franc arbitre. Ils se levaient du lit quand bon leur semblait, buvaient, mangeaient, travaillaient, dormaient quand le désir leur venait; nul ne les éveillait, nul ne les (5) forçait ni à boire ni à manger, ni à faire autre chose. Ainsi l'avait établi Gargantua. En leur règle n'était que cette clause:

«Fais ce que voudras»,

parce que les gens libres, bien nés, bien instruits, conversant en compagnie honnête, ont par nature un instinct et un aiguillon[1], qui (10) toujours les pousse à accomplir des faits vertueux et les éloigne du vice, aiguillon qu'ils nommaient honneur. Quand une vile servitude ou une contrainte les font déchoir[2] et les assujettissent[3], ils emploient cette noble inclination, par laquelle ils tendaient librement vers la vertu, à repousser et à enfreindre ce joug de la servitude: car nous (15) entreprenons toujours les choses défendues, et convoitons ce qui nous est refusé.

Grâce à cette liberté, ils entrèrent en louable émulation de faire tous ensemble ce qu'ils voyaient plaire à un seul. Si l'un ou l'une d'entre eux disait: «Buvons», tous buvaient; s'il disait: «Jouons», tous jouaient. (20) S'il disait: «Allons nous ébattre aux champs», tous y allaient. Si c'était pour chasser au vol ou poursuivre le gibier, les dames montées sur de belles haquenées[4] portaient chacune un épervier, ou un lanier[5], ou un émerillon[6]. Les hommes portaient les autres oiseaux.

Ils étaient si noblement instruits qu'il n'y en avait aucun qui ne sût (25) lire, écrire, chanter, jouer d'instruments de musique, parler cinq ou six langues et composer en ces langues autant en vers qu'en prose. Jamais ne furent vus chevaliers si preux, de si belle allure, si adroits à pied et à cheval, si vigoureux, plus alertes et plus aptes à manier toutes sortes d'armes. Jamais ne furent vues dames si élégantes, si (30) mignonnes, moins acariâtres, plus adroites aux travaux manuels, à la broderie, et à toute occupation convenant à une femme honnête et libre.

Pour cette raison, quand le temps était venu qu'un membre de l'abbaye voulût en sortir, ou à la requête de ses parents, ou pour tout (35) autre cause, il emmenait avec lui une de ces dames, celle qui l'avait pris pour son cavalier servant, et ils se mariaient. Et s'ils avaient vécu à Thélème en confiance et en amitié, encore mieux poursuivaient-ils cette existence dans le mariage. Ils s'aimaient à la fin de leurs jours comme au premier jour de leurs noces.

François Rabelais, *Gargantua*, 1534, version modernisée de 1973.

1. aiguillon (n. m.) : objectif stimulant. 2. déchoir (v.) : tomber, perdre de sa valeur. 3. assujettir (v.) : soumettre, astreindre. 4. haquenée (n. f.) : petit cheval. 5. lanier (n. m.) : faucon. 6. émerillon (n. m.) : pièce d'artillerie.

2. Lisez le chapeau et l'extrait (doc. 1).

a. Qui est l'auteur de ce texte ? Quand a-t-il été rédigé ?

b. Sur quel précepte la vie des habitants repose-t-elle ? Proposez une autre formulation.

c. Où se situe la scène ? Cela correspond-il à l'image que vous associez à ce lieu ? Justifiez.

3. Par deux. Relisez l'extrait (doc. 1).

a. Repérez les actions quotidiennes des habitants du lieu.

b. L'adhésion des habitants à cette communauté apparaît de différentes manières : relevez les phrases et identifiez les structures utilisées (pronom, construction des phrases).

c. Quelles sont les valeurs définies dans cette communauté ?

4. En petits groupes. Lisez à nouveau l'extrait (doc. 1).

a. Repérez les expressions employées pour décrire les qualités des habitants. Quels procédés sont utilisés ? Associez à ces expressions les valeurs relevées dans l'activité 3c.

b. Identifiez les phrases négatives. À quoi s'opposent les choix de vie des habitants ?

c. Quelles conséquences ce mode de vie a-t-il sur les habitants ?

d. Expliquez la critique que Rabelais fait de son époque à travers cet extrait.

5 

En petits groupes. Ce cadre de vie vous semble-t-il idéal ? S'agit-il d'une utopie ? Échangez.

document 2

Écrit par Voltaire durant le siècle des Lumières précédant la Révolution française, *Candide ou l'Optimisme* est un conte philosophique retraçant le parcours de Candide suite à son expulsion du château de Thunder-ten-tronckh où il vivait avec sa bien-aimée Cunégonde.

• • • • • • • •

CHAPITRE XVIII.
CE QU'ILS VIRENT DANS LE PAYS D'ELDORADO.

[...] Vingt belles filles de la garde reçurent Candide et Cacambo à la descente du carrosse, les conduisirent aux bains, les vêtirent de robes d'un tissu de duvet de colibri; après quoi les grands officiers et les grandes officières de la couronne les menèrent à l'appartement de Sa Majesté, au milieu de deux files chacune de mille musiciens, selon l'usage ordinaire. [...]
En attendant, on leur fit voir la ville, les édifices publics élevés jusqu'aux nues, les marchés ornés de mille colonnes, les fontaines d'eau pure, les fontaines d'eau rose, celles de liqueurs de canne de sucre qui coulaient continuellement dans de grandes places pavées d'une espèce de pierreries qui répandaient une odeur semblable à celle du girofle et de la cannelle. Candide demanda à voir la cour de justice, le parlement; on lui dit qu'il n'y en avait point, et qu'on ne plaidait jamais. Il s'informa s'il y avait des prisons, et on lui dit que non. Ce qui le surprit davantage, et qui lui fit le plus de plaisir, ce fut le palais des sciences, dans lequel il vit une galerie de deux mille pas, toute pleine d'instruments de mathématique et de physique.

Voltaire, *Candide ou l'Optimisme*, 1759.

▸ Culture et société p. 202

6. En petits groupes. Lisez le chapeau et l'extrait (doc. 2).

a. Quelle est l'origine du terme « Eldorado » ? Que désigne-t-il ? Faites des recherches si nécessaire.

b. Quelles sont les caractéristiques de ce lieu ?

c. Comparez cette utopie à celle de l'abbaye de Thélème (doc. 1). Quels nouveaux éléments apparaissent ?

d. À votre avis, que souhaite dénoncer Voltaire ? Échangez.

document 3 

https://avenirdespixels.net

L'avenir des pixels, Sandrine Roudaut

7. 30 Par deux. Écoutez la conférence (doc. 3).

a. Quelle définition Sandrine Roudaut donne-t-elle de l'utopie ?

b. Définissez la notion de « numérique conscient ».

c. Relevez l'exemple d'utopie cité par Sandrine Roudaut. Dites en quoi il illustre son propos.

8. 30 Par deux. Réécoutez la conférence (doc. 3).

a. D'après Sandrine Roudaut, qu'est-ce qui justifie la nécessité de nouvelles utopies aujourd'hui ? Relevez les conséquences qu'aurait une nouvelle utopie sur la société.

b. Que préconise la conférencière pour imaginer une nouvelle utopie ?

c. Identifiez les procédés employés pour convaincre l'auditoire. Quel effet produisent-ils ? Échangez.

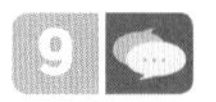

9 En petits groupes.

a. Comparez les trois documents proposés dans cette leçon. Expliquez le lien entre les utopies et les préoccupations de chacune des époques (XVIe, XVIIIe et XXIe siècles).

b. L'utopie représente-t-elle selon vous « le moteur de l'histoire » ? Échangez.

À NOUS !

10. Nous décrivons notre utopie.

En petits groupes.

a. Réfléchissez aux contraintes actuelles de la société et aux difficultés que vous rencontrez dans votre quotidien.

b. Imaginez des solutions utopiques pour contrer ces difficultés. Listez les étapes à mettre en place.

c. Décrivez le lieu de votre utopie et donnez-lui un nom. Racontez le quotidien dans ce lieu.

d. Rédigez un texte de 500 mots pour décrire votre utopie. Publiez-le sur le réseau de la classe.

MOTS et EXPRESSIONS

Leçon 1 – Bouleversant !

1. Reformulez les éléments soulignés.

a. Je ne comprends pas l'engouement du public pour cet acteur. Avec son air hautain et son jeu faussement naturel, je le trouve vraiment <u>agaçant</u>.
b. De nombreuses scènes sont <u>émouvantes</u>, il m'a été difficile de retenir mes larmes.
c. J'ai été <u>incroyablement ému</u> par l'interprétation de la jeune comédienne qui incarne à la perfection le second rôle dans ce film.
d. Le scénario est <u>extraordinaire</u>, on ne s'ennuie pas une minute.
e. <u>Je n'aime pas beaucoup</u> les comédies romantiques. Ce n'est vraiment pas mon truc.
f. Au cours du film, <u>on développe un sentiment d'amitié envers les personnages</u> si bien que, quand arrive la fin, on a l'impression de quitter une bande de copains.

2. a. Trouvez l'intrus.

1. bouleversé • touché • indifférent
2. pénible • plaisant • insupportable
3. médiocre • moyen • meilleur
4. antipathique • sublime • odieux
5. impressionné • génial • magistral

b. Parmi les deux adjectifs restant dans chaque série, identifiez celui avec le plus haut degré d'intensité.

3. Complétez la critique de film avec le lexique du cinéma.

Dans le ... *Braquer Poitiers*, le ... Claude Schmitz a su mettre à profit les talents d'improvisation de ses ... et capter les instants de vérité en s'appuyant sur une ... bien ficelée, précise et rigoureuse et des ... fixes, avec peu de mouvements de caméra. Il s'amuse à brouiller les frontières entre ... et réalité. Dans les rues de Poitiers ou lors d'une fête de village, impossible de se tromper : on baigne dans l'authenticité. On succombe alors volontiers à la beauté sans fard de ces ..., de « vrais gens », ceux qui apparaissent bien trop rarement à l'... !

D'après https://www.leblogducinema.com

Leçon 2 – Routinite aiguë

4. Classez les expressions dans le tableau. Complétez ensuite les deux listes avec des expressions que vous connaissez.

Le bonheur	La tristesse
...	...

a. avoir le vague à l'âme
b. être désenchanté
c. ressentir de la joie de vivre
d. avoir besoin de réconfort
e. être épanoui
f. être morose
g. éprouver du bien-être
h. être déprimé
i. être libéré des pensées négatives

5. Lisez l'article et choisissez les mots et expressions corrects.

Être *heureux* / *joyeux* à tout prix ?

Depuis une dizaine d'années, la pensée positive est *prônée* / *ornée* dans les écoles, les entreprises... Assiste-t-on à la naissance d'une nouvelle utopie, à un phénomène de *marché* / *marchandisation* qui va permettre de gonfler les chiffres des maisons d'édition spécialisées dans le développement *personnalisé* / *personnel* ou à un outil *de la libération* / *du libéralisme* qui permet d'augmenter la productivité des salariés avec, par exemple, l'apparition du *chief happiness officer* dans les entreprises ?

Tout le monde aspire au *réconfort / bonheur*. Pour l'atteindre, certains choisissent le sport, la méditation, d'autres militent dans une association ou changent de vie. De plus en plus de monde se tourne également vers la psychologie *positive / encourageante*. Depuis une dizaine d'années, cette *discipline / thématique* a le vent en poupe.

Elle est née à l'aube des années 2000 aux États-Unis et présentée comme la *quête / science* du bonheur. Un seul credo : le bonheur, ça se travaille. Il suffit de connaître ses forces pour mieux *s'épanouir / s'évanouir*. Le bonheur ne serait donc plus *un idéal / une idée* philosophique mais un objectif facilement accessible. La méthode est simple et *l'industrie / la valeur* florissante.

Mais l'*injection / injonction* au bonheur prend alors des airs de dictature. « La famille, la société, les médias... poussent chacun à vouloir être au mieux, ne pas se montrer *déprimé / réjoui* ... », explique le Dr Gérard Tixier, psychiatre et psychanalyste.

Le bonheur est finalement perçu comme un choix personnel grâce auquel l'individu peut maximiser son *profit / potentiel*. À l'inverse, les personnes malheureuses seraient donc responsables de leur *souffrance / incapacité*. Un échec difficile à assumer.

D'après www.francetvinfo.fr.

Leçon 3 – Animal-sensible

6. Observez la photo et expliquez la présence du chien dans cette classe d'école maternelle. Utilisez le nuage de mots.

inclusion scolaire
moyen de communiquer
médiation animale
responsabilité
libérer la parole
trait d'union entre les humains
caresser
chien pédagogique
élève en situation de handicap

7. Complétez la Déclaration des droits de l'animal avec les mots suivants.
sensibilité • angoisse • bien-être • préservé • mise à mort • comportemental • cruauté

Article 1 Le milieu naturel des animaux à l'état de liberté doit être … afin que les animaux puissent y vivre et évoluer conformément à leurs besoins […].

Article 2 Tout animal appartenant à une espèce dont la … est reconnue par la science a le droit au respect de celle-ci.

Article 3 Le … tant physiologique que … des animaux sensibles que l'homme tient sous sa dépendance doit être assuré par ceux qui en ont la garde.

Article 4 Tout acte de … est prohibé.
Tout acte infligeant à un animal sans nécessité douleur, souffrance ou … est prohibé.

Article 5 Tout acte impliquant sans justification la … d'un animal est prohibé. […]

Déclaration des droits de l'animal (2018).

Leçon 4 – Nouvelles utopies

8. a. Associez les mots et expressions de même sens ou de sens proche.
obliger • la loi • la règle • le franc arbitre • libéré • défendre • le joug • forcer • asservir • quand le désir me vient • affranchi • assujettir • interdire • quand bon me semble • la volonté • la servitude

b. Classez les mots et expressions dans ces deux catégories : la contrainte, la liberté.

9. Répondez librement et complétez la liste de questions.
L'utopie est-elle…
– un truc de Bisounours ?
– une façon de fuir le quotidien ?
– le moyen de changer la réalité et de faire avancer la société ?
– un rêve impossible ou réalisable ?

DOSSIER 8

D'innombrables langues françaises

LE FIGARO

Le bédéiste Riad Sattouf est le parrain de la Semaine de la langue française et de la Francophonie qui se tiendra du 16 au 24 mars. C'est la première fois que ce rôle est attribué à un auteur de bandes dessinées.

LE FIGARO. **Quel lien entretenez-vous avec la langue française et la francophonie ?**

Riad SATTOUF. J'ai vécu mon enfance et mon adolescence entre la France et la Syrie. Lorsque nous habitions en Syrie, je parlais arabe, bien sûr, mais la langue française était pour moi une île : l'île calme sur laquelle on trouvait les livres, les bandes dessinées que ma grand-mère m'envoyait de France. C'était la langue des histoires et de l'imaginaire. Nous vivions dans un village paysan près de Homs, ce que je raconte dans *L'Arabe du futur*, où il n'y avait pas de livres, ni en arabe ni en français. La langue française a toujours été un refuge rassurant. J'ai appris à l'écrire difficilement, et rien n'est plus agréable à mes oreilles que d'entendre le français parlé lorsque je suis à l'étranger. La langue arabe a fini par partir, et aujourd'hui, la langue française est devenue mon pays principal. Je me sens plus appartenir à la langue française qu'à la France.

Propos recueillis par Alice Develey, *Le Figaro*, 11/02/2019.

1

En petits groupes.

a. Observez l'affiche. Quel événement annonce-t-elle ?

b. Lisez l'article. Relevez les informations sur la personne interviewée. À votre avis, pourquoi a-t-elle été choisie pour parrainer la Semaine de la langue française ?

c. « La langue arabe a fini par partir, et aujourd'hui, la langue française est devenue mon pays principal. Je me sens plus appartenir à la langue française qu'à la France. » Que vous évoquent ces phrases ? Pourriez-vous les prononcer un jour ? Échangez.

d. Proposez une autre personnalité qui pourrait incarner la Semaine de la langue française. Expliquez votre choix à la classe et choisissez une personnalité commune.

« La francophonie, c'est l'usage de la langue française comme instrument de symbiose, par-delà nos propres langues nationales ou régionales, pour le renforcement de notre coopération culturelle et technique, malgré nos différentes civilisations. »

Léopold Sédar Senghor, discours prononcé lors de sa visite au siège de l'Organisation internationale de la Francophonie à Paris le 19 septembre 1985.

2

En petits groupes. Lisez la citation.

a. À quelle occasion cette phrase a-t-elle été prononcée ? Faites des recherches sur l'auteur et l'organisation cités.

b. Selon vous, que signifie cette phrase ? Échangez et comparez vos interprétations avec la classe, puis rédigez une définition de la francophonie.

Sergio Aquindo, *N'ayons pas peur des mots étrangers*. Illustration parue dans le magazine *L'Express*, mars 2015.

3

En petits groupes.

a. Observez l'illustration et lisez son titre. Quelle est la particularité des mots proposés ?

b. Quelle idée souhaite défendre Sergio Aquindo ? Cette crainte existe-t-elle dans votre langue ? Échangez.

c. Répartissez-vous les mots de l'illustration et cherchez leur origine. Partagez vos recherches avec la classe.

4

En groupe. Relisez le titre du dossier et les différents documents de cette double page. Pourquoi peut-on parler des langues françaises ?

SAVOIR-FAIRE ET SAVOIR AGIR

Dans ce dossier, nous allons :

- réagir sur les emprunts de la langue française
- définir notre représentation de la langue française
- analyser et écrire une lettre ouverte
- comprendre des problématiques liées à la Francophonie
- analyser et comparer deux extraits littéraires
- commenter des choix d'écriture
- parler de notre rapport à l'oral
- rédiger et prononcer un discours pour un concours d'éloquence

- Réagir sur les emprunts de la langue française ► Doc. 1 et 2
- Définir notre représentation de la langue française ► Doc. 1 et 2

LEÇON 1 Cette langue-là est une reine

1 En petits groupes. Faites des recherches sur l'Académie française. Chaque groupe s'occupe d'un point : sa fondation, ses missions, ses membres. Présentez le résultat de vos recherches à la classe. ►| Culture et société p. 198

document 1 31

À l'occasion de la première Journée de la langue française dans les médias audiovisuels organisée par le CSA*, le 7/9 (la matinale de France Inter) s'installe à l'Académie française.

Invités : Erik Orsenna, romancier et académicien, et Dany Laferrière, écrivain haïtien et académicien.

* CSA : Conseil supérieur de l'audiovisuel.

2. Lisez la présentation de l'émission (doc. 1). Quelle est la particularité de cette émission ? Qui sont les invités ?

3. 31 En petits groupes. Écoutez l'émission (doc. 1).

a. Déterminez le thème principal de l'interview.
b. Quel est le point de vue d'Erik Orsenna sur les anglicismes ?
c. Selon lui, qu'est-ce qui nourrit la langue française ?
d. Relevez les rôles qu'il attribue à la langue.

4 Par deux. Erik Orsenna est prêt à accueillir le mot « kiffer » et l'expression « j'ai la haine » (doc. 1).

a. Expliquez le sens de ces expressions et proposez des synonymes.
b. Existe-t-il des équivalents dans votre langue ?

DOC. 1 – dédaigner (v.) : mépriser.

5 En petits groupes. Cherchez des mots que la langue française emprunte à votre langue. Vérifiez s'il existe d'autres synonymes de ces termes en français. Présentez vos recherches aux autres groupes.

6. Par deux. Lisez le premier paragraphe de l'article (doc. 2, l. 1 à 6).

a. Quelle est la situation ? Qui sont les deux personnes principales ?
b. Déterminez le sujet qui les oppose. Précisez le point de vue de chacune des deux personnes.
c. Comment Nancy Huston fait-elle part de sa réponse ? Analysez la construction et le contenu de cette phrase.
d. Quel est l'effet produit ? Faites des hypothèses sur le ton de cet article.

7. Par deux. Lisez la suite de l'article (doc. 2, l. 7 à 29).

a. Expliquez l'expression « d'innombrables langues françaises ». À quelle langue française en particulier Nancy Huston fait-elle référence dans cet article ? Pourquoi ?
b. Quel constat fait-elle ? À quoi associe-t-elle la langue française ?
c. Répertoriez les exemples et associez à chacun le domaine correspondant.
littérature • situation du quotidien • domaine politique • télévision
d. Quel est le champ lexical dominant ? Relevez les termes associés.
e. En quoi ces différents procédés (act. c et d) appuient-ils l'argumentation de Nancy Huston ?

le un 1

LA MORGUE[1] DE LA REINE

par Nancy Huston

Ville de province. Dans son discours inaugural d'un festival littéraire, une élue municipale dit à un groupe d'enfants : « Quelle chance vous avez, d'apprendre notre si belle langue ! » et mon sang ne fait qu'un tour. Comme je dois prendre la parole ensuite, j'en profite pour dire aux enfants que certes, le français est une belle langue mais qu'on peut en dire autant de toutes les langues ; que disposer d'une belle langue ne suffit pas, encore faut-il s'en servir pour dire des choses intelligentes ; qu'il est tout à fait possible de se servir d'une belle langue pour dire des choses débiles ; et que, plus on connaît de langues, *plus on est susceptible de dire des choses intelligentes*. [...]

Il n'y a bien sûr pas *une* mais d'innombrables langues françaises : vocabulaire, syntaxe, prononciation et débit varient selon le pays (180 millions de locuteurs à l'étranger, contre seulement 60 dans l'Hexagone), le quartier, la région, l'origine, le milieu social des locuteurs. Ici je ne parlerai que de celle qui se diffuse bruyamment dans l'air de la France métropolitaine, le français politico-médiatico-culturel, car il me semble que s'y préservent et s'y perpétuent, de façon subtile mais tenace, les violences et injustices de l'Histoire française.

Cette langue-là est une reine : belle, puissante et intarissable[2]. Pas moyen d'en placer une. Elle est fière d'elle-même, de ses prouesses, ses tournures et ses atours[3], et valorise la brillance au détriment du sens et de l'émotion vraie. Cette tendance, surprenante pour qui n'a jamais vécu en monarchie, est très présente dans les médias français encore aujourd'hui. Cela va avec les ors de la République, les sabres de la Garde républicaine, le luxe des dîners à l'Élysée. « Parfait », soupire versaillamment, dans une pub télé récente, un père à propos d'un camembert quelconque. « Parfaitement parfait », approuve son gamin, avec le même air d'aristo snobinard. Ils sont blancs, blonds, riches, c'est un gag mais ce n'est pas un gag, *it makes me gag*[4], ça me reste en travers de la gorge, je n'achèterai pas ce camembert-là. Mme de Staël trouvait nulles les soirées mondaines à Berlin, car en allemand il faut attendre la fin de la phrase pour en connaître le verbe : pas moyen de couper la parole à son interlocuteur, vous imaginez, cher, comme on s'ennuie !

Les Français « parlent comme un livre » et, des années durant, j'ai été portée, transportée par leur passion du verbe. Aujourd'hui leur prolixité[5] m'épuise. Tant d'arrogance, tant d'agressivité ! Comment *font-ils* pour ne pas entendre leur propre morgue ? Regardez ceux qui, derrière les guichets des mairies, postes et administrations, accueillent les citoyens : c'était bien la peine de faire la Révolution pour se voir encore traité ainsi de haut ! Véritablement elle est *guindée*, cette langue française, et induit des attitudes guindées.[...]

À mon goût, il y a trop de marquises dans le passé simple, et dans Proust. J'intègre la langue française post-Seconde Guerre, post-Nouveau Roman, sautant à pieds joints dans Sarraute, Duras, Beckett, Camus (quatre auteurs ayant grandi loin de l'Hexagone, entourés d'une langue autre que la française). « Je vais le leur arranger, leur charabia », promet Beckett dans *L'Innommable*... et il tient largement sa promesse.

Le mieux qui puisse arriver à la langue française aujourd'hui, c'est qu'elle se laisse irriguer, assouplir, « arranger » par des rythmes et syntaxes venus d'ailleurs, qu'elle cesse de se comporter en reine agacée et se mette à l'écoute de ses peuples.

1. morgue (n. f) : attitude hautaine, méprisante ; lieu où les cadavres non identifiés sont conservés. 2. intarissable (adj.) : (sens figuré) qui ne cesse de parler. 3. atours (n. m. pl.) : ornements. 4. *it makes me gag* (exp. anglaise) : ça me fait vomir. 5. prolixité (n. f.) : fait d'être trop long dans son discours.

8. Par deux. Relisez la dernière partie de l'article (doc. 2, l. 20 à 29).

a. Identifiez la phrase qui résume la position de Nancy Huston sur la langue et ses conséquences sur ses locuteurs. Analysez la construction de cette phrase.

b. Comment le regard de Nancy Huston sur la langue française a-t-il évolué ?

c. Repérez les reproches formulés par Nancy Huston.

d. Que conseille-t-elle ?

9. Par deux. Relisez l'ensemble de l'article (doc. 2).

a. « C'est un gag mais ce n'est pas un gag, *it makes me gag* » (l. 17). Quel est le sens du mot « gag » en français ? Qu'apporte l'emploi de ce terme, en français et en anglais ?

b. Expliquez l'ironie de l'auteure en citant des passages précis.

c. Justifiez le titre de l'article.

En petits groupes. Comparez le conseil donné par Nancy Huston (act. 8d) à la vision d'Erik Orsenna (doc. 1). Partagent-ils le même point de vue ? Échangez et donnez votre avis sur le sujet.

À NOUS !

11. Nous rédigeons un article sur notre représentation de la langue française.

En petits groupes.

a. Choisissez une caractéristique qui représente la langue française (sa beauté, sa complexité, etc.).

b. Cherchez des exemples dans différents domaines (médias, cinéma, littérature, etc.) pour illustrer cette caractéristique.

c. Trouvez une anecdote pour introduire votre article.

d. Rédigez un article (250 mots) sur votre représentation de la langue française. Développez votre point de vue.

e. Échangez vos productions entre groupes et proposez un titre aux différents articles. Postez-le ensuite sur le réseau de la classe.

- Analyser et écrire une lettre ouverte ▸ Doc. 1
- Comprendre des problématiques liées à la Francophonie ▸ Doc. 1 et 2

LEÇON 2 Décoloniser la langue française

Le président de la République française Emmanuel Macron a proposé à Alain Mabanckou, auteur francophone originaire du Congo, professeur à l'UCLA (université de Californie à Los Angeles), de contribuer aux « travaux de réflexion » qu'il souhaite « engager autour de la langue française et de la Francophonie ». L'auteur de *Verre cassé* lui répond par une lettre ouverte, publiée le 15 janvier 2018 sur le site de l'***Obs***.

▸| Culture et société p. 200

document 1

https://bibliobs.nouvelobs.com/actualites/20180115.OBS0631/francophonie-langue-francaise-lettre-ouverte-a-emmanuel-macron.html

BIBLIOBS

M'identifier Je m'abonne

Bibliobs > Actualités

Monsieur le Président,

Dans votre discours du 28 novembre à l'université de Ouagadougou, puis dans un courrier officiel que vous m'avez adressé le 13 décembre, vous m'avez proposé de « *contribuer aux travaux de réflexion que vous souhaitez engager autour de la langue française et de la Francophonie.* »

Au XIXe siècle, lorsque le mot « francophonie » avait été conçu par le géographe Onésime Reclus, il s'agissait alors, dans son esprit, de créer un ensemble plus vaste, pour ne pas dire de se lancer dans une véritable expansion coloniale. D'ailleurs, dans son ouvrage *Lâchons l'Asie, prenons l'Afrique* (1904), dans le dessein[1] de « pérenniser » la grandeur de la France, il se posait deux questions fondamentales : « *Où renaître ? Comment durer ?* »

Qu'est-ce qui a changé de nos jours ? La Francophonie est malheureusement encore perçue comme la continuation de la politique étrangère de la France dans ses anciennes colonies. Repenser la Francophonie ce n'est pas seulement « protéger » la langue française qui, du reste, n'est pas du tout menacée comme on a tendance à le proclamer dans un élan d'autoflagellation propre à la France. La culture et la langue françaises gardent leur prestige sur le plan mondial.

Les meilleurs spécialistes de la littérature française du Moyen Âge sont américains. Les étudiants d'Amérique du Nord sont plus sensibilisés aux lettres francophones que leurs camarades français. La plupart des universités américaines créent et financent sans l'aide de la France des départements de littérature française et d'études francophones. Les écrivains qui ne sont pas nés en France et qui écrivent en français sont pour la plupart traduits en anglais : Ahmadou Kourouma, Anna Moï, Boualem Sansal, Tierno Monénembo, Abdourahman Waberi, Ken Bugul, Véronique Tadjo, Tahar Ben Jelloun, Aminata Sow Fall, Mariama Bâ, etc. La littérature française ne peut plus se contenter de la définition étriquée qui, à la longue, a fini par la marginaliser alors même que ses tentacules ne cessent de croître grâce à l'émergence d'un imaginaire-monde en français.

Tous les deux, nous avions eu à cet effet un échange à la Foire du livre de Francfort en octobre dernier, et je vous avais signifié publiquement mon désaccord quant à votre discours d'ouverture dans lequel vous n'aviez cité aucun auteur d'expression française venu d'ailleurs, vous contentant de porter au pinacle Goethe et Gérard de Nerval et d'affirmer que « *l'Allemagne accueillait la France et la Francophonie* », comme si la France n'était pas un pays francophone !

Dois-je rappeler aussi que le grand reproche qu'on adresse à la Francophonie « institutionnelle » est qu'elle n'a jamais pointé du doigt en Afrique les régimes autocratiques, les élections truquées, le manque de liberté d'expression, tout cela orchestré par des monarques qui s'expriment et assujettissent leurs populations *en français* ? Ces despotes s'accrochent au pouvoir en bidouillant[2] les constitutions (rédigées *en français*) sans pour autant susciter l'indignation de tous les gouvernements qui ont précédé votre arrivée à la tête de l'État.

Il est certes louable de faire un discours à Ouagadougou à la jeunesse africaine, mais il serait utile, Monsieur le Président, que vous prouviez à ces jeunes gens que vous êtes d'une autre génération, que vous avez tourné la page et qu'ils ont droit, ici et maintenant, à ce que la langue française couve de plus beau, de plus noble et d'inaliénable : la liberté.

Par conséquent, et en raison de ces tares que charrie la Francophonie actuelle – en particulier les accointances[3] avec les dirigeants des républiques bananières qui décapitent les rêves de la jeunesse africaine –, j'ai le regret, tout en vous priant d'agréer l'expression de ma haute considération, de vous signifier, Monsieur le Président, que je ne participerai pas à ce projet.

Alain Mabanckou, Santa Monica, le 15 janvier 2018.

1. dessein (n. m.) : intention, but. 2. bidouiller (v. fam.) : arranger, truquer. 3. accointance (n. f.) : relation entre des personnes appartenant à un même milieu.

En petits groupes. Que représente pour vous la francophonie / la Francophonie* ? Faites des recherches si nécessaire.

* On parle de francophonie avec un « f » minuscule pour désigner les locuteurs de français et de Francophonie avec un « F » majuscule pour désigner le dispositif institutionnel organisant les relations entre les pays francophones.

2. Lisez l'encadré gris (doc. 1).

a. Dans quel contexte cette lettre a-t-elle été rédigée ?

b. Identifiez sa nature et son but.

3. Par deux. Lisez la lettre (doc. 1).

a. Quelle réponse apporte Alain Mabanckou à la proposition d'Emmanuel Macron ?

b. Listez les principaux reproches faits à la Francophonie et à la France.

c. D'après Alain Mabanckou, quels sont les domaines dans lesquels la France doit cibler ses réflexions ? Quelles propositions fait-il ?

4. En petits groupes. Relisez la lettre (doc. 1).

a. Au cours de quel événement Alain Mabanckou s'est-il déjà opposé au président français ?

b. Reconstituez la chronologie des faits (personnels et historiques) évoqués par l'auteur. Quels sont les temps employés ? Justifiez leur emploi.

c. Quel sentiment éprouvez-vous à la lecture de cette lettre ? Identifiez le ton dominant en relevant des passages précis.

5. Par deux. Lisez à nouveau la lettre (doc. 1).

a. Retrouvez l'ordre des parties qui constituent la lettre.
motivation de la prise de position • recommandations • motif de la lettre • exposé des faits • réponse apportée

b. Ce document répond-il aux codes de la lettre ? Justifiez. ▶| Stratégies p. 178

c. D'après vous, pourquoi Alain Mabanckou fait-il le choix d'écrire une lettre ouverte ?

Par deux. Cherchez un exemple de lettre ouverte dans votre langue. Présentez l'auteur(e), expliquez les problèmes soulevés et le ton employé à la classe en lisant quelques extraits.

document 2 32 à 34

Françoise Vergès : "Il faut décoloniser la francophonie"

7. 32 Écoutez la première partie de l'interview (doc. 2).

a. Qui est l'intervenante et dans quel contexte est-elle invitée ?

b. Quelle est sa principale attente ?

8. 33 Par deux. Écoutez la deuxième partie de l'interview (doc. 2).

a. Identifiez le domaine auquel l'invitée fait référence. Quel argument expose-t-elle ?

b. Quelle serait, selon elle, la solution pour offrir de nouvelles perspectives ? Reformulez sa proposition en une phrase.

c. Comment construit-elle son discours ? Pourquoi ?

9. 34 Par deux. Écoutez la troisième partie de l'interview (doc. 2).

a. Quels groupes de personnes l'invitée mentionne-t-elle ?

b. Expliquez en quoi ces différents exemples remettent en question la domination du français.

En petits groupes. Expliquez la phrase : « Il faut décoloniser la francophonie. » En quoi Françoise Vergès rejoint-elle la proposition d'Alain Mabanckou (doc. 1) ? Échangez.

À NOUS

11. Nous écrivons une lettre ouverte pour dénoncer un problème.

En petits groupes.

a. Choisissez un problème que vous souhaitez dénoncer.

b. Répertoriez les faits qui illustrent ce problème.

c. Listez vos principaux arguments.

d. Réfléchissez à une solution possible.

e. Déterminez un destinataire et écrivez votre lettre en respectant les codes de la lettre ouverte.

f. Publiez votre lettre sur le réseau de la classe.

POUR ALLER PLUS LOIN

En petits groupes. Choisissez l'un(e) des auteurs francophones mentionnés dans les deux documents. Faites des recherches sur le choix de la langue française dans ses écrits (langue maternelle, langue d'adoption) et sur son œuvre. Présentez-la / le à la classe.

- Analyser et comparer deux extraits littéraires ▸ Doc. 1 et 2
- Commenter des choix d'écriture ▸ Doc. 1, 2 et 3

LEÇON 3 Parler le même langage

1

En petits groupes. Aimez-vous lire ? Comment définiriez-vous un « bon bouquin » ? Échangez.

document 1

Le Premier Homme est un roman autobiographique d'Albert Camus (1913-1960), écrit en 1960 et publié à titre posthume en 1994. Il raconte l'enfance de l'auteur, sous les traits de Jacques Cormery, né dans un quartier populaire d'Alger en 1913 et qui, suite à la mort de son père pendant la Première Guerre mondiale, grandit entre sa mère et sa grand-mère. L'extrait proposé se situe vers la fin du roman, dans la deuxième partie intitulée « Le Fils ou le premier homme ».

Et chacune de ces odeurs, avant même que la lecture fût commencée, ravissait Jacques dans un autre univers plein de promesses déjà [tenues] qui commençait déjà d'obscurcir la pièce où il se tenait, de supprimer le quartier lui-même et ses bruits, la ville et le monde entier qui allait disparaître totalement aussitôt la lecture commencée avec une avidité folle, exaltée, qui 5 finissait par jeter l'enfant dans une totale ivresse dont les ordres répétés n'arrivaient même pas à le tirer. « Jacques, mets la table, pour la troisième fois. » Il mettait enfin la table, le regard vide et décoloré, un peu hagard, comme intoxiqué de lecture, il reprenait son livre comme s'il ne l'avait jamais abandonné. « Jacques, mange. » ; il mangeait enfin une nourriture qui, malgré son épaisseur, lui semblait moins réelle et moins solide que celle qu'il trouvait dans les livres, 10 puis il débarrassait et reprenait le livre. Parfois sa mère s'approchait avant d'aller s'asseoir dans son coin. « C'est la bibliothèque », disait-elle. Elle prononçait mal ce mot qu'elle entendait dans la bouche de son fils et qui ne lui disait rien, mais elle reconnaissait la couverture des livres. « Oui », disait Jacques sans lever la tête. Catherine Cormery se penchait par-dessus son épaule. Elle regardait le double rectangle sous la lumière, la rangée régulière des lignes, elle aussi 15 respirait l'odeur, et parfois elle passait sur la page ses doigts gourds et ridés par l'eau des lessives, comme si elle essayait de mieux connaître ce qu'était un livre, d'approcher d'un peu plus près ces signes mystérieux, incompréhensibles pour elle, mais où son fils trouvait si souvent et durant des heures une vie qui lui était inconnue et d'où il revenait avec ce regard qu'il posait sur elle comme une étrangère. La main déformée caressait doucement la 20 tête du garçon qui ne réagissait pas, elle soupirait, et puis allait s'asseoir, loin de lui. « Jacques, va te coucher. » La grand-mère répétait l'ordre. « Demain, tu seras en retard. » Jacques se levait, préparait son cartable pour les cours du lendemain, sans lâcher son livre mis sous l'aisselle, et puis, comme un ivrogne, s'endormait lourdement, après avoir glissé le livre sous son traversin*. Ainsi, pendant des années, la vie de Jacques se partagea inégalement entre deux vies qu'il ne 25 pouvait relier l'une à l'autre.

Albert Camus, *Le Premier Homme*, éditions Folio, 1994.

* traversin (n. m.) : long cousssin placé à la tête d'un lit.

document 2

Dans le roman *Leurs enfants après eux* (2018), Nicolas Mathieu décrit, à travers le parcours de plusieurs adolescents, les conditions de vie difficiles dans une région de l'Est de la France en proie au chômage. Ce roman se déroule dans les années quatre-vingt-dix. L'extrait proposé se situe dans la deuxième partie intitulée « 1994, *You could be mine* ».

Quand elle rentrait le week-end, elle trouvait ses parents occupés à mener cette vie dont elle ne voulait plus, avec leur bienveillance d'ensemble et ces phrases prémâchées[1] sur à peu près tout. Chacun ses goûts. Quand on veut on peut. Tout le monde peut pas devenir ingénieur. Vanessa les aimait du plus profond, et ressentait un peu de honte et de peine à les voir faire ainsi leur chemin, sans coût d'éclat ni défaillance majeure. Elle ne pouvait pas savoir ce que ça demande d'opiniâtreté et d'humbles sacrifices, cette existence 5 moyenne, poursuivie sans relâche, à ramener la paie et organiser des vacances, à entretenir la maison et faire le dîner chaque soir, à être présent, attentif à tout, tout en laissant à une ado déglinguée la possibilité de gagner progressivement son autonomie.
Vanessa, elle, les voyait petits, larbins, tout le temps crevés, amers, contraignants, mal embouchés, avec leur *TéléStar* et leurs jeux de grattage, les chemisettes-cravates du père et sa mère qui, tous les trimestres, refaisait sa couleur et consultait des voyantes tout en considérant que les psys étaient tous des escrocs[2].

Nicolas Mathieu, *Leurs enfants après eux*, éditions Actes Sud, 2018.

1. prémâché (adj.) : (ici sens figuré) ressassé, répété. 2. escroc (n. m.) : personne qui trompe la confiance de quelqu'un.

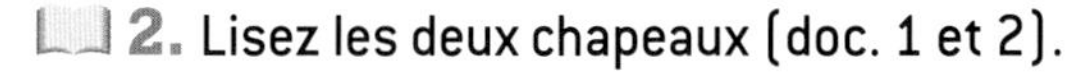

2. Lisez les deux chapeaux (doc. 1 et 2).

a. Retrouvez les informations suivantes.
le nom de l'auteur • le genre littéraire • l'année de publication • le lieu, l'époque et les conditions sociales des personnages

b. Quels sont les points communs entre les deux œuvres ?

3. Par deux. Lisez les deux extraits (doc. 1 et 2).

a. Associez un titre à chaque extrait. Justifiez.
1. Un regard amer
2. Une passion dévorante

b. Relevez les informations sur les personnages (identité, particularité, lieu de vie).

c. Identifiez le narrateur dans chacun des extraits. Dans quel extrait se distingue-t-il de l'auteur ? Que pensez-vous de ces choix d'écriture ? Échangez.

4. Par deux. Relisez les deux extraits (doc. 1 et 2).

a. Dans le document 1, relevez les dialogues des personnages.

b. Dans le document 2, repérez les propos que l'on peut attribuer aux parents.

c. Distinguez la manière dont les dialogues sont intégrés dans la narration pour chacun des deux extraits. Qu'en déduisez-vous sur les échanges entre les personnages ?

5. Par deux. Lisez à nouveau les deux extraits (doc. 1 et 2).

a. Dans le premier extrait, que représente le livre pour l'enfant ? Pour la mère ? Quel est l'effet produit ?

b. Retrouvez dans le second extrait les synonymes des termes suivants.
fatigué • grossier / mal élevé • voleur • servile • dérangé
À quel registre appartiennent les termes relevés ? Que pensez-vous de l'emploi de ce registre dans cet extrait ?

c. Analysez la narration de chaque extrait (construction des phrases, choix des temps). Quelles différences remarquez-vous ?

6

En petits groupes. À partir des deux extraits présentés (doc. 1 et 2), quel livre avez-vous envie de lire ? Pourquoi ? Échangez.

document 3 35 à 37

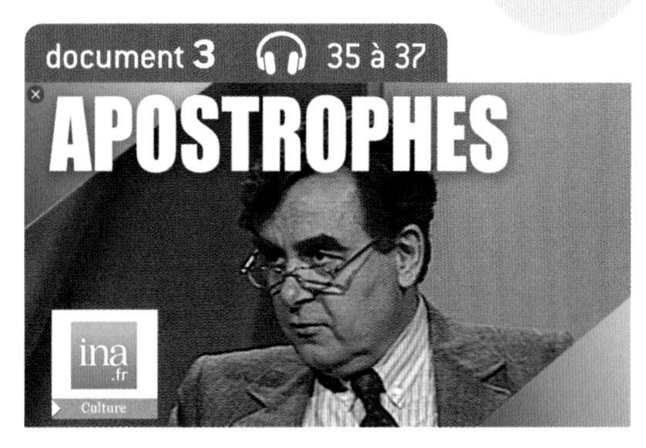

7. 35 **Écoutez la première partie de l'interview d'Annie Ernaux (doc. 3).**

a. Quels sont les deux thèmes abordés ?

b. Pourquoi peut-on qualifier le livre d'Annie Ernaux d'« autobiographie » ?

c. Quel lien pouvez-vous établir avec les deux premiers documents ?

8. 36 **Par deux. Écoutez la deuxième partie de l'interview (doc. 3).**

a. Repérez les différents langages dont parle Annie Ernaux et identifiez les locuteurs.

b. Comment la relation d'Annie Ernaux et de son père a-t-elle évolué ? Expliquez pourquoi. Quelles conséquences cela a-t-il eu ?

9. 37 **Par deux. Réécoutez l'interview (doc. 3).**

a. Relevez les expressions entendues par Annie Ernaux durant son enfance. Comment les comprenez-vous ? Que traduisent-elles ?

b. D'après Annie Ernaux, « les mots, les phrases qu'on emploie retracent vraiment le monde où on vit » alors que le roman « embellit » la réalité. Son point de vue s'applique-t-il aux documents 1 et 2 ? Justifiez.

À NOUS !

10. Nous commentons des choix d'écriture.

Par deux.

a. Comparez les difficultés de communication entre les personnages (origines, manifestations, etc.) dans les trois livres cités (doc. 1, 2 et 3).

b. Reprenez les caractéristiques d'écriture propres à chaque extrait (act. 4, 5 et 9). Lesquels traduisent le mieux les difficultés de communication entre les personnages ? Classez-les.

c. Expliquez dans un commentaire (250 mots) quelle œuvre illustre le mieux, selon vous, l'incapacité des personnages à « parler le même langage ». Justifiez.

d. Comparez vos choix avec le groupe et échangez. Postez ensuite votre commentaire sur le réseau de la classe.

LEÇON

- Parler de notre rapport à l'oral ▸ Doc. 1
- Rédiger et prononcer un discours pour un concours d'éloquence ▸ Doc. 2

4 À voix haute

1

En petits groupes. Quelles difficultés éprouvez-vous quand vous devez vous exprimer devant un public ? Échangez, mettez en commun et listez les difficultés récurrentes.

document 1 Vidéo n° 11

À voix haute

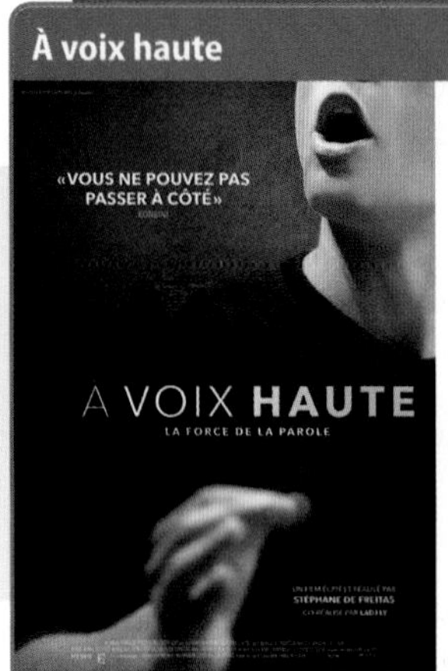

C'est une histoire de mots. Mots fiévreux, mots poétiques, mots en cascade. Une poignée de gamins de banlieue inventent un nouveau langage, brassent les adjectifs, s'expriment en alexandrins, par prosopopées[1], en français de « *haute graisse*[2] ». Et c'est magnifique, enthousiasmant. Les phrases, portées par une inspiration vibrante, s'envolent, il y a de la soul, et jamais les murs des HLM du 9-3[3] n'ont entendu pareille fête.

D'après https://teleobs.nouvelobs.com

2. Par deux. Observez l'affiche et lisez la critique (doc. 1).

a. D'après vous, quel est le thème principal de ce film ? Relevez le champ lexical dominant pour justifier votre réponse.

b. Qui sont les personnages et où se déroule le film ?

c. Cette critique vous donne-t-elle envie de voir le film ? Échangez.

3. En petits groupes. Regardez la vidéo (doc. 1).

a. Vérifiez vos hypothèses (act. 2a et 2b).

b. À votre avis, à quel moment du film correspond cet extrait ? Justifiez.

c. Relevez les influences que mentionnent les trois étudiants sur leur rapport à l'oral et classez-les.

Caractère	Environnement social
...	...

d. Parmi les influences relevées, laquelle peut représenter un atout dans la communication orale ? Échangez.

4

En petits groupes. Dans votre langue, peut-on reconnaître les différences de niveau, social ou éducatif, dans l'expression orale (accent, lexique, registre, etc.) ? Ces différences sont-elles discriminatoires ? Échangez.

5. Par deux. Lisez la présentation et l'extrait (doc. 2).

a. Qui est Bertrand Périer ? Quel est l'objectif de son livre ? Faites le lien avec le document 1.

b. Bertrand Périer propose deux types d'écrits pour rédiger un discours. Lesquels ?

c. Définissez en une phrase les particularités et l'objectif principal du discours destiné à un concours d'éloquence. En quoi ce type de discours diffère-t-il d'une lecture à voix haute ?

6. En petits groupes. Relisez l'extrait (doc. 2).

a. Dans le premier paragraphe (l. 1 à 8), quel exercice Bertrand Périer fait-il à partir du sujet : « Les mots doivent-ils être gardés à vue ? » ?

b. Relevez les figures de style et les procédés d'écriture cités pour la rédaction d'un discours et expliquez leur importance. Quelle place occupe le choix du lexique dans un discours ?

c. Montrez que la syntaxe et l'organisation du discours ont un impact sur sa prononciation et sur les effets qu'il produit.

d. Donnez une définition de l'éloquence. Justifiez.

7. Par deux. Lisez à nouveau l'extrait (doc. 2).

a. Expliquez la phrase : « Ce que l'on cherche à connaître à travers un discours, c'est la personnalité de l'orateur » (l. 51-52).

b. Quels conseils donne Bertrand Périer pour vérifier la clarté d'un discours ?

c. Avant la prononciation du discours, quelles notes peut-on ajouter sur son texte ? Faites des propositions et échangez avec la classe.

8

En petits groupes. Les concours d'éloquence rencontrent un franc succès dans l'espace francophone et ne cessent de se multiplier. Ce type de concours est-il organisé dans votre pays ? Échangez.

DOC. 1 – 1. prosopopée (n. f.) : discours. – 2. de haute graisse (expression, vieilli) : cocasse, déconcertant, truculent. – 3. HLM du 9-3 : Habitat à Loyer modéré du département 93 (Seine Saint-Denis) en région parisienne.

document 2

Dans son essai, Bertrand Périer fait part de son expérience et livre les codes et des conseils pour vaincre sa timidité et prendre la parole en public afin de redonner ses lettres de noblesse[1] à l'oral. Dans cet extrait, il se penche sur le discours destiné à un concours d'éloquence.

« Les mots doivent-ils être gardés à vue ? » par l'affirmative. D'abord nous ne serions rien sans les mots parce qu'ils sont notre bien commun et notre mode d'expression privilégiée. On ne peut pas perdre les mots de vue, ceux qui le prétendent sont des illettrés volontaires. Ensuite, les mots doivent être gardés à vue car ils commettent des infractions (outrage, appel à l'insurrection). Enfin, c'est l'honneur des mots que d'être gardés à vue, car les mots ne sont rien s'ils ne sont pas rebelles.

Il n'est pas impossible, plutôt que d'organiser des arguments abstraits, de raconter une histoire. Mais il faut dans ce cas-là que l'histoire soit par elle-même démonstrative de votre thèse. C'est un exercice difficile.

Les formules et les images

C'est, *in fine*, ce que l'on retiendra de votre discours. Parsemez-le de formules chocs, de raccourcis poétiques, de rapprochements inattendus ou amusants, de mots incongrus, de métaphores. Ils offrent des respirations. Les formules chocs sont comme un précipité de la pensée. Presque des slogans qui frappent l'esprit par la rime, l'allitération, les anaphores.

Demandez-vous : si un journaliste est dans la salle pour rendre compte de mon discours, qu'est-ce que je voudrais qu'il titre ? Ou pour les plus aguerris aux réseaux sociaux : si je devais résumer mon idée en un tweet ?

D'une façon générale, écartez de votre discours les mots inutiles, les facilités, les phrases dépourvues d'intérêt ou d'élégance. Soyez exigeant avec vous-même. Cultivez le goût du mot juste au service de la pensée libre.

Les rythmes

Privilégiez le rythme ternaire (les formules par trois), qui est au cœur de la rhétorique classique.

Il est par exemple employé par Barack Obama dès l'exorde de son fameux discours *Yes we can* : « Je suis ici devant vous empli d'un sentiment d'humilité face à la tâche qui nous attend, reconnaissant pour la confiance que vous m'avez témoignée et conscient des sacrifices consentis par nos ancêtres. » [...]

Demandez-vous toujours si vous pourrez lire la phrase que vous écrivez. Aurez-vous assez de souffle ? La phrase est-elle bien rythmée ? Est-elle trop longue, trop courte ? Y a-t-il un risque d'accroc oratoire parce qu'un mot est difficile à prononcer ? Le discours va-t-il « passer la rampe[2] » ? L'avez-vous parsemé de phrases courtes, sans verbe, d'interjections, de questions oratoires ? Il est difficile de se rendre compte de ce genre de détail sans s'entraîner à prononcer à haute voix son discours. Répétez plusieurs fois – d'abord seul – et [...] repérez les endroits où vous devez ménager des silences, hausser le ton, accélérer ou encore ralentir le débit. Exercez-vous devant d'autres personnes [...] assurez-vous qu'elles ont compris votre propos et que celui-ci sert bien votre objectif. C'est également l'occasion de vérifier que vos traits d'humour font mouche[3]... ou pas. [...]

D'une façon générale, les citations et autres références ne sont pas obligatoires. Ce que l'on cherche à connaître à travers un discours, c'est la personnalité de l'orateur. Une référence ne doit pas vous masquer. Elle est en revanche pertinente si elle est originale et si vous la maîtrisez bien. Dans ce cas, en effet, elle vous révèle.

En résumé, un discours ne sert qu'à une seule chose : convaincre l'auditoire que votre thèse est pertinente. Tous vos efforts doivent être tendus vers cet objectif. N'hésitez pas en particulier à rappeler régulièrement votre thèse : une personne qui entrerait dans la pièce en cours de discours devrait pouvoir, en moins de deux minutes, deviner le sujet que vous traitez et la position que vous soutenez. [...]

La présentation du discours

Pendant la lecture, respectez les indications annotées en marge du texte. Demeurez le plus statique possible. Seuls vos bras peuvent bouger, pour souligner une idée, mais soyez économe de gestes (pas de gestes agressifs ou de martèlement de lutrin[4]). Ne prenez pas de crayon. Posez bien votre voix, de façon à ne pas vous fatiguer. Parlez au-delà du dernier rang d'auditeurs. Donnez une image enthousiaste, et impliquez-vous dans le prononcé de votre texte. Soyez pleinement concentré. Ne vous laissez pas déstabiliser par la réaction de l'auditoire. S'il rit, ne riez pas vous-même, ne vous arrêtez pas trop longtemps, redémarrez sur la fin des rires pour conserver le rythme. Ne sortez pas de votre texte pour répondre à une interjection venant de la salle, sauf si vous avez une répartie extraordinaire.

Variez le ton. Lent, rapide, fort, doux, drôle, grave. On doit passer par tous les registres. On ne change jamais assez de ton.

Enfin, préparez votre péroraison[5]. Quelques lignes avant la fin, la voix devient plus grave et le débit plus lent ou au contraire plus exalté. La tension se crée et la formule finale tombe.

Bertrand Périer, *La parole est un sport de combat*, éditions Lattès, 2017.

1. redonner ses lettres de noblesse (exp.) : remettre au goût du jour, redonner sa valeur.
2. passer la rampe (exp.) : produire de l'effet sur un auditoire.
3. faire mouche (exp.) : atteindre son objectif.
4. lutrin (n. m.) : pupitre, support sur lequel on dépose des livres.
5. péroraison (n. f.) : conclusion dans un discours.

9. Nous organisons un concours d'éloquence.

En groupe.

a. Convenez d'un sujet pour votre concours (exemple : un slogan célèbre, un proverbe, etc.) et déterminez pour chacun d'entre vous la position à défendre (affirmative ou négative).

Seul(e) ou par deux.

b. Analysez les termes du sujet à traiter (act. 6a). Déterminez votre stratégie d'écriture (argumentation ou narration).

c. Rédigez votre discours. Réfléchissez à des moyens de faire réagir le public (figures de style, questions rhétoriques, traits d'humour, etc.). Variez les types de phrases.

d. Marquez les groupes rythmiques, les pauses à ménager et répétez votre prestation en binôme. Annotez votre discours (act. 7c). ► | Stratégies p. 181

e. Prononcez votre discours à la classe et commentez les différentes prestations (respect du sujet, organisation, lexique utilisé, prononciation et gestes). Votez pour le discours le plus convaincant.

MOTS et EXPRESSIONS

Leçon 1 – Cette langue-là est une reine

1. Associez et donnez votre avis sur chaque affirmation obtenue.
Parler une langue, c'est…

a. poser
b. s'imprégner
c. posséder

1. une vision du monde unique et profondément intime.
2. un regard sur le monde.
3. d'une culture.

2. Choisissez parmi les adjectifs suivants ceux qui caractérisent votre langue. Justifiez vos choix. Complétez avec d'autres adjectifs.

BELLE LOGIQUE GUINDÉE ARDUE MÉLODIEUSE FIÈRE COSMOPOLITE PUISSANTE INTARISSABLE RICHE ÉLITISTE

Leçon 2 – Décoloniser la langue française

3. a. Complétez le texte sur la Francophonie avec huit mots de la liste suivante. Faites les accords nécessaires.
constitution • chef d'État • rayonnement • obligatoire • admission • en partage • Congrès • Sommet • monarque • colonisé • dirigeant • hôte • continuation • suprématie • despote • résolution

> ORGANISATION INTERNATIONALE DE la francophonie
>
> La Conférence des … des pays ayant le français … est l'instance suprême de la Francophonie. Le … a lieu tous les deux ans. Il est présidé par le … du pays … Il statue sur l'… de nouveaux membres de plein droit, de membres associés et de membres observateurs de l'OIF. Il définit les orientations de la Francophonie de manière à assurer son … dans le monde. Il adopte les … qu'il juge nécessaires au bon fonctionnement de la Francophonie et à la réalisation de ses objectifs.

b. Employez les mots restants de la liste dans des phrases.

4. a. Associez les antonymes.

1. qualité
2. choisi
3. truqué
4. autocratique
5. insignifiant
6. pérenniser
7. assujettir

a. honnête
b. tare
c. imposé
d. prestigieux
e. stopper
f. émanciper
g. démocratique

b. Complétez les phrases suivantes avec des mots de l'activité 4a. Faites les accords nécessaires.

1. L'impérialisme linguistique est un concept politique qui renvoie à une forme de domination culturelle au moyen de la langue. Il est le fait d'empires qui ont … leurs langues, au moins administrativement, aux régions conquises.
2. Alain Mabanckou a refusé la proposition du président, avançant les … que véhicule la Francophonie actuelle.
3. L'auteur pense que les dirigeants des régimes … décapitent les rêves de la jeunesse africaine.
4. Il faudrait prendre position sur les élections … qui ont lieu dans certains pays et qui ne permettent donc pas au peuple de s'exprimer.
5. Il est choquant de voir qu'encore de nos jours, des monarques … leurs populations.
6. Au XIXe siècle, le géographe Onésime Reclus voyait en la Francophonie un moyen de … la grandeur de la France.
7. Le français a longtemps été considéré comme une langue … par l'aristocratie européenne.

Leçon 3 – Parler le même langage

5. Complétez avec un ou plusieurs adjectif(s) pour former une expression synonyme.

a. le milieu ouvrier → la classe …
b. le milieu petit bourgeois → la classe …
c. les élites → la classe …

6. a. Complétez les témoignages avec les mots et expressions suivants. Faites les accords nécessaires.

crevé • le beau langage • déformé • la destinée • le patois • une petite ascension sociale • gourd

1. On reconnaissait facilement les gens qui travaillaient au fond des mines, les « Gueules noires ». Ils avaient les doigts ..., les mains ... et bon nombre d'entre eux ne s'exprimaient que dans le ... local.

2. Mon mari est de ceux qui ont toujours parlé ... et suivi ... familiale sans se poser de question. Il a intégré Polytechnique, tout comme son père et son grand-père avant lui.

3. J'ai grandi dans un pavillon de banlieue. Quand mes parents ne travaillaient pas, ils passaient leur temps à préparer nos vacances : une semaine au ski en hiver et trois semaines sur la Côte d'Azur en été. Ils étaient toujours ... mais satisfaits d'avoir bénéficié d'... .

b. Associez chaque témoignage à une classe sociale (activité 5).

Leçon 4 – À voix haute

7. Complétez la grille de mots croisés.

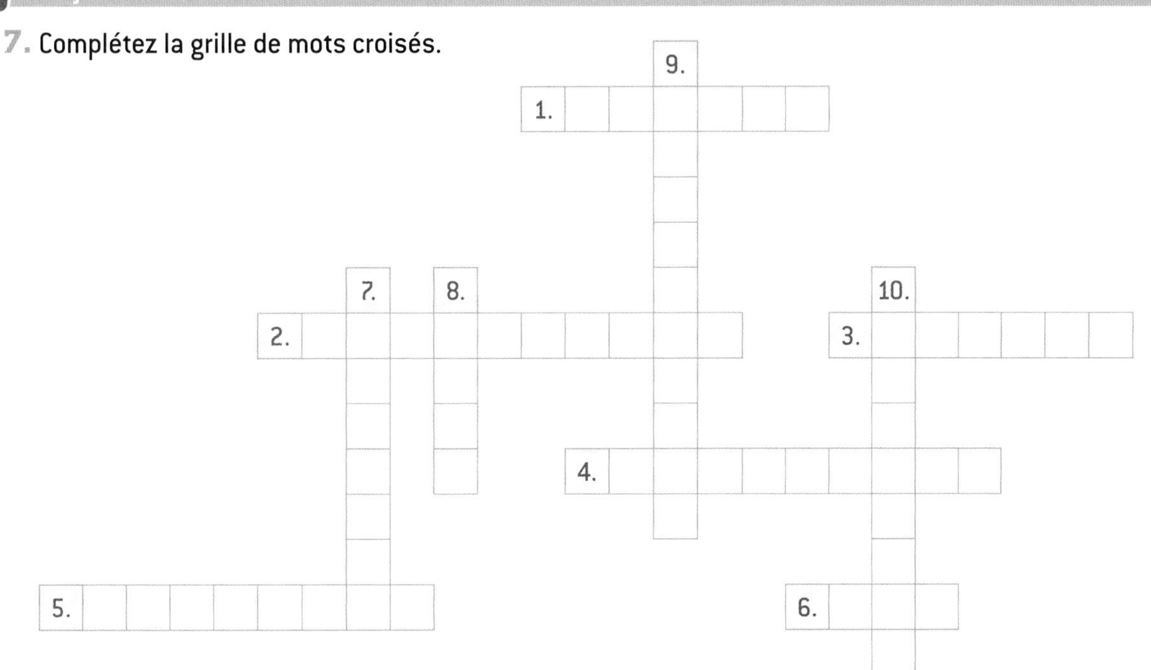

Horizontalement

1. Elle peut être libre, sincère, authentique ; on la coupe souvent aux autres lors des débats même si c'est impoli.
2. Amener quelqu'un à reconnaître quelque chose comme vrai ou nécessaire.
3. Ce que l'on dit, le sujet dont il est question.
4. Ensemble des personnes qui écoutent.
5. Développement oratoire sur un sujet déterminé prononcé en public, et en particulier lors d'une occasion solennelle.
6. Qualité sonore d'une voix liée à sa hauteur, à son timbre, à son intensité. S'il est monocorde, cela signifie qu'il est peu varié.

Verticalement

7. Personne éloquente, qui a du talent pour s'exprimer en public.
8. Il est important qu'elle soit claire et porte loin lorsque l'on s'adresse à un auditoire.
9. Ensemble de procédés constituant l'art de l'éloquence.
10. Opinion que l'on adopte face à une situation donnée.

8. Choisissez les verbes corrects. Plusieurs réponses possibles.

Un bon orateur sait...

a. *défendre / formuler / convaincre* clairement une position,
b. *émettre / analyser / abréger* de manière critique,
c. *parler / structurer / organiser* son discours.

Dans un débat, il faut être capable d' / de...

d. *conserver / éviter / garder* la parole,
e. *développer / discuter / rejeter* des arguments solides,
f. *anticiper / affirmer / couper* les objections.

DALF 4

I Compréhension de l'oral

38 et 39

Vous allez entendre deux émissions de radio.
Lisez les questions, écoutez chaque document puis répondez.

▸| Stratégies p. 184

DOCUMENT 1

1. De quelle thématique les romans de Rachid Santaki traitent-ils ?
a. Du quotidien de certains quartiers.
b. Des manifestations étudiantes.
c. Du rôle de l'école dans l'éducation.

2. En quoi les dictées proposées par Rachid Santaki se distinguent-elles ?
a. Elles sont théâtralisées.
b. Elles sont ouvertes à tous.
c. Elles sont populaires à la radio.

3. Quelle est la méthode de Rachid Santaki ?
a. Il s'efforce de parler fort pour l'auditoire.
b. Il augmente le débit au fur et à mesure.
c. Il cherche à imiter le style des professeurs.

4. Comment Rachid Santaki sélectionne-t-il ses textes pour les participants ?
a. Il utilise des extraits de romans classiques.
b. Il prend des documents simples à comprendre.
c. Il cherche des thèmes qui parlent de leur vie.

DOCUMENT 2

1. Quel était l'objectif de l'enquête de Bruno Pons ?
a. Faire un relevé des mots utilisés dans chaque région.
b. Connaître le nombre de locuteurs par langue régionale.
c. Redynamiser l'usage de certains vocables régionaux.

2. Par quoi Bruno Pons a-t-il été surpris, avec cette enquête ?
a. Par la quantité de particularismes relevés.
b. Par le nombre de mots ayant disparus.
c. Par le taux de participation enregistré.

3. Pour Bruno Pons, l'apparition des réseaux sociaux…
a. renforce l'attachement à l'identité linguistique.
b. permet d'exporter des termes dans d'autres régions.
c. fait renaître progressivement des dialectes perdus.

II Production orale – Temps de passage : 30 minutes environ (préparation : 1 heure)

Cette épreuve se déroule en deux temps.

▸| Stratégies p. 181 et 183

1. Exposé : à partir des documents proposés, vous préparerez un exposé sur le thème indiqué.
Vous présenterez une réflexion ordonnée sur ce sujet (introduction, développement avec mise en évidence de quelques points importants, conclusion).

Attention : les documents sont une source documentaire. Vous ne devez pas vous limiter à un simple compte rendu des documents. Vous devez construire une véritable réflexion personnelle en introduisant vos propres commentaires et arguments.

2. Entretien : interaction avec les examinateurs.

THÈME DE L'EXPOSÉ : **les émotions doivent-elles s'inviter au travail ?**

DOCUMENT 1

Pleurez, riez, embrassez qui vous voudrez !

Dans l'entreprise, exprimer ses émotions, comprendre celles des autres, devient un atout essentiel, à l'inverse de ce que l'on a longtemps cru.

Il y a quelques années, alors que j'assistais à une conférence internationale, l'organisatrice de l'événement, exaspérée par un auditoire trop bavard, avait fondu en larmes. Stupéfaction.
Il était alors extrêmement mal vu de manifester ses émotions, que ce soit en tête à tête ou, pire, en public. Essuyer une larme, manifester sa colère, ne pouvait être qu'un signe de faiblesse, de manque de contrôle de soi hautement condamnable.
Désormais, exprimer ses émotions, comprendre celles des autres, devient une qualité essentielle dans l'univers professionnel, à en croire les nombreuses publications scientifiques sur le sujet. « *À l'âge de l'intelligence artificielle, "être intelligent" va signifier tout autre chose* », écrit Ed Hess, professeur de gestion des entreprises à la Business School de l'université de Virginie.
À l'heure actuelle, avoir des bonnes notes, être diplômé d'une excellente école ou université est un gage d'intelligence. Mais « *l'intelligence artificielle va changer tout ça, car les ordinateurs vont traiter, mémoriser, se souvenir des informations bien mieux que les humains* », explique M. Hess. Être émotionnellement intelligent devient donc le principal atout des hommes et des femmes face à des automates de plus en plus performants.
« *Les dirigeants n'acceptent de prendre en compte les émotions de leurs collaborateurs que s'ils expriment bonheur total ou enthousiasme inconditionnel. Tout le reste est considéré comme inutile, ou pire* », a ainsi pu constater Quy Huy, professeur de management stratégique à l'INSEAD.
Aujourd'hui, donc, il n'est plus recommandé d'être impassible en toutes circonstances. S'il est certes toujours bien vu d'exprimer sa joie, son adhésion, il devient aussi possible de manifester ses craintes, ses angoisses, ses malaises.
Cette plus grande liberté de parole et de comportement donne confiance aux collaborateurs. Elle signale que chacun peut avoir sa chance de contribuer à la réalisation d'objectifs communs. Sans oublier que l'angoisse, trop souvent considérée comme inhibante, s'avère être un puissant moteur, une incitation à agir, à changer les organisations en place pour le mieux.
Faute de modifier leurs comportements, les managers imperturbables risquent fort de voir leurs plus talentueux collaborateurs quitter l'entreprise pour une autre, dotée de dirigeants « *émotionnellement sophistiqués* », plus inspirants, plus à même de mettre en place une culture propice à l'innovation, envers lesquels ils s'avéreront plus loyaux.
Mais comment faire pour changer ainsi du tout au tout ? Pas de problème, ça s'apprend ! Certains formateurs et autres coachs professionnels se sont fait une spécialité de cette rééducation qui vise à lâcher prise, à renoncer à cette maîtrise de soi et de ses sentiments, que leurs prédécesseurs et des générations de parents avaient contribué à inculquer.

D'après Annie Kahn, www.lemonde.fr.

DOCUMENT 2

Comment les émotions de vos collègues vous contaminent

Les émotions, comme les virus, se transmettraient entre individus en quelques millièmes de secondes. Les émotions positives peuvent être de véritables catalyseurs de motivation en entreprise ; mais comment s'attrape une émotion toxique et, surtout, comment s'en préserver au travail ?

« *Ce n'est pas un signe de bonne santé mentale que de s'être adapté à une entreprise malade* », écrit Christophe Haag, chercheur en psychologie [...]. Gare à la contamination émotionnelle au travail, donc ! L'émotion est hautement contagieuse. Ainsi, elle peut devenir l'ennemi numéro un en entreprise ; surtout quand celle-ci est négative et se répand auprès des collaborateurs. Les états affectifs se transmettent d'un individu à l'autre, car, le désir inconscient de socialiser avec ses pairs est fort.
Mais comment ? Par cinq principales portes d'entrées. Lorsqu'on est proche d'une personne et/ou qu'on partage son quotidien ; quand son émotion est forte ; quand on a vécu quelque chose de similaire ; quand cette personne s'attaque à l'une de nos valeurs fondamentales ; et enfin, quand l'évènement concerne le groupe auquel on appartient. La contagion est maximale lorsque les cinq conditions sont réunies, mais, la triste réalité, c'est qu'une une seule suffit pour « contaminer » durablement quelqu'un. Cette contagion ne se transmet pas nécessairement par l'intellect ou la communication directe. Être sensoriellement au contact de l'émotion d'autrui (expression faciale, posture physique, son de la voix) suffit pour que la contamination opère.
Il est, donc, important de réguler sa perméabilité aux émotions. Il ne s'agit pas de s'enfermer dans sa forteresse et de devenir totalement insensible ; mais de développer des compétences émotionnelles afin de se préserver d'un environnement malsain [...]. « *L'émotion en tant que telle ne se voit pas à l'œil nu*, écrit Haag. *Mais, qu'on croie en elle ou pas, elle se ressent au plus profond de nous-mêmes dans tous les moments de vérité qui jalonnent notre existence.* »
Encore faut-il savoir les reconnaître et les écouter quand elles se manifestent. Identifier ses émotions est « très compliqué » pour 25 % de la population. Ces derniers ne perçoivent leurs émotions que lorsqu'ils sont au bord de l'explosion voire que l'explosion advient.
Pour se protéger du piège infernal des émotions malsaines, il s'agit également d'alterner entre dialogue et prise de distance pour établir de bons rapports professionnels. L'humour pour détendre l'atmosphère après une réunion tendue est un parfait exemple de bonne réaction à adopter face à une situation critique.
À titre personnel, l'individu peut se ressourcer auprès de sa famille, de la nature ou encore d'un animal. Il peut favoriser une déconnexion partielle des écrans digitaux et privilégier le sport en extérieur. L'e-contagion émotionnelle de masse, qui se propage de manière rapide et efficace sur les réseaux sociaux, peut être extrêmement toxique. Ces recours permettent de diminuer le niveau de colère, de frustration, de stress ou encore de tristesse.

D'après Léa Lucas, www.lefigaro.fr.

DOSSIER 9

Ère numérique

« Plus les moyens de communication se multiplient, plus notre monde se rétrécit. »

Dany Laferrière, *L'Art presque perdu de ne rien faire*, 2011.

Télérama n° 3635, 14 septembre 2019.

1 Par deux. Lisez la citation et observez la couverture du magazine.

a. Expliquez le paradoxe soulevé par ces deux documents.

b. Retrouvez l'expression qui se cache derrière le jeu de mots « ils vont payer l'addiction ». Comment le comprenez-vous ? Que souhaite souligner le magazine ?

c. Pensez-vous que la communication se soit dégradée ces dernières années ? Échangez.

AVANT-PROPOS

[...] Il y a deux ans, je suis tombée très amoureuse. Mon téléphone était devenu le paradis caché de mes échanges passionnés, ceux qu'il serait dommage d'oublier. Au fond de moi, j'avais comme une envie de les partager même s'ils étaient profondément intimes. Je me suis mise à faire des captures d'écran systématiques. Mais même là, stockés dans mon téléphone, ces souvenirs se perdaient au milieu des autres photos et vidéos qui s'accumulaient inexorablement. Il leur fallait un autre endroit, un lieu unique, dématérialisé, participatif et bienveillant, un petit coin à part que j'ai trouvé en créant un compte Instagram, où les messages d'amour sont publiés anonymement. Ce lieu, c'est *Amours Solitaires*, au pluriel, car si au début je n'y exposais que mes propres mots d'amour, ce sont des centaines de messages que je reçois quotidiennement. [...]
Je vois chaque message publié comme un appel à aimer, à écrire l'amour, et à contester deux choses :
* la première est la rumeur qui court selon laquelle la lettre est morte, que plus personne ne sait écrire et que l'image a remplacé le mot. Parce que chaque jour circule une multitude de messages qui, isolés dans l'intimité des téléphones, viennent contredire cela de la plus belle des manières [...] ;
* la seconde, c'est l'idée selon laquelle il n'est pas bon être romantique. [...] Les centaines de messages amoureux que je reçois chaque jour sur *Amours Solitaires* en sont la preuve, et, rassemblés, me donnent l'intime conviction de former les prémices d'une révolution de l'amour.

Morgane Ortin, *Amours Solitaires*, éditions Albin Michel, 2018.

2

En petits groupes. Lisez l'avant-propos.

a. Définissez la « révolution de l'amour » exposée par Morgane Ortin.

b. Présentez la place actuelle de l'écrit dans votre culture (lettres, mails, cartes postales, etc.) et comparez avec la classe.

c. Les textos peuvent-ils remplacer les lettres ? Échangez.

© Getty RichVintage

3

Par deux. Observez la photo.

a. Que vous inspire-t-elle ? Rédigez une légende et partagez avec la classe.

b. Échangez vos visions de la communication dans le futur.

SAVOIR-FAIRE ET SAVOIR AGIR

Dans ce dossier, nous allons :

- débattre de l'impact des réseaux sociaux sur la littérature
- résumer un livre sous forme de tweets
- adapter un discours à un locuteur
- donner des conseils
- comprendre le processus des *fake news*
- exprimer un paradoxe
- déduire le point de vue d'un intervenant sur l'évolution des technologies
- envisager les dérives des technologies dans le futur

LEÇON

- Débattre de l'impact des réseaux sociaux sur la littérature ▸ Doc. 1 et 3
- Résumer un livre sous forme de tweets ▸ Doc. 2

1 Une immense librairie

1

En petits groupes. Quel(s) impact(s) les réseaux sociaux ont-ils sur le développement de l'écrit ? Échangez.

document 1

www.slate.fr

Magazine Podcasts Grands Formats — Slate FR — Newsletters

Littérature française et réseaux sociaux font-ils bon ménage ?

Mathieu Champalaune, 31 janvier 2019

L'univers littéraire s'est fait une place sur Facebook, Twitter et Instagram, outils de promotion ou de prolongement de la création.

Une forme pure d'écriture

Quoi qu'on en dise, les réseaux sociaux ont remis l'écrit dans nos vies, en tant que vecteur d'échanges et d'expression. L'écrivain Clément Bénech le souligne à propos de Twitter : « *On touche quasiment à la forme la plus pure de ce qu'est l'écriture, l'activité littéraire : quelqu'un fait des phrases, d'autres les lisent.* » L'auteur, âgé de 27 ans, se plaît dans ses romans à jouer avec les codes des réseaux sociaux où il est très présent. Il distille anecdotes, jeux de mots et réflexions sur le quotidien sur Facebook et Twitter, images étonnantes et photographies de livres sur Instagram. Par ailleurs, ce dernier « *me permet de me souvenir de mes lectures* », confie-t-il. Pour lui, les réseaux sociaux « *permettent de suivre le fil de sa pensée et de diffuser une idée quasiment immédiatement, sans le délai de la publication d'un livre, qui fait toujours craindre que l'idée soit éventée avant même d'être reçue* ». Une pratique que l'on retrouve sur d'autres comptes d'auteurs ou d'autrices qui en ont fait un terrain de partage de ce qui peut leur passer par la tête, comme un journal. Les réseaux sociaux peuvent être ainsi le moyen de poursuivre, par un autre médium plus instantané, l'écrit. Twitter, par ses contraintes, semble être le lieu idéal d'une activité ludique d'écriture où les pensées viennent se traduire au fil des tweets. Au point même de voir ces fameux messages courts regroupés dans un livre : ce fut le cas de ceux de Bernard Pivot avec *Les Tweets sont des chats*, publié en 2013.

Les éditeurs sont d'ailleurs devenus plus attentifs à ce qui se passe sur Internet. Certains phénomènes virtuels s'exportent en livres, à l'image récemment chez Albin Michel du compte Instagram Amours Solitaires de Morgane Ortin, ou du compte Twitter @sosadtoday de l'Américaine Melissa Broder dont les Éditions de l'Olivier feront paraître début 2019 l'adaptation en livre. Une reconnaissance littéraire des réseaux sociaux, susceptible d'attirer un nouveau lectorat comme de nouveaux followers.

Laisser des traces

Ces plateformes offrent de vastes possibilités à même de faire surgir un espace propre d'invention. La révélation de la dernière rentrée littéraire, Pauline Delabroy-Allard, s'amuse avec les contraintes des réseaux, sur lesquels elle s'est inscrite très tôt après des années passées sur les blogs. Elle y documente sa vie et construit un roman du quotidien, que ce soit à travers des tweets ou une galerie de belles photographies en noir et blanc sur Instagram. Un procédé proche de l'exercice de style, qui vient résonner en contrepoint avec les thèmes et l'écriture très personnelle de son premier roman, *Ça raconte Sarah*. Elle aime rappeler l'importance qu'occupent ces réseaux dans sa vie, véritables générateurs de création : « *Ils participent à mon envie de laisser une trace, de documenter l'existence, de faire de ma vie une fiction car c'est comme ça que j'aime la vivre. J'aime infiniment le petit théâtre du quotidien que je dissèque*[1] *avec l'image, que je mets en scène avec les mots.* »

Promotions

L'engagement et la contestation sont très présents sur les réseaux sociaux, particulièrement sur Twitter. Le monde de la littérature n'y a pas échappé, puisque de nombreux écrivaines et écrivains en ont profité en 2018 pour réclamer un meilleur traitement financier, regroupés sous le #payetonauteur qui a lancé un mouvement inédit dans ce milieu. [...]

Certains éditeurs ont aussi bien compris l'intérêt des réseaux sociaux pour assurer leur promotion. Ainsi peut-on favoriser une proximité plus grande – quoique toujours virtuelle – avec le lectorat et établir un autre canal de communication, plus direct. Si des maisons historiques telles que Gallimard investissent encore peu ces outils numériques, préférant laisser leurs auteurs et autrices libres d'y faire ce qu'ils veulent, d'autres, comme Albin Michel, y déploient toute une stratégie marketing. Des comptes ont été créés pour les romancières et romanciers importants édités (Bernard Werber, Katherine Pancol, Maxime Chattam entre autres), avec pour principale cible Facebook, le réseau qui dénombre le plus d'adeptes.

La plupart de ces comptes sont cogérés entre des community managers et les écrivaines et écrivains eux-mêmes, qui ont reçu une formation pour s'y autonomiser. Une utilisation des réseaux sociaux qui n'a donc plus rien d'artisanale, au service de la promotion de marques que constituent ces auteurs et autrices, dont les pages Facebook comptent chacune plus de 100 000 fans. Comme l'explique le directeur marketing des éditions Albin Michel, Mickael Palvin, « *une stratégie différenciée et adaptée selon les auteurs est mise en place sur les réseaux deux mois avant la sortie d'un nouveau livre, puis l'accompagne pendant les semaines qui suivent, avec des teasings et des concours* ».

Frilosité et méfiance

Les réseaux sociaux ont fait émerger un lien nouveau et plus immédiat entre écrivains, libraires, lecteurs et bloggeurs. Cette dernière catégorie a d'ailleurs largement profité du développement de ces plateformes, à l'image des « bookstagram » sur Instagram qui ont changé la donne de la promotion et de la critique littéraire. Pour le romancier Serge Joncour, auteur du récent *Chien-Loup* et qui est très actif sur les réseaux, ceux-ci représentent un moyen de « *prendre le pouls*[2] *de la réception de son ouvrage, de le voir vivre chez les uns et les autres, à travers la mise en scène des livres et l'émission d'avis tranchés* ». Mais ils sont aussi « *une malédiction pour l'auteur en train d'écrire car il est difficile de s'en tenir à la déconnexion et l'isolement que suppose un tant soit peu l'écriture* », ajoute-t-il à la fois amusé et désolé. [...]

1. disséquer (v. fig.) : analyser minutieusement. 2. prendre le pouls (exp. fig.) : consulter.

2. Lisez l'article (doc. 1).

a. Quels types de créations se sont développés sur les réseaux sociaux ?

b. Identifiez les conséquences sur l'évolution de la littérature.

c. Selon Serge Joncour, quel danger les réseaux sociaux représentent-ils pour l'auteur ?

3. Par deux. Relisez l'article (doc. 1).

a. Comment les éditeurs se sont-ils adaptés aux réseaux sociaux ? À partir de termes précis de l'article, définissez les stratégies qu'ils mettent en place.

b. Listez les avantages que représentent les réseaux sociaux pour les lecteurs.

c. Qu'apportent ces nouvelles formes de littérature ? Échangez vos points de vue.

document 2

Ce qui compte, c'est que la vie soit OK. Il suffit de cultiver son jardin. Alors, fermez-la, les mecs, et cultivez ! (*Candide ou l'Optimisme*, Voltaire)
22 23 61

Ras le cul vraiment : d'abord il faut que j'aille sur cette plage, ensuite il faut que je tue tous ces mecs et maintenant, ce taré m'a tiré ma meuf ! (*L'Iliade*, Homère)
1 7 9

Je peux pas régler ce problème tout seul, j'appelle maman. (*L'Iliade*, Homère)
2 0 6

4. En petits groupes. Lisez les tweets (doc. 2).

a. Faites des recherches sur les deux œuvres (chapitre 30 de *Candide* et chant 1 de l'*Illiade*). Identifiez les passages résumés.

b. Quelles sont les particularités du style (types de phrases, ponctuation) et du lexique employés ? Transposez les extraits dans un registre courant.

c. Que pensez-vous de ces créations ? Existent-elles dans votre pays ? Échangez.

5

En petits groupes.

a. Choisissez un livre.

b. Listez les informations principales (personnages, intrigues, étapes principales) et organisez-les.

c. Écrivez cinq à huit tweets (280 caractères par tweet) pour résumer ce livre.

d. Partagez avec la classe. Certains tweets vous ont-ils donné envie de lire l'œuvre originale ? Échangez.

document 3 40

À quoi sert le Salon du livre ?

L'OBS

6. 40 Écoutez le débat (doc. 3).

a. Qui sont les deux intervenants ? Pour quels journaux travaillent-ils ? Les connaissez-vous ? Faites des recherches si nécessaire. ▸ Culture et société p. 203

b. Quelle est la situation actuelle de la littérature en France ?

c. Définissez le principe du Salon du livre (organisation, place des auteurs, public, livres proposés).

7. 40 En petits groupes. Réécoutez le débat (doc. 3).

a. Reformulez la position défendue par chacun des intervenants. Comparez les deux points de vue.

b. Relevez les arguments en faveur du Salon du livre ainsi que les réserves émises. Qu'apportent ces réserves dans le débat ?

c. Quels sont les exemples cités par les intervenants ? Que remarquez-vous ?

8. 40 En petits groupes. Écoutez à nouveau le débat et lisez la transcription p. 27-28.

a. Repérez les mots accentués. À quoi correspondent-ils ?

b. Identifiez des exemples de reformulation. Quelle est leur fonction ?

c. Quelles expressions sont utilisées pour concéder une idée ? Pour apporter des nuances ? En connaissez-vous d'autres ?

d. Quel intervenant vous semble le plus convaincant ? Pourquoi ? Échangez.

À NOUS !

9. Nous débattons sur un sujet de société.

En petits groupes. ▸ Stratégies p. 186

a. Choisissez un sujet polémique et définissez une problématique.

b. Partagez votre groupe selon vos positions respectives.

c. Listez vos arguments et associez des exemples à chacun d'eux.

d. Débattez devant la classe pendant 10 minutes. Variez les techniques d'argumentation : utilisez la reformulation, concédez et nuancez. La classe désigne les personnes les plus convaincantes.

DOC. 3 – angélisme (n. m.) : désir de pureté par refus de la réalité.

LEÇON

2 Fais gaffe !

- Adapter un discours à un locuteur ▸ Doc. 1, 2 et 3
- Donner des conseils ▸ Doc. 1, 2 et 3

1

Par deux. En vertu de la loi n° 2018-493 du 20 juin 2018, « un mineur peut consentir seul à un traitement de ses données à caractère personnel à partir de 15 ans. » Pensez-vous qu'un adolescent puisse gérer ses données informatiques dès 15 ans ? La même loi existe-t-elle dans votre pays ? Échangez.

document 1

Pense à demain, gère ton image sur le Net

De plus en plus d'infos perso circulent aujourd'hui sur le Net, avec les applications du Web 2.0, les blogs, les réseaux sociaux, les forums… Tu mets tes photos en ligne toujours à ton avantage si c'est toi qui les publies. Mais une simple photo de toi peut être transmise sur un autre site dans un tout autre contexte.

5 Alors fais gaffe!

Tes infos personnelles peuvent être déviées de leur contexte.

Imagine que tu te lâches sur tes pensées. Tu donnes ton opinion sur tes profs, tu parles de tes envies sexuelles, tes problèmes, tes états d'âme… avec une personne à qui tu accordes ta confiance, ton ou ta petite amie, un(e) pote ou, pire, à un inconnu du Net.

Plus tard c'est la rupture avec l'être aimé, la brouille[1] avec un copain et voilà que la vengeance apparaît sur le Net. Ton image est détériorée,
10 rabaissée et ta personne est atteinte. Tu n'oseras parfois ne plus apparaître en public de peur des moqueries.

Avec les photos et les vidéos, c'est plus grave. Ne mets pas de photos et vidéos provocatrices.

EXEMPLE :

Des photos détournées
Une petite fille prise en photo en compagnie de son cheval, sa passion s'est retrouvée malgré elle sur un site pédopornographique.
15 *Écœurant ? Oui !*
Étonnant ? Non, mais courant !

Protège-toi : quelques astuces

Il n'est pas si simple de gérer son profil sur les réseaux sociaux.

Les paramètres sont longs et difficiles à régler mais nécessaires pour te protéger.

20 **Qu'est-ce que je veux montrer et à qui ?**

Il est indispensable de te poser cette question avant d'inscrire ton profil sur un réseau social.
Regarde toutes les options de configuration possibles et ne t'inscris pas à la va-vite[2]. Ne remplis jamais les informations facultatives.

Ne donne jamais ton nom sur Internet.

Pour conserver ton anonymat, choisis un pseudonyme, un qui te représente le mieux. Attention aux pseudonymes féminins ou à consonance
25 sexuelle qui attirent bien plus de messages sexuels, voire pervers.

Ton pseudo ne doit jamais contenir de renseignements sur toi. N'indique surtout pas ton prénom, ton nom, ton âge, ton année de naissance, ton adresse ou ton code postal.

J'ai déjà vu des pseudos comme « exiting », « lolagirl-du-44 », ou bien encore « x-OverdoozXcore-x » ou même « lovegirl » sur des forums ados. Franchement, ça le fait pas[3]. Ça peut être marrant pour délirer entre copains et copines, mais c'est prendre un risque.
30 Pourquoi ne pas avoir un pseudo différent pour chaque activité sur le Net ? Un pour jouer, un pour ton blog et un pour correspondre avec tes amis. […]

1. brouille (n. f.) : dispute. 2. à la va-vite (loc. adv.) : trop rapidement et sans soin. 3. ça le fait pas (exp. fam.) : ça n'est pas correct.

2. Lisez les documents 1 et 2.

a. De quels types de documents s'agit-il et à quels publics s'adressent-ils ?

b. Quelle est l'idée principale développée dans le premier paragraphe de chaque document ?

c. Repérez la structure des deux documents (plan, mise en page). Distinguez les éléments communs et les différences. Mettez vos réponses en commun par deux.

document 2

www.cybermalveillance.gouv.fr

CYBERMALVEILLANCE.GOUV.FR
Assistance et prévention du risque numérique

LA SÉCURITÉ SUR LES RÉSEAUX SOCIAUX

ADOPTER LES BONNES PRATIQUES

Les réseaux sociaux sont des outils de communication et d'information puissants et facilement accessibles. Aujourd'hui installés dans les usages personnels des internautes, mais aussi dans les usages professionnels des entreprises qui les utilisent comme vitrine de leur activité, ils n'échappent pas aux activités malveillantes. Escroquerie*, usurpation d'identité, chantage, vol d'informations, cyberharcèlement, désinformation, diffamation... sont autant de dangers auxquels sont confrontés les utilisateurs de ces réseaux.
5 **Voici 2 bonnes pratiques à adopter pour votre sécurité sur les réseaux sociaux.**

PROTÉGEZ L'ACCÈS À VOS COMPTES – Vos comptes de réseaux sociaux contiennent des informations personnelles sensibles (identité, adresse postale ou de messagerie, numéro de téléphone, date de naissance, etc.), qui peuvent être convoitées par les cybercriminels. Pour vous assurer que personne ne puisse utiliser votre compte à votre insu ou usurper votre identité, protégez bien l'accès à votre compte en utilisant des mots de passe différents et suffisamment robustes. Si le service le propose, activez également la double authentification. [...]

10 **MAÎTRISEZ VOS PUBLICATIONS** – Les réseaux sociaux permettent de communiquer auprès d'une grande audience que vous ne pourrez jamais complètement maîtriser. Même dans un cercle que l'on pense restreint, vos publications peuvent vous échapper et être rediffusées ou interprétées au-delà de ce que vous envisagiez. Ne diffusez pas d'informations personnelles ou sensibles qui pourraient être utilisées pour vous nuire. Faites également preuve de discernement lorsque vous évoquez votre travail car cela pourrait vous porter préjudice ainsi qu'à votre entreprise. Enfin, respectez évidemment la loi. [...]

* escroquerie (n. f.) : arnaque, tromperie.

3. Par deux. Relisez les documents 1 et 2.

a. Repérez les risques mentionnés et les conséquences pour l'utilisateur. Faites le lien avec l'article de loi (act. 1).

b. Quels conseils sont donnés pour se prémunir des risques dans chacun des documents ? Identifiez le temps des verbes employé. Justifiez l'emploi des formes négatives dans le document 1.

c. Listez les exemples de chaque document. Que remarquez-vous (situation, contenu) ?

d. Distinguez les expressions propres à chaque catégorie de personnes. Quelles sont les principales caractéristiques ?

4 En petits groupes. Ces supports vous semblent-ils efficaces pour prévenir les risques liés aux réseaux sociaux ? De telles campagnes sont-elles proposées dans votre pays ? Échangez.

document 3 41

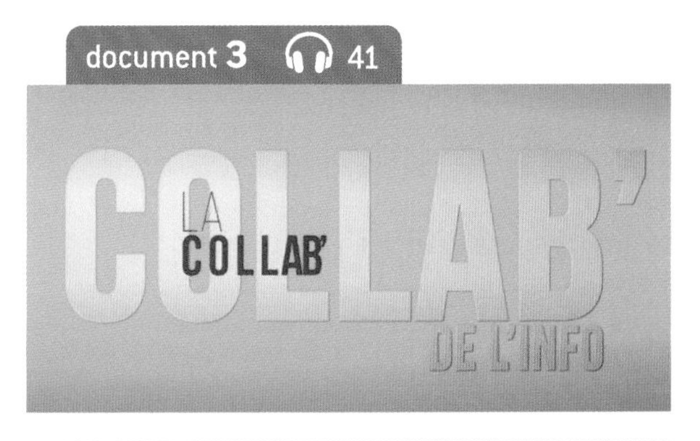

DOC. 3 – encart (n. m.) : feuillet placé dans une revue ou un journal.

5. 41 **Par deux. Écoutez la présentation (doc. 3).**

a. Qui sont les deux intervenants ? À quel public cette présentation s'adresse-t-elle ?

b. Listez les éléments qui définissent l'identité numérique.

c. À quel événement les deux intervenants font-ils référence ? Quelle responsabilité souhaitent-ils donner à leurs auditeurs ? Justifiez.

d. Déterminez l'objectif de cette présentation.

6. 41 **En petits groupes. Réécoutez la présentation (doc. 3).**

a. Quelles sont les étapes de la présentation ? Montrez que les intervenants suivent un raisonnement argumentatif.
▸ Stratégies p. 174

b. Quels sont les conseils donnés ? Lesquels ne figurent pas dans les documents 1 et 2 ? Comment ces conseils sont-ils formulés ? (Distinguez les formes et les temps des verbes.)

c. Quels procédés sont utilisés pour adapter le contenu au public visé ? Définissez le rôle de chacun des deux intervenants.

d. Cette présentation vous semble-t-elle adaptée au public visé ? Comparez avec les documents 1 et 2. Échangez.

À NOUS !

7. Nous adaptons une campagne de prévention à un public.

Par deux.

a. Cherchez une campagne de prévention (cyberharcèlement, publicité sur Internet, etc.). Identifiez le public visé.

b. Choisissez un autre public et réécrivez cette campagne en adaptant les slogans et les exemples. Ajoutez des conseils de prévention.

c. Rédigez un dépliant attractif (250 mots). Partagez-le avec la classe. Échangez.

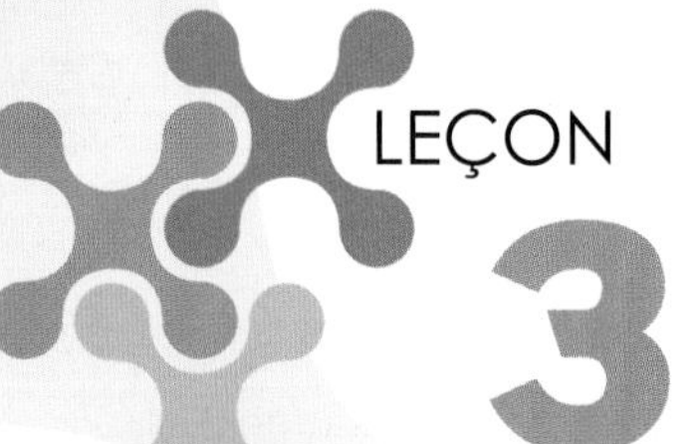

LEÇON

3 Torrent d'informations

- Comprendre le processus des *fake news* ▸ Doc. 1 et 2
- Exprimer un paradoxe ▸ Doc. 3

document 1

Dessin de Brian Stauffer/ États-Unis pour *Courrier international*.

1 En petits groupes. Observez et décrivez la couverture du magazine (doc. 1). Expliquez le problème soulevé par le titre. À votre avis, est-il facile de bien s'informer aujourd'hui ? Échangez.

document 2 Vidéo n° 12

Notre cerveau face aux *fake news*, Monkey.

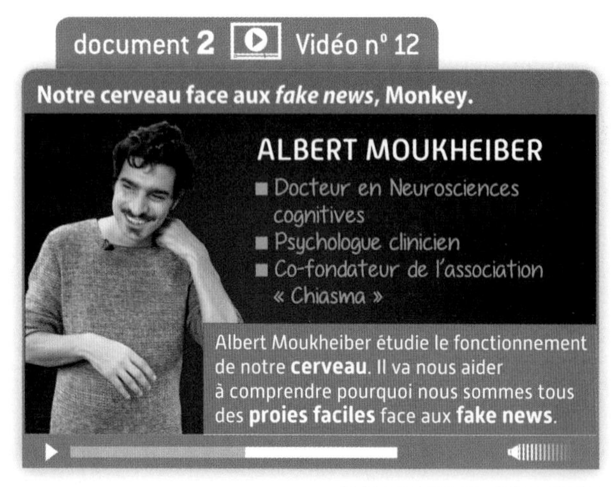

▸ Culture et société p. 207

2. Par deux. Regardez la vidéo (doc. 2).

a. Qui est Albert Moukheiber ?

b. Comment notre cerveau traite-t-il l'information ? Relevez les deux termes utilisés pour expliquer son fonctionnement. Quel exemple Albert Moukheiber donne-t-il ?

c. Identifiez les conseils donnés pour éviter de « tomber dans le panneau » face aux *fake news*.

3 En petits groupes. D'après Albert Moukheiber, les *fake news* ne sont pas « du domaine de l'ignorance, mais plutôt du domaine de l'illusion de connaissances ». Commentez ce point de vue. Échangez.

4. En petits groupes. Lisez le titre de l'article (doc. 3). Faites des hypothèses sur la ou les réponse(s) apportée(s) à cette question. Échangez.

5. Par deux. Lisez l'article (doc. 3).

a. Vérifiez vos hypothèses (act. 4).

b. Quel est le point de vue présenté dans l'introduction ?

c. Repérez les trois parties de l'article et donnez-leur un titre. Pourquoi peut-on parler de paradoxe ?

d. Quels tons dominent cet article ? Justifiez.

6. Par deux. Relisez l'article (doc. 3).

a. Selon le journaliste, pourquoi une loi anti*fake news* est-elle difficile à mettre en place ?

b. Démontrez que le journaliste s'oppose à une vision trop tranchée du vrai et du faux.

c. Quel lien pouvez-vous établir entre la conclusion de l'article et le document 2 ? Échangez.

7. Par deux. Lisez à nouveau l'article (doc. 3).

a. Relevez les termes utilisés pour nommer les *fake news*. À quel domaine ces mots sont-ils généralement associés ? Quel effet cela produit-il ?

b. Le journaliste base son raisonnement sur le questionnement et l'emploi de nombreux exemples. Dans quel but ?

c. Listez les articulateurs du discours. Quel lien logique est le plus représenté ? Qu'apporte-t-il à l'argumentation du journaliste ?

8 En petits groupes. Les Français « seraient 81 % à approuver la loi "anti*fake news*" ». Une loi de ce type existe-t-elle dans votre pays ? Que pensez-vous d'une telle loi ? Échangez.

DOC. 2 – stimulus (n. m.) : sollicitation, stimulation. – berner (v.) : tromper, abuser. – torchon (n. m. fam.) : journal médiocre.

document 3

Et si les *fake news* étaient bonnes pour la démocratie ?

Les « *fake news* » sont des saletés virtuelles. Des poisons qui collent à nos messages sur les réseaux sociaux comme des tiques tombant des arbres de l'information pour mieux plomber notre quête de vérité. Selon un sondage commandé par *Le Figaro* et France Info, d'ailleurs largement applaudi le jeudi 31 janvier dernier à l'antenne de la radio, 30 % des Français auraient déjà transmis par mégarde de telles « infox », et ils seraient 81 % à approuver la loi « anti *fake news* » publiée au Journal officiel le 23 décembre dernier. Mais cet enjeu des « fausses nouvelles » à l'ère numérique est-il aussi simple que ça ?

La première difficulté d'appréhension des *fake news* tient à l'évanescence du concept. Au premier abord, lorsque le 30 janvier, Monsieur Facebook annonce qu'il va créer une « *war room*[1] » à Dublin pour combattre ce fléau lors de la campagne pour les élections européennes du 23 au 26 mai 2019, l'on se dit : enfin ! Sauf que le réseau social, suite aux malversations dont il a été accusé après les victoires du Brexit et de Trump en 2016, se doit de montrer patte blanche... Et qu'il va être bien en peine de définir précisément ce qui sera ou non de l'ordre de la fausse nouvelle. Un chiffre ou une phrase tirés de leur contexte sont-ils des *fake news* ? *Quid* des exagérations, des angles éditoriaux très orientés, des amalgames qui pullulent[2], des non-dits et des mensonges par omission ? La tricherie est rarement intégrale. Mieux : avec ou sans loi, il est d'ores et déjà facile de débusquer les pires supercheries du genre, comme la grotesque vidéo d'un bonhomme masqué et en costume militaire annonçant en décembre dernier que le président avait embauché des mercenaires armés pour aller casser du gilet jaune afin de protéger son « gouvernement illégitime ».

Ce phénomène des *fake news* a certes pris une belle ampleur ces dernières années. Max Read, chroniqueur du *New York Magazine*, n'a pas tort d'alerter le chaland[3] à propos des bots ou des « fermes à clics » qui construisent de fausses audiences et rendent populaires des fables malsaines sur YouTube, Twitter ou ailleurs. Sauf que son argumentaire induit une séparation tranchée entre le vrai et le faux, et qu'il a tendance à prendre le citoyen comme un consommateur passif de l'information lui étant délivrée – ce que critiquait dès mars 2018 le *think tank* Renaissance numérique. À lire les mots de Max Read comme des grands médias qui dénoncent l'avalanche de *fake news*, l'on ne pourrait plus faire confiance à Internet. Mais était-ce seulement envisageable de tout croire des infos de la toile il y a dix ou vingt ans ? Autre clé trop manichéenne : il y aurait d'un côté l'information dûment validée par des professionnels, et de l'autre les bruits de la plèbe[4] sur Internet, pour la plupart non vérifiés donc douteux. Faudrait-il, sous ce regard, faire tomber dans la fosse à Pinocchio les articles d'opinion, les parodies et détournements critiques, essentiels à toute prise de recul ? La question des sources est certes primordiale, mais est-elle de l'ordre de la vérité ou de l'honnêteté ?

Curieux paradoxe de nos vies urbaines pilotées par les écrans, le *storytelling* et les imaginaires du divertissement : c'est l'actrice la mieux payée d'Hollywood, Scarlett Johansson, qui a dénoncé en janvier dernier les « *deep fakes* », vidéos ultraréalistes où les visages et les voix de figures célèbres ou médiatiques sont modifiés pour mieux tromper son monde. Une icône visuelle du temps présent trahie par des jeunes détournant son image si proprement fabriquée ? « *Dans le monde réellement renversé, le vrai est un moment du faux* », écrivait il y a déjà un demi-siècle Guy Debord dans *La Société du spectacle* (Gallimard, 1967). À peine plus récent, dans son *Simulacres et Simulation* (Galilée) de 1981, le philosophe Jean Baudrillard décrivait quant à lui une société devenue elle-même une simulation totale, faute d'avoir su préserver quelque modèle de sa réalité tangible d'hier ou d'avant-hier. S'il était encore de ce monde, le penseur décédé en 2007 aurait sans doute décrit Lil Miquela, mannequin américano-brésilien fictif et « influenceuse » virtuelle, comme l'avatar plus vrai que nature de ces jeunes filles qui se copient les unes les autres et se conforment à un idéal imaginaire pour devenir les plus populaires sur Instagram.

L'écueil de la plupart des analyses d'aujourd'hui sur les *fake news* consiste à traiter le monde contemporain comme s'il pouvait être objectivement jugé. Avec d'un côté la vérité, le Bien donc : les informations des médias institués. Et d'un autre côté le mensonge, autrement dit le Mal : les fausses nouvelles.

Avec un autre philosophe, Bernard Stiegler, ne pourrait-on pas considérer que la Vérité n'existe pas dans nos sociétés démocratiques, mais qu'elle « consiste » ? Qu'elle passe par l'interprétation de chacun ? Elle ressemblerait dès lors à la réalité selon l'auteur de science-fiction Philip K. Dick : ce qui subsiste quand on a cessé d'y croire. La Vérité, donc, serait un horizon certes inatteignable, mais qu'il serait crucial de toujours chercher à atteindre. L'enjeu ne serait plus de croire en elle, mais juste d'essayer de s'en rapprocher par les chemins du langage et de l'honnêteté intellectuelle, autant raisonnés que poétiques. Sous ce prisme, les *fake news* pourraient être perçues comme les révélateurs d'une information par essence subjective, dont il conviendrait de douter avant de s'en nourrir ou non. Entendu de cette façon paradoxale, le poison des *fake news* pourrait être transformé en vaccin de notre démocratie : un antidote, poussant chaque citoyen à la prise de conscience, puis à la veille pédagogique et critique, non seulement de quelques créations à l'évidence douteuses, mais du torrent d'informations de tous nos robinets médiatiques et numériques. On peut rêver, non ?

Ariel Kyrou, Digital Society Forum, 01/02/2019.

1. *war room* (angl.) : salle de crise. 2. pulluler (v.) : se multiplier. 3. chaland (n. m.) : client, acheteur. 4. plèbe (n. f.) : foule anonyme.

9. Nous rédigeons un article pour exprimer un paradoxe. Stratégies p. 180

a. Choisissez un paradoxe lié au thème de la communication.
Exemple : le développement des moyens de communication / l'isolement des individus.

b. Cherchez les questions que pose ce paradoxe et associez-y des exemples.

c. Rédigez un article structuré dans lequel vous donnerez votre opinion (700 mots).

d. Partagez votre article avec le groupe et publiez-le sur le réseau de la classe.

- Déduire le point de vue d'un intervenant sur l'évolution des technologies ▸ Doc. 1
- Envisager les dérives des technologies dans le futur ▸ Doc. 1 et 2

LEÇON 4 Demain

Quelle invention illustre le mieux l'innovation technologique, selon vous ? Présentez-la à la classe et justifiez votre point de vue.

document 1 42

▸ Culture et société p. 207

2. 42 Par deux. Écoutez le podcast (doc. 1).

a. Quelles limites fondamentales le transhumanisme permet-il de dépasser ? Repérez les quatre objectifs des transhumanistes. Quel serait l'aboutissement final de ces recherches ?

b. Quelle science a précédé le transhumanisme ? De quand datent ses origines ?

c. Définissez le principe du programme Neuralink. Que révèle-t-il du rapport de l'homme à l'intelligence artificielle ?

3. 42 En petits groupes. Réécoutez le podcast (doc. 1).

a. Relevez les termes appartenant au champ lexical de la mythologie. Faites des recherches si nécessaire.

b. Pierre-Jérôme Delage considère que le terme de « transhumanité » serait plus adapté que celui de « transhumanisme ». Justifiez son point de vue.

c. À l'aide des réponses précédentes, déduisez le point de vue de Pierre-Jérôme Delage sur le transhumanisme.

En petits groupes. Quels sont les enjeux des recherches exposées dans ce podcast ? Comment imaginez-vous leurs applications dans le futur ? Ces technologies vous réjouissent-elles ou vous effraient-elles ? Échangez et prenez des notes.

5. Par deux. Lisez l'extrait littéraire (doc. 2).

a. Relevez la phrase qui indique le principe sur lequel cette société s'est organisée et justifiez le titre du livre.

b. Expliquez le fonctionnement de cette société (travail, répartition des richesses, classes sociales).

c. À qui le pronom « nous » fait-il référence ? Étudiez le rôle des différents personnages. Quel paradoxe cela soulève-t-il ?

d. En quoi s'agit-il d'une vision futuriste ? Établissez le lien avec le document 1. Démontrez que cette société est la conséquence d'une dérive liée à la mise en place des nouvelles technologies.

6. Par deux. Relisez l'extrait littéraire (doc. 2).

a. Montrez que cet extrait littéraire répond aux caractéristiques du roman (personnages, fiction, trame narrative, description).

b. Analysez les temps des verbes employés. En quoi renforcent-ils le réalisme de cet extrait ?

c. Repérez les passages dans lesquels l'auteur prend position sur l'évolution des technologies et reformulez sa thèse.

d. Ce roman est une dystopie. Expliquez les fonctions de ce genre littéraire en vous référant à des exemples précis de l'extrait.

▸ Culture et société p. 202

En petits groupes. Pensez-vous que la société décrite représente « l'aboutissement logique » de nos modes de vie actuels ? Échangez.

DOC. 1 – se bercer d'illusions : se tromper.

document 2

Les individus étaient tous notés par les géants du numérique en fonction de leur niveau de connexion. Le chiffre 10 n'était attribué qu'à celui qui renonçait à toute intimité et acceptait de dévoiler chaque seconde de son existence par voie de puces[1], de sondes, d'électrodes, de caméras miniaturisées lesquelles enregistraient chaque mouvement, chaque action, chaque battement de cil pour le transformer en information utile. De nombreux moyens de surveillance collective s'ajoutaient à la collecte des données comme les caméras placées dans tous les lieux publics et capables d'identifier tout individu à tout moment. Une puce placée sous la peau récapitulait les principales informations sur l'individu, son identité, son numéro d'assuré social, ses assurances complémentaires, son historique de santé, mais aussi son casier judiciaire. Les informations collectées n'étaient en théorie accessibles qu'à certaines autorités mais l'idée de transparence faisant son chemin, le concept d'informations réservées disparut progressivement.

S'ouvrir à une investigation permanente permettait d'être rémunéré en contrepartie, mais beaucoup d'autres avantages y étaient associés comme la prévention des risques médicaux, évidemment, mais surtout l'accès constant aux informations sur soi-même ouvrait à des réductions considérables sur le prix des assurances. L'homme transparent bénéficiait d'un revenu minimum confortable associé à des dépenses minorées, sans parler d'un accroissement considérable de la gratuité apparente de nombreux services car l'individu ne voulait plus rien payer directement et il était prêt à tout pour sacrifier cette prétendue gratuité. Des ressources supplémentaires étaient allouées[2] à ceux qui, au-delà du champ de surveillance générale, acceptaient de se soumettre à des expériences particulières permettant de tester des produits de consommation ou de santé. Un nouveau produit alimentaire avait-il des conséquences sur le transit intestinal du sujet? Un nouveau médicament était-il en mesure de remédier ces conséquences? Ce genre d'expérience permettait d'accroître le marché pharmaceutique à la mesure de la croissance de celui de l'alimentation et il en résultait un bénéfice pour tout le monde. Quelles raisons autres qu'idéologiques auraient pu conduire à trouver ce système critiquable?

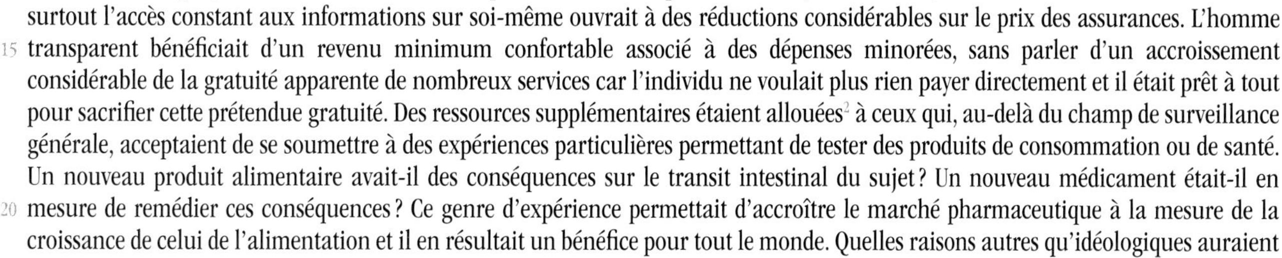

Transparence a été créée sur l'idée que l'individu ne peut échapper à ce qu'il est et que toute personne doit être en mesure de tout savoir sur son interlocuteur, qu'il s'agisse de raisons sentimentales mais aussi de raisons professionnelles. Très vite nous avons été sollicités pour accompagner les recrutements, les embauches.

La confusion entre *l'être* et *l'avoir* nous a confrontés au cours des années à des individus qui *avaient* de plus en plus tout en *étant* de moins en moins, ce qui n'a pas facilité nos travaux car il était, compte tenu du lissage des personnalités, difficile de connaître réellement celui qui existait derrière celui qui possédait. Être pour avoir sans rien faire est devenu le triptyque de la révolution numérique qui a succédé sans difficulté au fameux travail-famille-patrie ou liberté-égalité-fraternité. Aboutissement logique d'une société qui, par la mécanisation puis la robotisation, visait à abolir[3] le travail. Les concepteurs et les investisseurs continuaient à travailler pour créer de nouvelles sources de revenus dans un espace économique clos où ce qui était donné à l'un était repris à l'autre quelque part, l'élite, encore plus fortunée que les élites qui l'avaient précédée, distincte d'une foule assignée à un espace réduit et à une impulsivité toujours plus grande.

Apprendre à connaître quelqu'un constituait une perte de temps et un risque qui allaient chacun diamétralement à l'opposé de la société de l'impatience et du risque zéro que nous avons tous souhaitée plus ou moins consciemment. Le marché de l'emploi, malgré sa décroissance globale, s'en est trouvé incroyablement facilité par une capacité nouvelle à faire correspondre l'offre individuelle à la demande.

Au début de la révolution numérique, les précurseurs avaient remarqué le besoin croissant des gens à être nommés, remarqués, à exister en tant qu'expression d'une opinion, à faire valoir leur point de vue individuel comme indispensable à la collectivité, une façon d'exister dans la masse connectée. Cet état de fait a conduit à un exhibitionnisme de civilisation qui a favorisé la transparence totale de l'individu par la disparition progressive de la vie privée, de l'intériorité, au profit d'une fluidité des rapports sociaux dont le mensonge, la dissimulation ont été progressivement exclus au profit de l'expression et de la représentation permanentes.

Marc Dugain, *Transparence*, éditions Gallimard, 2019.

1. puce (n. f.) : pastille de silicium sur laquelle est implanté un circuit intégré.
2. allouer (v.) : attribuer. 3. abolir (v.) : supprimer.

À NOUS !

8. Nous écrivons un extrait d'une dystopie.

Par deux.

a. Reprenez vos notes sur les applications du transhumanisme (act. 4) et imaginez une dérive dans le futur.

b. Décrivez l'évolution de la société (place des individus, régime politique) et de l'homme (caractéristiques physiques et psychologies, modes de vie) suite à cette dérive.

c. Rédigez un extrait de votre dystopie (700 mots) en alternant description, narration et argumentation. Partagez votre production sur le réseau de la classe.

d. Lisez les différentes productions. Quelle vision vous semble la plus effrayante ? Faites des propositions pour éviter ces dérives.

POUR ALLER PLUS LOIN

En petits groupes. Faites des recherches sur des projets basés sur le transhumanisme. Présentez l'un de ces projets à la classe sous la forme d'un exposé.

MOTS et EXPRESSIONS

Leçon 1 – Une immense librairie

1. Lisez le tweet et les commentaires.

a. Relevez dans les commentaires : une expression de l'accord, une expression du désaccord, une expression de la concession, deux expressions pour introduire des exemples. Recherchez ensuite trois expressions qui appartiennent au registre familier ou au registre vulgaire.

b. Reformulez dans un registre courant les expressions relevées dans l'activité 1a.

Twitter, c'est rigolo, tu fais 1 ou 2 fautes de frappe, tu as tous les Bernard Pivot* qui rappliquent. Si vous vous ennuyez tant que ça, venez donner cours aux élèves en difficulté. Malheureusement, je ne vois que trop peu de personnes se manifester en faveur de ce genre d'activités… les rageux lol.

54 12 62

C'est une façon de voir les choses… Mais pour moi, la forme est importante. Prenez le cas d'une éventuelle embauche, le futur patron regarde les fautes d'orthographe.

11 7 37

Ils n'ont que ça à foutre ! Les pauvres, leur vie doit être monotone !

7 7 29

Je ne te le fais pas dire. Y en a marre des donneurs de leçons. Ils sont épuisants.

3 5 34

Un tweet bien tourné est une arme contre un adversaire qu'il soit politique, footballistique ou autre… Et il peut comporter quelques fautes d'orthographe, on en fait tous ! Ceci dit, il y en a certaines qui écorchent le regard et l'esprit, Twitter serait plus agréable sans… Bravo pour ce que vous faites !

2 3 45

Ah les joies des redresseurs de fautes… Un jour, j'ai demandé à l'un d'eux « si je te croise dans la rue et te dis connard, sauras-tu si je l'ai dit avec deux n ? »

1 1 26

* Bernard Pivot est un journaliste et écrivain français. Il a organisé pendant de nombreuses années des dictées rassemblant un large public et retransmises à la télévision.

Leçon 2 – Fais gaffe !

2. Lisez les règles d'utilisation d'Instagram à l'usage des enfants de 8 ans et plus. Transformez-les pour un public adulte. Adaptez le lexique, le registre, la tournure des phrases, le ton, en conservant le sens exprimé.

a. Tu as le droit de te sentir en sécurité quand tu utilises Instagram.

b. Officiellement, tu es propriétaire des photos et vidéos que tu postes, mais nous avons le droit de les utiliser et de laisser d'autres personnes le faire, partout dans le monde. Les gens nous paient pour cela mais nous ne te paierons pas.

c. Même si tu es responsable des informations que tu mets sur Instagram, nous pouvons les garder, les utiliser et les partager avec des entreprises connectées à notre réseau. Cela inclut ton nom, ton adresse mail, ton école, où tu vis, tes photos, ton numéro de téléphone, tes « likes » et « dislikes », où tu vas, où tes amis vont, combien de fois tu utilises ton compte, ta date d'anniversaire, à qui tu parles ainsi que tes messages privés.

3. Lisez les conseils concernant l'utilisation d'Internet à l'usage des parents. Transformez-les en conseils à l'attention des enfants. Adaptez le lexique, le registre, la tournure des phrases, le ton, en conservant le sens exprimé.

a. Apprenez la « nétiquette » à votre enfant. Internet est un espace social avec ses règles de bienséance. Par exemple, sur les réseaux sociaux, il est malvenu de « taguer » une personne sans son autorisation car cela équivaut à la pointer du doigt.

b. Apprenez à votre enfant à naviguer discrètement. Les navigateurs ont un système de navigation privée qui permet de ne pas laisser de traces dans l'historique. Montrez-leur comment y accéder sur Chrome, Firefox, Safari et Internet Explorer.

c. Faites preuve de bon sens avec les intelligences artificielles. Apprenez à votre enfant qu'il n'est pas contraint de partager ses données exactes avec une intelligence artificielle car celle-ci réutilisera certainement les données à des fins commerciales.

d. Apprenez à votre enfant à évaluer les contenus sur Internet, à mettre en question leur véracité, à démêler le vrai du faux, à évaluer la fiabilité de la source et à se méfier des *fake news*. Aidez-le à développer sa vigilance et son esprit critique.

e. Proposez des contenus. Utilisez Internet pour nourrir la curiosité de votre enfant. De nombreux sites et comptes sociaux destinés aux enfants et aux adolescents traitent d'art, de sport, de science...

Leçon 3 – Torrent d'informations

4. Associez les phrases (doc. 3 p. 121) à une figure de style.

a. Les *fake news* sont des saletés virtuelles.
b. Monsieur Facebook annonce qu'il va créer une *war room* à Dublin.
c. Le poison des *fake news* pourrait être transformé en vaccin de notre démocratie : un antidote poussant chaque citoyen à la prise de conscience.
d. Les *fake news* sont comme des tiques tombant des arbres de l'informationpour mieux plomber notre quête de vérité.

1. une comparaison
2. une métaphore
3. une personnification
4. une métaphore filée

5. Retrouvez les synonymes des mots et expressions suivants (doc. 3 p. 121).

le client • compromettre • par erreur • frapper • une tombe à mensonges • prouver sa bonne foi

6. Identifiez les mots ou groupes de mots que l'on peut remplacer par un anglicisme. Citez cet anglicisme.

a. Facebook a ouvert une cellule de crise pour les élections européennes au sein de ses bureaux irlandais.
b. Après de nombreuses controverses sur l'influence des programmes informatiques autonomes et intelligents sur Facebook, le réseau social veut renforcer sa sécurité.
c. Ce sont la créativité et l'accroche narrative qui ont été les qualités principales retenues par Apple pour faire son choix parmi les nombreuses applications en lice.
d. Cette association a sorti une vidéo truquée pour sa campagne.
e. Les informations fallacieuses exacerbent la colère dans le pays.
f. La société Lotus a levé des fonds pour asseoir sa domination sur la toile.

Leçon 4 – Demain

7. Complétez l'article avec les mots suivants. Faites les accords nécessaires

à très haut débit • puce • interface • implant • s'implanter • intelligence artificielle • électrode • caméra miniature • neurone numérique

Des os, des veines, oui, mais pas que. Sous leur peau, il y a aussi des ... électroniques, qu'ils ... pour remplacer leurs clés ou leur carte de crédit. Ceux qui osent le plus veulent stimuler leur cerveau avec des ... . Ou se greffent des boussoles, des aimants ou des ... pour avoir une expérience différente avec le monde qui les entoure. Demain, deviendra-t-on tous des robots ?

Elon Musk, le patron multimilliardaire de Tesla, emploie des chercheurs pour qu'ils développent « des ... cerveau-machine ... » et les testent sur des singes. Ce serait, d'après lui, la seule façon de ne pas se voir écrasé par l'... . « Si on peut multiplier nos capacités cognitives par dix en profitant de ..., pourquoi pas ? »

Des scientifiques tentent aussi de produire des nerfs et des cœurs artificiels. « Les avantages de ces ... seront tellement supérieurs aux risques qu'on ne pourra plus empêcher les gens de s'en servir pour augmenter leurs capacités. »

D'après www.lapresse.ca.

DOSSIER 10

Histoire *vs* mémoire

Eh bien ! vous dites aujourd'hui, et je suis de ceux qui disent avec vous, tous, nous qui sommes ici, nous disons à la France, à l'Angleterre, à la Prusse, à l'Autriche, à l'Espagne, à l'Italie, à la Russie, nous leur disons :
Un jour viendra où les armes vous tomberont des mains, à vous aussi ! Un jour viendra où la guerre paraîtra aussi absurde et sera aussi impossible entre Paris et Londres, entre Pétersbourg et Berlin, entre Vienne et Turin, qu'elle serait impossible et qu'elle paraîtrait absurde aujourd'hui entre Rouen et Amiens, entre Boston et Philadelphie. Un jour viendra où la France, vous Russie, vous Italie, vous Angleterre, vous Allemagne, vous toutes, nations du continent, sans perdre vos qualités distinctes et votre glorieuse individualité, vous vous fondrez étroitement dans une unité supérieure, et vous constituerez la fraternité européenne. [...] Un jour viendra où les boulets et les bombes seront remplacés par les votes, par le suffrage universel des peuples, par le vénérable arbitrage d'un grand sénat souverain qui sera à l'Europe ce que le parlement est à l'Angleterre, ce que la diète est à l'Allemagne, ce que l'assemblée législative est à la France ! [...] Un jour viendra où l'on verra ces deux groupes immenses, les États-Unis d'Amérique, les États-Unis d'Europe, placés en face l'un de l'autre, se tendant la main par-dessus les mers, échangeant leurs produits, leur commerce, leur industrie, leurs arts, leurs génies, défrichant le globe, colonisant les déserts, améliorant la création sous le regard du Créateur, et combinant ensemble, pour en tirer le bien-être de tous, ces deux forces infinies, la fraternité des hommes et la puissance de Dieu !
Et ce jour-là, il ne faudra pas quatre cents ans pour l'amener, car nous vivons dans un temps rapide, nous vivons dans le courant d'événements et d'idées le plus impétueux qui ait encore entraîné les peuples, et, à l'époque où nous sommes, une année fait parfois l'ouvrage d'un siècle. [...]

Victor Hugo, extrait du discours d'ouverture du congrès de la Paix, 21 août 1849.

Capture écran du jeu vidéo *Rise of civilization**.
* L'avénement des civilisations

1 En petits groupes. Lisez l'extrait du discours de Victor Hugo et observez la capture d'écran.

a. Quand Victor Hugo a-t-il prononcé ce discours ? En quoi est-il visionnaire ?

b. Décrivez la capture d'écran. Faites le lien avec le thème du dossier.

c. Que peuvent apporter ces deux supports à l'enseignement de l'histoire ? Échangez.

Riss, *Le Procès Papon – Un fonctionnaire de Vichy au service de la Shoah*, éditions Les Échappés, 2017.

> « Peut-être serait-ce un bienfait, pour un vieux peuple, de savoir plus facilement oublier : car le souvenir brouille parfois l'image du présent et l'homme, avant tout, a besoin de s'adapter au neuf. »

Marc Bloch, *L'Étrange Défaite*, éditions Franc-Tireur, 1940.

2 En petits groupes. Observez le dessin et lisez la citation.

a. Décrivez le dessin. Qu'apporte-t-il en plus à un simple reportage ou à un article de presse consacré à un procès ? D'après vous, pourquoi la scène est-elle ainsi représentée ? Échangez.

b. Comment comprenez-vous la citation ? Quel lien pouvez-vous établir avec l'événement représenté sur le dessin ? Justifiez.

3 En petits groupes. Selon vous, quelle est la place de la mémoire dans l'histoire ? Ces deux notions sont-elles indissociables ? Est-ce un débat fréquent dans votre pays ? Échangez.

SAVOIR-FAIRE ET SAVOIR AGIR

Dans ce dossier, nous allons :

- démontrer l'intérêt d'une pratique pédagogique
- analyser et construire un raisonnement déductif
- faire le plan chronologique d'un exposé
- rédiger un éditorial
- analyser un discours
- faire une chronique
- analyser et rédiger le plan d'une plaidoirie
- comprendre l'influence du contexte et de l'opinion publique sur un procès

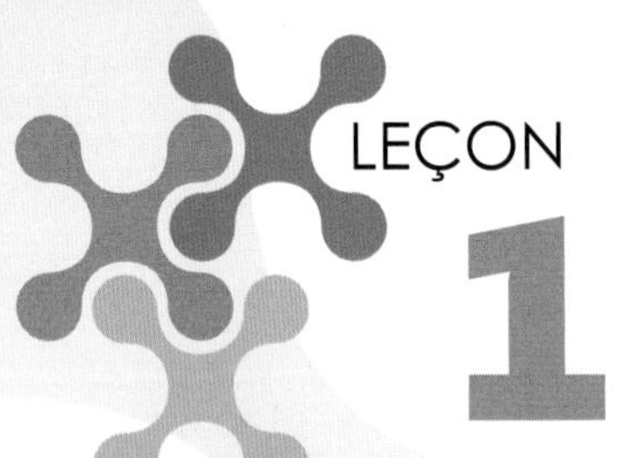

LEÇON 1 Au tableau !

- Démontrer l'intérêt d'une pratique pédagogique ► Doc. 1 et 2
- Analyser et construire un raisonnement déductif ► Doc. 2

Quels souvenirs avez-vous de vos cours d'histoire ? Échangez.

document 1 43

france culture LE DIRECT

LA FABRIQUE DE L'HISTOIRE SCOLAIRE par Séverine Liatard

Episode 46 : L'écriture de l'histoire

Léopold Lagarde enseigne au lycée Jean-Zay à Aulnay-sous-Bois. Depuis le début de l'année, il initie ses élèves de terminale à l'historiographie en les faisant réfléchir aux couples histoire et mémoire ; témoin et historien ; rôle social de l'historien ; histoire du temps présent...

2. 43 Écoutez l'émission (doc. 1).

a. Identifiez les deux étapes du cours de Léopold Lagarde. Quels supports utilise-t-il ?

b. Que pensez-vous du cours d'histoire présenté dans le générique ? Comparez-le avec celui proposé par Léopold Lagarde. Lequel se rapproche le plus de vos cours de lycée ?

3. 43 En petits groupes. Réécoutez l'émission (doc. 1).

a. Relevez les différentes définitions de l'histoire selon Abdelkader, Marc Bloch, les élèves, Patrick Boucheron.

b. Quelle confusion fait Abdelkader, selon Léopold Lagarde ?

c. À partir des différents éléments relevés (act. 3a), proposez une définition de l'histoire.

d. Déterminez les atouts pédagogiques de chacun des supports (act. 2a). Que pensez-vous de l'approche pédagogique de l'histoire dans ce cours ? Échangez.

En petits groupes. D'après Patrick Boucheron, l'histoire, c'est « le passé qui nous construit » (doc. 1). À partir de cette citation, expliquez l'importance de l'enseignement de l'histoire. Selon vous, quelles sont les caractéristiques d'une bonne pédagogie ? Échangez.

DOC. 1 – fin de non-recevoir (exp. juridique) : exception préalable consistant à soutenir que la demande adverse est irrecevable.

5. Par deux. Lisez l'article (doc. 2).

a. Sur quelle hypothèse cette séquence pédagogique se base-t-elle ?

b. Repérez les différentes étapes de la séquence. Comment les élèves sont-ils invités à réfléchir aux contenus proposés dans les jeux vidéo ?

c. Quel est l'objectif de cette séquence pédagogique ?

d. À votre avis, à qui s'adresse cet article ? Quelle est l'intention de l'auteur ?

6. En petits groupes. Relisez l'article (doc. 2).

a. Quels risques les jeux vidéo présentent-ils ? Justifiez.

b. Relevez la phrase qui montre l'importance des supports pour les élèves. Faites le lien avec le document 1.

c. Quelles réflexions l'enseignant soulève-t-il quant à l'utilisation des jeux vidéo en classe ? Relevez les réponses apportées par les élèves.

7. Par deux. Lisez à nouveau l'article (doc. 2).

a. Identifiez le plan de l'article. Analysez l'introduction, la progression des arguments et le contenu de la conclusion et démontrez que l'auteur met en place un raisonnement déductif.

b. Repérez et classez les connecteurs logiques utilisés dans cet article. Dans quelles parties sont-ils les plus présents ? Pourquoi ?

c. Selon vous, en quoi l'utilisation de jeux vidéo peut-elle se révéler pertinente au sein d'une classe ? Cet article vous a-t-il convaincu(e)s ? Échangez en petits groupes.

À NOUS !

8. Nous rédigeons un essai argumenté sur les intérêts pédagogiques d'un support. ► Stratégies p. 174

Seul(e) ou par deux.

a. Choisissez un support pédagogique que vous avez utilisé en cours ou lors d'une formation (jeu vidéo, site Internet, application, etc.).

b. Listez les différentes étapes de travail ainsi que les atouts qu'a présentés ce support.

c. Élaborez un plan déductif pour témoigner de votre expérience et discuter de l'intérêt du support utilisé, puis rédigez un essai argumenté (700 mots).

d. Lisez les différentes productions et déterminez les outils que vous pourriez mettre en place dans vos apprentissages.

LE JEU VIDÉO POUR ENSEIGNER L'HISTOIRE : SYNTHÈSE D'UNE APPROCHE THÉORIQUE ET PRATIQUE

Les jeux vidéo ont envahi tous les espaces de la vie publique, que ce soit sur les réseaux sociaux, sur les appareils mobiles, sur les consoles de maison ou les ordinateurs personnels, ce médium connaît un véritable « âge d'or » qui se traduit par des recettes records et une popularité sans précédent. Des différents thèmes abordés par les jeux vidéo, l'Histoire est, depuis le tout début, un sujet qui a fasciné les créateurs qui ont tenté de recréer (virtuellement) le passé. [...]

Il est intéressant d'envisager, sous un angle critique, le contenu d'un jeu comme *Civilization*[1], car les jeux vidéo historiques modernes proposent des aventures si immersives qu'un novice pourrait croire que le récit qu'ils proposent est vrai. Bien que cela soit « normal » puisque la fonction première des jeux est de divertir, il n'en reste pas moins que cela peut s'avérer problématique pour l'enseignant souhaitant l'intégrer dans sa classe, car la recherche tend à montrer que les élèves adhèrent facilement aux récits qu'on leur propose, qu'ils émanent de manuels, de l'enseignant ou de représentations fictives (populaires) de l'histoire [...]. Cet intérêt s'inscrit aussi dans le cadre du cours d'histoire au secondaire qui vise le développement des habiletés intellectuelles liées à la pensée historienne. [...] Ainsi, l'objectif n'est pas de créer de « petits historiens », mais plutôt de développer la pensée critique des élèves à l'aide d'un appareillage intellectuel, lié à la discipline, mais transférable à d'autres contextes. [...]

Nous avons utilisé *Civilization* avec une dizaine d'élèves de première secondaire lors d'une activité parascolaire. [...] Nous avons centré nos activités concomitantes[2] aux séances de jeu autour de la notion que les barbares sont la prétendue cause de la chute de l'Empire romain.

Chacune de nos séances était d'une durée de deux heures pour un total de huit séances. Lors de la première séance, les élèves ont été invités à découvrir le jeu en jouant une partie libre pouvant porter sur n'importe quel scénario historique. [...] La seconde étape était de s'assurer que les élèves disposaient des clés de compréhension nécessaire pour pouvoir analyser l'histoire de la chute de Rome telle que présentée par *Civilization*. Cette étape a été facilitée par le fait que les participants suivaient, en parallèle, leur cours régulier portant sur la romanisation. [...] Le troisième cours a servi pour sa part d'élément déclencheur. En grand groupe, les élèves devaient observer et se prononcer sur les représentations iconographiques des dirigeants de chacune des civilisations présentes dans le scénario. [...]

Les trois premiers cours étaient donc des cours de préparation des élèves sur les plans technique et cognitif. Dans ce cas, la phase de préparation a servi à s'assurer que les élèves avaient été en contact avec un certain nombre de connaissances essentielles, mais aussi qu'ils étaient familiers avec les mécaniques du jeu. La phase de préparation se termine par la formulation d'une hypothèse concernant les protagonistes du jeu. À ce stade, les élèves associaient les barbares à des envahisseurs puisqu'ils étaient représentés comme tels dans l'iconographie du jeu, alors que les Romains étaient plutôt présentés comme des gens civilisés et riches.

La phase de réalisation débute avec les cours quatre et cinq, où nous avons commencé à consigner toutes les caractéristiques des barbares que les élèves connaissaient et, surtout, que le jeu présentait. Puis, progressivement, d'autres sources d'information se sont greffées aux séances. [...] Les élèves vivaient un dilemme. Si une source première appuyait l'interprétation du jeu, une source encyclopédique récente (L'Intern@ute Histoire, 2012) venait la contredire en affirmant que la réalité barbare était autrement plus complexe, diversifiée. Cette source montrait notamment que les Germains étaient très présents à travers tout l'Empire romain, y vivaient et participaient même à sa défense. Que faire pour différencier le vrai du faux ? [...] En somme, il s'agit d'une activité qui vise à familiariser les élèves avec les opérations de la pensée historienne.

Ensuite, nous avons amené les élèves à remettre en question la crédibilité du jeu et de ses « objectifs » (qui sont de divertir). Puis, les élèves ont émis l'hypothèse, fort intéressante, que le jeu a besoin *de gentils et de méchants* et que c'est probablement pour cette raison que les barbares sont présentés ainsi. De plus, ils ont souligné que ce *n'est pas un livre d'histoire et ne peut pas tout expliquer*. [...]

Toujours dans la phase de réalisation, deux autres séances de jeu ont été consacrées à une collecte de données concernant les causes de la chute de Rome selon *Civilization*. Les élèves devaient déconstruire leurs connaissances antérieures et trouver des exemples concrets, dans le jeu, qui expliquaient la chute progressive de l'empire qu'ils tentaient de sauver. Ils devaient répondre aux questions : « Selon votre expérience de jeu avec le scénario de *Civilization 5*, quelle est la cause la plus importante de la chute de l'Empire romain ? » ainsi que « Dans un texte d'un maximum de 150 mots, racontez l'histoire de la chute de l'Empire romain telle que vous l'avez vécue dans le scénario de *Civilization*. » Ces deux questions ont permis de formaliser les causes de la chute de l'Empire romain telles que perçues par les élèves après avoir joué au jeu. Il ressort des réponses des élèves que la cause principale de la chute de l'Empire romain est « l'invasion de l'empire par les barbares ». [...]

Finalement, nous avons conclu cette séquence par une courte intégration qui consistait en une tâche réflexive mobilisant l'ensemble des savoirs acquis. La tâche se lit comme suit : « En mobilisant tout ce que vous avez appris, diriez-vous que le jeu vidéo *Civilization 5* donne une vision de la chute de Rome complète et exacte ? Expliquez. » Les réponses des élèves sont intéressantes. Par exemple, un élève écrit : « *Non, le jeu vidéo de* Civilization 5 *est très axé sur les invasions barbares et pas vraiment sur le critère politique et économique de la chute de l'Empire romain d'Occident* [...] » alors que d'autres soulignent l'absence des causes sociales ou encore du *biais* que nous avons envers les barbares en raison de sources comme celle d'Amiens Marcellin.

Somme toute, les élèves insistent sur le fait que malgré des faiblesses, le jeu présente une vision riche de la chute de l'Empire. Il semble que le plaisir qu'ils tirent de l'expérience du jeu les fasse hésiter à le critiquer trop sévèrement malgré leur capacité à cerner des *trous* importants : « *Malgré les choses fausses, je crois que* Civilization *est quand même réaliste pour un jeu vidéo.* [...] Civilisation 5 *est un bon jeu pour apprendre la chute de Rome.* » [...]

Comme nous l'avons montré, l'utilisation de jeux vidéo historiques, comme *Civilization* dans le cadre de situations où les élèves sont amenés à confronter différentes interprétations de l'histoire, semble être une piste d'intégration prometteuse. En effet, cela encourage l'élève à développer son sens critique, par l'entremise des compétences liées aux heuristiques[3] de la pensée historienne. En ce sens, cela nous semble une intégration pertinente et signifiante de ce moyen technologique. Toutefois, soulignons que les jeux vidéo historiques ne demeurent qu'un moyen et qu'il faut résister à l'envie d'en faire une fin. En guise de conclusion, retenons que le « monde des possibles » qu'offrent les jeux vidéo est fascinant et ouvre la porte à toute sorte d'applications pour la salle de classe.

Frédéric Yelle & Alexandre Joly-Lavoie, ledidacticien.com, 27 juin 2016.

1. *civilization* (angl.) : civilisation. 2. concomitant (adj.) : simultané. 3. heuristique (n. f.) : partie de la science qui a pour objet la recherche de documents.

- Faire le plan chronologique d'un exposé ▸ Doc. 1
- Rédiger un éditorial ▸ Doc. 2 et 3

LEÇON 2 Pays membres

1 À votre avis, pourquoi les pays d'un même continent souhaitent-ils construire des projets d'union politique ? Donnez des exemples. Échangez.

document 1 Vidéo n° 13

Le projet d'une Europe politique depuis le congrès de La Haye (1948)

2. En petits groupes. Regardez la vidéo (doc. 1).
- a. À qui s'adresse ce document et pourquoi ? Faites le lien avec le titre de l'émission.
- b. Relevez les événements fondateurs de la construction européenne et leur date. Regroupez-les par décennies.
- c. Quel est le type de plan adopté ? Qu'est-ce qui le distingue d'un exposé académique (exposé formel en classe par exemple) ? ▸| Stratégies p. 176

3. En petits groupes. Regardez à nouveau la vidéo (doc. 1).
- a. Distinguez et nommez les parties et les sous-parties (act. 2b). À quel temps les verbes sont-ils conjugués ? Pourquoi ?
- b. Par quoi le jeune homme commence-t-il son exposé ? Reformulez l'introduction de manière plus académique, comme si vous deviez présenter cet exposé à la classe (act. 2c).

4 Par deux.
- a. Choisissez un événement historique de votre pays. Cherchez les acteurs, les faits et les dates clés liés à cet événement.
- b. Préparez un plan chronologique structuré et rédigez une introduction.
- c. Présentez votre introduction et votre plan (2-3 minutes) à la classe.

5. Lisez l'éditorial (doc. 2).
- a. Qu'est-ce qu'un éditorial ? À quelle occasion celui-ci a-t-il été écrit ? ▸| Stratégies p. 178
- b. Expliquez ce qu'est la ZLEC.
- c. Quelle est l'opinion de l'éditorialiste à ce sujet ? Justifiez.

6. En petits groupes. Relisez l'éditorial (doc. 2) et observez la carte (doc. 3).
- a. Retrouvez les trois expressions montrant que l'entrée en vigueur de la ZLEC est fondamentale pour la construction de l'Union africaine (doc. 2).
- b. Listez et expliquez les raisons des difficultés de mise en place des échanges continentaux (doc. 2 et doc. 3).
- c. Selon l'éditorialiste, quel problème doit être résolu en premier (doc. 2) ? Justifiez.

7. Par deux. Lisez à nouveau l'éditorial (doc. 2).
- a. À quoi sert le titre ? Qu'annonce-t-il explicitement ?
- b. Quelle est la fonction des premiers (l. 4 à 16) et derniers paragraphes (l. 64 à 81) ?
- c. Expliquez la progression de l'argumentation dans les autres paragraphes (l. 17 à 63) (arguments, faits, prise de position).
- d. Repérez l'emploi du pronom « on » dans l'article. À qui ce pronom renvoie-t-il ? Pourquoi est-il utilisé ?

8. Nous rédigeons un éditorial.

En petits groupes.
- a. Choisissez un fait d'actualité majeur (signature d'un accord, élection d'un président, etc.).
- b. Dégagez les atouts et les écueils de cet événement.
- c. Trouvez un titre accrocheur et rédigez un éditorial (700 mots).

En groupe.
- d. Lisez les éditoriaux et commentez-les (respect de la syntaxe, du point de vue exprimé). Échangez. Publiez ensuite vos productions sur le réseau de la classe.

Vu du Burkina Faso.
En Afrique, « zone de libre-échange d'accord, mais sécurité d'abord ! »

Lors d'un sommet de l'Union africaine dimanche 7 juillet, les pays membres ont célébré l'entrée en vigueur de la Zone de libre-échange continentale africaine (ZLEC) qui doit favoriser le développement économique du continent. Pour ce journal burkinabé, c'est une avancée majeure mais des obstacles demeurent.

Une cinquantaine de chefs d'État et de gouvernement de l'Union africaine (UA) ont posé, ce 7 juillet à Niamey au Niger, la pierre angulaire de la construction de l'intégration des pays du continent. En officialisant l'entrée en vigueur de la Zone de libre-échange économique continentale (ZLEC), ils ont donné un second souffle à l'idéal du panafricanisme des pères fondateurs de l'Organisation de l'unité africaine (OUA) [créée en 1963], devenue UA [en 2002].

À défaut d'une unité politique de nos États jusqu'au fédéralisme, comme l'ont rêvé des icônes du panafricanisme comme [le Ghanéen] Kwame Nkrumah, [le Malien] Modibo Keïta ou [l'Éthiopien] Haïlé Sélassié, il faut leur donner toutes les chances de booster leur intégration économique en favorisant la complémentarité de leurs économies.

Réduire les droits de douane entre pays africains

Dans cette optique, une zone de libre-échange qui améliore les relations commerciales, la circulation des personnes et des biens, les investissements et l'emploi relève d'une bonne vision stratégique [seul l'Érythrée, parmi les 55 pays africains, n'a pas encore signé l'accord, dont le premier objectif est de réduire les droits de douane entre pays africains].

En effet, à long terme, les initiateurs de ce projet espèrent qu'il va contribuer à rompre la logique actuelle du commerce international qui fait de l'Afrique un réservoir de matières premières destinées à l'exportation, et un vaste marché de consommateurs [1,2 milliard d'Africains] des produits finis des pays industrialisés.

Ce legs de la domination coloniale handicape grandement l'industrialisation des pays africains et les échanges commerciaux entre eux [le commerce intra-africain stagne à 15 %, contre 67 % en Europe]. Il faut en sortir et le plus tôt serait le mieux. On comprend alors tout l'enjeu de ce sommet extraordinaire de Niamey, qualifié d'« *avancée historique* » dans le processus d'intégration des pays africains.

Faible industrialisation et contexte sécuritaire délétère[1]

Mais comme dit l'écrivain britannique Rudyard Kipling, « *il faut rêver sans laisser ton rêve être ton maître* ». À propos donc de la ZLEC, si l'on applaudit le leadership du président rwandais Paul Kagame, qui a porté sur les fonts baptismaux le traité fondateur, si l'on est admiratif de l'entregent[2] du président nigérien Mahamadou Issoufou, qui a accueilli ce sommet extraordinaire de l'UA, si l'on se félicite que 27 chefs d'État aient signé l'acte, lui donnant ainsi officiellement naissance, on ne peut oublier les énormes difficultés sociopolitiques qui vont rendre difficile sa mise en œuvre [prévue à partir du 1er juillet 2020].

Passe encore la faible industrialisation de la plupart des pays africains, l'état désastreux de leurs voies de communication, les entraves administratives à la libre circulation des personnes et des biens, les taxes douanières non harmonisées entre États, mais *quid* du[3] contexte sécuritaire délétère qui hypothèque la cohésion sociale et la paix sur le continent ? La paix n'est-elle pas la condition *sine qua non* des échanges commerciaux, de l'intégration économique et pour attirer des investissements ? Comment des États en proie à l'insécurité, à des conflits communautaires, insuffisamment administrés peuvent-ils efficacement s'intégrer dans une zone de libre-échange ?

Naissance d'un bébé avec des handicaps

On ne désespère pas de voir ce miracle dans cinq, dix, vingt ans, mais les faits sont têtus. Ils nous montrent une ville de Niamey transformée en camp retranché sous la coupe de 12 000 policiers, gendarmes et militaires à l'occasion du sommet inaugural de la ZLEC. Au-delà de Niamey, c'est tout le Niger et, au-delà du Niger, le Mali, le Burkina Faso, bref, tout le Sahel, qui souffrent de l'insécurité du fait des attaques récurrentes des terroristes qui s'y sont sanctuarisés.

Que dire également de la Libye, meurtrie par la guerre civile, de la Somalie qui vivote dans la peur des chebabs[4] islamistes, de la République démocratique du Congo (RDC) sous la menace des milices tribales dans ses provinces orientales et du Cameroun en butte au séparatisme ?

Hélas, les exemples ne manquent pas qui indiquent que la ZLEC est un bébé qui naît avec bien des handicaps dans un climat sécuritaire dégradé dans bien de pays africains. Dès lors, et sans afropessimisme, on est poussé à s'exclamer à l'adresse de l'Union africaine : zone de libre-échange d'accord, mais sécurité d'abord !

www.courrierinternational, publié le 08/07/2019.

1. délétère (adj.) : néfaste, nuisible. 2. entregent (n. m.) : diplomatie, fait de jouer de ses relations. 3. *quid* de (locution) : qu'en est-il de. 4. chebab (n. m.) : jeune combattant.

document 3

Carte des pays de la Zone de libre-échange continentale en Afrique (ZLEC)

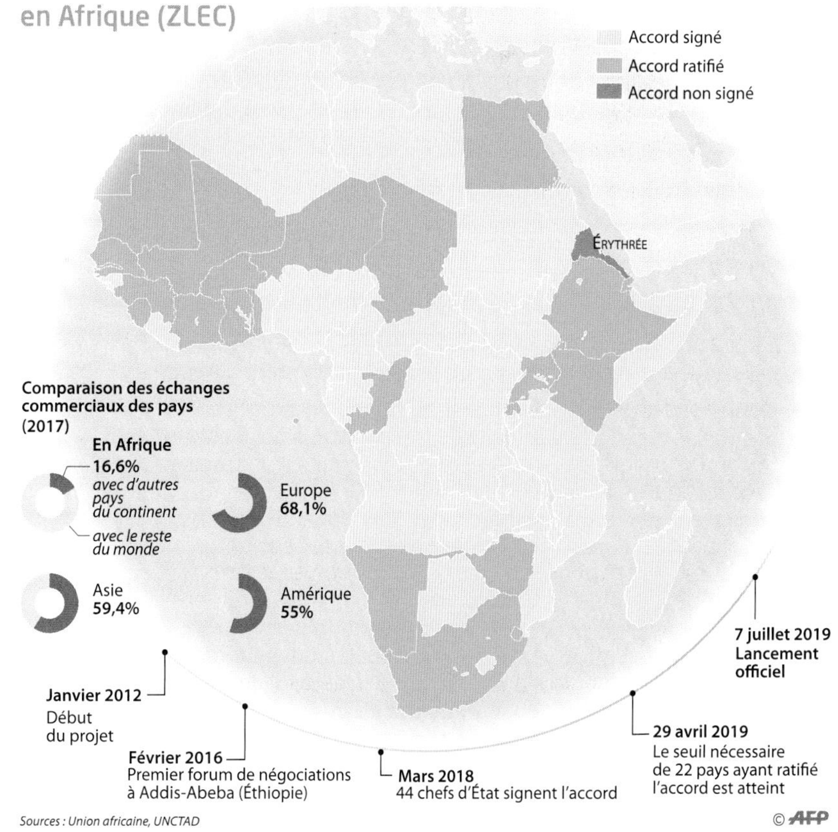

Accord signé
Accord ratifié
Accord non signé
ÉRYTHRÉE

Comparaison des échanges commerciaux des pays (2017)
En Afrique
16,6 % avec d'autres pays du continent
avec le reste du monde
Europe 68,1 %
Asie 59,4 %
Amérique 55 %

Janvier 2012 Début du projet
Février 2016 Premier forum de négociations à Addis-Abeba (Éthiopie)
Mars 2018 44 chefs d'État signent l'accord
29 avril 2019 Le seuil nécessaire de 22 pays ayant ratifié l'accord est atteint
7 juillet 2019 Lancement officiel

Sources : Union africaine, UNCTAD

© AFP

- Analyser un discours ▸ Doc. 1
- Faire une chronique ▸ Doc. 2

LEÇON 3 Souvenons-nous

document 1

Discours du président de la République Emmanuel Macron lors de la commémoration du centenaire de l'armistice – Paris – Dimanche 11 novembre 2018

Seul le prononcé fait foi

Le 7 novembre 1918, lorsque le caporal clairon Pierre Sellier sonna le premier cessez-le-feu, vers 10 heures du matin, bien des hommes ne purent y croire, puis sortirent lentement de leurs positions, pendant que, de loin en loin, sur les lignes, les mêmes clairons répétaient le cessez-le-feu puis faisaient entendre les notes de la sonnerie aux morts, avant que les cloches ne répandent la nouvelle, à la volée, dans tout le pays.
5 Le 11 novembre 1918, à 11 heures du matin, il y a cent ans, jour pour jour, heure pour heure, à Paris comme dans toute la France, les clairons ont retenti et les cloches de toutes les églises ont sonné.
C'était l'armistice. [...]
Nous devrions prendre un instant pour faire revenir à nous cet immense cortège des combattants où défilent des soldats de la métropole et de l'empire, des légionnaires et des garibaldiens avec des étrangers venus du monde entier, parce que la France
10 représentait, pour eux, tout ce qu'il y avait de beau dans le monde. [...]
Durant ces quatre années, l'Europe manqua de se suicider. L'humanité s'était enfoncée dans le labyrinthe hideux d'affrontements sans merci, dans un enfer qui engloutit tous les combattants, de quelque côté qu'ils soient, de quelque nationalité qu'ils soient.
Dès le lendemain, dès le lendemain de l'armistice, commença le funèbre décompte des morts, des blessés, des mutilés, des disparus. Ici en France, mais aussi dans chaque pays, les familles pendant des mois attendirent en vain le retour d'un père, d'un
15 frère, d'un mari, d'un fiancé, et parmi ces absents, il y eut aussi ces femmes admirables engagées auprès des combattants.
10 millions de morts.
6 millions de blessés et mutilés.
3 millions de veuves.
6 millions d'orphelins.
20 Des millions de victimes civiles.
1 milliard d'obus tirés sur le seul sol de France. [...]
Les traces de cette guerre ne se sont jamais effacées ni sur les terres de France, ni sur celles de l'Europe et du Moyen-Orient, ni dans la mémoire des hommes partout dans le monde.
Souvenons-nous ! N'oublions pas ! Car le souvenir de ces sacrifices nous exhorte[1] à être dignes de ceux qui sont morts pour nous,
25 pour que nous puissions vivre libres !
Souvenons-nous : ne retranchons rien de ce qu'il y avait de pureté, d'idéal, de principes supérieurs dans le patriotisme de nos aînés. Cette vision de la France comme Nation généreuse, de la France comme projet, de la France porteuse de valeurs universelles, a été dans ces heures sombres exactement le contraire de l'égoïsme d'un peuple qui ne regarde que ses intérêts.
Car le patriotisme est l'exact contraire du nationalisme : le nationalisme en est la trahison. En disant « nos intérêts d'abord et
30 qu'importent les autres ! », on gomme ce qu'une Nation a de plus précieux, ce qui la fait vivre, ce qui la porte à être grande, ce qui est le plus important : ses valeurs morales. [...]
Cela s'appelle, sur notre continent, l'amitié forgée entre l'Allemagne et la France et cette volonté de bâtir un socle d'ambitions communes. Cela s'appelle l'Union européenne, une union librement consentie, jamais vue dans l'Histoire, et nous délivrant de nos guerres civiles. Cela s'appelle l'Organisation des Nations unies, garante d'un esprit de coopération pour défendre les biens
35 communs d'un monde dont le destin est indissolublement lié et qui a tiré les leçons des échecs douloureux de la Société des Nations comme du traité de Versailles.
C'est cette certitude que le pire n'est jamais sûr tant qu'existent des hommes et de femmes de bonne volonté. Soyons sans relâche, sans honte, sans crainte ces femmes et ces hommes de bonne volonté !
Je le sais, les démons anciens resurgissent, prêts à accomplir leur œuvre de chaos et de mort. Des idéologies nouvelles manipulent
40 des religions, prônent un obscurantisme contagieux. L'Histoire menace parfois de reprendre son cours tragique et de compromettre notre héritage de paix, que nous croyions avoir définitivement scellé du sang de nos ancêtres.
Que ce jour anniversaire soit donc celui où se renouvelle l'éternelle fidélité à nos morts ! Faisons, une fois de plus, ce serment des Nations de placer la paix plus haut que tout, car nous en connaissons le prix, nous en savons le poids, nous en savons les exigences !
Nous tous ici, dirigeants politiques, nous devons, en ce 11 novembre 2018, réaffirmer devant nos peuples notre véritable, notre
45 immense responsabilité, celle de transmettre à nos enfants le monde dont les générations d'avant ont rêvé. [...]
Ensemble, nous pouvons rompre avec la nouvelle « trahison des clercs[2] » qui est à l'œuvre, celle qui alimente les contre-vérités, accepte les injustices qui minent nos peuples, nourrit les extrêmes et l'obscurantisme contemporain.
Ensemble, nous pouvons faire surgir l'extraordinaire floraison des sciences, des arts, des échanges, de l'éducation, de la médecine que, partout dans le monde, je vois poindre[3] car notre monde est, si nous le voulons, à l'aube d'une époque nouvelle, d'une
50 civilisation portant au plus haut les ambitions et les facultés de l'homme. [...]
En ce 11 novembre 2018, cent ans après un massacre dont la cicatrice est encore visible sur la face du monde, je vous remercie pour ce rassemblement de la fraternité retrouvée du 11 novembre 1918.
Puisse ce rassemblement ne pas être seulement celui d'un jour. Cette fraternité, mes amis, nous invite, en effet, à mener ensemble le seul combat qui vaille : le combat de la paix, le combat d'un monde meilleur.
55 Vive la paix entre les peuples et entre les États !
Vive les nations libres du monde !
Vive l'amitié entre les peuples !
Vive la France !

1. exhorter (v.) : inviter, appeler. 2. *La Trahison des clercs* : titre de l'ouvrage de Julien Beda qui dénonce la capitulation des intellectuels français. 3. poindre (v.) : naître, émerger.

En petits groupes. Quel(s) événement(s) historique(s) commémore-t-on dans votre pays ? Que pensez-vous de ces commémorations ? Échangez. ▸| Culture et société p. 195

2. En petits groupes. Lisez le discours (doc. 1).

a. Quand a-t-il été prononcé ? À qui est-il adressé ? Justifiez.

b. Identifiez les trois parties de ce discours. Donnez-leur un titre.

c. Quel est le ton dominant ? Justifiez.

3. Par deux. Relisez le discours (doc. 1).

a. Quel est le bilan de la Première Guerre mondiale ? Relevez le lexique associé à la fin de la guerre et classez-le.

b. Qu'est-ce que le président Emmanuel Macron choisit de commémorer ? Expliquez les raisons de ce choix.

4. Par deux. Lisez à nouveau le discours (doc. 1).

a. Quel temps est utilisé dans la première partie ? Qu'apporte-t-il à la suite du discours ?

b. Relevez les anaphores*. Quelles sont celles associées aux faits historiques (passés ou futurs) et à la mémoire historique ? À votre avis, quel effet cela produit-il sur l'auditoire ?

c. Comment se termine le discours ? Faites le lien avec la question 4b.

* Reprises d'un même mot au début de phrases successives.

En petits groupes. Le président Emmanuel Macron passe des faits historiques à la mémoire historique. Pourquoi, à votre avis ? Qu'apportent ces différents éléments ? Échangez.

En petits groupes.

a. Choisissez un discours (ou un extrait) prononcé lors d'une commémoration historique dans votre pays.

b. Analysez les faits historiques évoqués et la place de la mémoire dans ce discours.

c. Présentez le discours à la classe en expliquant le contexte et le rôle de la mémoire. Échangez.

DOC. 2 – les poilus : surnom donné aux soldats de la Première Guerre mondiale.

document 2 44

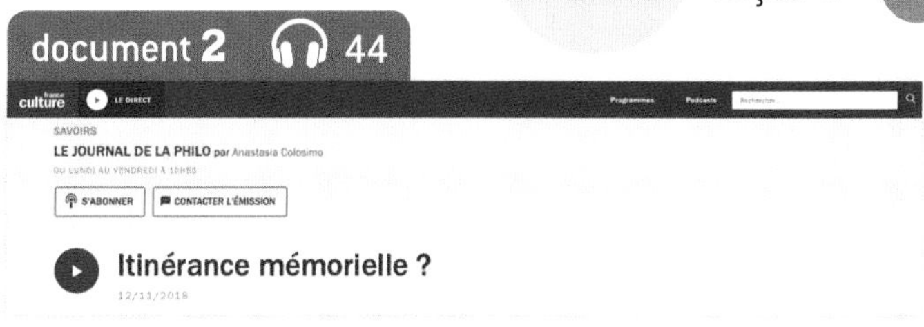

7. 44 En petits groupes. Écoutez la chronique (doc. 2).

a. À quelle occasion cette chronique a-t-elle été diffusée ?

b. La chroniqueuse prend-elle position ? Est-ce typique d'une chronique ? Échangez.

c. Quelles questions la chroniqueuse se pose-t-elle ? Déduisez-en la problématique de cette chronique.

d. Repérez et nommez les trois parties. Quelle idée est introduite entre la deuxième et la troisième partie ? Expliquez-la. Quelle est la particularité de la conclusion ?

8. 44 Par deux. Réécoutez la chronique (doc. 2).

a. Selon la chroniqueuse, pourquoi les présidents de la République accordent-ils de l'importance aux cérémonies commémoratives ?

b. Reformulez les définitions de l'histoire et de la mémoire données par Pierre Nora.

c. Selon la chroniqueuse, quelles questions Emmanuel Macron avait-il en tête lorsqu'il a prononcé son discours ? Pourquoi ?

d. Démontrez que cette chronique a été rédigée (intonation, rythme, pauses, etc.).

9. Nous enregistrons une chronique.

Par deux.

a. Choisissez un événement d'actualité et réfléchissez aux questions qu'il soulève.

b. Déduisez-en une problématique et prenez position.

c. Rédigez un plan et reliez les différentes parties par des transitions.

d. Rédigez votre chronique (700 mots) et enregistrez-la en respectant les codes de l'élocution (intonation, rythme, etc.) (5 minutes). ▸| Stratégies p. 181

e. Diffusez votre chronique dans la classe et échangez.

POUR ALLER PLUS LOIN

En petits groupes. Dans sa chronique, Anastasia Colosimo cite Trafalgar, l'Alsace-Lorraine et le discours du Vel d'Hiv. À quels événements ces métonymies* font-elles référence ? Présentez-les à la classe. Donnez un exemple de métonymie associée à un événement historique de votre pays.

* Figure de style de substitution, qui consiste à désigner un élément par un autre avec lequel il entretient un rapport logique.

- Analyser et rédiger le plan d'une plaidoirie ▶ Doc. 1
- Comprendre l'influence du contexte et de l'opinion publique sur un procès ▶ Doc. 2

LEÇON 4 La cour !

document 1

Plaidoirie prononcée par Michel Zaoui, [40e] avocat des parties civiles, le 16 mars 1998, devant la cour d'assises de la Gironde lors du procès de Maurice Papon[1]

« Monsieur le président, Madame et Monsieur de la cour, Mesdames et Messieurs les jurés, il m'incombe[2] la lourde responsabilité de clore les voix des parties civiles qui, pendant dix-sept années, ont réclamé justice et réclamé d'être reconnues comme victimes des agissements criminels de Maurice Papon.

D'ordinaire devant une cour d'assises, l'environnement du crime de droit commun est connu : un ou plusieurs morts, des pièces à conviction, des témoins directs, parfois indirects, des empreintes digitales ou génétiques. Or qu'avons-nous ici ? Au lieu de cadavres, nous avons des listes de noms, de prénoms, d'adresses, des listes de nationalités. Au lieu d'experts médecins, nous avons des témoins historiens. [...] Au lieu d'un accusé ordinaire, nous avons devant nous un homme qui a connu une carrière exceptionnelle.

Lorsque vous jugez un crime ordinaire, le criminel va comparaître et on va l'interroger sur sa vie familiale, professionnelle, son environnement affectif. On va essayer de comprendre cet accusé, de trouver un lien entre sa vie privée et l'acte criminel qu'il a commis. Ce n'est plus le cas dans le crime contre l'humanité. Peu me chaut[3] la vie privée et psychologique de Maurice Papon. Dans le cadre du crime contre l'humanité, on abandonne la sphère de la vie privée. Au moment où Maurice Papon prend en main le service des Questions juives, il entre dans la vie publique, dans la vie politique. Nous ne sommes plus dans le cadre de la vie privée d'un individu. Et cela, c'est une différence supplémentaire entre crime contre l'humanité et crime ordinaire de droit commun. [...] C'est la raison pour laquelle nous avons fait venir les grands témoins historiens. Or, nous avons fait venir ces historiens pour nous parler de cette vie publique dans laquelle s'est mû Maurice Papon. C'est cela que nous avions besoin d'entendre. Car si vous l'enlevez du régime de Vichy, Maurice Papon n'est rien. Il est une huître sur une plage et rien d'autre. Mais dans le régime de Vichy, vous allez comprendre pourquoi il a agi de telle ou telle manière. Maurice Papon est la traduction de ce qu'est le régime de Vichy, il en est une sorte de figure emblématique.

Maurice Papon veut faire entrer les contours du crime contre l'humanité dans un cadre qui nous est à tous plus habituel, celui du crime de droit commun. Mais ce cadre est trop étroit. [...]

En droit commun, c'est le criminel qui va vers la victime. Par exemple, il va chez son voisin et lui tire dessus. Mais avec le crime contre l'humanité, c'est l'inverse. L'assassin ne va jamais vers les victimes. L'assassin de bureau va envoyer sa victime vers le lieu du meurtre, vers Drancy et plus loin encore. Avec le crime contre l'humanité, ce sont les victimes qui vont vers le lieu de leur anéantissement. Avec le crime administratif, le crime de bureau, les massacres sont anonymes, les victimes ne figurent que sur des listes. Les auteurs ne sont pas connus non plus, personne n'a tué, personne n'a de sang sur les mains. Le service des Questions juives répond à un ordre allemand pour un convoi prévu le jour même et la machine va se mettre en marche. Les trains partiront à l'heure. On aurait pu imaginer qu'ils partent en retard, mais non, ils partent tous à l'heure. C'est cela la machine bureaucratique française qui se met en marche.

Nous sommes face au crime de bureau. Le crime contre l'humanité est ici un crime unique qui se décompose en une infinité d'actes criminels indissociables les uns des autres. C'est pourquoi il ne peut être dissocié du crime administratif, et nous sommes bien loin du crime ordinaire de droit commun dans son sens traditionnel. Maurice Papon, qu'il le veuille ou non, a participé à cette chaîne de mort où chaque maillon est d'égale importance. Dans le crime administratif, les auteurs sont dispersés tout au long de cette chaîne et sont souvent si nombreux qu'ils ne se connaissent pas. Un individu seul ne peut pas être complice d'un crime contre l'humanité. Cela passe obligatoirement par la mise en œuvre d'un réseau de fonctionnaires. Il faut que le processus administratif se mette en marche pour que le crime administratif se mette en place.

Rappelez-vous ce qu'a dit Maurice Papon sur le cas Librach qui va passer par Mérignac, avant de partir à Drancy. Maurice Papon a ce mot terrifiant : « C'était la fin de la procédure. » C'est un mot terrible ! Mais quand on y réfléchit, cela signe bien un crime de bureau. Léon Librach va se retrouver à Drancy à l'issue de toute une procédure administrative. La sécheresse du propos de Maurice Papon fait penser à la phrase de Kafka : « Les chaînes de l'humanité torturée sont faites de papier de ministère. » [...]

Monsieur le président, Madame et Monsieur de la cour, Mesdames et Messieurs les jurés, j'en ai terminé. Ce procès, je crois, est essentiel pour la mémoire de notre pays. Il a montré que les cinquante-cinq ans passés n'ont pas favorisé l'oubli mais brisé l'amnésie française. C'est faire œuvre de justice mais l'œuvre de justice, cette grande affaire des hommes, est là aussi pour porter secours à la solitaire douleur des survivants et de ceux qui vivent dans leur chair la mémoire de la tragédie. L'œuvre de justice est là pour apporter une réponse qui ne soit pas indigne de l'irréparable. J'éprouve une appréhension terrible devant le silence qui va succéder aux paroles de mes confrères et aux miennes en cet instant, ce silence qui va couvrir les voix des parties civiles qui ont cherché à vous expliquer leur souffrance et à vous démontrer la responsabilité pleine et entière de Maurice Papon, coupable de complicité de crime contre l'humanité. Votre verdict fera qu'elles ne continueront plus à vivre dans le silence et dans l'oubli. »

Verdict : le 2 avril 1998, la cour d'assises de la Gironde condamne Maurice Papon à dix années de réclusion criminelle pour complicité de crime contre l'humanité.

Matthieu Aron, *Les Grandes Plaidoiries des ténors du barreau*, éditions Pocket, 2018.

1. Maurice Papon : secrétaire général de la préfecture de la Gironde, qui dirigeait le service des Questions juives.
2. incomber (à quelqu'un) : appartenir. 3. peu me chaut (litt.) : peu m'importe.

En petits groupes. Connaissez-vous des procès historiques ? Présentez-en un succinctement. Faites des recherches si nécessaire.

▸| Culture et société p. 195

2. Par deux. Lisez le chapeau et le début de la plaidoirie (l. 1 à 3) (doc. 1).

a. De quel procès s'agit-il ? Dans quel contexte historique s'inscrit-il ? Faites des recherches sur le président au pouvoir, sa position face à la Seconde Guerre mondiale, etc. Déduisez l'importance historique de ce procès.

b. À quel moment du procès cette plaidoirie a-t-elle lieu ?

3. Par deux. Lisez la plaidoirie (doc. 1).

a. Expliquez la différence que fait Michel Zaoui entre crime « ordinaire » et crime « de bureau ». À quoi associe-t-il ce dernier ?

b. Quels sont les deux objectifs de son raisonnement ? Justifiez.

c. Comment formule-t-il la conclusion (péroraison) de sa plaidoirie ? Quel est son but ?

d. Listez le lexique spécifique à un procès. Complétez avec d'autres mots que vous connaissez et mettez en commun avec la classe.

4. Par deux. Relisez la plaidoirie (doc. 1).

a. Identifiez les différentes parties de la plaidoirie. Comment l'avocat s'adresse-t-il à la cour ?

b. L'avocat alterne raisonnement rationnel (logos) et raisonnement basé sur l'affect (pathos). Relevez un exemple d'argument pour chacun de ces raisonnements. Quels effets la combinaison de ces deux registres produit-elle ?

c. En quoi le style de cette plaidoirie est-il très théâtral ? Analysez le rythme, les figures de style, l'humour. Cette dernière caractéristique vous semble-t-elle adaptée au contexte ? Quel est l'effet recherché ? Échangez.

d. Qu'apporte la référence littéraire « les chaînes de l'humanité torturée sont faites de papier de ministère » (l. 36) : pour le public ? pour les magistrats ? Échangez.

En petits groupes.

a. Reprenez les arguments de Michel Zaoui (act. 3 et 4).

b. Imaginez la défense de Maurice Papon en vous opposant aux arguments de Michel Zaoui.

c. Présentez vos arguments à la classe. Échangez.

Procès d'Abdelkader Merah : qu'est-ce qu'une cour d'assises spéciale ? — Société

En 2012, sept personnes dont trois enfants d'une école juive étaient froidement exécutées par Mohamed Merah au nom du djihad : le frère du tueur, Abdelkader Merah, 35 ans, est jugé pour « complicité » dans cette affaire. Le procès se tiendra devant la cour d'assises spéciale de Paris.

6. 45 En petits groupes. Lisez l'encadré et écoutez l'émission (doc. 2).

a. À quelle occasion cette émission a-t-elle lieu ?

b. Identifiez la particularité d'une cour d'assises spéciale. Quand a-t-elle été mise en place et pourquoi ?

c. Le journaliste confond les termes « audition » et « audience ». Donnez la définition de chacun de ces mots.

d. Connaissez-vous les différentes cours de justice présentes dans votre pays ? Faites des recherches si nécessaire. Échangez.

7. 45 Par deux. Réécoutez l'émission (doc. 2).

a. Les intervenants parlent de contexte « actuel ». De quel contexte s'agit-il ? Expliquez comment celui-ci peut influencer les débats.

b. Relevez les raisons de l'importance de ce procès.

c. Quelles différences y a-t-il entre ce procès et le procès Papon (doc. 1) ?

d. Relevez le lexique juridique. Complétez votre liste (act. 3d).

En petits groupes. La pression populaire sur la justice est-elle importante dans votre pays lors des grands procès ? Pensez-vous qu'ils doivent être filmés ? Échangez.

À NOUS !

9. Nous rédigeons le plan d'une plaidoirie et présentons notre introduction.

En petits groupes.

a. Choisissez un procès historique (act. 1). Identifiez les accusés et les parties civiles.

b. Mettez-vous à la place de l'avocat(e) d'une de ces parties.

c. Imaginez les arguments (logos et pathos) de votre plaidoirie et préparez le plan.

d. Rédigez l'introduction (le contexte historique et le rappel des faits) avec les formulations juridiques appropriées. Aidez-vous de votre liste (act. 3d et 7d).

e. Lisez votre introduction avec l'intonation adaptée et présentez votre plan à la classe. Échangez.

DOC. 2 – déraper (v.) : ici s'écarter de ce qui est prévu.

MOTS et EXPRESSIONS

Leçon 1 – Au tableau !

1. Complétez l'article avec les éléments suivants.
la mémoire • la pensée historienne • contenu historique • un outil pédagogique supplémentaire • bien documentés • introduire le jeu vidéo • repérer les invraisemblances historiques • traiter de l'Empire romain • remettre en question la crédibilité du jeu • s'immerger dans un passé reconstitué et vivant • éveiller l'esprit critique des élèves • à ne pas croire aux récits historiques de ces jeux • à avoir du recul • issus de manuels d'histoire • support de cours

Enseignant en histoire-géographie dans le Puy-de-Dôme, William Brou a créé une chaîne YouTube très populaire où il teste et critique les jeux vidéo à … .
Cette expérience lui a donné une légitimité pour … en classe. Son inspecteur d'académie, intéressé par les technologies de l'information et de la communication pour l'enseignement, lui a demandé de travailler avec des ressources numériques, et il a décidé d'utiliser la bande-annonce d'*Assassin's Creed* pour évoquer… de la prise de la Bastille.
« J'ai aussi travaillé sur la Première Guerre mondiale avec les élèves de troisième à partir du jeu *Battlefield 1*, dit-il. Les élèves devaient … et … en s'appuyant sur des documents … que nous avions précédemment analysés en classe. Pour moi, cela a été l'occasion de leur faire développer des habiletés intellectuelles liées à … . » Sensibilisé lui-même à l'histoire grâce aux jeux vidéo, l'enseignant a également choisi d'utiliser *Caesar III* pour … avec les classes de sixième.
« Le jeu vidéo est …, très adapté à notre société de l'image, mais ce n'est jamais une fin en soi, assure-t-il. Je m'en sers ponctuellement comme … pour expliquer des notions un peu complexes telles que la romanisation, par exemple, ou pour permettre à l'élève de …, même s'il n'est pas toujours très réaliste. »
Le professeur n'est pas dérangé par le fait que le jeu reste une fiction. Il entend d'abord l'utiliser pour … . Les études montrent bien que les élèves adhèrent quasi entièrement aux récits qu'on leur propose. « À l'époque des *fake news* ou autres théories du complot, mon objectif est de leur apprendre … par rapport aux images et …, même si certains sont rigoureux et … . Aussi fidèles soient-ils, ils restent le fruit d'un discours et d'une vision du monde dont il faut avoir conscience », insiste-t-il.

D'après https://www.la-croix.com.

Leçon 2 – Pays membres

2. a. Associez les éléments.

La construction de l'Europe

1. les pères fondateurs
2. les objectifs initiaux
3. les institutions
4. les effets sur la vie quotidienne
5. la crise

a. utiliser une monnaie commune
b. Jean Monnet et Robert Schuman
c. garantir la paix
d. la Cour de justice
e. développer l'économie
f. se déplacer librement dans n'importe quel pays de l'UE
g. la sortie d'un état membre
h. reconstruire l'Europe de l'Ouest
i. le Parlement
j. l'euroscepticisme

b. À l'aide de ce lexique, présentez l'Union européenne.

3. a. Associez les mots et expressions à leur définition.

1. une zone de libre-échange
2. le panafricanisme
3. les droits de douane
4. un processus d'intégration

a. Doctrine qui tend à développer l'unité et la solidarité africaines.
b. Impôt prélevé sur une marchandise importée lors de son passage à une frontière.
c. Espace constitué de pays membres supprimant entre eux les droits de douane ainsi que les restrictions quantitatives à l'importation.
d. Mise en place d'une unification des politiques économiques entre différents états qui deviennent membres d'une même communauté.

b. Utilisez chacun(e) de ces mots ou expressions dans un court texte.

Leçon 3 – Souvenons-nous

4. Lisez les témoignages et remplacez les éléments en gras par des mots ou expressions de même sens ou de sens proche.

a. « J'attends qu'on me soigne. L'hôpital est surchargé. On m'a allongé sur un lit et, depuis, j'attends les soins. Autour de moi, des centaines de **blessés**, des hommes amputés, défigurés… »
b. « Hier, vers 19 heures, on a reçu l'ordre de **lancer une offensive sur** la tranchée ennemie à un peu plus d'un kilomètre. Pour arriver là-bas, on doit courir, tirer et avancer. Nous sommes **de la chair à canon**. Les cadavres tombent. »
c. « Ma chérie, ce 11 novembre 1918, la **Grande Guerre** prend fin. Je n'en reviens pas. On a assisté à la **plus grande boucherie** de l'histoire de l'humanité. Combien de **soldats** morts, combien de disparus ? »
d. « La radio nous informe que **les hostilités** cesseront ce matin à onze heures. Est-ce possible ? Est-ce vrai ? C'est la fin ! C'est la liesse dans les **bataillons**. On pleure, on rit, on court vers le village pour boire et boire encore. »
e. « **L'armistice** a enfin sonné, c'est **une libération** pour nous, **les soldats des tranchées**, qui n'avons pas vu nos proches depuis plusieurs années. »
f. « Nous sommes très bien reçus par les habitants qui nous racontent les misères qu'ils ont endurées. Tous **les gens qui n'ont pas combattu** nous saluent avec allégresse, on lit sur tous les visages une joie profonde. »
g. « Plus jamais de **bombes** ! Plus de gaz ! La paix ! »

5. Choisissez les mots ou expressions corrects. Plusieurs réponses possibles.

a. Ma grand-mère aimait *se remémorer / mémoriser* son passé et raconter *des mémoires / des souvenirs* de la France sous l'Occupation.
b. « C'est un homme qui aimait l'armée, mais qui n'aimait pas la guerre, et c'est important », *se remémore / se rappelle* sa compagne.
c. Dans le cadre du centenaire de la guerre de 1914-1918, la classe du lycée Riess a réalisé une exposition s'intitulant « *Souvenons-nous de / Rappelons* 14-18 ».
d. Faut-il encore *garder en mémoire / commémorer* le 11 novembre ?
e. Comme chaque année, des écoles de Lille *ont accompli leur devoir de mémoire / se sont remémorés* devant la stèle aux enseignants décédés lors de la Première Guerre mondiale. *Cette mémoire / commémoration* était précédée d'un travail autour *du rappel / de la mémorisation / du souvenir*, dans plusieurs écoles lilloises.
f. « Nous devons *nous souvenir du / garder en mémoire le* dévouement de ces hommes qui ont donné leur vie pour la liberté », rappelle Guy Hennequin, président du Comité du Souvenir français.

Leçon 4 – La cour !

6. Trouvez l'intrus.

a. juré • magistrat • avocat
b. témoin • parties civiles • juge
c. assassin • complice • auteur des faits
d. grand banditisme • terrorisme • escroquerie
e. empreinte digitale • preuve • verdict
f. auditoire • audience • procès

7. Repérez les définitions incorrectes et corrigez-les.

a. L'avocat des parties civiles prononce une plaidoirie.
b. Les accusés sont des citoyens qui participent aux côtés des magistrats professionnels au jugement des crimes, au sein de la cour d'assises.
c. La cour d'assises est une juridiction départementale, compétente pour juger les personnes accusées d'avoir commis une infraction (assassinat, meurtre, empoisonnement, rapt, viol, vol à main armée…).
d. Une pièce à conviction est un objet saisi, placé sous scellé, conservé sous l'autorité judiciaire et nécessaire à la recherche de la vérité dans une affaire pénale.
e. La notion de crime ordinaire de droit commun est une notion de droit pénal international. Cette notion désigne tout crime commis à l'égard d'une population : l'extermination, la réduction en esclavage, la déportation, ou tout autre acte inhumain, pour des motifs politiques, raciaux, religieux.

Compréhension des écrits

Lisez l'article puis répondez aux questions.

▸| Stratégies p. 168

Vie numérique : place à l'éthique

Il y eut l'âge d'or, celui des promesses. Le temps insouciant d'un numérique qui émancipe, qui foudroie les frontières, libère les savoirs, décuple les possibles, individuels et collectifs... Et puis il y a, après l'euphorie, comme un goût de lendemain de fête. Lorsque, dégrisé, l'on découvre que la réalité a bel et bien mouché la fiction.

Le « bon » numérique a-t-il définitivement cédé la place à son pendant totalitaire, dévoreur de données et de libertés ? Pas si sûr, ou du moins pas encore. Car le débat éthique, indispensable garde-fou, existe et prend de l'ampleur. « *Amitié, réputation, confiance... La société numérique bouleverse la nature des liens entre les hommes. Se demander sur quoi l'on veut désormais fonder nos conduites n'a jamais été aussi nécessaire et urgent* », justifie le président du comité d'éthique du CNRS, Jean-Gabriel Ganascia. Bonne nouvelle : « *La question de l'éthique, balbutiante il y a encore dix ans, est sur toutes les lèvres aujourd'hui.* »

Trois phénomènes, en particulier, ont poussé l'éthique à s'inviter à la table de nos vies numériques, estime Jacques-François Marchandise, directeur de la recherche et de la prospective au think tank Fing. D'abord, « *la généralisation et la médiatisation du thème de l'IA (Intelligence artificielle), avec tous les fantasmes, excités ou angoissés, qu'elle a fait naître* » ; ensuite, « *l'influence des visions utopiques et un peu givrées des pontes du web américain, Zuckerberg ou Elon Musk en tête* » ; enfin, « *la montée très forte de la biométrie, qui a franchi dernièrement des paliers encore difficilement imaginables il y a peu* ».

Résultat, convoquer l'éthique est à la mode. « *Universités, entreprises, pouvoirs publics... Les comités et les chartes se multiplient depuis 2016* », relève Jean-Gabriel Ganascia. *Fake news*, algorithmes, IA, protection des données personnelles, biométrie... Chacun, à son niveau, cogite. De la Commission européenne, qui s'est dotée d'un « groupe d'experts de haut niveau sur l'IA », aux instituts de recherche spécialisés, comme la très productive Cerna (Commission d'éthique sur la recherche en sciences et technologies du numérique d'Allistene). En passant, bien sûr, par les autorités de contrôle – l'incontournable Cnil – mais aussi par le privé, à l'image du Cigref, association de grandes entreprises portées sur le numérique, qui a imaginé et édité en 2018 un référentiel « Éthique et numérique » destiné à sensibiliser ses troupes.

Avec ce risque : confiner l'éthique aux déclarations d'intention. « *Éditer des kilomètres de charte ne suffit plus,* prévient Jean-Gabriel Ganascia. *Il est temps d'être pragmatique et de s'entendre, non pas sur des grands principes, mais sur les compromis concrets que nous sommes prêts à concéder au "trilemme éthique", celui qui fait entrer en conflit vie privée, sécurité et transparence.* »

Les urgences sont diverses. La première : ouvrir le débat. « *Aujourd'hui, entre les experts, les entreprises et les pouvoirs publics, il manque une voix, essentielle, celle des citoyens* », regrette Jennyfer Chrétien, déléguée générale du think tank Renaissance numérique. « *Or, comment décider de ce que nos sociétés sont prêtes ou non à accepter sans consulter la population ?* » « *Il y a une véritable urgence à débattre car certains choix, par exemple en matière de reconnaissance faciale, seront irréversibles en termes de libertés,* estime Jacques-François Marchandise (Fing). *La difficulté actuelle,* note-t-il toutefois, *est que la société civile numérique n'existe pas, ou pas encore. Il faut créer cette agora.* »

Deuxième urgence, et pas des moindres, faire appliquer la loi. Ou comment, quand l'éthique tâtonne, jouer la carte de la conformité. Les cadres, s'ils demeurent imparfaits, ne manquent pas : loi pour une République numérique (2016), loi « Informatique et Libertés », rénovée en 2019, suite à la petite révolution du RGPD (Règlement sur la protection des données personnelles), en vigueur depuis mai 2018.

« *Les autorités de régulation, comme la Cnil, le CSA ou l'Arcep, sont en train de se renforcer pour être en adéquation avec leurs nouvelles missions de contrôle, mais les moyens manquent* », souligne Jennyfer Chrétien (Renaissance numérique). Celles-ci sont en effet démunies face à l'explosion du nombre des dossiers, à l'image de la Cnil, submergée par quelque 11 900 plaintes dans l'année suivant l'entrée en vigueur du RGPD. En 2018, sa présidente d'alors filait la métaphore vestimentaire pour alerter l'État : « *Tous les métiers de la Cnil craquent, comme dans un habit trop étroit.* » Conséquence, les sanctions ne suivent pas. En février 2018, après huit mois d'exercice, le cabinet d'avocats DLA Piper dénombrait seulement 91 amendes pour 59 000 violations notifiées dans 28 pays.

Surtout, les géants du Net semblent pour l'heure épargnés. En France, la Cnil a bien tenté de taper du poing sur la table, infligeant à Google une amende remarquée (50 millions d'euros), mais la riposte demeure trop isolée en Europe, et sous-dimensionnée au regard des sanctions permises par le RGPD. « *La loi prévoit des amendes à hauteur de 4 % du chiffre d'affaires mondial de l'entreprise incriminée, soit, dans le cas de Google, une amende potentielle de 4 milliards d'euros. Les 50 millions infligés semblent donc dérisoires,* souligne Sylvain Steer (LQDN). *Il manque aujourd'hui un véritable courage politique pour faire respecter la loi par des géants du Net devenus des partenaires incontournables des gouvernements.* »

Le temps que le rappel à la loi soit opérationnel, d'autres leviers sont actionnables, comme celui de la réputation des entreprises. « *Le sentiment par les acteurs du marché d'être jugés sur l'éthique est un vecteur de changement très efficace* », estime

Jacques-François Marchandise. Une pression qui joue d'ailleurs à deux niveaux : « *De l'extérieur, avec les consommateurs, mais aussi de l'intérieur, avec les salariés. Certaines entreprises y sont d'ailleurs déjà confrontées, qui voient leurs développeurs quitter le navire, en quête de pratiques plus conformes à leurs valeurs.* »
Côté consommateurs, une tendance montante pourrait à terme faire la différence : la certification. Concrètement, il s'agirait de labelliser les entreprises, produits et services, selon leur bon respect des principes éthiques, fournissant ainsi à l'usager un critère de choix déterminant.

Reste un dernier levier, bel et bien à portée de main : le réveil citoyen. « *Les Français sont sous-informés quant à leurs droits numériques, et la compréhension des nouvelles technologies, IA en tête, est insuffisante* », estime Jennyfer Chrétien. Un manque d'information qui ralentit la prise de conscience et bride l'émergence d'une véritable responsabilité individuelle. « *L'internaute doit notamment apprendre à résister au chant le plus insidieux des sirènes digitales : la gratuité, et toutes les contreparties qu'elle implique* », suggère Jean-Gabriel Ganascia. Sous peine de perdre son âme dans la si vertigineuse odyssée numérique.

D'après Benjamin Leclercq, www.liberation.fr.

1. Ces dernières années, le développement des nouvelles technologies…
   a. a eu raison des questions d'ordre éthique.
   b. a diffusé sur la toile des réflexions éthiques.
   c. a créé des besoins dans le champ de l'éthique.

2. Vrai ou faux ? Choisissez la bonne réponse et recopiez la phrase ou la partie du texte qui justifie votre réponse.
   a. Pour Jacques-François Marchandise, l'influence de la biométrie sur les questions éthiques aurait pu être anticipée.
   ☐ Vrai ☐ Faux
   Justification : …
   b. De plus en plus d'instances se sont emparées de la question de l'éthique et du numérique.
   ☐ Vrai ☐ Faux
   Justification : …

3. Expliquez avec vos propres mots la phrase suivante : « Avec ce risque : confiner l'éthique aux déclarations d'intention ».

4. Que déplore Jennyfer Chrétien ?
   a. Le manque de déontologie en politique.
   b. Le contrôle limité de l'espace numérique.
   c. L'absence d'expression de l'opinion populaire.

5. À quelle difficulté les organes de contrôle sont-ils confrontés ?
   a. Au manque de consensus autour des litiges.
   b. À la prolifération de demandes non traitées.
   c. Au besoin de formation spécifique d'experts.

6. Que reproche Sylvain Steer à l'État ?

7. Pour Jacques-François Marchandise, qu'est-ce qui pourrait encourager les entreprises à de meilleures pratiques ?

8. Vrai ou faux ? Choisissez la bonne réponse et recopiez la phrase ou la partie du texte qui justifie votre réponse.
   La population mesure les enjeux du numérique.
   ☐ Vrai ☐ Faux
   Justification : …

DOSSIER 11

Interculturel

> « Tout est culture. Notre tenue vestimentaire, notre port de tête, notre démarche, la façon de nouer nos lacets. La culture va au-delà de l'écriture de livres ou de la construction de maisons. »
>
> Aimé Césaire, Congrès des écrivains et artistes noirs, Paris, 1956.

Une française expatriée, un samedi soir en Angleterre, 2018, © Nathalie Eyraud.

1 Par deux. Lisez la citation et observez l'illustration.

a. Cette définition de la culture vous semble-t-elle complète ? Quels éléments pourriez-vous ajouter ?

b. Répondez au quiz et expliquez votre réponse.

c. Faites le lien avec la citation. Quelle vision souligne cette expatriée de sa culture ? De la culture de son pays d'accueil ? Échangez.

– Elle vous salue bien.
C'est ainsi qu'on parle de ceux qui sont loin de chez eux, quand on a oublié leur plat, leur musique, leurs fleurs, leur couleur préférés, quand on ne sait plus s'ils prennent le café avec ou sans sucre ; toutes ces petites choses qui ne tiennent pas dans une valise mais font qu'en arrivant on se sent chez soi ou pas.
Chez moi ? Chez l'Autre ? Être hybride, l'Afrique et l'Europe se demandent, perplexes, quel bout de moi leur appartient. [...] Exilée en permanence, je passe mes nuits à souder les rails qui mènent à l'identité. L'écriture est la cire chaude que je coule entre les sillons creusés par les bâtisseurs de cloisons des deux bords. [...]
Je cherche mon pays là où les bras de l'Atlantique fusionnent pour donner l'encre mauve qui dit l'incandescence et la douceur, la brûlure d'exister et la joie de vivre. Je cherche mon territoire sur une page blanche ; un carnet, ça tient dans un sac de voyage. Alors, partout où je pose mes valises, je suis chez moi.

Fatou Diome, *Le Ventre de l'Atlantique*, Le Livre de poche, 2005.

2 En petits groupes. Lisez l'extrait littéraire.

a. Comment l'auteure traduit-elle ses expériences de voyages ?

b. L'identité dépend-elle de la culture ? Échangez.

> **La promotion de la diversité est le meilleur moyen de combattre les préjugés, de franchir les barrières de la langue et de rassembler les communautés.**

Tibor Navracsics, commissaire européen à l'éducation, la jeunesse, la culture et le sport, *(Re)penser les politiques culturelles*, Rapport mondial, Convention 2005.

*Women are heroes**
(* Les femmes sont des héroïnes).
Action dans la favela Morro da Providencia, Rio de Janeiro,
© JR-art.net

3 En petits groupes. Observez la photographie.

a. Décrivez-la. Que vous inspire-t-elle ? Échangez.

b. Lisez la citation. Selon vous, que doit-on connaître de sa propre culture et de la culture de l'autre pour bien vivre ensemble ? Échangez.

> **L'humour, c'est le droit d'être imprudent, d'avoir le courage de déplaire, la permission absolue d'être imprudent.**

Pierre Desproges, *L'Événement du jeudi*, 2 octobre 1986.

4 Par deux. Lisez la citation.
L'humour représente-t-il un élément de la culture? Échangez.

SAVOIR-FAIRE ET SAVOIR AGIR

Dans ce dossier, nous allons :

- comprendre la notion de culture partagée
- exprimer une position de façon implicite
- déterminer les caractéristiques de l'humour
- présenter et expliquer une scène comique
- nous interroger et débattre sur la notion d'appropriation culturelle
- expliquer des différences culturelles
- faire un récit détaillé au passé

1 Tous curieux

- Comprendre la notion de culture partagée ▸ Doc. 1
- Exprimer une position de façon implicite ▸ Doc. 2

En petits groupes.

a. La culture artistique fait-elle partie des programmes scolaires dans votre pays ?

b. Pensez-vous qu'elle puisse créer des clivages entre les individus ? Échangez.

document **1** 46

Association « Tous curieux », *28 minutes.*

Abdelilah Laloui
Étudiant à Sciences Po, fondateur de l'association « Tous Curieux »

2. 46 **Écoutez la présentation (doc. 1).**

a. Quel est le parcours d'Abdelilah Laloui ? En quoi ce parcours est-il inhabituel ? Expliquez.

b. Dans quel contexte Abdelilah Laloui a-t-il créé son association ? Qui en sont les partenaires ? Faites des recherches si nécessaire. À votre avis, qu'apporte ce type de partenariats ?

c. Définissez le principe de cette association.

3. 46 **Par deux. Écoutez à nouveau la présentation (doc. 1).**

a. Pourquoi Abdelilah Laloui a-t-il éprouvé un sentiment « d'illégitimité » ?

b. Relevez les expressions utilisées pour exprimer les discriminations liées à la culture. Parmi ces expressions, laquelle illustre la violence vécue par Abdelilah Laloui ?

c. Selon vous, qui sont les responsables de ces discriminations ? Échangez.

DOC. 1 – ZEP (ac.) : Zone d'éducation prioritaire.

4

En petits groupes.

a. Connaissez-vous des personnes victimes de ce genre de discrimination ? Échangez.

b. Comment définiriez-vous la notion de « culture partagée » ? Quels types d'initiatives pourraient en permettre la diffusion ? Faites vos propositions à la classe.

5. **Par deux. Lisez l'article (doc. 2).**

a. Identifiez les atouts que présentaient les centres commerciaux. À quelle période les consommateurs les ont-ils désertés ? À quelle mutation de la société cela correspond-il ?

b. Définissez les points communs entre les musées d'aujourd'hui et les centres commerciaux. Repérez les arguments marketing développés par les musées et identifiez la place du spectateur.

c. En quoi les nouveaux musées répondent-ils à la notion de « culture partagée » (doc. 1) ?

6. **En petits groupes. Relisez l'article (doc. 2).**

a. La journaliste s'oppose à la nouvelle politique des musées. Relevez les expressions employées et analysez les procédés utilisés (lexique, figures de style, types de phrases).
Exemple : *« des lieux où les jeunes peuvent zoner » → emploi du verbe à connotation péjorative « zoner ».*

b. Lisez l'introduction (l. 3 à 7) et la conclusion (l. 33 à 36). Quels sont les points communs ? Qu'apportent-ils à l'article ?

c. Reformulez les idées défendues par la journaliste de manière explicite.

En petits groupes. « En septembre dernier, se tenait une exposition au centre commercial O'Parinor, où on pouvait observer 15 reproductions d'œuvres d'art du Louvre pendant de nombreuses semaines. » Que pensez-vous de ce type d'initiatives ? Échangez.

POUR ALLER PLUS LOIN

Seul(e) ou en petits groupes. Quels artistes (écrivains, peintres, musiciens, etc.) et quelles œuvres de votre pays souhaiteriez-vous que les étrangers connaissent ? Sélectionnez trois artistes et associez à chacun d'eux une ou deux œuvres. Rédigez une présentation pour chaque œuvre. Organisez une exposition dans la classe.

www.twentymagazine.fr

Témoignages | Talents | Décryptages | Envies | Vidéos | Follow Us |

Le musée est-il devenu le nouveau centre commercial ?

Les musées, en adoptant des politiques plus racoleuses qu'autrefois, sont-ils devenus les nouveaux centres commerciaux ? Des lieux où les jeunes peuvent zoner, s'y montrer et s'y rencontrer ?

[...] Le musée n'a jamais eu autant de succès, 650 000 visiteurs pour Dior en quelques mois. Par cette masse de visiteurs, on pense alors à ce formidable lieu qu'était le centre commercial lors de sa création. Concentration des achats, des restaurants, des cafés, il offrait la possibilité de partager un moment à plusieurs et on aimait y rester des heures. Quelles particularités retrouve-t-on alors avec un musée ? Payer, rentrer, observer, piétiner[1], toucher, s'émerveiller, commenter, instantanéiser, raconter, acheter, s'épuiser. Cette liste d'actions colle aussi bien à la peau d'un musée qu'à celle d'un centre commercial.

Selon Stéphane Hugon, docteur en sociologie, « *pour bien comprendre ce lien, il faut retrouver le contexte du monde dans lequel on vit. Il faut se rappeler les grands magasins qui étaient le moyen de participer à un événement singulier, je deviens moi-même car j'ai la capacité d'acheter. Dans les années 90, les gens désertent ces lieux, il faut trouver d'autres ressorts. À ce moment-là, Unibail, énorme sourcière représentant 60 % des centres commerciaux, comprend que le vent tourne et qu'il ne faut plus être un gestionnaire de consommation mais faire du* business entertainment[2]. *Il faut promettre du partage, une histoire collective, une expérience rationnelle basée fondamentalement sur une histoire sociale. Et ainsi, les gens se détournent pour aller dans des lieux de consommation faible, les musées.* » En quelques années, le musée a donc changé de but en soi. Auparavant, cette institution était le moyen d'apprendre et de se cultiver mais à l'heure de la démocratisation des savoirs, son but semblait vain. Et les nombreux acteurs culturels ont bien compris qu'il fallait innover en s'adaptant à cette société en mutation. Déjà, à la création du centre culturel Georges Pompidou, les uns et les autres critiquaient ce centre commercial de la culture qui ne ressemblait pas, pour les traditionnels de l'art, à un musée, et dont la particularité d'être un centre culturel et d'animations faisait hurler au scandale la culture associée à sa liste de courses. C'était en 1977, et depuis nous sommes toujours en constante évolution.

Les installations où le spectateur devient une partie de l'œuvre sont devenues une marque de fabrique pour les expositions. Rappelons-nous Warhol au Musée d'art moderne de la ville de Paris, où volaient dans une salle des ballons argentés qu'on pouvait toucher et dont la photo vous rendait si artistiques. « *La culture n'est plus une consommation individuelle, c'est le prétexte par lequel je vais partager l'imaginaire avec l'autre. Comme les gens désertent[3] les églises, les écoles, les syndicats qui étaient importants il y a vingt ans et qui sont maintenant devenus des coquilles vides, les musées récupèrent cette énergie, celle du partage, et markettent ainsi leur exposition : venez partager quelque chose !* » affirme Stéphane Hugon.

Même de nouveaux musées se créent s'adaptant aux pratiques culturelles avec le premier musée d'art numérique d'Europe à Zurich en 2016, le MuDA. Les acteurs culturels se prêtent donc au jeu que nous vivons, celui du lien permanent via Internet et les réseaux sociaux. Créant des hashtags, omniprésent sur Twitter, avec une scénographie qui se prête à vos photos Instagram, le musée est un vecteur de lien social. Nous ne venons plus au musée pour savoir, mais pour partager, un moment, une émotion, se connecter aux autres à travers l'art. D'ailleurs comme le précise Stéphane Hugon, « *l'esthétisme, c'est par étymologie être ensemble. Dans "Aisthesis", il y a effectivement l'idée de beauté et sensation. Mais on peut dire que cette sensation est perçue et vécue collectivement. Ce qui veut dire que l'esthétique n'est pas une qualité appartenant seulement à un objet d'art, mais c'est l'effet que cela produit sur des personnes qui, collectivement, peuvent éprouver ce sentiment de la beauté, et qui fera d'elles véritablement un public* ».

Le centre commercial, quant à lui, a-t-il toujours la cote ? Une chose est sûre, c'est qu'il a compris, à moins que ce soit le musée, qu'ils avaient un point commun tous les deux. En septembre dernier, se tenait une exposition au centre commercial O'Parinor, où on pouvait observer 15 reproductions d'œuvres d'art du Louvre pendant de nombreuses semaines. Des animations tenaient place aussi dans ce lieu. Le musée et le centre commercial, amis du lien social ?

Par Laura Eisenstein, 25/01/2018.

1. piétiner (v.) : avancer très lentement, à petits pas. 2. *business entertainment* (angl.) : industrie du divertissement. 3. déserter (v.) : abandonner.

8. Nous rédigeons un article pour exprimer implicitement notre position sur une initiative culturelle.

Par deux.

a. Sélectionnez une pratique ou une initiative culturelle (act. 7, par exemple) et cherchez des informations précises (dates, lieux, participants, etc.).

b. Listez les éléments qui vous font réagir.

c. Rédigez un article (500 mots) dans lequel vous présenterez le projet en exprimant votre position de façon implicite. (Si nécessaire, faites des recherches dans un dictionnaire des synonymes pour utiliser les termes les plus adaptés.)

Stratégies p. 168

d. Échangez avec la classe et identifiez la position des différents binômes.

e. Postez vos articles sur le réseau de la classe.

- Déterminer les caractéristiques de l'humour ▸ Doc. 1 et 2
- Présenter et expliquer une scène comique ▸ Doc. 1 et 2

2 Les frontières du rire

Choisissez un dessin humoristique de votre pays. Présentez-le à la classe (contexte, situation, etc.) et expliquez ce qui vous fait rire. Échangez. Les éléments humoristiques sont-ils les mêmes ?

document 1 47 et 48

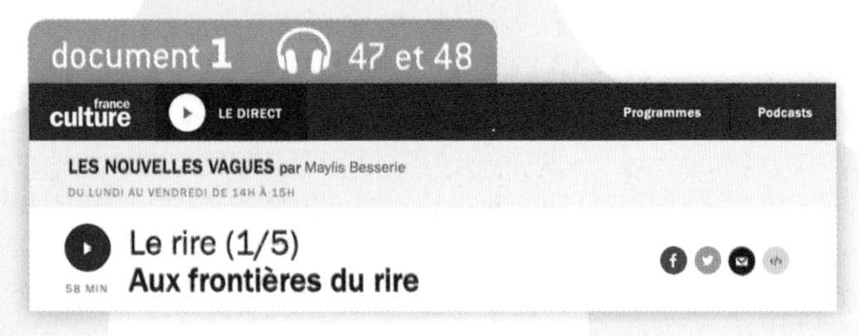

2. 47 Écoutez l'émission (doc. 1).

a. À quelle problématique cette émission se propose-t-elle de répondre ? Qui sont les invités ?

b. Identifiez le cadre que la télévision impose à l'humour.

c. À votre avis, pourquoi la journaliste choisit-elle cet extrait du sketch de Pierre Desproges pour appuyer son propos ?

d. Expliquez ce que dit la loi de 1881 sur la liberté d'expression. Déduisez les limites de l'humour en France. Comparez avec la situation dans votre pays. Échangez.

3. 48 En petits groupes. Écoutez à nouveau l'extrait du sketch de Pierre Desproges (doc. 1).

a. Quel rôle Pierre Desproges interprète-t-il dans cet extrait ?

b. D'après lui, que permet le rire ? Quels exemples utilise-t-il pour illustrer son propos ?

c. Repérez les expressions faisant référence à la mort. Quelle est la figure de style dominante ? Expliquez les jeux de mots. ▸ Stratégies p. 190

d. Avec qui Pierre Desproges ne peut-il pas rire ? Relevez les expressions utilisées pour dire qu'il ne s'amuse pas.

En petits groupes. D'après Pierre Desproges, « on peut rire de tout mais pas avec n'importe qui ». Partagez-vous ce point de vue ? Pensez-vous que le rire puisse être international ? Échangez.

DOC. 1 – se frottrer à (v) : entrer en contact avec. – adage (n. m.) : énonciation brève et frappante d'une règle de conduite.

5. Par deux. Lisez l'article (doc. 2).

a. Reformulez le constat fait par le journaliste dans l'introduction. Quelle est la principale raison de ce constat ?

b. Qu'est-ce qui caractérise les thèmes traités dans les comédies aujourd'hui ? En quoi celles-ci s'opposent-elles aux comédies passées ? Ces thèmes peuvent-ils être abordés à la télévision (act. 2b) ?

c. Analysez l'évolution des codes de l'humour des comédies en fonction des époques. Montrez que ce genre repose sur une tradition comique tout en s'adaptant à un public international.

6. En petits groupes. Relisez l'article (doc. 2).

a. D'où venaient les acteurs de comédie avant ? D'où viennent les acteurs d'aujourd'hui et qu'ont-ils apporté à la comédie française ?

b. Expliquez les expressions « veine clownesque » (l. 15) et « partition » (l. 66). D'après cet article, quelle place les comédiens occupent-ils aujourd'hui ? Partagez-vous ce point de vue ?

c. Existe-t-il des figures du cinéma comique célèbres internationalement dans votre pays ? Échangez.

En petits groupes.

a. Pensez-vous qu'il existe un humour français ? Comment le caractériseriez-vous ?

b. En quoi se distingue-t-il de l'humour de votre pays ? Échangez avec la classe.

8. Nous expliquons les ressorts comiques d'une scène.

Seul(e) ou en petits groupes.

a. Choisissez une comédie de votre pays et écrivez le synopsis.

b. Sélectionnez un extrait et listez les éléments humoristiques (situation, comédiens, répliques que vous traduirez).

c. Lisez le synopsis, situez l'extrait et projetez-le dans la classe.

d. Proposez vos traductions des répliques et répondez aux éventuelles questions. Échangez sur les éléments qui vous font rire.

Le Monde

Au cinéma, l'humour français opère sa mue

Benoît Pavan, 23 janvier 2017

Toujours très populaires, les films comiques offrent un visage de plus en plus international, comme en témoigne le 20e festival de l'Alpe d'Huez.

En 1967, les 17,3 millions d'entrées de *La Grande Vadrouille*, de Gérard Oury, succès resté inégalé jusqu'à la sortie de *Bienvenue chez les Ch'tis* en 2008 (20,4 millions), consacraient un comique résolument hexagonal, hérité du burlesque. Un demi-siècle plus tard, la comédie populaire française a mis le cap vers un horizon plus international, aspirant à épouser son époque sans renier son passé.

À l'Alpe d'Huez, où s'est tenu le 20e Festival international du film de comédie, la présence de Pierre Richard a témoigné de la persistance d'une génération de comiques qui ont régné sur les écrans français dans les années 1970. En revanche, les acteurs qui leur ont succédé, dans les décennies 1980 et 1990, sont amenés à jouer les seconds rôles des productions actuelles, quand ils ne les réalisent pas. Dans le sillage de nouveaux visages devenus les symboles d'un cinéma plus réfléchi, qui s'est éloigné de sa veine clownesque et dont la mécanique s'est standardisée.

Une majorité de ses protagonistes en conviennent: si l'humour potache et le comique d'opposition des de Funès et autres Bourvil, si prompts à caractériser jadis les comédies « à la française », occupent toujours une place de choix, le genre a muté depuis une décennie. [...]

« *Nous rions aujourd'hui de ce que nous sommes et n'inventons plus des postulats*[1] *pour créer un effet comique. Notre génération a été biberonnée aux* Bronzés *ou à* Un éléphant, ça trompe énormément. *Elle essaye aujourd'hui de faire la synthèse de toutes ces influences pour se renouveler* », témoigne Éric Toledano, coauteur, en 2011, d'*Intouchables*, dernier recordman français d'entrées, avec 19,4 millions de spectateurs. « *Les Bourvil et de Funès nous ont ouvert des portes. Nous les avons passées et tenté des choses, influencés par l'humour américain, celui du* "Saturday Night Live[2]" », ajoute l'acteur, réalisateur et producteur Dominique Farrugia, figure emblématique des « Nuls ».

L'humour qui imprègne les productions actuelles gravite[3] davantage autour de thématiques « microsociétales » – ethniques, religieuses, familiales ou sexuelles –, quand celui des années 1970 ou 1980 avait des visées plus politiques, n'hésitant pas à confronter l'individu aux grands enjeux de société pour remettre en cause ses fondements. « *Chez Pierre Richard ou Jean Yanne, c'était l'individu face au système capitaliste; chez Claude Zidi, l'individu contre la grande distribution, ou l'écologie. Le rire naît du contraste et, aujourd'hui, les sujets abordés ne nous concernent pas tous* », analyse l'enseignant-chercheur en cinéma Laurent Le Forestier, spécialiste de la comédie à l'Université de Lausanne.

« Moins conceptuels qu'outre-Atlantique »

Pour l'acteur Antoine Duléry, il subsiste toutefois en France « *une tradition de la comédie de boulevard* », qui, contrairement à la tendance anglo-saxonne, continue d'infuser les longs-métrages français, « *moins conceptuels qu'outre-Atlantique et bien ancrés dans la réalité* ». « *Nous avons hérité cela du vaudeville et du quiproquo* », estime-t-il. « *La comédie française d'aujourd'hui est tout simplement plus audacieuse*, tranche de son côté Jamel Debbouze. *Elle permet à notre société de mieux se connaître. Elle symbolise la France dans toute sa splendeur, car tous ses protagonistes y sont représentés.* »

Sur les nouveaux sentiers explorés par la comédie évoluent des auteurs et des comédiens aux origines plus métissées, en miroir de la société française. Dans les pas d'un Thomas Ngijol ou d'un Fabrice Éboué, il n'est pas rare qu'ils abordent, de front ou de biais, les séquelles de la colonisation. Repérés lors de spectacles de stand-up ou plus récemment sur le Web, la plupart [des comédiens] ont aiguisé leurs vannes dans la petite lucarne – notamment celle de Canal + – avant d'investir le grand écran, tandis que leurs aînés, à l'instar de la troupe du Splendid, avaient d'abord fait leurs armes sur les scènes de théâtre et de café-concert.

« *Les stars du cinéma de comédie sont toutes issues de la télévision. Elle a été un professeur formidable* », fait remarquer Dominique Farrugia. « *Elles font preuve d'une décontraction pour laquelle j'ai beaucoup d'admiration* », confie Pierre Richard. Leur parcours, leur spontanéité et leur sens de la répartie ont tonifié l'écriture comique, estime Jamel Debbouze: « *Nous lui avons apporté du rythme. Les partitions les plus drôles sont les plus rythmées. Le rire s'écrit comme une partition, avec une musicalité.* » Une bonne comédie doit pouvoir être investie par n'importe quel comédien sans perdre son efficacité comique, poursuit l'humoriste: « *Après, un acteur qui a un style, à l'image d'un de Funès ou d'un Chaplin, peut apporter à un texte une couleur différente.* »

« Sortes de vaudeville 2.0 »

Plus rythmée, cette écriture s'articule cependant autour de structures plus formatées, à l'américaine, basées sur une progression, des situations et des dialogues « standards », à même de fonctionner à l'étranger. Avec un objectif commercial sous-jacent: façonner des « tubes de salles ». « *À l'époque, si j'avais pu me passer des dialogues, je l'aurais fait. Mais on ne faisait alors plus de films muets ! J'ai donc trouvé un équilibre entre les deux. Ce n'est plus possible aujourd'hui* », juge Pierre Richard, racontant comment Jacques Tati lui a, un jour, signifié qu'il savait « *parler avec ses jambes* ». Stéphane Robelin, auteur de la comédie dramatique *Un profil pour deux*, dans laquelle le « grand blond » livre une partition intimiste, explique comment il a parfois dû ramener son acteur à plus de sobriété dans son jeu. « *Au bout de quelques jours de tournage, il s'était mis au diapason* », témoigne-t-il. [...]

Grands pourvoyeurs[4] d'entrées

[...] Si l'on en produit moins qu'il y a dix ans, donc, et si elle reste boudée par une partie de la critique et des festivals, la comédie pointe toujours, pourtant, au rang des plus grands pourvoyeurs d'entrées. [...] Derrière les blockbusters américains, en tête du marché français, le contingent de la production hexagonale est emmené par trois d'entre elles: *Les Tuche 2 – Le Rêve américain* (4,6 millions d'entrées), *Camping 3* (3,2 millions) et *Radin !* (2,9 millions), selon les chiffres du Centre national du cinéma et de l'image animée (CNC), publiés le 30 décembre.

Et ces comédies s'exportent plutôt bien : elles symbolisent même « *le succès de l'humour français à l'étranger* », selon Isabelle Giordano, la directrice d'UniFrance Films, organisme chargé du rayonnement du cinéma français à l'international. « *Et pourtant, on nous a toujours appris que le rire était local. Aujourd'hui, en Corée du Sud ou en Allemagne, les gens rient au même moment* », relève Éric Toledano. En 2015, *La Famille Bélier* a été vu par 3,6 millions de spectateurs à l'étranger, dont 537 000 rien qu'en Colombie, un record pour un film en langue française. L'autre succès du cru 2015 est à porter au crédit de *Qu'est-ce qu'on a fait au bon Dieu ?*, qui a enregistré 2,8 millions d'entrées hors de nos frontières. Mais le succès d'*Intouchables* demeure sans précédent: selon une étude publiée en novembre 2016 par le CNC, le film a permis « *l'ouverture progressive des marchés internationaux à la comédie française* ». [...]

1. postulat (n. m.) : principe de base, qui ne peut être contesté. 2. *Saturday Night Live* : émission de télévision américaine.
3. graviter (v.) : dépendre d'une autorité. 4. pourvoyeur / pourvoyeuse (n.) : fournisseur / fournisseuse.

LEÇON

3 Porteurs d'identité

En petits groupes. Pensez-vous que la mondialisation encourage une culture universelle ? Quelles sont les conséquences pour les cultures locales ? Échangez.

document 1

Article 8 – Les biens et services culturels, des marchandises pas comme les autres

Face aux mutations économiques et technologiques actuelles, qui ouvrent de vastes perspectives pour la création et l'innovation, une attention particulière doit être accordée à la diversité de l'offre créatrice, à la juste prise en compte des droits des auteurs et des artistes ainsi qu'à la spécificité des biens et services culturels qui, parce qu'ils sont porteurs d'identité, de valeurs et de sens, ne doivent pas être considérés comme des marchandises ou des biens de consommation comme les autres.

Article de la déclaration universelle de l'UNESCO* sur la diversité culturelle, 2001.

* UNESCO : Organisation des Nations unies pour l'éducation, la science et la culture.

2. Lisez l'article (doc. 1).

a. Quel est le but de cet article de l'UNESCO ? Quels sont les biens et les personnes concernés ?

b. D'après vous, les institutions suffisent-elles à protéger les cultures ? Échangez.

document 2 Vidéo n° 14

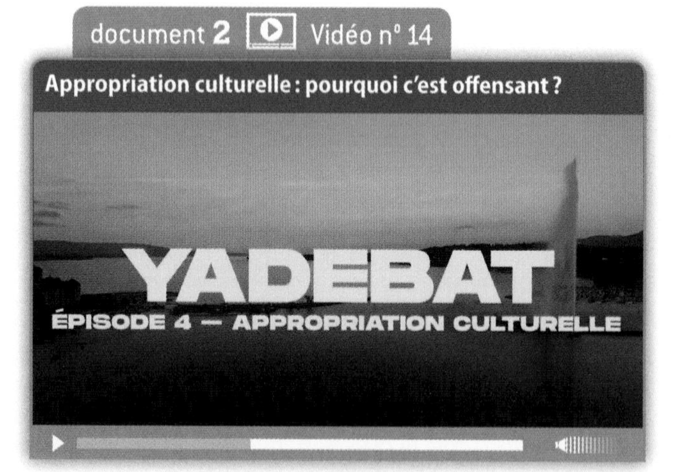

3. Par deux. Regardez la vidéo (doc. 2).

a. Quelle définition les intervenants donnent-ils de l'appropriation culturelle ?

b. Relevez les exemples cités pour illustrer l'appropriation culturelle et identifiez leurs domaines. Ces domaines relèvent-ils des biens et des services culturels mentionnés dans l'article de l'UNESCO (doc. 1) ?

c. Dans quelle situation les femmes interrogées ont-elles été confrontées personnellement à des discriminations liées à leur culture ? De quels sentiments font-elles part ?

4. En petits groupes. Regardez à nouveau la vidéo (doc. 2).

a. Quels adjectifs sont associés successivement à la femme blanche et à la femme noire ? Quel sens les personnes donnent-elles à ces expressions ?

b. Relevez les deux termes employés pour exprimer les dérives de l'appropriation culturelle. Quel message les personnes interviewées souhaitent-elles faire passer ?

Vous défendez une pratique propre à votre culture.

a. Seul(e). Rédigez un paragraphe explicatif dans lequel vous définirez les origines de cette pratique et sa transmission.

b. En groupe. Lisez les pratiques défendues par vos camarades. Les connaissiez-vous ? Échangez.

6. Lisez l'introduction et le premier paragraphe (l. 1-13) de l'article (doc. 3).

a. Où et quand la polémique concernant la notion d'appropriation culturelle est-elle née ?

b. Repérez la nouvelle définition de l'appropriation culturelle donnée par Marie-Pierre Bosquet. Complétez votre définition (act. 3a).

c. Pourquoi l'appropriation culturelle est-elle « un sujet délicat » ? Expliquez en faisant des références précises au document.

7. En petits groupes. Lisez l'article (doc. 3).

a. Distinguez la position des trois personnes citées. Reformulez leur point de vue et associez-leur des exemples issus de l'article.

b. Comment les différents points de vue sont-ils intégrés à l'article ? Relevez les verbes introducteurs et les formules utilisées ainsi que les types de discours employés.

c. Quelles solutions sont proposées pour apaiser le débat sur l'appropriation culturelle ?

LES LIMITES DE L'APPROPRIATION CULTURELLE

L'appropriation culturelle est un problème nouvellement identifié en Occident qui provoque bien des débats.

Le yoga, les tatouages, le tressage et bien d'autres éléments sont les composantes culturelles propres à de multiples régions du globe, ce qui amène des questionnements quant au partage d'identité d'un groupe et son appropriation.

L'appropriation culturelle est un concept né récemment dans l'espace universitaire nord-américain qui, d'ailleurs, a toujours une portée péjorative. C'est ce qu'assume Marie-Pierre Bosquet, professeure au département d'anthropologie de l'Université de Montréal (UdeM). « *L'appropriation culturelle a lieu lorsqu'un groupe dominant ou majoritaire emprunte un élément culturel tel que l'art et la nourriture à un groupe minoritaire ou dominé* », explique-t-elle, en ajoutant que cette notion existe en partie à cause des séquelles du colonialisme. La professeure croit que c'est un sujet délicat, puisque les limites sont floues pour désigner précisément si le geste d'un individu peut être considéré comme de l'appropriation, ou non.

Pier-Guy Veer, journaliste et fervent indépendantiste, soutient plutôt que ce phénomène n'existe pas et que le fait de « s'approprier » une culture n'a rien de mal. Selon lui, cette idée entraînerait une diminution importante de plusieurs talents artistiques. « *Prenons par exemple le rappeur Eminem et la chanteuse jazz Diana Krall. Auraient-ils pu chanter puisque leurs styles respectifs ont été majoritairement imaginés par des Afro-Américains ?* », suggère-t-il.

L'Halloween, fête reine de ce concept

En octobre, il est difficile d'approfondir la question de l'appropriation culturelle sans parler de déguisements et de l'Halloween. Jessica Deer, une jeune journaliste indigène au *Eastern Door*, un journal de la communauté mohawk sur le territoire de Kahnawake, croit quant à elle que même de bonnes intentions peuvent avoir de mauvaises répercussions. Selon elle, malgré le fait qu'un individu pratiquant une forme d'appropriation n'ait pas comme but d'opprimer ou de blesser une autre personne, il se doit d'être conscient de l'histoire et de la culture du groupe auquel il emprunte un élément et ce, même si c'est inoffensif et dans une optique récréative. Elle considère qu'autrement, c'est blessant. En cette soirée du 31 octobre, certains se déguisent en coccinelle ou en clown alors que d'autres optent pour le *black face* (maquillage de couleur noir sur la peau), ou encore un déguisement de Pocahontas.

Marie-Pierre Bosquet exprime que plusieurs autochtones font la différence entre un personnage de Walt Disney et leur culture, tandis que d'autres sont plus sensibles et y voient une agression symbolique importante. Selon l'anthropologue, à ce niveau, la question est plus personnelle que culturelle. Pour Pierre-Guy Veer, ce type de déguisements controversés est de mauvais goût, mais n'appauvrit pas la culture. « *Est-ce que les déguisements de farfadet ridiculisent la culture irlandaise ? À ce sujet, on n'entend jamais les Irlandais se plaindre, très fort, du moins, qu'on s'approprie ou qu'on se moque d'eux. Il existe plusieurs exemples d'appropriation des éléments de leur culture : l'équipe de basketball les Celtics de Boston, les céréales Lucky Charms ou les équipes sportives Fighting Irish de l'université Notre-Dame, par exemple.* » M. Veer poursuit en mentionnant que personne ne s'oppose aux costumes de gladiateurs sachant que ceux-ci reprennent des éléments de la culture romaine.

Hommage ou appropriation ?

Il est parfois compliqué de faire la distinction entre l'esthétique et la ridiculisation. Dans le cadre des festivités du 150e anniversaire du Canada, le gouvernement a mis en place une pièce de théâtre dans le but de donner du crédit à l'histoire et à la culture des peuples autochtones du pays. Cependant, aucun acteur ne provenait d'une communauté indigène. Les personnages étaient donc tous joués par des caucasiens déguisés. Pour Jessica Deer, qui est très impliquée dans l'insertion sociale des peuples amérindiens, il s'agit d'une honte et ce n'est en aucun cas représentatif de ses origines.

Mme Deer est d'ailleurs convaincue que la solution pour éviter d'offenser qui que ce soit serait d'inclure les membres du groupe à qui on veut emprunter des éléments culturels. Par exemple, il est possible de porter de façon élégante et respectueuse des accessoires et des tenues mohawks en les achetant chez des commerçants de la communauté et en s'informant auprès d'eux. « *Ce qu'il faut éviter à tout prix, ce sont les grandes chaînes qui vendent des composantes qui appartiennent à des groupes précis sans connaître la portée symbolique et historique de celles-ci* », soutient Mme Deer, en ajoutant que dans le meilleur des cas, les retombées économiques doivent se diriger vers le groupe à qui la culture appartient pour l'inclure au maximum dans la démarche culturelle. Ainsi, malgré la portée péjorative du terme « appropriation culturelle », Marie-Pierre Bosquet soutient quant à elle que la sensibilité face à cet enjeu a tout de même un effet positif sur la population, puisque celle-ci prend de plus en plus conscience des cultures minoritaires environnantes.

Pénélope Leblanc, site esprit simple, journal étudiant à vocation internationale, novembre 2017.

8 En petits groupes. La lutte contre l'appropriation culturelle peut conduire les cultures à « se renfermer sur elles-mêmes » (doc. 2) : partagez-vous ce point de vue ? Échangez.

9. Nous débattons sur un sujet polémique. Stratégies p. 186

En groupes.

a. Choisissez un sujet (la place de la culture, le développement des musées dans les centres commerciaux, etc.) et déterminez les points qui font polémique.

b. Formez deux groupes selon vos positions.

c. Notez vos arguments et cherchez des exemples pour illustrer votre propos.

d. Organisez un débat dans la classe et confrontez vos points de vue.

e. Par deux. Faites le compte-rendu écrit de ce débat.

LEÇON 4 Étrangéité

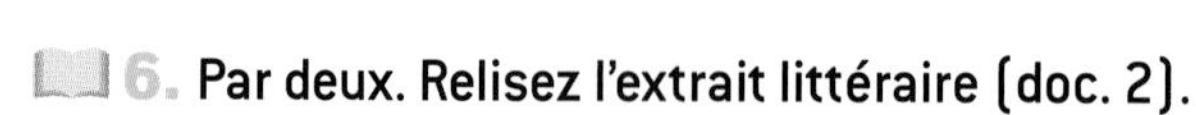

- Expliquer des différences culturelles ▸ Doc. 1, 2 et 3
- Faire un récit détaillé au passé ▸ Doc. 2 et 3

1

En petits groupes. Quelle est votre représentation de la culture française ? Comparez vos représentations et échangez sur les différences relevées. À votre avis, quelle représentation les étrangers ont-ils de votre culture ? Échangez.

document 1 49

Singa est un réseau international visant à créer du lien entre personnes réfugiées et sociétés (entrepreneurs et citoyens) d'accueil. Le dispositif « CALM » permet aux particuliers d'accueillir temporairement des personnes réfugiées.

2. 49 **En petits groupes. Lisez l'encadré et écoutez l'enregistrement (doc. 1).**

a. Comment Quitterie Simon, la représentante de l'association, définit-elle l'enrichissement interculturel ?

b. Repérez les principales différences culturelles citées. Sur quoi reposent-elles ? Expliquez les différences de perception.

c. Que pensez-vous de ces différences culturelles ? Comparez avec les différences relevées dans l'activité 1.

3. 49 **Par deux. Réécoutez l'enregistrement (doc. 1). Identifiez les trois malentendus interculturels cités par Quitterie Simon.**

4

En petits groupes.

a. Réfléchissez à d'autres sources de malentendus culturels et imaginez les conséquences au quotidien.

b. Proposez des solutions pour éviter ces malentendus.

5. En petits groupes. Lisez l'introduction et l'extrait littéraire (doc. 2).

a. Comment Aliocha et sa sœur découvrent-ils la culture française ? Comment vivent-ils cette découverte ?

b. Dans quelles situations les Français et les Russes sont-ils décrits ?

c. Qu'apporte aux enfants la découverte de la culture française ?

6. Par deux. Relisez l'extrait littéraire (doc. 2).

a. Repérez les caractéristiques précises associées aux Français. À quoi sont-ils comparés ? Ces éléments correspondent-ils à vos propres représentations (act. 1) ?

b. Déterminez les figures de style (métaphore, métonymie, accumulation) employées dans les différents éléments relevés.

▸ Stratégies p. 190

7

En petits groupes. Faites à votre tour le portrait de vos concitoyens (trois ou quatre caractéristiques). Utilisez des figures de style. Présentez-les à la classe en trois minutes.

8. Par deux. Lisez l'extrait littéraire (doc. 3).

a. Qu'est-ce qui motive l'auteur à se rendre en France ? Comment envisage-t-il son arrivée ? Relevez la métaphore utilisée.

b. À quelle situation l'auteur est-il confronté ? En quoi cette situation s'oppose-t-elle à sa connaissance de la culture française ?

9. En petits groupes. Relisez les deux extraits littéraires (doc. 2 et 3).

a. Relevez et analysez les temps employés.

b. À votre avis, pourquoi les auteurs ont-ils choisi de partager ces expériences spécifiques ? Qu'apporte la lecture de ces extraits à la compréhension des différentes cultures ?

10

En petits groupes. Des livres vous ont-ils aidés à la découverte de certaines cultures ? Échangez et listez vos recommandations de lecture sur le réseau de la classe.

À NOUS !

11. Nous racontons une expérience interculturelle.

Seul(e).

a. Choisissez une expérience interculturelle vécue ou découverte dans une de vos lectures.

b. Comparez la représentation initiale que vous aviez de cette culture à ce que vous avez réellement vécu ou découvert.

c. Rédigez votre témoignage au passé (700 mots) pour raconter la manière dont vous avez vécu cette expérience.

En petits groupes.

d. Lisez les différents récits et comparez vos représentations. Partagez vos productions avec le groupe et publiez-les sur le réseau de la classe.

Andreï Makine

Le testament français

ROMAN

MERCVRE DE FRANCE

document 2

Ce roman d'inspiration autobiographique se déroule dans une petite ville de Russie, dénommée Saranza par l'auteur. Il met en scène Aliocha, un jeune Russe, et sa sœur qui découvrent Paris et la France à travers le récit de leur grand-mère Charlotte, Française émigrée en Sibérie.

Les rues parisiennes, dans nos récits, étaient secouées constamment par les explosions des bombes. [...] C'est dans ces rues tonitruantes que l'une des singularités de ce peuple nous apparut : il était toujours en train de revendiquer, jamais content du statu quo acquis, prêt à chaque moment à déferler[1] dans les artères de sa ville pour détrôner, secouer, exiger. Dans le calme social parfait de notre patrie, ces Français avaient la mine de mutins[2]-nés, de contestataires par conviction, de râleurs professionnels. La valise sibérienne contenant les journaux qui parlaient des grèves, des attentats, des combats sur les barricades ressemblait, elle aussi, à une grosse bombe au milieu de la somnolence paisible de Saranza. Et puis, à quelques rues des explosions, toujours dans ce présent qui ne passait pas, nous tombâmes sur ce petit bistro calme dont Charlotte, dans ses souvenirs, nous lisait en souriant l'enseigne : *Au Ratafia de Neuilly*. « Ce ratafia, précisait-elle, le patron le servait dans des coquilles d'argent... » Les gens de notre Atlantide pouvaient donc éprouver un attachement sentimental envers un café, aimer son enseigne, y distinguer une atmosphère bien à lui. Et garder pour toute leur vie le souvenir que c'est là, à l'angle d'une rue, qu'on buvait du ratafia dans des coquilles d'argent. Oui, pas dans des verres à facettes, ni dans des coupes, mais dans ces fines coquilles. C'était notre nouvelle découverte : cette science occulte qui alliait le lieu de restauration, le rituel du repas et sa tonalité psychologique. « Leurs bistros favoris ont-ils pour eux une âme, nous demandions-nous, ou, du moins, une physionomie personnelle ? » Il y avait un seul café à Saranza. Malgré son joli nom, *Flocon de neige*, il n'éveillait en nous aucune émotion particulière, pas plus que le magasin de meubles à côté de lui, ni la caisse d'épargne, en face. Il fermait à huit heures du soir, et c'est encore son intérieur obscur, avec l'œil bleu d'une veilleuse, qui provoquait notre curiosité. Quant aux cinq ou six restaurants dans la ville sur la Volga où habitait notre famille, ils se ressemblaient tous : à sept heures précises, l'huissier ouvrait les portes devant une foule impatiente, la musique de tonnerre mêlée de graillon[3] déferlait dans la rue, et à onze heures la même foule, ramollie et vaseuse, se déversait sur le perron, près duquel un gyrophare de police apportait une note de fantaisie à ce rythme immuable... [...] Et c'est là que, subjugués par un flot coloré d'appellations, de saveurs, de bouquets, nous fîmes connaissance avec ces êtres extraordinaires dont le palais était apte à distinguer toutes ces nuances. Il s'agissait toujours de ces mêmes constructeurs de barricades ! [...]

À vrai dire, nous commencions à perdre la tête : le Louvre, *Le Cid* à la Comédie-Française, les barricades, la fusillade dans les catacombes, l'Académie, les députés dans une barque, et la comète, et les lustres qui tombaient les uns après les autres, et le Niagara des vins, et le dernier baiser du Président... Et les grenouilles dérangées dans leur sommeil hivernal ! Nous avions affaire à un peuple d'une fabuleuse multiplicité de sentiments, d'attitudes, de regards, de façons de parler, de créer, d'aimer. [...]

Ma plus grande initiation, cet été, fut de comprendre comment on pouvait être français. Les innombrables facettes de cette fuyante identité s'étaient composées en un tout vivant. C'était une manière d'exister très ordonnée malgré ses côtés excentriques. La France n'était plus pour moi un simple cabinet de curiosités, mais un être sensible et dense dont une parcelle avait été un jour greffée en moi.

Andreï Makine, *Le Testament français*, éditions Mercure de France, 1997.

1. déferler (v.) : se répandre comme une vague. 2. mutin (n. m.) : insoumis, rebelle. 3. graillon (n. m.) : odeur de graisse brûlée.

document 3

Il fallait que je m'arrache à mon étroite territorialité ; il fallait que je me libère de mes maux de langue ; il fallait que j'entre dans le monde porté par le français pour mettre en usage tout ce qui s'était accumulé de français en moi, mais aussi pour me mettre en connivence avec les faits et gestes de la vie vécue et construite en français, bref, pour me glisser, me baigner, me couler, m'immerger le plus profondément possible dans toute la liturgie quotidienne de la vie, dans tout le volume et toute l'étendue de la langue de Rousseau qui était devenue une passion, un amour. [...]

Arrivé à Paris le matin assez tôt dans une fraîcheur automnale brumeuse, je fus conduit en car au CNOUS[1]. [...] On me donna une carte provisoire et un ticket-repas qui me permettaient de prendre le déjeuner sur place, au restaurant universitaire. On me donna également un billet de train pour que je puisse me rendre à Montpellier dans la foulée. C'était un train de nuit que je devais prendre, j'avais donc une journée entière devant moi. Avant de me restaurer, j'allai aux toilettes. Je fus surpris par la hauteur des urinoirs. En sortant, je croisai un garçon avec des cheveux longs qui me demanda de but en blanc :

– Vous avez l'heure ?

Je n'étais pas habitué à cette formulation. Dans les cours de français, on ne m'avait appris « pour demander l'heure » que : « Quelle heure est-il ? » Mais je compris immédiatement de quoi il s'agissait : il fallait que le garçon s'assurât d'abord que j'étais effectivement en mesure de lui donner l'heure. D'où son énoncé. Je lui répondis après une seconde, à peine perceptible, d'hésitation :

– Oui, il est midi et quart.

Mais ce qui m'a marqué dans ce bref échange, ce n'était pas la forme de la question posée, c'était le fait même qu'il m'avait demandé l'heure, à moi, qui venais tout juste d'arriver à Paris, lui qui, manifestement, était un étudiant parisien chevronné[2] ! « Ne suis-je pas un étranger dans ce pays ? me demandai-je. Ne suis-je pas *extérieur* aux limites territoriales de ce pays ? Pourquoi alors me choisit-il parmi d'autres individus ? À moins qu'il ne voie pas en moi l'étranger, mon *étrangeté*, *étrangéité*. »

Akira Mizubayashi, *Une langue venue d'ailleurs*, éditions Gallimard, 2011.

1. CNOUS (ac.) : Centre national des œuvres universitaires et scolaires. 2. chevronné(e) (adj.) : expérimenté(e).

MOTS et EXPRESSIONS

Leçon 1 – Tous curieux

1. Complétez l'article avec les éléments suivants. Faites les accords nécessaires.
consommation culturelle • musée • produit • exposer • exposition (2 x) • œuvre d'art • culture • culturel • pédagogique • commercialisation • racoleur • commercial • esthétique • institution • lieu de culture et de divertissement • masse de visiteurs

La création des premiers ... visait à ouvrir les portes des palais et à offrir aux yeux du peuple le spectacle des trésors et des ... qu'ils recelaient. Aujourd'hui, les fonctions originelles des musées demeurent le cœur de leur activité et leur raison d'être : préserver, étudier, éduquer et ... une collection. La médiatisation des ..., les rénovations visant à agrandir les musées et la mise en œuvre d'une logique de rentabilité sont révélatrices de l'intégration des lieux de culture à l'industrie de la ... et de l'imbrication croissante entre ... et société de marché. En effet, les évolutions des musées doivent être considérées dans un contexte où l'augmentation du temps des loisirs et l'accroissement des mobilités accompagnent la ... de la culture. Même si les musées sont des ... à but non lucratif, leur activité s'inscrit aujourd'hui dans une logique économique capitaliste. Ainsi, ils sont en compétition entre eux pour attirer les ..., mais aussi avec les autres ... .
C'est pourquoi, au risque parfois d'entraver leur mission première, ... et ..., le château de Versailles, le Grand Palais ou encore Orsay ont recours à des pratiques ... douteuses, pour développer leurs ressources propres. En vitrine des magasins de la Réunion des musées nationaux (RMN), des produits ... tranchent parfois jusqu'à choquer la direction du musée hébergeur (les tasses, les parapluies ou les tabliers à l'effigie de Mona Lisa ne sont que de modestes exemples).
Les grandes ... régulièrement organisées par les musées sont le prétexte et le support de la mise en place de nouveaux partenariats avec des acteurs privés soutenant financièrement ces opérations. Associer son nom, son logo et son image à un événement artistique majeur participe à la construction de l'identité de l'entreprise par association d'idées entre qualité ... et qualité de ses ..., et lui permet de renforcer sa valeur symbolique, voire de transformer son image de marque.

D'après www.halshs.archives-ouvertes.fr.

2. Reformulez les éléments en gras avec des mots ou expressions du document 1 (p. 142).

Lycée Jules-Fil

Le directeur de notre établissement a signé une convention **pour renforcer l'action éducative dans les établissements difficiles.**
Les buts de cette convention sont les suivants :
– aider les jeunes issus des quartiers **pauvres** et qui n'ont pas forcément été **immergés dans** la culture dominante ;
– garantir **les mêmes opportunités pour tous** ;
– permettre de **retrouver** un équilibre entre les jeunes issus des classes ouvrières et ceux issus des classes sociales supérieures.
Nous organisons des interventions dans les ZEP pour encourager les lycéens à passer le concours de notre école. Nous souhaitons ainsi lutter contre le sentiment **de ne pas être à sa place** et **les limites que l'on s'impose à soi-même,** qui empêchent l'accès à la culture.

Leçon 2 – Les frontières du rire

3. Associez les mots à leur définition.

a. la comédie de boulevard
b. le vaudeville
c. le quiproquo
d. le burlesque
e. la comédie populaire
f. le comique hexagonal

1. Malentendu où l'on prend un être vivant, un objet ou une situation pour un(e) autre.
2. Forme cinématographique ou théâtrale basée sur des intrigues légères. Expression venant du XVIIIe siècle et qualifiant alors une forme issue du théâtre de rue qui se démarquait du théâtre de la haute société.
3. L'humour français.
4. Genre souvent grivois, caractérisé par une multitude de rebondissements, dont la scène la plus caricaturale est l'adultère.
5. Comédie grand public à fort succès commercial.
6. Genre reposant sur un comique exagéré, extravagant, marqué par un décalage au niveau des costumes, de la gestuelle ou du registre employé.

4. Choisissez les mots ou expressions corrects.

a. Le film « Le Dindon» *ne s'est pas du tout distingué / n'a pas du tout pointé* au box-office.
b. Chaque année, les comédies françaises engrangent des millions *de places / d'entrées*.
c. Le dernier film de Matthieu Delaporte et Alexandre de La Patellière *affiche / figure* en bonne place.
d. Le succès d'« Intouchables » *demeure / détient* sans précédent.
e. La comédie est le genre cinématographique *à l'avant / en tête* du marché français.
f. L'année 2019 a été *fleurie / florissante* pour les comédies populaires.
g. L'humoriste Florence Foresti a été *consacrée / vénérée* femme préférée des Français.
h. Les comédies américaines *régissent / règnent* sur les écrans.

Leçon 3 – Porteurs d'identité

5. a. Associez les mots et expressions de même sens ou de sens proche (10 paires).

HUMILIANT SÉQUELLE OFFENSER CLICHÉ SE MOQUER DIVERTISSANT
RENDRE HOMMAGE RÉCRÉATIF INDIGÈNE
SINGULARITÉ STÉRÉOTYPE MAUVAISE RÉPERCUSSION REPRENDRE COPIER
ATTRIBUT DÉGRADANT AUTOCHTONE METTRE EN LUMIÈRE RIDICULISER
BLESSER

b. Réutilisez ces mots dans un court texte pour présenter les problèmes liés à la question de l'appropriation culturelle.

Leçon 4 – Étrangéité

6. Complétez le texte avec les mots et expressions suivants. Faites les accords nécessaires.

implicite • mœurs • malentendu • conserver la face • relation interpersonnelle • hospitalité • règle • niché • code socioculturel • valeur • indélicat

Voici un guide sur la gestion des risques interculturels très ludique, à lire absolument avant vos voyages d'affaires. L'auteur y aborde les … les plus fréquents, souvent … dans le sens des mots, et explique les … à acquérir pour que le séjour soit un succès et que vous ne soyez pas perçu comme quelqu'un d'… .
En Chine, … prime sur toute autre … ; les Occidentaux, quant à eux, n'y accordent pas autant d'importance.
Au Brésil, il est extrêmement important pour un étranger d'établir des … .
En France, derrière chaque situation informelle, il existe un protocole et des … de politesse à respecter.
Au Japon, l'homogénéité du peuple japonais et son collectivisme entraînent une communication … .
Au Liban, il existe des règles d'… spécifiques très profondément ancrées dans les … .

7. Associez les phrases suivantes à l'un des pays cités dans l'activité 6.

a. Lorsque vous recevez ou que vous êtes invité(e), il est d'usage d'accepter ce qui est offert, mais généralement après l'avoir refusé plusieurs fois.
b. Les gens qui ne comprennent que ce qui est prononcé sont en général mal considérés. On attend de vous que vous compreniez également les sous-entendus et les non-dits.
c. Il convient de partager sa vie privée au travail. Si vous ne racontez pas d'anecdotes personnelles à vos collègues de bureau, vous risquez d'être perçu(e) comme asocial(e).
d. Ne parlez pas trop fort, ouvrez un cadeau dès qu'il est reçu, ne venez pas les mains vides à une invitation à dîner, proposez de l'aide en cuisine, ne parlez pas la bouche pleine, etc.
e. Il arrive que les Occidentaux contredisent leur interlocuteur en pleine réunion ou négociation. Ce dernier peut se sentir tellement offensé que cela peut suffire à rompre les relations.

DOSSIER 12

(R)évolutions écologiques

Marche pour le climat, le 24 décembre 2018 à Marseille.

> **“ Actuellement, l’homme mène une guerre contre la nature. S’il gagne, il est perdu. ”**
>
> Hubert Reeves, 2011.

En petits groupes. Observez la photo et lisez la citation.

a. Décrivez la photo (public, situation). Choisissez un des slogans et expliquez-le à la classe.

b. De quelle guerre Hubert Reeves parle-t-il ? Faites le lien avec la photo.

c. Comment envisagez-vous l’avenir de la planète d’un point de vue environnemental ? Échangez.

Un Français, Morel, entreprend en Afrique une campagne pour la défense des éléphants, menacés de tous les côtés, tant par les chasseurs que par les lois dites « inexorables » du progrès. Lorsque la Conférence pour la protection de la faune (Congo, Bukavu, 1953) constate elle-même qu'« il serait vain de vouloir imposer au public le respect de la nature uniquement par les méthodes légales », Morel ne craint pas de recourir aux armes. Aidé par quelques compagnons convaincus comme lui que le respect de la nature n'est pas incompatible avec les exigences du progrès, il prend le maquis contre la barbarie et la cruauté sous toutes ses formes, cependant que de tous les côtés des conspirateurs habiles essayent d'utiliser sa magnifique obsession et son apparente naïveté à leurs propres fins. Ridiculisé ou haï, accusé de préférer les bêtes aux hommes, traité de misanthrope et de nihiliste, trahi par les uns, aidé par quelques autres, exploité par un apprenti dictateur, et par des agitateurs politiques, le « Français fou » continue envers et contre tous à défendre les éléphants au risque de sa vie. Face à la haine raciale et religieuse, à la démagogie nationaliste, Morel poursuit sa campagne pour la protection de la nature, pour le respect de ce qu'il appelle « la marge humaine », quels que soient les systèmes, les doctrines et les idéologies de rencontre. D'aventure en aventure, d'avatar en avatar, il triomphe avec une tranquille confiance de toutes les déceptions et de toutes les ruses, persuadé que les hommes sont assez généreux pour accepter de s'encombrer des éléphants dans leur difficile marche en avant, et de ne pas céder à la tentation du totalitaire sans marge, de la fin qui justifie les moyens et du rendement absolu.
Et peu à peu, une complicité souriante et amicale se forme autour de celui qui « ne sait pas désespérer » et de ces géants menacés, et des volontaires de tous les pays, de toutes les races et de toutes les opinions se rangent autour de cet aventurier de l'humain.

Romain Gary, *Les Racines du ciel*, quatrième de couverture, éditions Gallimard, 1956.

2 En petits groupes. Lisez la quatrième de couverture.

a. Pourquoi Morel, le personnage principal de ce roman, est-il qualifié d'« aventurier de l'humain » ? En quoi son combat est-il affranchi de revendications politiques ?

b. Pensez-vous qu'écologie et politique soient incompatibles ? Échangez.

SOURIEZ
LES ENFANTS
C'EST POUR LA
PHOTO DE CLASSE

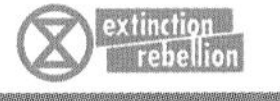

> **« Nous n'héritons pas de la terre de nos parents, nous l'empruntons à nos enfants. »**
>
> Antoine de Saint-Exupéry, *Terre des hommes*, 1939.

3 En petits groupes. Lisez la citation et observez l'affiche.

a. Expliquez la citation. Faites le lien avec l'affiche.

b. Estimez-vous qu'il soit judicieux d'impliquer les enfants pour faire réagir aux problèmes environnementaux ? Justifiez votre réponse.

c. Votre pays est-il particulièrement engagé dans une démarche écologique ? Quelles actions a-t-il mises en place ? Échangez.

SAVOIR-FAIRE ET SAVOIR AGIR

Dans ce dossier, nous allons :

- faire des hypothèses sur les impacts du réchauffement climatique
- exposer des conséquences
- analyser et mettre en place une stratégie argumentative
- proposer des mesures politiques en faveur de l'écologie
- encourager des comportements individuels respectueux de l'environnement
- étudier la fonction d'un personnage dans un roman

- Faire des hypothèses sur les impacts du réchauffement climatique ▸ Doc. 1 et 2
- Exposer des conséquences ▸ Doc. 1 et 2

LEÇON 1 Rapport alarmant

En petits groupes. À votre avis, quels seront les impacts du réchauffement climatique pour la planète et pour l'être humain en 2100 ? Échangez.

document 1 🎧 50

C'EST PAS DU VENT

2. 🎧 50 **Par deux. Écoutez l'émission (doc. 1).**

a. Qui est Wolfgang Cramer ?

b. Définissez l'objectif du rapport du GIEC. Quelle nouvelle approche propose-t-il ?

c. Déterminez les secteurs que recouvre la biodiversité.

d. Quelles sont les conclusions du rapport ? Expliquez l'impact du réchauffement climatique sur l'économie et sur l'espèce humaine.

e. Quelle proposition Wolfgang Cramer fait-il pour enrayer ces résultats ?

3. 🎧 50 **En petits groupes. Réécoutez l'émission (doc. 1).**

a. La journaliste illustre les propos de Wolfgang Cramer par des chiffres issus du rapport du GIEC. Pourquoi est-ce important à la compréhension du phénomène ?

b. Repérez les cinq hypothèses envisagées. Quelle formulation la journaliste utilise-t-elle pour la première hypothèse ?

c. Pour chacune des hypothèses, relevez les conséquences sur l'environnement. Quels sont les temps employés ? Justifiez.

d. Que pensez-vous des résultats exposés dans cette interview ? Échangez.

▸ Stratégies p. 178

En petits groupes. Rédigez un éditorial (500 mots) dans lequel vous dresserez un bilan du réchauffement climatique pour alerter l'opinion sur l'urgence de la mise en place de mesures environnementales.

🎧 DOC. 1 – pêcherie (n. f.) : lieu où l'on pêche. – réseau trophique : ensemble des chaînes alimentaires entre espèces.

5. Lisez l'article (doc. 2).

a. Qui sont les auteurs du rapport d'évaluation ? À qui ce rapport s'adresse-t-il ?

b. Selon les auteurs du rapport, quel facteur contribue grandement au réchauffement climatique ? Sont-ils les seuls à le penser ?

c. Dites pourquoi ce rapport est crédible, selon les scientifiques.

6. Par deux. Relisez l'article (doc. 2).

a. Complétez la légende de ce graphique selon les scénarios appliqués aux nouveaux modèles climatiques.

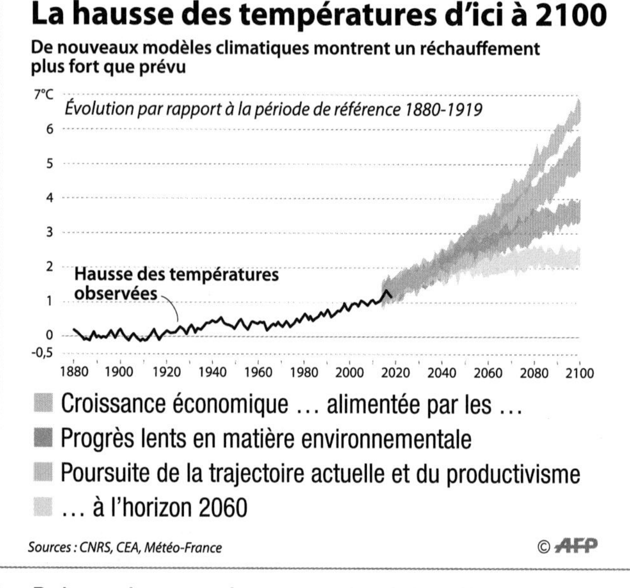

b. Relevez les conséquences du réchauffement climatique dans le pire des scénarios. Faites le lien avec le document 1.

c. Relevez les termes et les expressions qui traduisent la gravité des résultats de ce rapport. À quel(s) scénario(s) se rapportent-ils ?

d. Que faudrait-il faire pour éviter le pire ? Serait-ce suffisant ? Justifiez.

7. Par deux. Lisez à nouveau l'article (doc. 2).

a. Comment les conséquences des deux scénarios sont-elles exposées ? Justifiez le mode utilisé. Comparez avec les temps utilisés dans le document 1 (act. 3c).

b. Quel compte-rendu (doc. 1 ou doc. 2) vous semble le plus alarmiste ?

https://www.lejdd.fr

Le Journal du Dimanche

POLITIQUE SOCIETE INTERNATIONAL ECO PARIS CULTURE SPORT SONDAGES JDD OPINIONS NEWSLETTER

Réchauffement climatique : les 3 enseignements du rapport alarmant dévoilé mardi

Par **Thomas Liabot**, le 17 septembre 2019

Une centaine de chercheurs et d'ingénieurs français ont élaboré des nouveaux modèles climatiques très alarmants. Ces travaux présentés mardi doivent servir de base pour le GIEC[1], les experts climat de l'ONU.

Le réchauffement climatique s'annonce plus prononcé que prévu, ont averti mardi des scientifiques français en présentant des nouveaux modèles climatiques très alarmants, qui serviront de base pour le GIEC. Les experts climat de l'ONU dévoileront en 2021 leur nouveau rapport d'évaluation, le sixième depuis 1990. Une centaine de chercheurs et d'ingénieurs français, notamment du CNRS, du Commissariat à l'énergie atomique (CEA) et de Météo-France, ont travaillé à élaborer deux modèles climatiques qui viendront alimenter ces travaux. Voici ce qu'il faut retenir de leur rapport.

1 – Une hausse de 7 °C en moyenne en 2100 dans le pire scénario

Dans le scénario le plus pessimiste, basé sur une croissance économique rapide alimentée par les énergies fossiles, la hausse de la température moyenne mondiale atteint 6,5 à 7 °C en 2100. Dans le dernier rapport du GIEC de 2014, le pire scénario prévoyait + 4,8 °C par rapport à la période préindustrielle.

Qu'est-ce que cela signifierait concrètement pour les sociétés humaines ? En France, les multiplications des vagues de chaleur sont un bon exemple, ont répondu les scientifiques lors d'une conférence de presse. La canicule de 2003, qui avait tué 15 000 personnes dans l'Hexagone, deviendrait la norme dès les années 2050.

David Salas y Mélia, chercheur climatologue et responsable climat au centre de recherche CNRM (Météo-France-CNRS), a donné des exemples concrets des effets d'un tel réchauffement :

- des « *sécheresses beaucoup plus longues et étendues* », avec « *à partir de 2070 une Garonne à sec pendant quelques mois* » ;
- « *des pratiques agricoles fortement remises en cause* » ;
- « *des feux de forêt qui se multiplient dans des régions où aujourd'hui ils ne sont pas trop fréquents* ».

2 – Le scénario le plus optimiste permettrait de rester sous les 2 °C de réchauffement

Les scientifiques ont aussi soumis leurs modèles climatiques à d'autres scénarios. Le plus optimiste, basé sur une forte coopération internationale et la priorité donnée au développement durable, permettrait « *tout juste* » de rester sous l'objectif de 2 °C de réchauffement et « *au prix d'un dépassement temporaire de l'objectif de 2 °C au cours du siècle* ».

Ce scénario implique la diminution immédiate des émissions de CO_2, la neutralité carbone à l'échelle du globe en 2060 et une captation de CO_2 atmosphérique de l'ordre de 10 à 15 milliards de tonnes par an en 2100, ce qui techniquement est incertain.

L'accord de Paris sur le climat de 2015 prévoit de limiter le réchauffement de la planète bien en-dessous de 2 °C, voire 1,5 °C. Le monde n'en prend pas le chemin, puisque les engagements pris jusqu'à présent par les états entraîneraient un réchauffement de 3 °C.

Le secrétaire général de l'ONU, Antonio Guterres, a d'ailleurs convoqué un sommet lundi à New York pour appeler les dirigeants mondiaux à rehausser leurs ambitions.

3 – Il faut agir maintenant

« *La température moyenne de la planète à la fin du siècle dépend fortement des politiques climatiques qui seront mises en œuvre dès maintenant et tout au long du* XXI*e siècle* », insistent le CNRS, Météo-France et le CEA dans leur présentation.

Ces nouvelles sont d'autant plus inquiétantes que ces nouveaux modèles climatiques développés par le CNRM et l'Institut parisien Simon Laplace sont plus fiables et plus fins que les précédents. « *Il y a un saut qualitatif dans les résultats des modèles* », a insisté Pascale Braconnot.

D'autres modèles étrangers déjà rendus publics, sur lesquels s'appuiera aussi le GIEC, vont également dans le sens d'un réchauffement accentué. « *Cela pourrait s'expliquer par une réaction plus forte du climat à l'augmentation des gaz à effet de serre anthropique[2] que dans les simulations de 2012, mais les raisons de cette sensibilité accrue et le degré de confiance à y apporter restent à évaluer* », selon la présentation.

Grâce à cette échelle plus fine, les chercheurs ont mieux modélisé[3] les conséquences du réchauffement climatique en Europe de l'Ouest pour les vagues de chaleur, mais aussi sur l'évolution de la banquise en Arctique, qui pourrait disparaître ou quasiment disparaître l'été à la fin du siècle, ou encore les cyclones dans l'océan Indien.

1. GIEC (ac.) : Groupe d'experts Intergouvernemental sur l'Évolution du Climat.
2. anthropique (adj.) : fait par un être humain. 3. modéliser (v.) : établir des modèles.

À NOUS !

Stratégies p. 181 et 182

8. Nous faisons un compte-rendu oral des conséquences du réchauffement climatique.

En petits groupes.

a. Choisissez un continent.

b. Recherchez des graphiques qui traitent des conséquences du réchauffement climatique sur la biodiversité et les différents secteurs d'activité.

c. Prenez des notes en suivant le plan ci-dessous.

> A. Présentation des conséquences :
> - à court terme ;
> - à long terme ;
>
> B. Hypothèses dans le cas d'un réchauffement accru.

d. Présentez à l'oral le résultat de vos recherches. Comparez les situations dans les différents continents. Échangez.

2 Consensus

En petits groupes.
Quelle est l'origine du terme « climatosceptique » ? Faites des recherches si nécessaire. Présentez un état des lieux de ce mouvement dans votre pays. Échangez.

document **1** Vidéo n° 15

2. Regardez la vidéo (doc. 1).

a. Reformulez les deux idées principales développées dans cette vidéo.

b. Qu'apportent les images à la vidéo ?

c. Quel est l'objectif de cette vidéo ? Qu'en pensez-vous ? Échangez.

3. Par deux. Regardez à nouveau la vidéo (doc. 1).

a. Identifiez les quatre théories défendues par les climatosceptiques. Quels sont les arguments avancés ?

b. Sur quelles bases les idées des climatosceptiques se développent-elles ?

c. Par quels moyens cette vidéo conteste-t-elle les idées des climatosceptiques ?

d. Résumez en une phrase la conclusion de cette vidéo.

4. Par deux. Regardez encore la vidéo (doc. 1).

a. À partir des images, repérez et expliquez les expressions : « le carburant des climatosceptiques », « la pierre angulaire de toute science », « le doute continue à infuser », « abandonner les rangs », « miser sur le bon cheval ».

b. Quel est le ton dominant dans cette vidéo ? Quelle perception cela donne-t-il des climatosceptiques ?

En petits groupes. Vous semble-t-il possible de convertir un climatosceptique ? Quelle méthode choisiriez-vous ? Échangez et faites vos propositions à la classe.

6. Lisez l'article (doc. 2).

a. Quel portrait cet article fait-il des climatosceptiques ?

b. Identifiez les stratégies argumentatives adoptées par les climatosceptiques et résumez leur objectif. Correspond-il à celui de l'activité 4b (doc. 1) ?

c. Par quels moyens les climatosceptiques expriment-ils leurs positions ? Quels sont les personnes et/ou les sujets visés ?

d. Que propose l'auteur pour parvenir à s'opposer à un climatosceptique ?

e. À quel type d'écrit ce texte correspond-il ? Justifiez.
billet d'humeur • chronique • mode d'emploi

7. En petits groupes. Relisez l'article (doc. 2).

a. Listez les arguments avancés par les climatosceptiques et identifiez leur nature. Lesquels reposent sur la raison ? Sur les émotions ? ▸ Stratégies p. 174

b. Quels types d'arguments leur sont opposés ? Quel est l'objectif de cette stratégie ?

▸ Stratégies p. 180

8. Nous rédigeons un article pour répondre aux climatosceptiques.

En petits groupes.

a. Cherchez des articles, des commentaires de climatosceptiques.

b. Répertoriez trois ou quatre arguments et identifiez leur nature. Traduisez-les. Proposez un contre-argument adapté à chacun d'entre eux.

c. Rédigez un article (700 mots) dans lequel vous alternerez les arguments des climatosceptiques et vos réponses.

d. Lisez les différentes productions et commentez-les. Postez-les ensuite sur le réseau de la classe.

Un ingénieur et consultant, spécialiste de l'énergie, livre ses réflexions sur son blog depuis 2011. Dans cet article, il fait la synthèse des arguments qu'il a avancés aux climatosceptiques qui commentaient ses articles.

energie-developpement.blogspot.fr

Accueil Développement durable » Energie » Technique » Outils » A propos »

De la psychologie du climatosceptique et de l'art de lui répondre

[...]

Comprendre les stratégies pour y répondre

Si vous voulez quand même lui répondre, sachez que dans la plupart des cas votre interlocuteur ne cherchera pas à étayer son opinion mais à affaiblir la vôtre. Pour cela, il peut recourir à trois méthodes : il peut soit 1) mettre en doute l'existence même d'un consensus scientifique, 2) attaquer les personnes (vous, les scientifiques, les institutions, etc.), 3) contester les raisonnements et les données scientifiques. 5
Si vous parvenez à classer les arguments de votre interlocuteur dans une de ces catégories, vous pourrez plus facilement y répondre.

1. S'il met en doute le consensus

La technique est assez simple, on pourrait résumer ainsi : « *Je ne suis pas scientifique mais je sais qu'il existe des chercheurs qui doutent du réchauffement climatique. Attendons que le débat soit clos avant d'agir.* » Une compilation de la littérature conservatrice aux États-Unis a montré que c'est l'argument le plus souvent utilisé pour nier le changement climatique. 10

Que répondre ? D'abord, on peut rappeler que cinq cents ans après la première circumnavigation, il existe encore un certain nombre de personnes convaincues que la Terre est plate : l'unanimité est hors de portée quel que soit le sujet... Mais ce n'est pas l'unanimité qui définit une certitude scientifique, c'est l'existence d'un nombre suffisant de preuves convergentes (en théorie des sciences, on parle de *consilience*[1]) en particulier lorsqu'elles sont partagées par des scientifiques issus de plusieurs disciplines et de différentes origines géographiques.
Cette condition est manifestement remplie pour le changement climatique. De nombreuses études ont tenté d'évaluer l'existence ou non d'un 15 consensus dans la communauté scientifique. Bien qu'avec des méthodologies différentes (sondage, revue des publications, étude des prises de parole publiques...), elles sont toutes parvenues à un constat similaire : le consensus scientifique est de l'ordre de 97 % depuis le début des années 90 [...].

2. S'il s'attaque aux personnes

Quel que soit le sujet, si vous pensez avoir raison contre 97 % des scientifiques et 80 académies nationales des sciences, il faut bien que, en dépit des apparences, tous ces gens soient des idiots et/ou des conspirateurs. C'est pourquoi l'attaque *ad hominem* est pratiquement une figure obligée 20 de tout discours négationniste. On en trouve de multiples avatars : des attaques ciblées contre certains chercheurs [...] ou contre des figures médiatiques [...], contre le GIEC ou les climatologues en général, voire tout simplement contre vous... Ces attaques ne se limitent pas à quelques commentaires de blogs : elles peuvent prendre la forme de procès abusifs, de plaintes auprès des autorités académiques, de diffamations, de piratages informatiques, de menaces, etc. [...]

Que répondre ? Attaquer les personnes faute de pouvoir réfuter les idées est un recours traditionnel de l'obscurantisme, ne vous y laissez pas 25 entraîner. Essayez plutôt de ramener la discussion dans le champ scientifique : la qualité des travaux ne dépend pas de leurs auteurs mais de leur contenu. Vous pouvez au passage rappeler que la liberté académique, c'est-à-dire la possibilité de conduire des recherches et d'en rendre compte même si elles déplaisent à tel ou tel groupe politique, économique ou religieux, est indispensable au progrès scientifique.

3. Si son objection est d'ordre scientifique

Ici, on n'a que l'embarras du choix : il peut s'agir de contester les données et les observations (« *le réchauffement a cessé en 1998* », « *les mesures* 30 *de température ne sont pas fiables* », « *les glaciers progressent* »...), de mettre en doute les modèles (« *on ne sait pas prévoir le temps qu'il fera dans deux semaines* », « *le GIEC a revu ses prévisions* »...), de proposer des théories alternatives (« *le soleil est responsable du réchauffement climatique* », « *ce sont les rayonnements cosmiques* », « *les volcans* », etc.). Malgré leurs variétés, ces arguments reposent souvent sur la même chose : une méconnaissance du sujet, des raisonnements fallacieux et/ou un choix de données orienté – ce que les anglophones appellent « *cherry picking* ». 35

Que répondre ? Le plus souvent votre interlocuteur reprendra ce type d'arguments d'un tiers, il peut être intéressant de lui en demander la source. En bout de chaîne, vous trouverez généralement une vraie publication scientifique qui a été mal comprise, parfois vous découvrirez que les auteurs de l'étude initiale eux-mêmes ont mis en garde contre les mauvaises interprétations...
Dans tous les cas, même si vous voyez les erreurs de votre interlocuteur, je vous conseille de partir du principe qu'il est de bonne foi et que lui-même pense que son argument est valide : plusieurs ressorts psychologiques, comme le biais de confirmation[2], peuvent expliquer que des personnes 40 d'ordinaire rigoureuses acceptent un raisonnement faux. Expliquez l'erreur et faites preuve de pédagogie. [...]

Quelques conseils pratiques

Avant de répondre à un climatosceptique (ou à un négationniste scientifique, quel que soit le sujet), surtout sur Internet, vous devez avoir conscience :

- que c'est un combat inégal : vous avez face à vous le plus souvent un anonyme, dont l'objectif n'est généralement pas de montrer qu'il a raison mais de faire croire que vous avez tort, ce qui lui permet notamment de se contredire sans sourcilier d'une ligne à l'autre et de crier victoire si votre 45 position varie d'un iota.
- mais que vous n'êtes pas seul : identifiez les passages clés de l'argumentation de votre contradicteur et passez-les à la moulinette d'un moteur de recherches, vous pourrez ainsi en déterminer l'origine et voir si d'autres ont déjà répondu. Si c'est le cas, n'hésitez pas à renvoyer vers les réponses existantes.
- que vous êtes maître de la discussion : soyez celui qui pose les questions, qui oriente les échanges, donne le ton... Une fois dépouillé du vocabulaire 50 pseudo-scientifique, un « argument » climatosceptique se réduit en général à une série d'affirmations vagues et embrouillées, ne faites pas l'erreur d'essayer de répondre en fonction de ce que vous pensez avoir deviné de la position de votre interlocuteur. Commencez plutôt par lui faire énoncer de façon claire (et si possible sourcée) quelle est sa thèse, ensuite vous pourrez argumenter sans chasser des fantômes. À ce moment-là, il changera souvent de sujet (« *Expliquez-moi plutôt pourquoi etc.* »), à vous de garder une discussion suivie et centrée sur le sujet initial.
- que vous ne vous adressez pas à votre interlocuteur mais aux autres lecteurs : résistez à la tentation de forcer le trait ou d'amener la discussion sur 55 un plan personnel (les qualifications du commentateur, ses motivations...), contentez-vous de démonter son raisonnement ou les faits qu'il avance de façon aussi précise et rigoureuse que possible.

1. consilience (n. f.) : type de démonstration qui apparaît lorsque de nombreuses sources indépendantes concourent à cerner un phénomène historique particulier.
2. biais de confirmation (exp.) : tendance à privilégier les informations qui confortent une conviction personnelle.

LEÇON 3 Doux dingues

1

En petits groupes. D'après certains mouvements, le projet écologique doit se transformer en projet politique. Qu'en pensez-vous ? Échangez. ▸| Culture et société p. 197

document **1**

FigaroVox

Pascal Bruckner : « L'écologie pourrait déboucher sur un nouveau totalitarisme »

– FIGAROVOX / GRAND ENTRETIEN –

Pour le philosophe, l'écologie est à un tournant de son histoire : ou elle épouse la démocratisation des sociétés ou elle débouche sur des politiques autoritaires et pratique l'extension massive du domaine des interdits. Il voit dans la volonté de certains écolos de « préserver le globe » une forme d'hubris[1]. Et plaide plus modestement pour préserver une certaine qualité de relation entre l'homme et la nature. Par Alexandre Devecchio, le 26 juin 2019

Après les élections européennes*, l'écologie est-elle à un tournant ?

Elle est aujourd'hui dans la situation du socialisme au XIXe siècle. Celui-ci, attentif aux misères de la classe ouvrière, s'est d'emblée divisé en deux camps : l'un démocratique, soucieux de pluralisme, l'autre autoritaire qui débouchera sur la révolution bolchevique et la fondation de l'URSS. De la même façon, l'écologie est à un tournant de son histoire : ou elle épouse la démocratisation des sociétés ou elle débouche sur un nouveau totalitarisme au nom du culte de Gaïa[2]. Seule force originale du demi-siècle écoulé, elle a souligné les dégâts du progrès et de la société industrielle. Elle a réveillé notre sensibilité à la nature, à la souffrance animale, anticipé l'épuisement des ressources fossiles. À partir de cette prise de conscience s'est greffée toute une scénographie de l'Apocalypse qui bat sans mesure le tambour bruyant de la panique et qui emprunte à la gnose autant qu'aux messianismes médiévaux. C'est dans cette chapelle, elle-même divisée, que peut naître une tendance dictatoriale. Les Verts ont gagné en Allemagne parce que les « Realos », plus empiriques, l'ont emporté sur les « Fundis », les puristes qui s'enferment dans une logique de la surenchère. [...]

L'écologie préconise deux vertus essentielles, la modestie et la prudence qui contrastent avec l'arrogance du positivisme classique et des idéologies alternatives au capitalisme, le socialisme et le communisme. Mais au moment même où elle veut rabattre l'orgueil de la créature humaine, elle lui impute tous les dommages possibles et imaginables. Chaque fois qu'une catastrophe nous frappe, on dénonce le réchauffement, donc la main de l'homme : incendies, tempêtes, canicules, sécheresses seraient tous, de près ou de loin, d'origine humaine, conséquences de notre mainmise sur l'environnement. Le changement climatique est devenu le couteau suisse de la compréhension du monde : tout s'explique par lui, la faim, les guerres, le terrorisme, les maladies, les troubles de la fertilité, le malheur amoureux. « Le poumon, le poumon, vous dis-je », disait déjà Toinette dans *Le Malade imaginaire*, expliquant ainsi les fièvres, les pestes buboniques, les hydropisies. Le réchauffement, vous dis-je, le réchauffement. L'homme parviendra-t-il à réparer en quelques années ce qu'il a mis des siècles à détruire ? J'en doute. [...]

L'écologie traduit-elle l'épuisement du progressisme ?

L'écologie pratique l'extension massive du domaine des interdits : non au diesel, à la voiture, à l'avion, aux OGM, à la viande. Elle est comme la poupée de Polnareff qui fait toujours non. Elle est moins l'épuisement du progressisme que son inversion : la certitude que l'aventure humaine est close. Elle reprend tous les postulats du marxisme pour désigner l'ultime coupable : l'homme lui-même dans sa volonté de domination. Elle récuse le capitalisme inventé par un Occident prédateur des peuples et destructeur de la Terre. Ce pourquoi tant de retraités du bolchevisme se reconvertissent dans le vert pour élargir leur palette d'accusations. Au lieu de changer le monde, changer la vie, c'est changer de vie pour préserver le monde. Mais il s'agit encore d'un progressisme subtil : la certitude qu'en embrassant la décroissance, l'humanité ira mieux, quitte à rééduquer les humains récalcitrants.

Les militants de la décroissance se disent de gauche, mais veulent mettre les pays du Sud à la diète et les obliger à rester pauvres, à se priver des progrès dont ils bénéficient eux-mêmes. N'est-il pas indécent d'entendre le multimillionnaire Nicolas Hulot, inventeur de l'« hélicologie[3] », se poser en frère prêcheur de la frugalité et demander aux Français de se serrer la ceinture ? La Chine, l'Inde, l'Afrique se moquent bien de nos préconisations, et elles ont raison. [...]

Peut-on faire l'écologie dans un seul pays ?

Il est avisé de décarboner l'économie, de diversifier nos sources d'énergie, de végétaliser nos villes ; mais il ne suffit pas de vouloir pour pouvoir. Les lobbys seuls, sans le politique, ne pourront renverser le dérèglement climatique. N'est-on pas dans l'impatience infantile du « tout, tout de suite » qui exige un chambardement immédiat du système ? D'autant que la France, à elle seule, ne pèse que très peu dans ce domaine : on sent chez beaucoup d'acteurs de l'écologie la volonté de pratiquer la vertu verte dans un seul pays, comme Staline voulait faire le socialisme dans une seule nation.

L'écologie doit se donner des objectifs à sa mesure : préserver une région, assurer la survie de la faune sauvage, interdire des produits nocifs, nettoyer, autant que faire se peut, lacs et océans, réhabiliter des sites en danger, réorienter nos habitudes alimentaires, et surtout encourager la recherche scientifique. Elle doit être un art du possible, une politique du compromis et non une morale de la pureté. Sinon d'autres mouvements que les « Gilets jaunes » surgiront, rassemblant des citoyens furieux d'être pressurés. Il est curieux que la seule énergie sans émission de gaz à effet de serre, le nucléaire, soit unanimement vomie par les Verts, alors que l'Allemagne, qui pollue l'Europe avec son exploitation du lignite, reçoit tous les éloges de ce camp. Pourquoi négliger les progrès formidables déjà accomplis au lieu de toujours ressasser la liste des désastres : en France, la forêt a doublé en deux siècles, la faune sauvage revient partout, bouquetins ou sangliers posant, d'ailleurs, de redoutables problèmes, tel celui du loup et de l'ours, les fleuves renaissent, la Seine sera bientôt baignable à nouveau, l'air est plus respirable à Paris qu'il ne l'était dans les années 70. Enfin, nous n'avons jamais aussi bien vécu, ni aussi longtemps, dans de bonnes conditions... et jamais autant calomnié notre époque. Cette affliction va de pair avec des charlataneries grossières dignes de la propagande soviétique : *Le Monde* du 22 octobre 2018 proclamait ainsi en première page : « L'alimentation bio réduit significativement les risques de cancer. » Même si le cœur de l'article est plus nuancé, un lecteur hâtif en conclura que pour éviter le cancer, il faut manger bio ! Et puisque la jeunesse descend dans la rue, souhaitons-lui d'échapper à l'apostolat[4] trop facile du désespoir pour retrouver les voies d'une action positive. À elle d'engager une course de vitesse entre les forces du nihilisme et la puissance de l'audace.

* élections européennes : élections de mai 2019 (progression des partis verts en France, en Allemagne, etc.).

1. hubris (n. f.) : conduite démesurée. 2. Gaïa (n. pr.) : déesse grecque de la Terre mère. 3. hélicologie (n. f.) : terme péjoratif formé à partir des mots hélicoptère et écologie. 4. apostolat (n. m.) : mission.

2. Par deux. Lisez l'article (doc. 1).

a. Dans quel contexte cet entretien a-t-il lieu ?

b. Selon Pascal Bruckner, quel risque l'écologie encourt-elle aujourd'hui ? Relevez les images utilisées.

c. Expliquez l'organisation de l'argumentation de Pascal Bruckner et analysez sa vision de l'écologie.

3. Par deux. Relisez l'article (doc. 1).

a. Repérez les mesures auxquelles Pascal Bruckner s'oppose. Pourquoi sont-elles absurdes, selon lui ? Quel(s) risque(s) comportent-elles ?

b. Quels éléments de langage (champ lexical, connotation, figure de style, etc.) Pascal Bruckner utilise-t-il pour s'opposer aux arguments écologiques (act. 2b) ? Quel effet cela produit-il ?

c. Listez le lexique lié à la politique. Que remarquez-vous ?

En petits groupes. Selon Pascal Bruckner, « l'écologie pourrait déboucher sur un nouveau totalitarisme ». Réagissez sur le site du journal.

document 2 51

EUROPE ÉCOLOGIE LES VERTS
VOUS INVITE À LA 8e F(AI)TES DE L'ÉCOLOGIE,
DIMANCHE 14 OCTOBRE 2018, GRENOBLE.

DOC. 2 – coercitif (adj.) : contraignant. – langue de bois (exp.) : désigne une parole qui ne répond pas au problème posé. – tellurique (adj.) : de la terre.

5. 51 Par deux. Écoutez la conférence (doc. 2).

a. À qui l'astrophysicien Aurélien Barrau s'adresse-t-il ? Quelle est sa principale préconisation ?

b. Résumez les différentes propositions faites à chacun des publics.

c. De quelle « fin du monde » Aurélien Barrau parle-t-il ? Faites le lien avec le document 1.

6. 51 Par deux. Réécoutez la conférence (doc. 2).

a. Relevez les difficultés rencontrées par les élus.

b. Selon Aurélien Barrau, qui sont les personnes vraiment « irréalistes » ? Justifiez.

c. Aurélien Barrau associe la décroissance à une nouvelle émancipation. Expliquez.

d. Comment Aurélien Barreau incite-t-il les citoyens et les élus à agir ? Reconstituez la progression de sa démonstration (arguments, exemples).

À NOUS !

7. Nous présentons un programme politique écologique.

En petits groupes.

a. Imaginez le programme politique d'un parti écologique (organisation politique, mesures à prendre, etc.).

b. Caractérisez les atouts de ce programme à partir d'exemples et préparez des visuels (choisissez des éléments de langage percutants).

c. Présentez votre programme pour convaincre votre auditoire d'adhérer à vos idées. La classe vote pour le plus persuasif.

- Encourager des comportements individuels respectueux de l'environnement ▸ Doc. 1
- Étudier la fonction d'un personnage dans un roman ▸ Doc. 2

4 Échos logiques

1 En petits groupes. Les chiffres sur le réchauffement climatique ont-ils fait évoluer votre mode de consommation ? Présentez les actions que vous réalisez au quotidien et celles à mettre en place. Échangez et listez les actions de la classe.

document 1 — 52

2. 52 Par deux. Écoutez la chronique (doc. 1).

a. Quel problème la journaliste dénonce-t-elle ?

b. Expliquez pourquoi la mode est une industrie particulièrement polluante.

c. Quelles sont les préconisations de la journaliste pour limiter l'impact de l'industrie textile au niveau individuel ?

d. Comment les comportements écoresponsables se développent-ils ? Relevez les conséquences sur le commerce des vêtements.

3 En petits groupes.

a. Reprenez vos notes de l'activité 1 et choisissez un secteur (alimentation, loisirs, etc.). Complétez les comportements écoresponsables à adopter en fonction de ce secteur ainsi que leurs conséquences sur l'industrie et l'économie.

b. Échangez sur l'impact des comportements individuels sur le réchauffement climatique.

4. Par deux. Observez la couverture du livre et lisez le résumé (doc. 2, en vert). Comment imaginez-vous la nouvelle vie de Samuel Bourget ? Faites des hypothèses et partagez-les avec la classe.

▸ Culture et société p. 202

5. Par deux. Lisez l'extrait (doc. 2).

a. Identifiez les restrictions et les alternatives mises en place. Décrivez les nouvelles conditions de vie de Samuel Bourget. Vérifiez vos hypothèses à la question 4.

b. Quelles compétences les habitants ont-ils développées depuis la mise en place des restrictions ?

6. Par deux. Relisez l'extrait (doc. 2).

a. Relevez les expressions désignant la nouvelle vie de Samuel Bourget. Quel type de connotation y est associé ? Définissez l'atmosphère de cet extrait.

b. Relevez la comparaison exprimant le rapport de Samuel à sa vie passée (l. 36 à 52). Quelles habitudes lui manquent ? Quel effet l'emploi de phrases nominales produit-il ?

c. Que représente le personnage de Samuel dans cette œuvre ? (Analysez son rapport aux autres personnages, la place qu'il occupe dans cet extrait.)

d. Quelle est l'intention des auteurs de ce roman ?

7. Nous mettons en scène un personnage de roman pour défendre une idée.

Par deux.

a. Inventez un personnage et répertoriez ses caractéristiques (caractère, poste occupé, lieu de vie, relations sociales).

b. Imaginez son évolution suite à de nouvelles conditions de vie liées à des contraintes écologiques. Prenez des notes.

c. Mettez en scène le personnage dans son nouveau cadre de vie et rédigez un texte de 700 mots.

d. Partagez vos productions et échangez vos impressions sur les personnages choisis.

POUR ALLER PLUS LOIN

En petits groupes. Faites des recherches sur l'un des labels éthiques (Fairtrade, PETA, etc.) qui réglementent l'industrie de la mode. Présentez à la classe la démarche mise en place et expliquez ses avantages pour l'écologie.

Suite à son élection à la tête de la République française, la nouvelle présidente écologiste met en place la cellule AIR (*Artificial Intelligence Research*) permettant de calculer le bonus-malus environnemental de chaque Français. Parallèlement, elle déploie un réseau de contrôle dirigé par son Premier ministre, un général de l'armée, permettant de traquer les pollueurs. Samuel Bourget, employé dans une concession à la Défense, se sent menacé. Il décide de quitter la ville avec sa femme, ses deux enfants et son chien, et s'installe dans un village de l'Aubrac[1].

Je passais parfois prendre Sylvia à la bergerie à la fin de la journée. Elle appréciait surtout cette attention quand elle était partie en car le matin. Nous allions alors chercher ensemble Sacha à l'école puis dîner dans un restaurant de la région, rendez-vous des pêcheurs, *Chez Remise*, où Jeanne et André nous retrouvaient parfois. J'aimais arriver à l'improviste à la bergerie, une sensation encore nouvelle pour nous qui étions à peine sevrés des téléphones portables. Émilie avait elle-même dessiné les plans de ce lieu futuriste. On aurait 5 dit une cabane Bartherotte du Cap Ferret. Tout était en bois, sauf les baies vitrées qui donnaient, selon le point de vue, sur les moutons ou sur l'Aubrac. Elle avait installé son bureau et ses appartements privés au premier étage, avec une vue plongeante sur les animaux. De l'autre côté, s'étendaient les causses[2] à perte de vue. En hiver, elle entendait et voyait les brebis, les moutons et les agneaux vivre à l'intérieur de la bergerie, l'été elle pouvait les regarder gambader[3] au loin. La lumière, les bêlements et l'odeur de lait et de laine étaient partout.

Sylvia et Élodie s'étaient tout de suite bien entendues. Il n'avait pas été nécessaire de lui raconter notre histoire, et elle n'avait pas posé 10 de questions. Ce « loft » agricole était autonome : il produisait des moutons, du lait, du fromage et de la laine, sans qu'il soit nécessaire d'importer quoi que ce soit d'ailleurs, sauf un peu de paille achetée à des paysans voisins. Depuis l'instauration du nouveau régime, les prix du bio avaient été multipliés par trois, et la demande par cinq. Émilie, qui était pourtant une virtuose de la macroéconomie, n'y connaissait rien en comptabilité. Sylvia lui a proposé mes services. J'ai rapidement compris qu'elle était en train de faire fortune. [...]

***

Tous les jours, Sylvia se rendait à la bergerie. Tous les jours j'améliorais notre « lopin de terre ». Nous menions une vie de fermiers. De 15 paysans. D'agriculteurs. D'éleveurs. Mais quelle que soit la rusticité de cette nouvelle existence, elle s'accompagnait d'un esprit New Age et de nombre d'innovations. Des amis d'André, entrepreneurs dans le bâtiment, ont accepté de nous installer une éolienne, des panneaux solaires et un puits canadien contre une demi-douzaine de pièces d'or et une poignée de perles nacrées. Le puits canadien, en état de fonctionnement aujourd'hui encore, des années plus tard, consiste à faire circuler l'air de la maison dans des tuyaux enterrés dans le sol à une profondeur de deux mètres environ. En hiver, le sol y étant plus chaud qu'à l'extérieur, l'air se réchauffe dans le circuit. 20 En été, nous allions de terrasse en terrasse, y retrouvant Caroline, Alain et Hubert. Nasbinals, Aubrac et Saint-Urcize, mais également Graissac, Saint-Chély-d'Apcher ou La Chaldette avaient des allures de lieux de rendez-vous mondains d'avant la révolution. Des tandems, des charrues et des équipages de chevaux étaient garés aux côtés de voitures de sport électriques. Les modèles hybrides de grandes marques se disputaient les faveurs des nantis[4] de la Réserve qui découvraient le charme des équipages tirés par des animaux, ou même, si le temps s'y prêtait, du char à voile ou solaire. Pour chaque voiture électrique vendue, les concessionnaires étaient tenus 25 de financer et installer au domicile de leur client une éolienne, ou des panneaux photovoltaïques, capables de recharger le véhicule en trente minutes.

Les bricoleurs de la Réserve avaient développé un sens de l'imagination digne de la *Silicon Valley*. Un Aveyronnais de Laguiole, célèbre bistrotier de Paris, avait investi dans une start-up de mini zeppelins solaires dans l'espoir de remplacer l'hélicoptère qu'il n'avait plus le droit d'utiliser. Son prototype survolait parfois le buron[5] en silence, au grand étonnement des buses qu'il croisait sur sa route.

30 Pour notre part, les soirs de sortie nous laissions la Lada au buron et nous rendions à la ville à bord d'un cabriolet. Le cheval connaissait si bien le chemin qu'au retour, alors que nous somnolions à l'arrière, il pouvait nous ramener sans qu'on le guide. Hubert, Alain et Caroline venaient à cheval. Alain n'avait pas pu résister à la tentation de s'offrir un pur-sang élevé au domaine de La Fichade, à Vebron. S'asseoir à ses côtés signifiait devoir endurer l'énumération des ancêtres de son étalon. Puis ceux du cheval de Caroline. Caroline fuyait les exposés d'Alain, et je fuyais Caroline. Ainsi étais-je souvent obligé de me sacrifier et de m'installer à côté de lui : leurs chevaux 35 n'avaient plus aucun secret pour moi.

***

Les saisons passaient loin de la ville. Il m'arrivait de lire des journaux économiques quand je le pouvais, notamment chez Alain qui en rapportait de ses séjours réguliers à Paris. C'était devenu un petit rituel. La musique visuelle des chiffres de courbes et des photos de grands cadres promus ou ayant changé de job me manquait. En les lisant, je me sentais un peu comme un naufragé qui retrouverait sur la plage une banale boîte de conserve du pays. Le souvenir d'une civilisation perdue. Ce mardi de juin, en ouvrant les pages des *Échos* 40 *logiques*, nouvelle formule des *Échos*, mis sous tutelle par les nouvelles autorités, je me suis remémoré ces petits matins que j'aimais tant de ma vie d'avant. Arrivée au bureau à 8 heures, avant les autres pour profiter d'un moment seul. Une capsule de café dans ma machine à expresso. La vue de mon bureau d'angle sur le bois de Boulogne et la lecture de mes quotidiens. Le bruit des pages feuilletées dans les bureaux silencieux. Au milieu des merveilleux paysages de l'Aubrac, je ne saurais dire pourquoi mais ma tour à la Défense, mes collègues, mes clients, mes emmerdes, comme dirait l'autre, me manquaient. Nous étions hors du monde et j'étais avide de nouvelles de Paris. [...]

45 Comme chaque fois, j'ai lu [...] les pages « Art de vivre ». Elles étaient consacrées à la gastronomie des restes. Cette nouvelle tendance faisait fureur. La plupart des grands restaurants avaient ouvert une annexe où ils « réinventaient les restes et les invendus de la veille ». La plupart de ces nouveaux lieux avaient ouvert dans le quartier de Barbès et Château-Rouge où des femmes africaines prêtaient main-forte en cuisine. Cela les faisait apparemment bien rigoler que nous ayons découvert seulement récemment comment réaccommoder les restes. L'adresse qui faisait fureur en ce moment s'appelait *Le Gratin de Barbès* et le journaliste avait visiblement 50 succombé au petit plaisir de titrer : « Tout le gratin se retrouve au *Gratin de Barbès* ». Un chef étoilé recyclait ses restes en sublimes gratins pour la dégustation desquels célébrités et politiques en vue se battaient. Au-dessus du comptoir, il y avait même une photo de la Présidente, venue quelques jours plus tôt y fêter son anniversaire.

Bertil Scali, Raphaël de Andréis, *Air*, éditions Michel Lafon, 2019

1. Aubrac (n. pr) : haut plateau volcanique et granitique situé dans le Massif central. 2. causse (n. m) : grand plateau rocailleux. 3. gambader (v.) : sauter gaiement. 4. nanti (n. m.) : riche, privilégié. 5. buron (n. m.) : bâtisse typique d'Auvergne qui servait de fromagerie.

MOTS et EXPRESSIONS

Leçon 1 – Rapport alarmant

1. Complétez le tableau avec les mots et expressions suivants.
le changement des comportements individuels • la sécheresse • la remise en cause des pratiques • la perte de l'aire naturelle • les vagues de chaleur • la diminution des émissions de gaz à effet de serre • la disparition possible de la banquise • un cyclone • la captation de CO_2 atmosphérique • la décarbonisation • l'acidification des eaux superficielles • le développement durable • la disparition des espèces • la canicule • la neutralité carbone • la diminution des récoltes

Les conséquences du réchauffement climatique sur				Les moyens pour contenir la hausse des températures
l'agriculture	la faune et la flore	la météo	les océans	
...	...	...	...	...

2. Complétez les définitions avec des mots et expressions de l'activité 1.

a. ... correspond à un manque de précipitations épisodique ayant un impact significatif sur l'environnement.
b. En climatologie et en matière de politique climatique, ... à l'intérieur d'un périmètre donné est un état d'équilibre à atteindre entre les émissions de gaz à effet de serre d'origine humaine et leur retrait de l'atmosphère par l'homme ou de son fait.
c. ... est une perturbation atmosphérique des régions tropicales occasionnant des vents tourbillonnaires violents et des pluies diluviennes. Il se forme sur les océans tropicaux.
d. ... est une façon d'organiser la société de manière à lui permettre d'exister sur le long terme. Cela implique de prendre en compte les impératifs présents mais aussi ceux du futur, comme la préservation de l'environnement et des ressources naturelles ou l'équité sociale et économique.
e. ... est un phénomène météorologique caractérisé par des températures de l'air anormalement fortes, se prolongeant de quelques jours à quelques semaines.
f. ... des océans désigne la baisse progressive du pH des océans causée notamment par les pollutions humaines, ce qui perturbe l'écosystème océanique.

Leçon 2 – Consensus

3. Associez chaque brève à un titre.

Conspiration | Consensus scientifique | DIFFAMATION | Négationniste | Contre l'obscurantisme | UNANIMITÉ | Climatoscepticisme

a. Parmi les articles scientifiques qui se prononcent sur la question, 97 % concluent que le changement climatique est avéré, d'origine anthropique et dangereux.
b. Après le Royaume-Uni et l'Irlande, l'ensemble des députés français a inscrit « l'urgence écologique et climatique » dans le projet de loi relatif à l'énergie et au climat.
c. Dans une tribune, Bruno David et Philippe Taquet, du Muséum d'histoire naturelle, expliquent en quoi l'enseignement de l'histoire naturelle est une discipline parfaite pour pallier l'affaiblissement du discours scientifique.
d. Bien que fondé sur un assemblage de contre-vérités, de données tronquées et de raisonnements fallacieux, ce courant de pensée ne cesse de s'imposer, en France, dans le débat public.
e. Un proche conseiller du Premier ministre a affirmé que le réchauffement climatique était une invention défendue par les Nations unies pour créer un nouvel ordre mondial autoritaire.
f. Le climatologue Michael E. Mann attaque en justice Rand Simberg pour quatre expressions qu'il a utilisées dans un article le concernant : « manipulation de données », « faute académique et scientifique », « figure emblématique d'une science climatique corrompue, disgraciée et transformée en caisse de résonance » et « fraude intellectuelle ».
g. Véronique Liotto, géophysicienne, considère que l'origine du changement climatique n'est pas anthropique mais qu'il est dû au rôle primordial des cycles solaires. Ce dernier est pourtant considéré comme résiduel par une large part de la communauté scientifique.

4. a. **Associez les éléments soulignés au synonyme qui convient. Complétez chaque paire avec un mot ou une expression de même sens ou de sens proche.**
forger • remettre en cause • prêter le flanc • proférer • étayer • avancer • se prononcer
a. appuyer son argumentation
b. construire son opinion
c. dire des inepties
d. énoncer un fait
e. donner son opinion sur un sujet
f. mettre en doute une réalité

b. **Présentez les techniques d'une bonne argumentation et les erreurs à éviter. Utilisez des expressions de l'activité 4a.**

Leçon 3 – Doux dingues

5. Trouvez l'intrus.
a. démocratique • coercitif • liberticide
b. un député • un militant • un sénateur
c. totalitaire • dictatorial • progressiste
d. le capitalisme • le socialisme • le communisme

6. Complétez l'article avec les mots de la liste. Faites les accords nécessaires.
politique • élection présidentielle • écologie • décroissance • postulat • pouvoir • autoritaire • militant • alliance • radicalité • candidat • lutte • écolo

Puisque sauver le monde implique de changer la société, l' ... est un sujet éminemment .... C'est le ... – et à peu près le seul point d'accord – qui mobilise les ... depuis cinquante ans. Entre utopies et compromis, ... éphémères et tiraillements internes, retour sur l'histoire d'une ... politique qui a, jusqu'à présent, toujours échoué en France à mener l'écologie au ....
René Dumont, 70 ans, ingénieur agronome, devient en 1974, à l'occasion de l'..., le premier ... en France à se réclamer de l'écologie politique. Il n'annonce rien de moins que « l'effondrement total de notre civilisation » avant la fin du XXIe siècle si la population mondiale et la production industrielle continuent de s'accroître à un rythme effréné et prône donc la .... Des « mesures limitatives ... de la natalité vont devenir de plus en plus nécessaires », écrivait-il un an plus tôt.
Le début des années 1970 est propice à l'émergence de cette ... écologiste. Elle apparaît à un moment d'essoufflement du mouvement de 1968 et de l'utopie communiste. L'utopie écologiste prend le relais pour beaucoup de ... : c'est désormais là qu'il faut être pour transformer la société », nous explique l'historien Alexis Vrignon. [...]

D'après https://usbeketrica.com/article/breve-histoire-ecologie-politique-france

Leçon 4 – Échos logiques

7. Écrivez trois articles d'environ 70 mots chacun. Utilisez les éléments ci-dessous. Faites les accords nécessaires.
a. Titre : De la *fast fashion* à une mode plus propre et équitable
Mots à utiliser : grande chaîne de prêt-à-porter • industrie textile • champs de coton • désastre environnemental • pesticide • friperie
b. Titre : Des énergies fossiles aux énergies renouvelables
Mots à utiliser : puits canadien • éolienne • panneaux photovoltaïques • énergies fossiles • énergies renouvelables • pétrole • électrique
c. Titre : Retour à la rusticité
Mots à utiliser : lopin de terre • bergerie • cabane en bois • charrue • potager • pêcher • bétail • élever • produire • bio • autosuffisant

DALF 6

I Production écrite : le tourisme durable

ÉPREUVE N° 1 – Synthèse de documents

► Stratégies p. 172

Faites une synthèse des documents proposés, de 220 mots environ (fourchette acceptée : entre 200 et 240 mots).

Attention :
– vous devez rédiger un texte unique en suivant un ordre qui vous est propre, et non mettre deux résumés bout à bout ;
– vous ne devez pas introduire d'autres idées ou informations que celles qui se trouvent dans les documents, ni faire de commentaires personnels ;
– vous pouvez bien entendu réutiliser les mots-clés des documents, mais non des phrases ou des passages entiers.

TEXTE 1

Tourisme durable : attention aux fausses promesses !

Les adeptes du tourisme responsable doivent apprendre à trier les offres et à faire attention aux mauvaises pratiques.

Vous avez la fibre environnementaliste ? Ça tombe bien, un voyagiste mauricien organise des « *vacances d'écotourisme* » dans « *un parc protégé* » où « *cerfs de Java, biches, singes et sangliers évoluent en liberté* ». On serait prêt à signer les yeux fermés pour découvrir ce paradis des amoureux de la nature si, quelques lignes plus loin, les activités suggérées (chasse à la carabine, randonnée en quad et en 4 x 4…) ne venaient semer le doute.

Pollution, pénurie d'eau, destruction d'écosystèmes fragiles, constructions anarchiques, embouteillages et dégradations de sites… De Venise aux bassins de Pamukkale en Turquie asséchés par les prélèvements des hôtels avoisinants, la liste est longue des méfaits causés par le tourisme. Heureusement, depuis quelques années émerge un tourisme responsable, durable, solidaire, participatif, équitable. Selon l'association Agir pour un tourisme responsable (ATR), qui décerne le label du même nom, « *il s'agit de limiter les aspects négatifs et de maximiser les retombées positives pour le pays d'accueil et ses habitants* ».

Peu ou prou, tous les tour-opérateurs et offices de tourisme s'emparent du sujet qui déborde largement le cercle des consommateurs militants. « *Nous ouvrons la porte à un tourisme participatif, pour une expérience qui anime celui qui explore comme celui qui accueille* », explique ainsi Aurélien Seux, fondateur du voyagiste Double Sens. Cet engouement pour le tourisme durable se traduit en chiffres : opérant sur quinze destinations, sa société a multiplié par deux son chiffre d'affaires en trois ans pour atteindre 2 millions d'euros. Le groupe Voyageurs du monde, quant à lui, s'est engagé depuis le début de l'année à compenser intégralement les émissions carbone générées par ses prestations aériennes et terrestres.

Les choses étant plus compliquées qu'il n'y paraît, des pratiques *a priori* positives peuvent cependant se révéler contre-productives. Ainsi, le classement d'Angkor au Patrimoine mondial de l'Unesco a suscité un effet de curiosité peut-être aussi dommageable que l'oubli dans lequel ce site était tombé jusque dans les années 1980 : l'afflux de visiteurs crée aujourd'hui des nuisances (pollution, dégradation des temples…) que le Cambodge peine à surmonter. Des experts font même valoir qu'il est simpliste d'opposer tourisme de masse et durable. Il est des sites où un visiteur par an, c'est déjà trop, et d'autres qui peuvent en supporter 1 000 par jour sans inconvénient. Tout dépend de la manière dont on gère les flux et des caractéristiques des populations autochtones : sont-elles isolées ? Préparées ou pas à l'accueil ? En Europe, les autorités interviennent pour empêcher ces dérives. La France a ainsi voté une loi en 2014 qui définit les principes du tourisme équitable.

D'après Frédéric Brillet, www.capital.fr.

TEXTE 2

L'urgence de concilier voyage et développement durable

Les messages incitant le voyageur à un comportement vertueux, écologiquement parlant, pullulent désormais dans les établissements touristiques. Dans les salles de bains d'hôtels, des affichettes alertent le voyageur. « *Pour ne pas gaspiller l'eau, seules les serviettes déposées dans la douche seront remplacées.* » Mais que vaut cet affichage par rapport à l'impact global du tourisme sur l'environnement ? Pas grand-chose. Si « *60 % des consommateurs se considèrent comme engagés dans leur mode de vie et de consommation, les offres proposées par les géants du tourisme en ligne ne traduisent que rarement leur quête de sens* », estime Laurent Bougras, directeur de la centrale de réservation FairBooking. Les initiatives relevant du « tourisme équitable et responsable » n'ont pas fait tache d'huile. Pour l'instant du moins.

Or, les dégâts provoqués par le tourisme jouent non seulement contre la planète, mais aussi contre ce secteur économique même. Il est donc vital de réconcilier les deux. Il y a urgence. L'empreinte carbone du tourisme a augmenté de 15 % pour atteindre 4,5 milliards de tonnes de CO_2 émises, soit 8 % des émissions globales de gaz à effet de serre, selon une étude réalisée par des chercheurs de l'université de Sydney. Et les populations des pays les plus visités commencent à se rebeller contre l'afflux de touristes perturbateurs.

Parallèlement, ce secteur pèse 10 % du PIB mondial et de l'emploi. Il est donc essentiel à l'économie, et tant les responsables politiques que les entrepreneurs du secteur souhaitent le promouvoir encore davantage. Mais les nuisances engendrées se retournent contre l'activité elle-même. À terme, le réchauffement climatique ne pourrait-il pas porter un coup fatal aux stations de montagne ? Les habitants des régions visitées supportent de plus en plus mal ces afflux de touristes pollueurs, bruyants, qui font monter les prix des loyers. Ce phénomène a désormais un nom : la « tourismophobie ». Un mal qui sévit sur tous les continents : à Venise, à Barcelone, en Grèce, mais aussi sur le site du Machu Picchu.

Certains acteurs du secteur ont compris qu'il est nécessaire d'intégrer les impératifs de développement durable dans leur stratégie. Des hôteliers utilisent les caractéristiques pro-environnementales de leur établissement comme argument de vente. Au *Mob Hôtel* de Saint-Ouen, en banlieue parisienne, le toit est ainsi devenu un jardin potager entretenu par des habitants du quartier. D'autres n'hésitent plus à mettre des dortoirs dans leur offre d'hébergement, ce qui a pour avantage de réduire l'empreinte au sol par lit proposé. Quelques restaurateurs surfent sur la vague bio, voire locavore. Mais ils restent très minoritaires. Il ne reste plus qu'à espérer du retour de bâton citoyen une incitation à un développement durable du tourisme dont les acteurs œuvrent à faire mieux connaître la planète Terre de ses habitants, où qu'ils soient.

D'après Annie Kahn, www.lemonde.fr.

ÉPREUVE N° 2 – Essai argumenté Stratégies p. 174

Votre région voudrait développer davantage le tourisme et lance un débat pour recueillir les opinions des habitants. Vous proposez votre contribution sous forme d'une lettre adressée aux autorités locales. Conscient(e) des effets positifs que le tourisme aurait sur votre région, vous insistez sur les problèmes qu'il pourrait également engendrer s'il était mal maîtrisé. Vous proposez aussi quelques solutions pour concilier l'augmentation du tourisme et le bien-être des habitants. ***(250 mots minimum)***

II Production orale – Temps de passage : 30 minutes environ (préparation : 1 heure)

Cette épreuve se déroule en deux temps. Stratégies p. 181 et 183

1. **Exposé** : à partir des documents proposés, vous préparerez un exposé sur le thème indiqué.
Vous présenterez une réflexion ordonnée sur ce sujet (introduction, développement avec mise en évidence de quelques points importants, conclusion).

Attention : les documents sont une source documentaire. Vous ne devez pas vous limiter à un simple compte rendu des documents. Vous devez construire une véritable réflexion personnelle en introduisant vos propres commentaires et arguments.

2. **Entretien** : interaction avec les examinateurs.

ANNEXES

STRATÉGIES

CULTURE ET SOCIÉTÉ

DALF

Lire et comprendre un texte

La compréhension des écrits (épreuve DALF)

ⓘ Pour chaque texte, il convient de repérer la nature, le thème, l'objectif, les idées générales et la structure.

Rappels pour comprendre l'implicite

Les textes possèdent de nombreux indices lexicaux, grammaticaux ou stylistiques à interpréter. Une information implicite peut reposer sur un mot, un groupe de mots ou une situation.

Procédés	Exemples tirés de la presse (titres ou extraits d'articles)	Intention de l'auteur(e)
Le détournement du sens usuel d'un mot	*La **démission** parentale est à l'origine de l'échec scolaire, selon le ministre de l'Éducation.*	Le mot « démission » est utilisé dans le monde du travail. Ici, il souligne que les parents manquent à leurs responsabilités.
Le détournement d'expressions, de proverbes ou de citations connus	*Black Friday : **je consomme donc je suis**. Vivement vendredi !*	La citation d'origine est « Je pense donc je suis », issue du *Discours de la méthode* de René Descartes. Ici, la consommation se substitue à la réflexion, à la pensée : il s'agit de montrer que l'on existe en consommant et de dénoncer la société de consommation.
La polysémie (plusieurs sens pour un seul mot)	*Après les attentats,* Charlie Hebdo *refuse de **se laisser abattre**.*	« Se laisser abattre » a deux sens : se faire tuer ; abandonner. Ici, l'auteur(e) renvoie à ces deux sens : *Charlie Hebdo* ne se laissera pas tuer et n'abandonnera pas, il continuera d'exister (attentats de Paris, 2015).
La métaphore	*La France **malade** de son système de santé.*	La métaphore insiste sur le fait que le système de santé français fonctionne mal.
L'euphémisme (lexique adapté pour atténuer une notion dérangeante)	*Benoîte Groult **nous a quitté** le 20 juin 2016, à Hyères. Elle est **partie** paisiblement, dans son sommeil.*	L'auteur(e) de l'article annonce ainsi le décès de Benoîte Groult de façon moins abrupte. Il / Elle évite les mots « est décédée » et « morte ».
Les jeux de mots	*Réforme des retraites, on s'oriente vers un système de **poings**.*	Le jeu de mots « un système de poings » (points) souligne que le nouveau système de retraite, basé sur un système de points, promet des débats houleux.
L'ironie (se retrouve dans le lexique, les figures de style, la syntaxe...)	*Greta Thunberg interpelle les parlementaires qui ont mis en cause sa légitimité à incarner le combat contre le réchauffement climatique : « **Peut-être n'êtes-vous pas assez matures.** »*	Greta Thunberg a subi de nombreux reproches par rapport à son jeune âge et son manque de maturité. Elle provoque alors les parlementaires : ce sont eux, les adultes, qui devraient être responsables et agir, mais qui pourtant ne font rien.
Les modes verbaux (le conditionnel, l'impératif...)	*L'utilisation des médecines alternatives **représenterait** un réel danger.*	L'auteur (e) prend des distances en utilisant le conditionnel « journalistique ». Il / Elle rapporte des propos et émet un doute.
La ponctuation (points d'interrogation, d'exclamation, de suspension)	*Le discours du maire contient très peu de références à l'économie, à l'urbanisme, aux grands projets de l'agglomération**...** Mais de longs exposés sur l'échec scolaire **!***	Pour commenter le discours du maire, l'auteur(e) utilise les points de suspension et le point d'exclamation, qui traduisent son indignation.

FOCUS

La compréhension des écrits (épreuve DALF)

DALF C1 (50 minutes, 25 points)

Le document écrit de l'épreuve du DALF C1 est un texte d'idées (littéraire ou journalistique), de 1 500 à 2 000 mots. Des questions de compréhension globale, de compréhension détaillée et de compréhension fine vous seront posées. Elles suivent l'ordre du texte. Pour y répondre, vous devez être capable de :

- repérer le but du texte, synthétiser l'intention de l'auteur(e) ;
- dégager les idées principales et l'organisation du texte (le plan), résumer des informations ;
- reformuler et expliquer une idée avec vos propres mots, interpréter des informations, analyser l'implicite.

Lors de l'épreuve

1. **Observez le document et lisez les questions.** (5 minutes)
   - Repérez les indices paratextuels : le titre, les sous-titres, la source, l'auteur(e)... Ils vous permettront d'identifier la nature et la fonction du document.
   - Lisez ensuite une première fois les questions.
2. **Lisez le texte une première fois.** (20 minutes)
   - Identifiez le thème et les idées principales et commencez à répondre aux questions (compréhension globale et détaillée).
   - Observez l'organisation du texte : les paragraphes, les transitions, les connecteurs logiques...
3. **Lisez le texte une deuxième fois.** (20 minutes)

   Les questions de compréhension fine nécessitent une analyse plus approfondie du texte.
   - Relevez les informations factuelles (les données précises, les chiffres...).
   - Repérez le(s) point(s) de vue exprimé(s). Déterminez s'ils sont positifs, neutres ou négatifs en vous appuyant sur des mots du texte. Relevez les éléments implicites.
4. **Relisez-vous attentivement.** (5 minutes)

Pendant votre lecture, prenez des notes, soulignez, surlignez, entourez... En plus de faciliter votre compréhension, cela vous permettra aussi de trouver rapidement une information.

Expressions utiles

PRÉSENTER UN DOCUMENT

C'est un article / un extrait littéraire / un extrait de roman / une scène de pièce de théâtre / un extrait d'essai / un éditorial / un billet d'opinion / une tribune / ...
Le texte est de type informatif / descriptif / argumentatif / injonctif / narratif / ...
Il s'agit d'un article du quotidien national *Le Monde* traitant de ...
C'est un extrait littéraire qui présente / met en scène ...

REFORMULER

Autrement dit, ...
C'est-à-dire, ...
En d'autres termes, ...
Cela revient à dire que ...
Cela signifie que ...
Pour reformuler les propos de l'auteur(e), on pourrait dire que ...

DONNER LE POINT DE VUE DE L'AUTEUR(E)

D'après / Selon l'auteur(e), ...
Du point de vue de l'auteur(e), ...
En disant cela, l'auteur(e) souhaite souligner que / nous informer sur ...
L'auteur(e) prend position sur ... en affirmant que / en soulignant que ...
L'opinion de l'auteur(e) est (très) tranchée / catégorique.

RÉSUMER UNE IDÉE

Des intellectuels s'insurgent / se révoltent contre ...
Des professionnels de santé interpellent la ministre au sujet de ...
Le chef du gouvernement met l'accent sur / insiste sur / souligne que ...

Entraînez-vous !

1. **Lisez le document 3 p. 17. Dans le titre et les extraits suivants, identifiez les procédés utilisés liés à l'implicite : explicitez les mots et groupes de mots en gras ainsi que la ponctuation.**
   a. Mobilité urbaine, le partage de données **entre fluidité et surveillance.**
   b. Une voiture avec chauffeur **au prix de quatre tickets de bus.**
   c. Mais à l'heure de l'urgence climatique, les villes **se mettent en ordre de bataille** pour inciter le voyageur à abandonner **son confortable habitacle.**
   d. **La bataille se joue autant sur le bitume qu'à l'échelle des serveurs numériques,** où collectivités et plateformes se disputent le rôle de pilote de la ville.
   e. **Circulez, vous êtes tracés** ! Mais à quel prix ?
2. **Entraînez-vous à l'épreuve de compréhension écrite du DALF en conditions réelles. Lisez le texte p. 34 et répondez aux questions. Chronométrez-vous !**

Condenser et simplifier des informations

Le résumé

Condenser et simplifier des informations permet de rendre accessible un contenu long et complexe ainsi que de mettre en relief des idées importantes.

Techniques pour raccourcir des phrases et condenser des idées

Procédés	Texte initial	Reformulation de l'idée principale
Le mot juste → Supprimer les périphrases ou les subordonnées relatives.	*Sans que je sois en mesure d'en identifier l'origine, je n'avais jamais éprouvé jusqu'à ce jour le besoin de rencontrer l'homme qui a rendu ma naissance possible grâce à son don de gamètes et dont je ne sais rien…*	***Inexplicablement**, je n'avais jamais éprouvé jusqu'à ce jour le besoin de rencontrer **mon géniteur**, cet individu **inconnu**…*
Le terme générique → Passer de l'énumération au terme générique, reprendre un champ lexical par un terme englobant.	***Trottinettes, vélos, skateboards, patins à roulettes et autres gyropodes** envahissent les rues des grandes villes.*	*Des modes de transports alternatifs envahissent les rues des grandes villes.*
La nominalisation → Utiliser un nom au lieu d'un verbe.	*Les dix années qui suivent le traité de Maastricht voient aussi les douze états membres de l'Union économique et monétaire adapter leurs économies en vue de l'arrivée de l'euro. Celui-ci est officiellement adopté comme unité de compte en 1999 et mis en place pour les consommateurs le 1er janvier 2002.*	***L'adoption** et **la mise en place** de l'euro a nécessité **l'adaptation** préalable des économies des états membres.*
Le choix d'un verbe adapté pour traduire une idée → exemples : *ambitionner* à la place de *avoir pour but*, *entraîner* à la place de *avoir pour conséquence*.	*Concentrer la population dans les centres-villes, c'est créer de nouveaux flux de transports et d'engorgements.*	*Concentrer la population dans les centres-villes **provoque** des embouteillages.*
La juxtaposition → Lier deux propositions juxtaposées par un signe de ponctuation (, / ; / :).	*Réfréner les impulsions négatives en mangeant ne constitue donc pas une solution étant donné que les vrais sentiments demeurent masqués.*	*Inutile de réfréner les impulsions négatives en mangeant : les vrais sentiments demeurent masqués.*
La phrase complexe → Une seule phrase complexe, comprenant par exemple des conjonctions de subordination, peut rendre compte de plusieurs phrases d'un texte.	*J'en avais déjà brièvement parlé, […] à ses débuts, le mouvement #bodypositive m'a énormément emballée. Je trouvais ça génial que les femmes (et pas que les femmes) oppressées par la société, victimes de grossophobie quotidienne (au travail, chez le médecin, etc.) ou encore de notre société validiste, disent enfin « stop » et montrent qu'on n'a absolument pas besoin de faire une taille précise ou de ressembler à un certain « type » de corps pour être bien dans sa peau, être sexy et s'aimer telle qu'on est, sans vouloir changer quoi que ce soit. Il y avait là-dedans un côté libérateur, un message très fort, et j'y ai vraiment cru.*	*Le #bodypositive, mouvement auquel j'ai vraiment cru, m'a énormément emballée du fait du message important qu'il délivrait : en finir avec la grossophobie et le culte de la minceur.*

FOCUS

Écrire un résumé

Résumer, c'est réécrire un texte de manière condensée (un quart de sa longueur initiale) en respectant les idées principales et la position de l'auteur(e).

1. Lecture et analyse du texte
   - Lisez le texte attentivement une ou plusieurs fois.
   - Soulignez les mots-clés.
   - Identifiez la nature du texte (argumentative, narrative, descriptive, informative...), le thème général, les idées principales et secondaires ainsi que les exemples.
   - Repérez l'organisation du texte et les idées de chaque paragraphe, prenez des notes.
   - Répertoriez les différentes idées émises par l'auteur(e), ainsi que les rapports et les enchaînements entre les idées.
   - Classez les différentes idées. Faites le tri entre les idées principales et secondaires.
   - Reconstituez le plan du texte à partir de vos notes.
2. Plan du résumé
   - Reprenez l'ordre et l'organisation des idées du texte initial.
   - Regroupez les paragraphes qui traitent de la même idée. Supprimez les phrases qui servent d'exemples.
3. Rédaction
   - Restituez uniquement les idées essentielles.
   - Lorsque le texte comporte des données chiffrées, retenez seulement les valeurs les plus significatives.
   - Reformulez avec vos propres mots les idées essentielles et utilisez les mots-clés.
   - Retranscrivez le ton lorsque c'est possible (si le ton est engagé dans le texte initial, il devra l'être aussi dans votre résumé).
   - Ne changez pas le système d'énonciation (si l'auteur(e) utilise « je » dans le texte, faites de même dans le résumé).
   - Ne changez pas les temps verbaux (si le texte est au passé, utilisez le passé dans votre résumé).

! Pensez-y

Lors de la préparation du résumé, évitez de souligner les phrases importantes dans le texte : cela risque de vous inciter à reprendre mot à mot les formules utilisées par l'auteur(e).

Entraînez-vous !

1. Reformulez les phrases suivantes avec les procédés mentionnés.

a. Nominalisation + verbe adapté.
Il faudrait mettre en place un événement convivial à la fin de l'année afin de renforcer les liens de l'équipe.

b. Terme générique + juxtaposition.
Trois bébés panthères, deux lionceaux ainsi qu'un bébé tigre qui ont été victimes de trafic ont été transportés dans un centre de soin spécialisé dans la Loire.

c. Le mot juste.
Nous avons la chance de vivre dans un pays libre où l'on a le droit de s'exprimer.

2. Lisez l'article « L'animal a-t-il des émotions ? Et des sentiments ? » p. 95. Faites-en le résumé.

ET DANS LE MONDE PROFESSIONNEL...

Le compte-rendu professionnel sert à faire la synthèse d'une réunion. Un compte-rendu de réunion reprend l'ordre du jour, les informations échangées, les décisions prises et les actions confiées à chacun.

Le résumé est très utilisé dans le cadre universitaire et de la recherche. **Un abstract** est un bref résumé d'un article de recherche, d'une conférence, d'une thèse ou de toute analyse en profondeur d'un sujet donné. Il permet au lecteur de cerner rapidement le contenu du document entier.

Le résumé scientifique peut être utilisé pour publier un article dans une revue scientifique ou pour proposer une communication orale ou affichée lors d'un congrès. Le résumé est une partie indispensable et constitue l'élément le plus fréquemment consulté dans une publication scientifique.

Le résumé de thèse de doctorat, appelé également sommaire scientifique, est un document succinct qui permet au lecteur d'avoir un aperçu global du contenu de la thèse. Il décrit de façon très sommaire les intérêts du sujet, la problématique sous-jacente, la méthode ainsi que les conclusions.

Synthétiser l'information

La synthèse de documents écrits (épreuve DALF)

Synthétiser consiste à restituer l'essentiel d'une ou de plusieurs information(s) à partir de différents documents. Il est nécessaire de repérer les informations essentielles et les idées secondaires.

Rappels pour améliorer son style

Procédés	Exemples
Varier les tournures de phrases avec la permutation **Objectif : mettre en avant une information.** 1. Placer l'adjectif au début. 2. Placer l'adverbe à la fin. 3. Faire de l'infinitif un groupe sujet. Attention : l'usage des adverbes ne doit pas altérer l'objectivité d'un texte.	1. ***Inquiétant et révoltant,*** *le trafic d'organes est une manne financière dans certains pays.* 2. *Guo Xiaogang est un primoréalisateur habité par le cinéma,* ***indéniablement.*** 3. ***Méditer dix minutes par jour*** *améliorerait les facultés de concentration des enfants.*
Rechercher la précision et l'exactitude **Objectif : économiser des mots et montrer la richesse de son lexique.** 1. Supprimer les périphrases. 2. Éviter l'utilisation de mots et d'expressions « communs » (*faire, dire, choses, gens, il y a…*). 3. Éviter les répétitions, utiliser des pronoms (personnels, relatifs, démonstratifs…) et des synonymes.	1. ***Les géants de la grande distribution*** *ont réussi à s'adapter à la crise. →* ***les supermarchés*** 2. *Les secrets qui ont été* ***dits*** *ont entraîné un scandale. → Les secrets* ***révélés / dévoilés*** *ont entraîné un scandale.* *Elle* ***a*** *des projets ambitieux. →* ***nourrit / poursuit*** *Cette intelligence artificielle ne* ***fait*** *aucune erreur. →* ***commet*** ***Les gens*** *tournent de plus en plus le dos aux supermarchés. →* ***les clients / les consommateurs / les ménages*** *À Paris,* ***il y a eu*** *40 000 manifestants. →* ***on a compté / recensé*** 3. *La mise au point de cet appareil est très simple. Il suffit de placer* ***l'appareil*** *sur une surface plane. → Il suffit de* ***le*** *placer…* *Le directeur de l'usine et l'ingénieur sont passés au bureau.* ***L'ingénieur*** *désirait savoir où en était l'avancée du projet. →* ***Ce dernier…*** *L'article* ***publié*** *ce jour n'a pas* ***parlé*** *des* ***causes*** *de l'affaire. → L'article* ***paru*** *ce jour n'a pas* ***traité / mentionné*** *les origines de l'affaire.* *Patrons et syndicats* ***ont conclu un accord unilatéral.*** *→ Patrons et syndicats* ***se sont entendus.***

Expressions utiles

PRÉSENTER UN DOSSIER THÉMATIQUE

Un consultant spécialisé dans … et un journaliste du *Monde* traitent, dans une chronique et un édito publiés en …, du sujet / du problème de …
Un spécialiste de … et un chercheur en … abordent, dans un rapport et un article scientifique publiés dans …, la question de …
Au travers d'un article et d'un entretien avec …, *Courrier international* et le site *Reporterre* s'intéressent aux nouveaux phénomènes de …
Trois journalistes des quotidiens …, … et … se sont interrogés sur …

FORMULER UNE PROBLÉMATIQUE

… semble plus que jamais crucial(e).
… est un enjeu majeur pour notre société.
Malgré …, c'est … qui est en jeu.

CONFRONTER DES IDÉES

Selon Mme X, … M. Y, quant à lui, …
À l'image de nombreux scientifiques, Mme X …
Tout comme Mme X, M. Y souligne …
Contrairement à Mme X, M. Y admet que …

FOCUS

La synthèse de documents écrits (épreuve DALF)

DALF C1 (1 h 30, 13 points, 200 à 240 mots)
La synthèse de documents écrits fait partie de l'épreuve de production écrite. Elle consiste à rassembler des informations fournies par un dossier thématique (2 documents authentiques : articles de journaux, rapports, entretiens…) dans un texte personnel, objectif et cohérent, articulé autour d'une problématique commune.
Savoir-faire attendus : dégager et formuler une problématique commune à plusieurs documents, reformuler, élaborer un plan, conserver son objectivité, respecter les règles de mise en page.

Lors de l'épreuve

1. Faites une prélecture. (5 minutes)
   Observez les indices paratextuels des documents (titres, sous-titres, chapeaux, illustrations, sources, types de publication…) pour identifier le thème du dossier.
2. Lisez les documents, analysez-les et élaborez un plan. (45 minutes)
   - Identifiez le thème général de chaque texte, soulignez les mots-clés qui pourront être réutilisés et les articulateurs logiques, repérez les idées essentielles et les idées secondaires.
   - Au brouillon, préparez et complétez un tableau récapitulatif pour organiser et pouvoir confronter le contenu des documents.

	Texte 1	Texte 2
Type de texte		
Intention de l'auteur(e) / des auteur(e)s		
Thème du texte		
Mots-clés		
Idées essentielles (IE) et idées secondaires (IS) (*cf.* activité 8 p. 14)		

   - Traitez les textes ensemble, confrontez-les à l'aide des données de votre tableau : quelles sont les idées communes, similaires, complémentaires, celles qui s'opposent… ?
   - Structurez votre texte en trois parties :
     – un titre ;
     – une courte introduction (présentation des documents et de la problématique commune) ;
     Exemple : *Deux journalistes de* Society *et de* Libération *questionnent l'inertie politique concernant la lutte contre le changement climatique dans des articles parus en 2019. Malgré des discours sur la nécessité de changement, les actions restent rares.* (35 mots)
     – un développement, en deux ou trois parties, qui doit faire apparaître les idées essentielles du dossier thématique.
3. Rédigez la synthèse. (35 minutes)
   - Rédigez un texte personnel et objectif : réutilisez les mots-clés mais ne recopiez pas de phrases des documents.
   - Soyez simple et concis(e).
   - Structurez vos idées : utilisez des connecteurs.
   - Respectez le nombre de mots imposés. **Exemples** : *la fille* > 2 mots ; *l'enfant* > 1 mot ; *c'est-à-dire* > 1 mot.
   - **Attention à conserver votre objectivité** : ne donnez pas votre opinion, n'ajoutez pas de commentaires personnels ni de nouvelles idées, ne paraphrasez pas le texte.
4. Vérifiez la cohérence et procédez aux dernières corrections. (5 minutes)

Le saviez-vous ?
La conclusion n'est pas obligatoire : n'en proposez une que si celle-ci n'est pas redondante avec le reste de vos paragraphes.

Entraînez-vous !

Réalisez l'épreuve de synthèse p. 60. Suivez les conseils de cette stratégie. Chronométrez-vous.

ET DANS LE MONDE PROFESSIONNEL…

La note de synthèse est très utilisée dans beaucoup de domaines professionnels : juridique, économique, médical, social, scientifique, etc. Elle informe rapidement les collaborateurs non spécialistes des derniers rapports juridiques, des derniers essais scientifiques…

Argumenter

L'essai argumenté (épreuve DALF)

L'objectif d'une argumentation (à l'oral comme à l'écrit) est de présenter un raisonnement pour défendre une idée, s'opposer à une thèse, convaincre ou persuader un(e) interlocuteur / -trice et délibérer.

Rappels pour varier les types d'arguments et d'exemples

Types d'arguments	Types d'exemples
Argument d'autorité → Accorder de la valeur à un propos en fonction de son origine ou de sa source plutôt que de son contenu. ***Selon une récente enquête de l'INSERM,*** *les enfants sont exposés de plus en plus tôt aux écrans.*	**Statistique** *À deux ans, deux enfants sur trois regardent la télé tous les jours.*
Argument par la cause → S'appuyer sur la (ou l'une des) cause(s) d'un phénomène. *L'utilisation fréquente des pesticides* ***entraîne*** *de graves problèmes de santé chez les agriculteurs.*	**Exemple personnel** *Dans mon village du Bordelais entouré de vignes traitées chaque année, le nombre de cancers de la thyroïde est bien supérieur à la normale.*
Argument par la conséquence → S'appuyer sur la (ou l'une des) conséquence(s) d'un phénomène. *La société devenant plus inclusive,* ***notre regard sur le handicap change,*** *ce n'est plus tabou.*	**Exemple citant des références culturelles** *Les films* Intouchables, De rouille et d'os *ou encore* La Famille Bélier *traitent tous du handicap.*
Argument de valeur → S'appuyer sur les repères moraux d'une société. ***Comme chacun sait,*** *la France est une démocratie dans laquelle chacun a le droit d'exprimer son opinion.*	**Exemple issu de l'actualité** *Un appel à la grève illimitée a été lancé par beaucoup de syndicats. Ils devraient donc être nombreux à protester contre la réforme des retraites. Encore un écueil pour l'exécutif, qui devra faire face à ce mouvement social de grande ampleur.*
Argument d'expérience → S'appuyer sur son expérience personnelle. *Les familles bilingues,* ***comme la mienne,*** *développent une langue propre.*	**Anecdote** *Enfants, ma sœur et moi, bilingues depuis notre naissance, avions développé un langage mélangeant l'allemand et le français. Je me souviens que nous attirions la curiosité des gens.*

Le saviez-vous ?

Il est possible d'exprimer une idée à partir d'un exemple : il s'agit d'un **raisonnement inductif** (du particulier au général). *La banquise fond* (exemple), *la planète se réchauffe* (argument), *c'est indéniable !*

Expressions utiles

INTRODUIRE SA CONTRIBUTION
Vous avez sollicité notre opinion sur …
Nous aimerions contribuer à la réflexion sur …
Je souhaiterais apporter ma contribution sur …
Nous souhaiterions exposer notre réflexion sur …

EXPOSER UN FAIT / UN PROBLÈME
Il est indéniable que …
Face aux enjeux climatiques actuels …
Nous sommes face au problème de / au paradoxe de …
Il semble que nous ayons un problème …

PROPOSER DES SOLUTIONS
Je souhaite d'ailleurs vous proposer quelques solutions pour pallier ce problème …
Pourquoi ne pas organiser … ?
Ne pourrait-on pas envisager … ?
Nous pourrions résoudre ce problème en faisant …

INTRODUIRE UN EXEMPLE
On peut citer ici le cas de …
Rapportons les propos du ministre de l'Environnement qui s'est prononcé sur la question : « … »
L'étude réalisée par … souligne que …
D'ailleurs, dans un article récent du *Monde*, on a pu lire que …
Ceci me rappelle une anecdote …

INTRODUIRE UNE CAUSE
Les raisons de ce succès sont multiples …

INTRODUIRE UNE CONSÉQUENCE
Les effets sont nombreux …
Ce phénomène entraîne … / a des répercussions sur …

CONCLURE
Espérant que vous serez désormais sensible à ce problème, j'attends une réponse de votre part.
En conclusion, on ne peut que se réjouir de / craindre …

FOCUS

L'essai argumenté (épreuve DALF)

DALF C1 (1 heure, 12 points, 250 mots minimum)
L'essai argumenté est la seconde partie (après la synthèse) de l'épreuve de production écrite du DALF C1. Il consiste à prendre position sur un thème donné en proposant un type d'écrit spécifique (un article, une lettre formelle, un commentaire sur un forum...).
Rappel Quelle que soit la forme de votre production, l'essai argumenté comporte toujours une introduction, un développement en deux ou trois parties et une conclusion.

La préparation au brouillon (20 minutes)

1. Lisez attentivement la consigne pour cerner le sujet, la problématique, le type d'écrit attendu et la situation de communication. Pour vous aider, répondez aux questions suivantes : *Qui écrit ? À qui ? Dans quel cadre ? Dans quel but ? Sous quelle forme ?*
2. Notez les arguments et les exemples qui vous permettront de vous positionner et d'apporter des réponses à la question. Variez les arguments pour renforcer votre position.
3. Organisez vos idées dans un plan adapté. ►| **Stratégies** p. 176

La rédaction de l'essai argumenté (35 minutes + 5 minutes de relecture)

1. Adaptez la forme de votre production (article, lettre formelle, contribution à un forum...) ainsi que le registre et le ton (neutre, formel, élogieux, critique...) en fonction de la consigne.
2. Rédigez l'introduction. Présentez le thème et la problématique.
   L'introduction est constituée de quatre parties :
   – une idée générale (idée reçue, fait d'actualité, citation, etc.) permettant d'introduire le thème ;
   – la présentation du thème ;
   – l'énoncé de la problématique ;
   – l'annonce du plan.
   Rappel Le thème correspond au sujet.
3. Rédigez votre développement. Classez vos arguments de manière logique : du général au particulier, du moins impactant au plus impactant...
4. Rédigez la conclusion en apportant une réponse à la problématique de départ et en dressant le bilan de vos arguments. Vous pouvez apporter une ouverture au sujet en élargissant la réflexion.

! Pensez-y

Variez la structure de vos phrases (propositions relatives, formes impersonnelles, phrases commençant par un verbe à l'infinitif...), évitez les répétitions, utilisez la reformulation et soyez concis(e).

Entraînez-vous !

1. Lisez les affirmations suivantes et développez un argument accompagné d'un exemple pour chacune d'elles.
►| **Rappels pour varier les types d'arguments et d'exemples** p. 174

a. Le plastique est mauvais pour notre santé et l'environnement.
b. La grève dans une entreprise est le seul moyen de faire entendre ses revendications.
c. Il faut supprimer les notes au collège.

2. En petits groupes.

SUJET Vous intervenez sur le forum d'un site de parents d'élèves pour donner votre avis sur les activités périscolaires. Vous êtes plutôt favorables à ces activités mais vous pensez qu'elles devraient être organisées différemment pour éviter d'engendrer une baisse de concentration chez les élèves. Vous présentez votre point de vue de manière argumentée et vous faites des propositions.

a. Lisez attentivement le sujet. Identifiez le type de plan proposé.
►| **Stratégies** p. 176
b. Faites un plan détaillé. Classez les arguments et exemples principaux. Variez leurs types.
c. Partagez-vous la rédaction de l'essai argumenté.

ET DANS LE MONDE PROFESSIONNEL...

Il est possible d'avoir recours à l'argumentation pour défendre un projet, présenter des revendications ou motiver une requête auprès de son / sa supérieur(e).
Une demande structurée et réfléchie est primordiale pour obtenir ce que l'on souhaite !

Organiser ses écrits (1)

La dissertation

L'objectif d'un texte écrit est de traduire des idées et/ou de proposer des réflexions afin de les transmettre à un(e) destinataire. L'organisation des écrits (le plan) doit prendre en compte l'intention par rapport au / à la destinataire (convaincre, informer, présenter, etc.).

Rappels des différents types de plans

Types de plans	Caractéristiques	Types d'écrits
Le plan chronologique	Il reprend les grandes étapes d'un concept dans leur ordre chronologique.	Dissertation historique, biographie, article présentant un événement ou l'évolution d'un concept
Le plan thématique	Il permet d'envisager successivement plusieurs aspects d'un sujet.	Article informatif, dissertation
Le plan analytique	Il permet d'analyser une notion ou un phénomène en expliquant ses causes et ses conséquences : – présentation du problème ; – évocation des causes, des origines ; – conséquences (réelles ou à venir) ; – solutions possibles.	Manifeste, pétition, lettre formelle, dissertation
Le plan dialectique	Il s'agit d'un plan reposant sur l'argumentation : – thèse (arguments en faveur d'une position) ; – antithèse (arguments en faveur d'une autre position) ; – synthèse des différents éléments.	Essai argumentatif, essai littéraire, dissertation
Le plan comparatif	Il permet de confronter plusieurs documents, notions, etc. : – ressemblances entre les différents documents étudiés ; – différences ; – synthèse.	Article de fond, dissertation, étude comparative

Les transitions sont primordiales dans n'importe quel type de plan. Ce sont de courts paragraphes, de deux ou trois phrases, qui servent à articuler les parties du développement et à souligner la cohérence et la progression du raisonnement.
Pour la rédaction d'une transition :
1. reformulez l'idée principale du paragraphe précédent ;
2. expliquez pourquoi vous passez au paragraphe suivant ;
3. introduisez l'idée principale du paragraphe suivant.

Exemple : Transition entre deux parties d'une dissertation sur le rôle de l'école :
Notre école apparaît donc apte à remplir un rôle positif dans notre société (1). *Or, l'actualité nous montre bien qu'elle rencontre des difficultés* (2). *Il convient par conséquent de nous interroger sur le type et l'origine de ses failles* (3).

Expressions utiles

PRÉSENTER LE SUJET
Il convient de nous interroger sur …
Nous sommes amenés à nous demander si …
Nous nous intéresserons à …
Il semble opportun d'aborder le thème de …

ANNONCER LE PLAN
Après avoir montré que …, on se demandera si …, ce qui nous amènera à examiner …
Pour répondre à cette question, il est tout d'abord nécessaire de s'interroger sur …
Puis il convient d'étudier …, ainsi que …
Si …, il faut néanmoins réfléchir à …, ainsi …

CITER UN(E) AUTEUR(E) OU UNE SOURCE
D'après / Selon l'étude / l'enquête, l'auteur(e) …
Comme le disait le spécialiste …
Comme on peut le lire dans l'article du *Monde* …

INTÉGRER UNE TRANSITION ENTRE LES PARTIES DU DÉVELOPPEMENT
Nous avons mis en exergue que … Toutefois, … il est nécessaire / intéressant de nous pencher maintenant sur …
Nous avons insisté sur …
Cependant, … Il apparaît important à présent de voir comment …

CONCLURE
En guise de conclusion, …
Pour conclure, …
Ainsi, …

PROPOSER UNE OUVERTURE, ÉLARGIR LE DÉBAT
On peut s'interroger sur …
Cette analyse nous amène à nous poser la question de …

FOCUS

La dissertation

La dissertation est un exercice scolaire et universitaire qui consiste à répondre à un sujet (sous forme de citation, d'opinion à commenter, etc.) en présentant différents arguments.

La préparation au brouillon (de 1 h 30 à 2 heures pour un devoir de 4 heures)

1. Déterminez le problème posé par le sujet et reformulez-le sous forme de question / problématique. Listez les idées qui vous permettront de répondre à cette problématique.
2. Faites un plan détaillé : organisez vos idées de façon logique en choisissant le plan adapté.

La rédaction (de 2 heures à 2 h 30 pour un devoir de 4 heures)

1. Rédigez l'introduction. Organisez-la en quatre parties :
   – idée générale (idée reçue, fait d'actualité, citation, etc.) permettant d'introduire le thème ;
   – présentation du sujet ;
   – énoncé de la problématique ;
   – annonce du plan. Exemple : *Si au premier abord cette affirmation semble indéniable, il convient néanmoins de nous interroger sur ses limites.*
2. Rédigez les deux ou trois parties du développement selon votre plan. Équilibrez la taille de chaque partie. Utilisez des articulateurs pour relier les idées entres elles. ▸| **Boîte à outils** p. 190
3. Intégrez des transitions entre les différentes parties de votre développement.
   Exemple : SUJET – Le travail n'est-il qu'une contrainte ?
   Nous avons mis en exergue que le travail permet à l'Homme d'être libre et indépendant (partie 1).
   Toutefois, notre étude ne s'est pas encore intéressée aux autres apports du travail. Nous allons désormais réfléchir au travail comme un accomplissement personnel (partie 2).
4. Rédigez la conclusion : répondez à la question posée dans le sujet. Synthétisez l'ensemble du développement. Proposez éventuellement une ouverture à la fin pour élargir le débat, mais ne développez pas de nouvelles idées !
5. Relisez votre devoir afin de procéder aux dernières corrections d'orthographe et de syntaxe.

! Pensez-y

- Dans une dissertation, le « je » est proscrit : utilisez les pronoms « nous » ou « on » ainsi que des formes impersonnelles.
- Évitez les énoncés lourds (*premièrement…, deuxièmement…, troisièmement…*).
- La clarté, la lisibilité et la présentation de votre écrit sont primordiales. Le / La destinataire doit pouvoir identifier la structure de votre production sans même l'avoir lue.

Entraînez-vous !

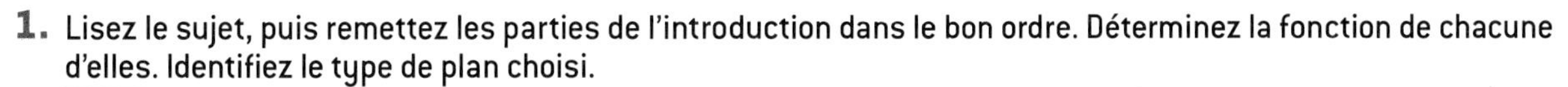

1. Lisez le sujet, puis remettez les parties de l'introduction dans le bon ordre. Déterminez la fonction de chacune d'elles. Identifiez le type de plan choisi.

SUJET Quel est l'impact des images idylliques des réseaux sociaux sur les jeunes femmes ?

a. […] à travers la question suivante : la publication d'images « photoshoppées » a-t-elle un impact sur la confiance en soi et la perception corporelle des jeunes femmes ?
b. S'il semble vrai, au premier abord, que ces images améliorées à coup de filtres prêtent à nous « inspirer », il convient de nous interroger également sur les effets néfastes qu'elles ont sur les jeunes femmes qui les consultent, les commentent et les « likent. » Nous déterminerons ainsi si les clichés idylliques que l'on trouve sur les réseaux sociaux représentent un danger pour les utilisatrices.
c. Des corps aux courbes parfaites, une peau lisse, des yeux immenses, une chevelure de rêve… Nous sommes tous tombés sur ces photos d'influenceuses, posant dans des lieux paradisiaques.
d. Cela nous amène à aborder le sujet de l'effet des images idylliques publiées sur les réseaux sociaux sur les jeunes femmes qui les consultent […]

2. En petits groupes. Rédigez la suite de la dissertation (activité 1) : les différentes parties du développement, les transitions et la conclusion.

a. Rédigez ensemble le plan détaillé. Faites figurer les idées principales de chaque partie.
b. Partagez-vous la rédaction de la dissertation.
c. Comparez votre dissertation avec celles des autres groupes.

Organiser ses écrits (2)

La lettre de motivation – L'article

Les écrits obéissent à des règles de présentation et d'écriture particulières.

Rappel des différents types de textes

	DÉFINITION	CONTENU / ORGANISATION / SPÉCIFICITÉS
Article	Un **article** est un texte publié dans les médias (journal, revue spécialisée, réseau social, blog…), destiné à informer sur un événement ou une situation.	– Structure en différentes parties : le titre, le chapeau, l'accroche, le corps du texte, les intertitres et la conclusion (ou chute). – Réponse aux questions essentielles : *qui* fait *quoi*, *quand*, *où*, *pourquoi* et *comment*. – Organisation des informations : de la plus importante à la moins importante.
Éditorial	Un **éditorial** est un article journalistique qui présente un point de vue. Il marque la position du journal et se trouve souvent en première page (une) de ce dernier.	– Structure en différentes parties : • le titre (présente une opinion) ; • le premier paragraphe (expose le sujet et le point de vue de l'auteur(e)) ; • les autres paragraphes (développent des arguments factuels pour appuyer le point de vue exprimé). – Organisation des arguments : du moins au plus impactant.
Billet d'humeur	Un **billet d'humeur** est un article court qui présente le regard très personnel, décalé, humoristique, indigné ou critique, d'un(e) journaliste sur un fait d'actualité.	– Genre plus libre que l'article. Les formules choc, les provocations sont autorisées. – Tons : ironie, sarcasme, humour. – Registre : moins soutenu que l'article, recours au registre familier possible. – La chute de l'article est surprenante, marquante et constitue une forme de morale.
Manifeste	Un **manifeste** est une proclamation écrite et publique dans laquelle on présente une action à mener, sa manière de voir les choses, son point de vue sur un problème. Il a pour objectif d'attirer l'attention du public, de l'alerter sur quelque chose ou de faire connaître ses idées.	– Progression logique : présentation de l'auteur(e) ou des auteurs et but du manifeste, justifications, présentation des revendications. – Énonciation : présence marquée de l'auteur(e) ou des auteurs avec l'utilisation de « je », « nous ». – Vocabulaire fort : mélioratif ou péjoratif.
Lettre formelle	La **lettre formelle** est un document destiné à communiquer par écrit avec un particulier ou une administration. On y a recours pour faire une demande, une réclamation…	Les règles de présentation sont très strictes. Les éléments suivants figurent dans les lettres formelles : l'expéditeur, le destinataire, le lieu et la date, l'objet, la formule d'appel, le corps de la lettre composé de paragraphes, la formule de politesse.

Expressions utiles

ACCROCHE

Vous êtes à la recherche d'un(e) … qui maîtrise … Je me permets de vous contacter car je pense être la bonne personne pour ce poste.
Vous souhaitez recruter un(e) … pour renforcer votre équipe, mes qualités professionnelles correspondent au profil que vous recherchez.

PRÉSENTER SES QUALITÉS ET COMPÉTENCES

Soucieux / Soucieuse des détails, je veille toujours au respect des délais et à la vérification des informations.
Pragmatique, j'ai su m'appuyer sur mon relationnel, ma force de conviction et ma motivation, pour mener à bien les projets qui m'étaient confiés et y faire adhérer les acteurs de l'entreprise.

CLÔTURER

Je vous remercie de l'attention que vous porterez à ma candidature.
Je reste à votre disposition pour tout renseignement supplémentaire et je serai heureux / heureuse de discuter avec vous de mon adéquation avec le poste à l'occasion d'un entretien.

FOCUS 1

La lettre de motivation

La lettre de motivation est un document adressé à un recruteur / une recruteuse pour lui faire part de votre volonté de travailler au sein de son entreprise.
Vous devez savoir mettre en avant vos compétences et qualités pour le poste.
N'hésitez pas à vous renseigner sur votre destinataire afin d'adapter le style de votre mail et de votre lettre de motivation (grande entreprise, start-up...).

Le mail d'accompagnement de candidature

- Précisez l'objet du mail.
  Exemple : *candidature pour le poste de [intitulé du poste].*
- Soyez bref mais clair(e).
- Utilisez un registre soutenu.
- Ne répétez pas ce que vous dites dans votre lettre de motivation.
- Donnez envie au recruteur / à la recruteuse de lire votre CV et votre lettre de motivation.
- Structurez votre mail.
  Formule d'appel : *Madame, / Monsieur, / Madame, Monsieur,*
  Corps du mail : rappelez l'intitulé du poste et expliquez que vous vous portez candidat(e).
  Formule de politesse : *Cordialement,*
  Signature

[Expéditeur]
Prénom NOM
Adresse
Téléphone
Courriel

[Destinataire]
Monsieur / Madame Prénom NOM
Nom de l'entreprise / de l'organisme / ...
Adresse

Ville, date

Objet : Candidature en réponse à l'offre d'emploi n° ... /
Candidature spontanée au poste de ...

[Formule d'appel] Madame, / Monsieur, / Madame, Monsieur,

[Paragraphe 1]
Indiquez la raison pour laquelle vous écrivez à l'entreprise : faites référence à l'annonce à laquelle vous répondez et mentionnez le poste pour lequel vous souhaitez être recruté(e) ; expliquez pourquoi vous envoyez une candidature spontanée. Si vous écrivez sur recommandation d'un(e) salarié(e) de l'entreprise, mentionnez-le à ce moment-là.

[Paragraphe 2]
Indiquez votre parcours académique et professionnel. Expliquez en quoi vos compétences pourraient être utiles. Incluez les compétences demandées dans l'annonce : par exemple, s'il est demandé d'avoir le sens des initiatives, montrez que cela fait partie de vos points forts.

[Paragraphe 3]
Dites en quelques lignes ce qui vous attire dans l'entreprise, pourquoi vous aimeriez y travailler. N'hésitez pas à vous documenter avant d'écrire votre lettre.

[Paragraphe 4]
Remerciez le recruteur / la recruteuse de l'attention qu'il / elle portera à votre candidature et précisez que vous êtes à sa disposition pour le / la rencontrer.

[Formule de politesse] Veuillez agréer, Madame / Monsieur + *titre*, l'expression de mes sincères salutations. Dans l'attente d'une réponse que j'espère favorable, je vous prie de recevoir, Madame, Monsieur, mes salutations distinguées.

[Signature]

Pensez-y

- Trop de candidats répètent les informations de leur CV dans la lettre de motivation. Celle-ci doit être vue comme le « plus » qui va permettre au recruteur / à la recruteuse de départager deux candidatures. Parlez compétences techniques, polyvalence, capacité à encadrer, sens de l'organisation, méthode, efficacité, réalisations...
- Le participe présent n'est pas très élégant : limitez-en l'usage.
- Évitez de commencer une lettre par « je ».

Le saviez-vous ?

- Ne traduisez ni les diplômes ni le nom des établissements dans votre CV.
- De nombreux anglicismes sont utilisés dans les grandes entreprises, surtout dans le domaine du commerce.
  Exemples : *marketing, business plan, business model, manager, deadline...*
  Selon le domaine visé, l'anglicisme ne choquera pas votre interlocuteur / -trice.

Entraînez-vous !

Choisissez une entreprise francophone dans laquelle vous aimeriez travailler. Faites des recherches sur cette entreprise et proposez une candidature spontanée. Rédigez la lettre de motivation et le mail d'accompagnement.

FOCUS 2

L'article

Structure de l'article de presse

L'article de presse se structure en différentes parties : le titre, le chapeau, l'accroche, le corps du texte et la conclusion (ou chute).

- **Le titre** doit :
  - donner des indices sur le thème traité dans le corps de l'article ;
  - accrocher grâce à une forme percutante (jeu de mots, double sens, citation, interrogation…) ou un ton particulier (drôle, ironique…) ;
  - être concis et simple.
- **L'accroche** correspond aux premières phrases de l'article. Elle doit réussir à captiver son lecteur et lui donner envie de poursuivre sa lecture en quelques mots !
- **Le chapeau** est une courte introduction qui résume l'article en quelques lignes. Il doit hiérarchiser les informations en allant de la plus importante à la moins importante.
- **La conclusion** doit :
  - élargir le sujet ;
  - adopter un ton particulier (humoristique, dubitatif, ironique…) ;
  - se terminer par un élément marquant.

La pyramide inversée pour organiser vos paragraphes

- Démarrez votre article par les informations les plus importantes et terminez avec des informations secondaires. La pyramide inversée donne à voir en premier lieu l'essentiel du propos. Celui-ci est ensuite développé du général vers le particulier et de l'essentiel vers l'accessoire (d'abord les faits, puis les explications, les retours en arrière…).
- Donnez les informations principales dans le premier paragraphe.
- Apportez des détails sur les éléments clés du premier paragraphe dans les paragraphes suivants. Ne développez qu'une idée par paragraphe.

? Le saviez-vous ?

- La **photo** complète l'article et ne se contente pas de l'illustrer. Elle informe et explique, elle peut choquer ou émouvoir. Elle peut aussi apporter une information supplémentaire.
- Une **légende** accompagne obligatoirement la photo. Elle explique le contenu de l'image et indique sa source.

! Pensez-y

Pour que votre article soit le plus complet possible, insérez des témoignages d'experts, appuyez-vous sur des statistiques. Pensez à bien vérifier vos sources !

Entraînez-vous !

1. **Visionnez la vidéo n°9 « Le Canada, nouvel eldorado de l'emploi » (doc. 1 p. 82). À partir des informations recueillies, écrivez un article structuré avec un titre, un chapeau, une accroche, deux ou trois paragraphes et une conclusion. Utilisez la technique de la pyramide inversée.**

2. **Choisissez une information qui fait l'actualité dans votre pays et écrivez un article.**

ET DANS LE MONDE PROFESSIONNEL…

Dans le domaine du journalisme, on distingue plusieurs formes d'articles d'information.

La brève énonce une information brute en une ou deux phrases.

Le filet est un article informatif court.

La synthèse est l'article de presse classique qui présente un événement ou une situation de la manière la plus complète.

L'écho est une petite information à caractère anecdotique, amusant ou insolite.

La revue de presse collecte des citations, informations ou commentaires parus ou diffusés dans les médias.

S'exprimer à l'oral en continu

L'exposé – La production orale (épreuve DALF)

En plus de l'adaptation du registre et du ton au public auquel on adresse son message, l'élocution permet de capter l'attention du locuteur/ de la locutrice et de traduire ses intentions, de même que le regard et la posture.

Rappels pour travailler son élocution

Vidéo n° 3 Visionnez l'extrait de la conférence de Laurent Lévy sur les nanoparticules.

Groupe de souffle et groupe rythmique

Le groupe de souffle se termine par une pause marquée. Il est formé de plusieurs groupes rythmiques. **Les groupes rythmiques sont des groupes de sens,** ils reposent sur l'analyse grammaticale de la phrase.
Exemple : *On arrive/ à faire tourner/ le noyau d'une cellule/ / sans toucher à la cellule/ de l'extérieur/ / parce qu'on a amené des petites particules/ à l'intérieur/ /.* (7 groupes rythmiques / 3 groupes de souffle)

Les liaisons

→ **Les liaisons obligatoires :**
- **entre le pronom et le verbe** (exemple : *on arrive*) ;
- **le déterminant et le nom** (exemple : *des objets communs*) ;
- **l'adjectif et le nom** (exemple : *ces vingt dernières années*) ;
- **après une préposition courte** (exemple : *dans un certain nombre*).

→ **Les liaisons facultatives :**
- **après des conjonctions** (exemple : *mais on / mais on peut faire*) ;
- **après le verbe être** (exemple : *c'est une / c'est une idée toute bête*) ;
- **après un verbe à l'infinitif** (exemple : *sans toucher à la cellule / sans toucher à la cellule*) ;
- **après : « mais », « pas », « jamais », « il faut », « on peut »...**

Marquer les liaisons facultatives relève d'un registre plus soutenu.

Il existe également des **liaisons interdites** (après un groupe nominal sujet, après « et », avant un *h* aspiré...).

Enchaînements

→ **L'enchaînement consonantique** : consonne finale d'un mot + voyelle initiale du mot suivant.
Exemple : *à l'intérieur de la cellule et qu'on arrive à les exciter*

→ **L'enchaînement vocalique** : voyelle finale d'un mot + voyelle initiale du mot suivant.
Exemples : *mais si elle marche ; et on les a envoyées*

Accentuation

→ **L'accent tonique**
L'accent tonique tombe sur la dernière voyelle prononcée du groupe rythmique (le e muet ne compte pas).

→ **Les accents d'insistance**
L'accent tombe sur la première syllabe d'un mot que l'on veut mettre en valeur. La voix augmente.
Exemple : « *(...) on arrive à les exciter, à les faire tourner, à les faire chauffer, alors, on peut détruire des cellules cancéreuses.* »
La place de l'accent d'insistance peut varier selon les émotions, l'humeur et l'intention du locuteur. Il permet par conséquent de varier l'expressivité d'un discours.

Intonation

Les montées et les descentes de voix dépendent de la ponctuation. On descend la voix après un point ↘. On monte la voix après un point d'exclamation, un point d'interrogation. ↗
Exemple : *C'est une idée toute bête /mais si elle marche /, on doit pouvoir soigner les gens / qui ont un cancer / avec ce type d'approche /.*

Entraînez-vous !

Par deux. Relisez la transcription du texte de Philippe Delerm, *le Banana Split* (p. 7).
Marquez les groupes rythmiques, les liaisons, les enchaînements. Déterminez les accents d'insistance que vous souhaitez faire figurer. Lisez le texte de manière expressive. Répartissez-vous la lecture. Échangez vos commentaires. Réécoutez l'audio et vérifiez votre élocution.

FOCUS 1

L'exposé

L'exposé oral consiste à transmettre, devant un auditoire, un compte-rendu synthétique organisé contenant des informations fournies par plusieurs documents de sources fiables sur un même thème.

Lecture des documents

Recherchez des documents de sources variées. Relevez les idées importantes ainsi que les exemples des documents dont vous disposez. Vous pouvez également relever des citations qui viendront appuyer votre exposé.

Préparation de la feuille de notes avec le plan détaillé de l'exposé

- Ne rédigez pas de phrases complètes, prenez uniquement des notes.
- Le plan détaillé comprend :
  – les principaux éléments de votre introduction ;
  – le titre des différentes parties et sous-parties du développement ainsi que les exemples (choisissez un plan adapté : plan chronologique, plan comparatif, plan dialectique… ►| Stratégies p. 176 ; vous pouvez utiliser les idées et exemples repérés dans vos documents ;
  – les principaux éléments de votre conclusion.
- Soignez la présentation de votre feuille de notes pour bien suivre votre plan lors de votre présentation.

! Pensez-y

- N'hésitez pas à utiliser des couleurs pour différencier les parties.
- N'oubliez pas d'utiliser des articulateurs logiques : vous pouvez faire figurer ces articulateurs entre vos parties, afin d'être sûr(e) de les utiliser à l'oral.

Préparation éventuelle de diapositives ou de visuels

- Utilisez une diapositive par idée. Ne mettez pas trop d'informations sur une diapositive, n'oubliez pas que celle-ci appuie votre exposé mais ne le remplace pas.
- Évitez les blocs de texte. Utilisez simplement des mots-clés.
- Utilisez des supports attractifs et variés (graphiques, schémas, photographies, etc.).

Présentation de l'exposé

- Saluez l'auditoire.
- Présentez votre introduction avec une phrase d'accroche et le thème central. Annoncez ensuite la problématique et le plan.
- Développez votre exposé selon votre plan. Faites le lien avec vos visuels si vous en avez. Aménagez des transitions claires entre les différentes parties. Utilisez des connecteurs.
- Concluez votre exposé. Résumez les idées principales. Élargissez le sujet.
- Demandez à l'auditoire s'il a des questions. Remerciez-le.

! Pensez-y

- Ne regardez pas trop vos notes.
- Tenez-vous droit. Utilisez la gestuelle pour accompagner vos propos et… souriez !
- Incluez votre auditoire : utilisez par exemple « vous » ou « nous », posez des questions au public même si vous y répondez (questions rhétoriques).

Expressions utiles

INTRODUIRE LE THÈME

L'objet de cet exposé porte sur …
Je me suis penché(e) sur la question de …

ANNONCER LE PLAN

J'aborderai tout d'abord la question de …,
puis, j'analyserai les causes de ce phénomène …
pour enfin présenter les différentes initiatives …

DÉVELOPPER

Cette étude souligne / Cette enquête démontre …
L'auteur(e) insiste sur le fait que …
Les chiffres prouvent bien que …
À la lecture des différents documents, il apparaît clairement que …

COMMENTER UN VISUEL

Comme nous pouvons l'observer sur le graphique / la diapositive / la photo / l'illustration / la caricature / le dessin / le schéma, …
Regardons le schéma suivant.
Jetons un (petit) coup d'œil à cette illustration.

INTÉGRER SON AUDITOIRE

Cela vous est-il déjà arrivé de … ?
Comme vous le savez tous, …
Vous allez penser que j'exagère mais …
Nous avons tous été confrontés un jour au problème de …

CONCLURE

Pour clore mon exposé / mon intervention / ma présentation, je souhaiterais dire que …
Je vous remercie de votre attention.

RÉPONDRE AUX QUESTIONS

Votre question est (très) intéressante / pertinente.
Merci pour votre question. Je m'étais également interrogé(e) à ce propos.
Vous avez raison de soulever cette contradiction, je vous remercie, mais je pense que …

FOCUS 2

La production orale (épreuve DALF)

DALF C1 (30 minutes, 25 points)
L'épreuve de production orale du DALF C1 est composée de deux parties :
– un monologue suivi sous la forme d'un exposé (8-10 minutes) ;
– un entretien avec le jury sous la forme d'un débat (15-20 minutes).
Préparation : 1 heure.
La source documentaire comprend deux ou trois documents longs : articles informatifs, argumentatifs...

L'exposé

Vous devez être capable de faire un exposé clair et structuré sur un sujet complexe, de développer et confirmer vos points de vue assez longuement à l'aide de points secondaires, de justifications et d'exemples pertinents et de maintenir un bon niveau d'élocution (prononciation et intonation).

Savoir-faire attendus :
- dégager une problématique, hiérarchiser des idées, développer des arguments, synthétiser des informations ;
- structurer un exposé à l'aide d'un plan ; ▸| **Stratégies** p. 176
- souligner la logique de l'argumentation à l'aide de connecteurs en ménageant des transitions.

! Pensez-y
- Exploitez les documents afin d'en tirer des informations importantes, des exemples ; ne vous limitez pas à un simple compte-rendu de la source documentaire.
- Après la lecture des documents, vous pouvez réaliser une carte mentale, par exemple pour souligner les liens logiques entre les idées et le sujet. Ajoutez-y vos propres idées. Élaborez ensuite votre plan détaillé.
- Vous pouvez écrire les connecteurs que vous souhaitez utiliser dans votre plan détaillé pour relier les différentes parties entre elles.

L'entretien avec le jury

Vous devez être capable de répondre aux questions, gérer les objections et y répondre avec spontanéité.

Savoir-faire attendus :
- défendre son point de vue, concéder, confirmer, préciser et nuancer ses propos, reformuler ;
- adapter son registre à son interlocuteur / -trice. ;
- gérer les tours de parole.

! Pensez-y
- L'examinateur / -trice va chercher à vous contredire. Ne soyez pas déstabilisé(e). Il / Elle souhaite évaluer votre capacité à défendre votre point de vue.
- Faites attention à l'élocution. Marquer des pauses, accentuer des mots, faire les liaisons sont des signes de bonne maîtrise de la langue. De plus, cela permet de maintenir l'attention de votre interlocuteur / -trice.

Expressions utiles

PRÉSENTER LES DOCUMENTS
Les documents à partir desquels j'ai construit / structuré ... sont tirés de ...
Dans ces documents / articles / extraits d'ouvrage, les auteurs / journalistes traitent de / étudient / évoquent / soulignent ... pour présenter ...

S'ASSURER DE LA BONNE COMPRÉHENSION D'UNE QUESTION OU D'UN COMMENTAIRE
Si je comprends bien, vous voulez savoir si ... / vous pensez que ... / vous vous opposez à ... / vous êtes en faveur de ...

DEMANDER DE REFORMULER UNE QUESTION
Je ne suis pas certain(e) d'avoir bien compris votre question, pourriez-vous la reformuler / répéter ?

INTERROMPRE POLIMENT
Je suis navré(e) / Je me permets de vous interrompre, mais je voulais rebondir sur ce que vous venez de dire.

GARDER LA PAROLE
Excusez-moi mais je n'ai pas tout à fait terminé mon raisonnement.
Permettez-moi de terminer mon explication.

GAGNER DU TEMPS POUR RÉFLÉCHIR
Pourriez-vous préciser votre question / remarque ?
Pouvez-vous donner / ajouter un exemple pour illustrer votre argument ?

Entraînez-vous !

Testez-vous sur l'épreuve de production orale page 112. Mettez-vous en conditions réelles : préparez et présentez votre exposé dans le temps imparti.

Écouter et comprendre un document audio ou vidéo

La compréhension de l'oral (épreuve DALF)

ⓘ L'écoute et la compréhension d'un document audio ou vidéo nécessite de pouvoir faire le tri entre les informations essentielles et superflues.

Rappels pour une prise de notes efficace

TECHNIQUES	ÉNONCÉS ORIGINAUX	EXEMPLES DE PRISE DE NOTES
Nominaliser et supprimer les mots et idées superflus	*Comme vous le savez sans doute déjà, le groupe LVMH a racheté la société de joaillerie Tiffany il y a quelques mois, en novembre 2019 pour être précis.*	Nov. 2019 : **rachat** de Tiffany par LVMH.
Abréger	*De nombreuses personnes pensent que la littérature est un art plus estimable que la chanson, comme Gainsbourg qui s'était exprimé en ce sens.*	**Pr bcp : litt. > chans.** (**ex.** : Gainsbourg).
Utiliser des signes	*2016 marque l'année du décès de Benoîte Groult, qui aura milité toute sa vie pour la cause des femmes.*	2016 : † Benoîte Groult. Militante pr ♀.
Insister sur les relations logiques	*Utilisé à l'échelle mondiale comme désherbant, le glyphosate est source de controverses quant à ses effets néfastes sur la santé humaine et sur l'environnement.*	Controverse sur utilisa° glyphosate ← effets - santé et envt.
Organiser (utiliser des titres, des sous-titres, des puces et/ou des tirets)	*Je voudrais juste faire un petit rappel sur le gouvernement en France. Il est nommé par le président de la République et il est placé sous son autorité. Le gouvernement est dirigé par le Premier ministre.*	Gvt en Fr. : – nommé par pdt – /s autoriT du pdt – dirigé par 1er min. (= chef gouv.)

Les abréviations des mots permettent de gagner du temps dans une prise de note. Les mots longs peuvent être abrégés en ne gardant que les consonnes (beaucoup → bcp), les mots qui se terminent en "tion", peuvent être abrégés avec un exposant (attention → attent°), vous pouvez utiliser des signes et couper la ou les dernière(s) syllabe(s) de certains mots (cinéma → ciné).

Abréviations et signes fréquents

ABRÉVIATIONS COURANTES

càd. : c'est-à-dire
cf. : se reporter à
ĉ : comme
ct : comment
cpdt : cependant
dc : donc
def. : définition
ds : dans
ex. : exemple
exo : exercice
etc. : *et cætera*
gd : grand
hab. : habitant
id. : *idem*
jms : jamais
lgtps : longtemps
m̂ : même
max. : maximum
min. : minimum
ms : mais
nbx : nombreux
pb : problème
pdt : pendant
pcq : parce que
pop. : population
p/r : par rapport
qd : quand
qq : quelque
qqch : quelque chose
qqn : quelqu'un
rq : remarque
/s : sous
s/ : sur
ss : sans
tjs : toujours
tt : tout
vs. : opposé à
W : travail

SIGNES

\+ plus
– moins
≈ environ
= égal
> supérieur à
< inférieur à
ø rien, absence
♂ homme
♀ femme
x multiplié par
ε appartient
∉ n'appartient pas
// parallèle (à)
→ conséquence
← cause
⚠ attention
/ divisé par
↔ lié à
↘ diminuer
↗ augmenter
% pourcentage

MOTS TRONQUÉS

amphi
bac
conso
expo
info
intro
manif
prépa
pro
pub
télé

EXPOSANTS

exploita° : exploitation
1er : premier
1re : première
2e : deuxième
...

FOCUS

La compréhension de l'oral (épreuve DALF)

DALF C1 (40 minutes environ, 25 points)

Les documents audio de l'épreuve du DALF C1 sont de type argumentatif et informatif. Ils sont dans un registre courant.

L'épreuve se déroule en deux parties.

Compétences requises : comprendre différents types de documents enregistrés ; suivre une intervention longue, des échanges complexes entre locuteurs natifs et différents types de discours ; reconnaître des expressions idiomatiques, des tournures ; identifier les relations des intervenants et comprendre leurs intentions ; percevoir des aspects implicites.

PREMIÈRE PARTIE – Le document long (2 écoutes – 8 minutes maximum) / 18 points

1. Avant l'écoute :
   - lisez bien les questions afin de déterminer les informations à sélectionner pendant l'écoute ;
   - faites des hypothèses sur le contenu de l'audio (nature du document, sujet, nombre de locuteurs...).
2. Première écoute :
   - identifiez la nature du document (émission de radio, cours, conférence, débat, entretien...), le thème général et le(s) locuteur(s) (nom, prénom, profession, fonction...) ;
   - notez les mots-clés en lien avec le thème général ;
   - identifiez les prises de position ; repérez les expressions de l'opinion, de l'accord et du désaccord ;
   - repérez l'organisation et la progression du document ; repérez les mots de liaison et les connecteurs logiques pour comprendre l'argumentation ;
   - commencez à répondre aux questions et identifiez celles qui restent sans réponse.
3. Deuxième écoute :
   - notez les informations factuelles ; repérez les chiffres et les données précises ;
   - déterminez si le ton est nuancé, appuyé, ironique, virulent, enthousiaste, etc. ; identifiez si le point de vue est neutre, critique, optimiste, etc. ;
   - complétez vos notes et vos réponses.

Nombre de questions : une dizaine environ.

Nature des questions :

– des questions à choix multiple (QCM) avec une seule réponse correcte pour trois choix possibles ;

– des questions ouvertes auxquelles vous devez répondre directement. Le correcteur évaluera le sens de votre réponse.

DEUXIÈME PARTIE – Les documents courts (1 écoute – 2 documents – 2 minutes chacun maximum) / 7 points

Type : flash info, spot publicitaire, campagne d'information...

Avant l'écoute : lisez rapidement les questions qui vous sont posées afin de pouvoir extraire les informations nécessaires pendant l'écoute.

Pendant l'écoute : ne notez que les informations en lien avec les questions.

Nombre de questions : trois ou quatre par document.

Nature des questions :

– essentiellement des QCM ;

– parfois une question ouverte.

Attention à bien lire les questions : c'est parfois un élément implicite qui permet de choisir la bonne réponse ou d'en éliminer une mauvaise.

! Pensez-y

- Utilisez plusieurs feuilles de brouillon (numérotées) et des stylos de différentes couleurs.
- Aérez vos notes lors de la première écoute : vous aurez ainsi la place pour les compléter lors de la deuxième écoute.
- Ne vous laissez pas déstabiliser par des mots inconnus, essayez de les comprendre dans le contexte.

Entraînez-vous !

a. Écoutez le discours de François Ruffin (document 1 p. 66). Prenez des notes.
b. En petits groupes. Comparez vos notes. Dites quelle est la prise de notes la plus efficace et pourquoi.

ET DANS LE MONDE PROFESSIONNEL...

La prise de notes est nécessaire dans de nombreuses situations de la vie professionnelle. On peut prendre des notes à l'occasion d'une réunion pour faire un compte-rendu, pour noter des tâches à réaliser, lors d'un entretien, etc.

Développer un raisonnement à l'oral

Le débat

Interagir oralement signifie faire passer votre message tout en prenant en compte les idées de l'autre et le rapport que vous entretenez avec votre interlocuteur / -trice.

Rappels des différents types de raisonnement

Types de raisonnement	Exemples
La mise en contradiction → Montrer ce qui n'est pas logique.	Argument : *Il faut acheter des voitures électriques pour moins polluer.* Réfutation : *Les voitures électriques ne sont pas si écologiques que ce que l'on croit : leur fabrication est énergivore.*
Le contre-exemple → Trouver une exception à une règle générale : montrer que cette règle ne s'applique pas à un cas particulier. Le contre-exemple permet donc de prouver qu'une affirmation est fausse.	Argument : *Notre système judiciaire est excellent. Les innocents n'ont rien à craindre.* Réfutation : *On recense plusieurs cas d'erreurs judiciaires. Nous pouvons prendre l'exemple en France de Patrick Dils, accusé à tort de meurtre en 1986. Il passera quinze années en prison, avant d'être reconnu non coupable.*
Le raisonnement par l'absurde → Déduire des conséquences absurdes d'une idée pour la réfuter (le recours à l'ironie est possible).	Argument : *Le télétravail est une révolution pour le bien-être des employés.* Réfutation : *Ma chambre devient mon bureau, mes dossiers s'empilent partout dans la cuisine, je peux travailler quand je suis malade ! Super ! Et faire soixante heures par semaine au lieu de trente-cinq sans que personne ne s'en rende compte... : le paradis !*
Le raisonnement dit *ad hominem* (propre à l'interlocuteur / -trice) → Attaquer directement son interlocuteur / -trice en lui opposant ses propres paroles ou ses propres actes.	Argument : *Il faut plus de mixité sociale dans les établissements scolaires pour plus d'équité.* Réfutation : *Tu prônes la mixité sociale dans les établissements scolaires alors que tu as toi-même détourné la carte scolaire pour pouvoir inscrire tes enfants dans l'école des beaux quartiers de la ville ! Tu aurais pu les inscrire dans l'école de ton secteur et ainsi favoriser l'équité justement !*

Expressions utiles

Les participants, les invités

EXPRIMER SON OPINION

Pour ma part, …
J'ai le sentiment que …
J'ai l'impression que …

INTERROMPRE POLIMENT

Excusez-moi de vous interrompre / couper la parole mais je souhaiterais ajouter que …

GARDER LA PAROLE

Attendez, je n'ai pas encore terminé.
Cessez de me couper la parole, je vous prie.
Laissez-moi finir, s'il vous plaît.

INVITER SON INTERLOCUTEUR / -TRICE À EXPRIMER SON OPINION

Qu'en pensez-vous ?
J'aimerais connaître votre point de vue sur la question.

EXPRIMER UN DOUTE

Il conviendrait donc, selon vous …
Si j'ai bien compris, vous croyez que … ?
Le pensez-vous vraiment ?

EXPRIMER ET NUANCER SON ACCORD

J'approuve totalement vos propos.
Sur ce point, je suis tout à fait d'accord.
Je partage aussi cet avis !
J'adhère en partie à ce que vous venez de dire.

EXPRIMER ET NUANCER SON DÉSACCORD

Je ne suis pas tout à fait du même avis que vous sur ce dernier point.
Je ne vois pas les choses de la même manière.
Je ne suis absolument pas d'accord avec ce qui vient d'être avancé.
Je suis en parfait désaccord avec cette idée.
Non, vous vous trompez*.
C'est insensé ! / C'est une plaisanterie ?!*

RÉFUTER

Ce que vous énoncez est vrai, mais …
Je suis en partie d'accord, cependant …
C'est évident, pourtant …
Oui, en un certain sens, mais …

* direct voire très direct

Le médiateur / La médiatrice

INTRODUIRE

Le sujet que nous allons traiter avec les différents invités / participants est une véritable controverse : …
La question qui nous intéresse aujourd'hui …
Entrons dans le vif du sujet.

DONNER LA PAROLE

Nous allons maintenant écouter la psychologue X.
Je me tourne vers notre invité, le professeur X.
Nous ne vous avons pas trop entendu à ce propos, X. Qu'en pensez-vous ?
La parole est à vous !

RECADRER

S'il vous plaît ! On ne s'entend pas ! Nous digressons ! Revenons à notre sujet de départ, s'il vous plaît.
Pour recentrer le débat, je souhaiterais vous poser cette question : …

FOCUS

Le débat

Le débat part d'une question controversée et met en confrontation différents points de vue. Il se réalise en un temps limité. En participant à un débat, vous devrez exprimer, défendre votre point de vue et essayer de convaincre votre interlocuteur / -trice en vue de faire évoluer ses représentations et/ou de construire une réponse commune.

Le discours

1. Présentez vos idées de manière claire et explicite.
   Exemple : *Tout d'abord, je souhaite dire que je suis en faveur du projet de loi sur la cohésion urbaine car cela permettra de réduire les inégalités entre les quartiers.*
2. Soignez votre argumentation et nuancez votre point de vue. ►| **Stratégies** p. 174
3. Adaptez votre registre de langue, votre vocabulaire à votre interlocuteur / -trice.

Les interactions

1. La prise de parole dans un débat est orchestrée par le médiateur / la médiatrice et se fait à tour de rôle dans le respect des opinions de chacun. Selon le contexte, le débat peut se dérouler dans le calme et le respect mais peut aussi être plus virulent. Il faut alors savoir faire respecter votre espace de parole. Si l'on vous coupe la parole, sachez la reprendre.
   Exemple : *Excusez-moi, mais je n'ai pas terminé !*
2. Il est délicat d'interrompre son interlocuteur / -trice, mais c'est une pratique du débat, faites-le donc poliment.
   Exemple : *Pardonnez-moi de vous interrompre, mais je souhaiterais rebondir sur ce que vous venez de dire…*
3. Intéressez-vous au point de vue de votre interlocuteur / -trice et invitez-le / la à préciser sa pensée. Vous montrerez ainsi de l'intérêt à l'autre participant(e) et cela vous donnera un peu de temps pour réfléchir !
   Exemple : *Je ne suis pas certain(e) de bien comprendre les raisons de cette affirmation. Pourriez-vous me les expliquer ? / Qu'est-ce qui vous pousse à dire cela ?*

Le médiateur / La médiatrice

En tant que médiateur / médiatrice, vous vous occuperez de gérer le débat, de l'introduire, de le faire avancer et de le conclure. Il est important également de coordonner les interventions de chacun, partager le temps de parole de manière équitable et recentrer la discussion si besoin. Ne perdez jamais de vue le thème et la problématique initiale !

? Le saviez-vous ?

Pour mieux réfuter un argument, il peut être intéressant d'afficher d'abord un **accord partiel** avec votre interlocuteur / -trice.
Exemple : ***Certes**, comme vous le dites, proposer la visite d'un chien à l'hôpital demande une grosse organisation. **Cependant**, lorsque l'on constate les bienfaits qu'apporte l'animal aux patients, on peut se dire que cela en vaut la peine !*

Entraînez-vous !

1. Réfutez les points de vue suivants. ►| **Rappels des différents types de raisonnement** p. 186

a. Il faut cesser de construire des gratte-ciel, c'est laid et c'est trop énergivore.
b. Le droit de vote devrait être obligatoire dans tous les pays pour inciter les gens à s'intéresser à la politique et à avoir plus de poids dans les décisions.
c. Il faut absolument interdire la cigarette électronique. C'est dangereux. On peut développer des allergies aux produits inhalés.

2. À partir des sujets suivants, formulez une question introduisant un débat.

a. L'appropriation culturelle
b. Les outils numériques à l'école
c. Le totalitarisme écologique

3. En petits groupes. Choisissez un sujet de l'activité 2 et organisez un débat.

Favoriser la compréhension et les interactions

La médiation

Dans la médiation, vous jouez le rôle d'intermédiaire entre la langue française et vos interlocuteurs. Vous permettez la création d'outils pour construire et transmettre du sens soit dans la même langue, soit d'une langue à une autre. Vous y avez recours très souvent dans la vie quotidienne, par exemple lorsqu'il faut expliquer à quelqu'un une chose qu'il / elle n'a pas comprise.

Rappels pour faciliter le travail de compréhension et de restitution de sens

Simplifier un document (écrit ou audio)	
1. Expliciter un document difficile.	→ Ajouter des explications, des exemples, des comparaisons pour clarifier. **Exemple :** *Dans cet article, Nancy Houston dit qu'il y a d'« innombrables langues françaises ». Cela signifie qu'il y a beaucoup de langues françaises différentes selon les accents, les expressions particulières à un pays ou une région, etc. Au Québec, par exemple, on dit « un char » au lieu d'« une voiture ». Ce sont tous deux des termes français, mais la signification n'est pas la même selon le pays.*
2. Élaguer un document.	→ Ne garder que les éléments essentiels pour votre interlocuteur / -trice. Reformuler le document à des fins communicatives. **Exemple :** *Pour résumer, dans cette chanson, on parle de la vie dans les banlieues et des inégalités sociales. Grandir en banlieue n'est pas simple et cela peut créer un fossé avec les autres classes sociales.*
Expliquer un nouveau concept	
1. Se baser sur des connaissances préalables.	→ Faire appel à ce que votre interlocuteur / -trice sait déjà (par exemple en faisant des comparaisons avec des éléments connus, en faisant référence à des connaissances communes, en donnant des exemples). **Exemple :** (expliquer l'usage du conditionnel) *Il y a plusieurs façons d'exprimer le doute. On peut utiliser des expressions comme « Je doute », « Je ne suis pas certain(e) », etc. Mais on peut aussi utiliser le conditionnel, comme le fait l'auteur. Il montre ainsi qu'il prend des distances avec ce qu'il énonce, il émet un doute.*
2. Décomposer une information compliquée.	→ Identifier les idées clés d'un document. Aller du plus simple au plus compliqué. Se concentrer sur l'essentiel. Éliminer les digressions, les exemples, les éléments superflus. **Exemple :** (expliquer un concept compliqué : les nanoparticules magnétiques) *Des chercheurs pensent que l'on peut traiter le cancer avec des nanoparticules magnétiques. Mais d'abord, il faut comprendre ce que sont les nanoparticules. C'est la même chose que les magnets que l'on a sur le frigo sauf que ce sont des particules minuscules et qu'on peut les envoyer par centaines de milliers, de milliards à l'intérieur des cellules où elles pourront s'aimanter autour du noyau par exemple.*
3. Adapter son langage.	→ Prendre en compte le profil de votre interlocuteur / -trice (âge, connaissances préalables...). Choisir le registre, les mots, les tournures de phrases et l'élocution adaptés. Utiliser des synonymes, des périphrases, des simplifications... **Exemple :** (expliquer à des enfants le droit à l'image) *Ton image, c'est toi en photo ou en vidéo. Tu as un droit dessus puisque c'est ton visage ou ton corps qui sont représentés. Ça veut dire que l'auteur(e) de la photo ou de la vidéo ne peut pas les diffuser, les mettre sur Internet, par exemple, sans t'avoir demandé avant la permission et celle de tes parents.*

! Pensez-y

La médiation ne répond pas à des compétences académiques ou professionnelles. Ainsi, lorsque vous devez résumer un document pour quelqu'un d'autre, on ne vous demande pas de le faire de façon stricte.
La médiation relève autant du savoir-faire que du savoir-être.

FOCUS

Les différents types de médiation

Médier un document écrit ou oral
Il s'agit de transmettre à l'oral ou à l'écrit les informations d'un document à une personne qui ne le comprend pas ou qui n'y a pas accès.
Exemples : transmettre des informations spécifiques, expliquer des schémas, des tableaux, des graphiques, expliquer un texte, traduire un document d'une langue A à une langue B, prendre des notes pendant une conférence, un cours ou une réunion…
Savoir-faire attendus aux niveaux C1-C2 : être capable de transmettre de façon claire, fluide et bien structurée les idées importantes de documents longs et complexes et d'intégrer les points de vue et les nuances.

Médier des concepts, des idées
Cela consiste à favoriser un travail coopératif dans le cadre d'une activité de groupe : savoir coopérer et gérer les interactions avec d'autres personnes (camarades, collègues…).
Exemples : réaliser un projet, résoudre un problème, préparer un débat, lister les arguments pour et contre…
Savoir-faire attendus aux niveaux C1-C2 : dans une discussion, être capable d'inciter les différents participants à s'exprimer et, avec une série de questions, de susciter un raisonnement, une réflexion.

Médier la communication
Cela revient à créer un espace de communication dans lequel des personnes qui n'ont pas la même langue, la même culture ou les mêmes habitudes, puissent se comprendre, échanger, se respecter. Vous jouez le rôle d'intermédiaire : le médiateur / la médiatrice de la communication.
Exemples : jouer le rôle du médiateur / de la médiatrice dans un débat, animer une réunion.
Savoir-faire attendus aux niveaux C1-C2 : être en mesure de jouer efficacement le rôle de médiateur / médiatrice, faire en sorte que l'interaction reste positive en commentant les différents points de vue, gérer les ambiguïtés, anticiper les malentendus et intervenir avec diplomatie pour recentrer la discussion.

Expressions utiles

MENER UN GROUPE DE TRAVAIL
Qui a des idées / des commentaires ?
Qui veut bien s'occuper de … ?
On commence par hiérarchiser nos arguments, ça convient à tout le monde ?
Quelles en sont les conclusions ?
Arrêtons de digresser, sinon, on ne va jamais avancer / s'en sortir.
Revenons à la question principale.

COMMENTER UN POINT DE VUE
C'est intéressant comme point de vue.
Nous avons deux angles d'approche tout à fait différents !
Votre opinion est assez complémentaire / se rapproche de celle de …

GÉRER UN DÉSACCORD
Essayons de trouver un terrain d'entente.
Chacun a le droit de penser ce qu'il veut.
Respectons le point de vue de chacun.

ÉMETTRE POLIMENT UNE RÉSERVE
Je ne suis pas entièrement d'accord avec ce que vous dites mais je respecte tout à fait vos propos.
J'entends bien ce que tu dis mais je ne partage pas cette vision des choses.

LEVER UNE AMBIGUÏTÉ
Vous voulez dire que …, c'est bien ça ?
Je ne suis pas certain(e) de bien comprendre. Tu penses que … ?

ANTICIPER UN MALENTENDU
Attends, je pense que nous nous sommes mal compris(es). Je vais réexpliquer.
Comprends-moi bien, je ne veux pas dire que … mais au contraire que …

RAPPELER UNE CONNAISSANCE PRÉALABLE
Vous vous souvenez quand nous avons fait un débat sur … ?
L'autre jour, nous avons parlé de …
Ça te / vous dit quelque chose ?

FAIRE UNE COMPARAISON AVEC QUELQUE CHOSE DE CONNU
Ici, tu dois faire la même chose que …
C'est (presque) comme / pareil que …
Dans ce cas, tu vois, c'est exactement l'inverse de …
On pourrait le comparer à … / cela ressemble à ...

PROPOSER SON AIDE
Vous voulez que je vous explique / vous reformule / vous traduise cette partie du texte ?
Tu as besoin d'un éclaircissement sur le sujet ?

EXPLICITER
Ça veut dire que …
En d'autres termes, …
Finalement, ça revient à dire que …

Entraînez-vous !

Choisissez un article de presse en français. Lisez-le. Sans préparation, résumez-le à la classe en français. Invitez les autres étudiants à vous poser des questions puis répondez-y.

Boîte à outils

Les mots de liaison

ORGANISER, ÉNUMÉRER CHRONOLOGIQUEMENT
– avant tout / avant toute chose / (tout) d'abord / pour commencer / en premier lieu / …
– ensuite / puis / après / en second lieu / …
– enfin / finalement / pour terminer / en dernier lieu / …

REFORMULER UNE IDÉE
en d'autres termes / autrement dit / en deux mots / c'est-à-dire / …

INDIQUER UNE SUCCESSION D'IDÉES
D'une part …, d'autre part …
D'un côté …, d'un autre côté …

PRÉSENTER UN FAIT
On observe (+ *nom*) …
On observe / remarque que (+ *indicatif*) …
Si on se réfère à (+ *nom*) …

AJOUTER UNE IDÉE
de plus / de surcroît / en outre / également / on peut ajouter / à cela s'ajoute / sans compter / …

ILLUSTRER SES PROPOS
Prenons l'exemple de (+ *nom*) …
Comme (+ *nom*) / par exemple / notamment / ...

ATTIRER L'ATTENTION
tout particulièrement / notamment / …
à ce propos / à ce sujet / à cet égard / …
quant à / en ce qui concerne (+ *nom*) …

CONFIRMER
en effet / effectivement / …

PRÉCISER
en réalité / en fait / …

NUANCER SES IDÉES, EXPRIMER LA CONCESSION
certes … mais … / il est vrai que …
sans doute … mais …
bien que (+ *subjonctif*) … / avoir beau (+ *infinitif*) …
quel(le)(s) que soi(en)t (+ *nom*) …
toutefois / pourtant / néanmoins / cependant / …

EXPRIMER L'OPPOSITION
alors que / tandis que (+ *indicatif*) …
au contraire de / contrairement à (+ *nom*) / à l'inverse de (+ *nom*) …
en revanche …

EXCLURE
hormis / excepté / sauf / …

INTRODUIRE SON POINT DE VUE
en ce qui me concerne / pour ma part / …
j'ai le sentiment que / j'ai l'impression que / il me semble que / j'estime que (+ *indicatif*) …

EXPRIMER LA CONSÉQUENCE
en conséquence / de ce fait / tellement … que / de là … que / alors / c'est pourquoi / de sorte que / si bien que (+ *indicatif*) …

EXPRIMER LA CAUSE
comme / pour la simple raison que / du moment que / d'autant que (+ *indicatif*) …
du fait de / compte tenu de / à cause de / grâce à / faute de / en raison de / à force de (+ *nom*) …
sous prétexte de (*ou* que) / étant donné de (*ou* que) / de peur de (+ *nom ou proposition*) …

EXPRIMER UN BUT
afin de (*ou* que) / de peur de (*ou* que) / pour (que) / de façon à (*ou* que *ou* à ce que) / de sorte que (+ *infinitif ou subjonctif*) …

EXPRIMER UNE HYPOTHÈSE OU UNE CONDITION
si / sauf si (+ *indicatif*) …
à condition que / à moins que / en admettant que / pour peu que / pourvu que / à supposer que / en supposant que / soit que … soit que (+ *subjonctif*) …
au cas où / dans le cas où / dans l'hypothèse où (+ *conditionnel*) …

SYNTHÉTISER ET CONCLURE
en définitive / en bref / somme toute / en somme / en résumé / en (guise de) conclusion / pour finir / …
force est de constater que / ainsi peut-on en déduire que / …

Les principales figures de style

1. Figures d'analogie

LA COMPARAISON
Elle rapproche deux éléments, le comparant et le comparé, au moyen d'un outil de comparaison (*comme, ainsi que, tel, de même que*…).
Exemples :
– « *les RTT fonctionnent comme des carottes* » (Dossier 6, Leçon 4)
– « *c'est sacré, c'est comme une bulle* » (Dossier 6, Leçon 4)
– « *ça nous est vanté avec délice comme une promesse de bonheur* » (Dossier 5, Leçon 2)

LA MÉTAPHORE
Il s'agit d'une comparaison implicite, sans terme comparatif. Elle consiste à désigner un objet ou une idée par un autre mot qui l'illustre.
Exemples :
– « *la barrière hiérarchique* » (Dossier 6, Leçon 2)
– « *nouer des liens avec des personnes* » (Dossier 6, Leçon 2)
– « *cette montagne de bonheur simple* » (Dossier 2, Leçon 1)

LA MÉTAPHORE FILÉE
C'est un procédé qui consiste à développer une métaphore.
Exemple :
– « *on a trop fait ces derniers temps dans le camaïeu raffiné, l'amertume ton sur ton* » (Dossier 2, Leçon 1)

LA PERSONNIFICATION
Elle consiste à attribuer des propriétés humaines à un animal ou à une chose inanimée.
Exemples :
– « *Montparnasse sommeillait, bercé d'un océan de bruits* » (Dossier 1, Leçon 4)
– « *Elle est fière d'elle-même, de ses prouesses, de ses tournures, de ses atours.* » (Dossier 8, Leçon 1)
– « *Cette langue-là est une reine, belle puissante, intarissable.* » (Dossier 8, Leçon 1)

2. Figures de substitution

La périphrase

Elle consiste à remplacer un mot par sa définition ou par une expression imagée équivalente.

Exemples :
- *les forces de l'ordre* (= les policiers)
- *les combattants du feu* (= les pompiers)
- *la grosse pomme* (= New York)
- *le toit du monde* (= l'Everest)

La métonymie

Elle consiste à remplacer un mot par un autre mot avec lequel il a un lien logique (ex : le contenu par le contenant, une partie par le tout, l'institution par le lieu, etc.)

Exemples :
- *On boit un verre ce soir ?* (= un verre de vin / de bière…)
- *Paris a battu Barcelone 1 à 0.* (Paris et Barcelone représentent les équipes de football.)
- *« l'élite »* (Dossier 9, Leçon 4) (remplace l'ensemble des personnes qui occupent le premier rang, les personnes remarquables)

3. Figures d'atténuation et d'amplification

La litote

Il s'agit d'une figure d'atténuation qui permet de mettre en valeur. Elle consiste à se servir d'une expression qui dit le moins pour faire entendre le plus. La litote renforce l'information.

Exemples :
- *Ce n'est vraiment pas bête comme idée !* (= C'est une excellente idée !)
- *Je ne suis pas contre quelques jours de congés.* (= J'aimerais beaucoup quelques jours de congés.)

L'euphémisme

Il atténue l'expression de faits ou d'idées considérés comme désagréables dans le but d'adoucir la réalité.

Exemples :
- *L'avenir, c'est aussi la France des territoires.* (= la campagne)
- *Pablo ne s'est jamais remis de la disparition de son père.* (= la mort)
- *Elle a été remerciée après trois ans de bons et loyaux services au sein de l'entreprise.* (= licenciée)

L'hyperbole

Cette figure d'amplification consiste à exagérer, à amplifier l'expression d'une idée ou d'une réalité afin de la mettre en relief.

Exemples :
- *Je meurs de faim.*
- *Je te l'ai répété mille fois.*
- *Je suis mort de rire…*

4. Figure de contraste

L'oxymore

Il consiste à réunir deux termes de sens contraire. Bien souvent, l'oxymore cherche à créer un effet de surprise, à mettre en valeur des éléments dans un texte.

Exemples :
- *Le superflu, chose très nécessaire* (Voltaire, *Le Mondain*)
- *Jeune vieillard* (Molière, *Le Malade imaginaire*)

Les types d'écrit

Types d'écrits	Quelques caractéristiques grammaticales et syntaxiques
Narratif → Raconter des événements, des histoires (conte, nouvelle, roman, reportage, fait divers…).	• Connecteurs temporels • Temps de l'indicatif (passé simple de narration, imparfait, passé composé, présent de narration, futur) • Verbes d'action
Descriptif → Décrire des lieux, des personnages, des objets (portrait, passage d'un roman, guide touristique…).	• Adjectifs • Repères spatiaux • Temps de l'indicatif (imparfait de description, présent, futur) • Figures de style de l'analogie (comparaison, métaphore, etc.)
Argumentatif → Persuader, convaincre, critiquer (essai, discours politique, candidature…).	• Temps de l'indicatif et du subjonctif • Modalisation (expressions du point de vue, adverbes indiquant l'adhésion de l'auteur(e) à l'énoncé…) • Connecteurs logiques argumentatifs
Injonctif → Conseiller, ordonner, prier (recette, mode d'emploi, règlement…).	• Impératif, infinitif • Usage de la deuxième personne pour s'adresser au destinataire • Expressions de la nécessité (*il faut, il est impératif*, etc.)
Informatif → Fournir des informations précises (article de presse).	• Présent de vérité générale • Connecteurs logiques (chronologie, cause, conséquence, etc.)
Explicatif → Niveau supérieur du texte informatif. Aborder le sujet plus en profondeur (manuel, documentaire, ouvrage scientifique, article de fond…).	• Présent de l'indicatif • Connecteurs logiques (chronologie, ordre) • Données précises (dates, chiffres, etc.)

Chanson

Juin 2019, concert de la chanteuse belge Angèle, à Nyon, Suisse.

La chanson francophone

À partir de la moitié du XXe siècle, la chanson francophone se fait connaître grâce à des interprètes tels qu'Édith Piaf, Charles Aznavour, Jacques Brel ou Céline Dion. Aussi se souvient-on de ces classiques qui ont traversé nos frontières, de *La Vie en rose* de la môme Piaf à *Comme d'habitude* de Claude François, repris par Frank Sinatra avec *My Way*, sa version anglaise.
Des décennies plus tard, la chanson francophone a bien sûr évolué, mais elle s'exporte toujours aussi bien. L'engouement pour les artistes de la nouvelle génération remonte aux débuts des années 1990 et à l'effervescence de la *French Touch*, ce phénomène électro qui a vu éclore Daft Punk, un succès sans précédent à l'international. Depuis, de nombreux « *Frenchies* » ont vendu des dizaines de milliers d'albums à l'étranger. La chanteuse Jain avec son album *Zanaka* (2015) est double disque de platine à l'export. La popularité de Maître Gims en Italie ou en Allemagne s'explique par la singularité de son répertoire. En 2019, *Djadja,* d'Aya Nakamura, est numéro un aux Pays-Bas. Zaz, quant à elle, cartonne sur des territoires comme la République tchèque, la Pologne, l'Autriche, le Japon ou encore la Russie.
Les plateformes de streaming modifient les habitudes d'écoute, mais ne remettent pas en cause le système des quotas qui impose aux radios un taux de programmation d'œuvres francophones (40 % pour les radios privées et au moins 50 % pour les radios publiques). Des artistes comme la Belge Angèle ou la Québécoise Charlotte Cardin se font connaître grâce à Internet.

Le slam

« Slam » est un terme anglais qui signifie « claquer », « gagner une victoire facilement », « critiquer », « bruit violent » ou encore « tournoi de poésie ». Le slam de poésie est inventé en 1986 par Marc Smith à Chicago. Ses principes sont les suivants : déclamer son propre poème en trois minutes ou moins, sans accessoire ni déguisement ; le public est chargé de noter les performances. Le slam redéfinit littéralement le poète : plus qu'un contemplateur, il (re) devient un agitateur qui propose un regard sur la société.
En 1998, l'exposition médiatique du film *Slam* de Marc Levin coïncide avec la découverte du mouvement dans l'hexagone et plus particulièrement dans la capitale, où se crée un premier cercle d'initiés. Les plus actifs mettent sur pied des « scènes slam » dans l'est parisien. Le mouvement slam se développe donc en France sous la forme originelle des tournois mais également de scènes ouvertes. Si le mouvement slam se limite au début du XXIe siècle encore surtout à Paris et à sa banlieue, il commence ensuite à se délocaliser en prenant appui sur un tissu associatif, pour s'étendre rapidement au reste de la France dans des villes culturellement dynamiques (Lille, Lyon, Nantes, Toulouse, etc.).
En 2006, le premier album de Grand Corps Malade, slameur plusieurs fois vainqueur des tournois Bouchazoreill'slam, au Trabendo, donne un coup de projecteur supplémentaire sur la discipline et convainc la plupart des autres villes françaises.
Le slam se conjugue aussi au féminin avec la slameuse belge Joy, surnommée la « guerrière poétique » après la sortie de son album *L'Art de la joie*, qui rend hommage aux femmes qui osent briser les carcans.

À vous !

VRAI ou FAUX ?

a. La chanson francophone a toujours eu du succès à l'international.
b. *My Way* est la version anglaise d'une chanson française.
c. La *French Touch* est un phénomène pop.
d. Les plateformes de streaming ont stoppé l'engouement pour la chanson francophone.
e. Le slam redonne une nouvelle vie à la poésie.
f. En France, le slam arrive d'abord en province.
g. Grand Corps Malade est le slameur qui a popularisé le slam en France.

Réponses : vrai : b, e, g ; faux : a, c, d, f.

En 2012, Jean Dujardin remporte l'Oscar du meilleur acteur pour son rôle dans *The Artist*.

Cinéma

Les répliques culte du cinéma francophone

Les grands films ont laissé des empreintes dans le quotidien des spectateurs qui s'approprient volontiers certaines de leurs répliques. Portées par des comédiens populaires tels que Louis de Funès ou plus récemment Jean Dujardin, ces répliques sont souvent l'apanage de dialoguistes talentueux dont Jacques Prévert (1900-1977) ou encore Michel Audiard (1920-1985). Ce dernier a contribué au succès de nombreux films tels que *Les Tontons flingueurs, Les Barbouzes* ou *Le Pacha*, en écrivant les répliques d'acteurs emblématiques comme Jean Gabin, Bernard Blier, Lino Ventura ou Jean-Paul Belmondo. Sa gouaille et la truculence de ses dialogues sont imprégnées du parler populaire des quartiers parisiens.

Le cinéma au Québec

Afin de permettre au public français d'apprécier (et de comprendre) les films québécois, et compte-tenu des particularités linguistiques du français du Québec, la majorité sont sous-titrés en français « de France ». Les films français ne sont en revanche pas sous-titrés au Québec à cause de la loi 101 (et en particulier la Charte de la langue française outre-Atlantique). En effet, pour doubler les films étrangers, les Québécois exigent des professionnels domiciliés au Québec ou appartenant à une entreprise dont le principal établissement est situé au Québec. La traduction des titres de films y est également obligatoire (*Film de peur* pour *Scary movie*, *Rapides et furieux* pour *Fast and Furious*, etc.).

À vous !

1. Retrouvez les répliques culte en fonction de la situation.

a. « C'est fin, c'est très fin, ça se mange sans fin ! », *Le Père Noël est une ordure*, 1982
b. « Salut, ça farte ? », *Brice de Nice*, 2005
c. « T'as de beaux yeux, tu sais ! », *Quai des brumes*, 1938
d. « Mais dis-donc, on est tout de même pas venu pour beurrer les sandwichs ! », *Les Tontons flingueurs*, 1963

1. pour parler d'un plat qu'on apprécie peu
2. pour séduire une personne de manière ironique
3. pour se plaindre d'un manque d'initiative dans un groupe
4. pour saluer une personne

2. VRAI ou FAUX ?

a. Les films français sont sous-titrés au Québec.
b. Le doublage des films au Québec doit prendre en compte les particularités linguistiques (accent et langue).
c. Au Québec, les titres donnés aux films étrangers sont inspirés du scénario des films.

Réponses : 1. a.1 ; b.4 ; c.2 ; d.3. 2. vrai : b ; faux : a, c.

Communication

De quoi parle-t-on à la table des Français ?

D'après de récents sondages, les Français passent en moyenne 2 h 13 par jour à boire et à manger, et ils sont ainsi en tête du classement du temps consacré aux repas. La politique et les loisirs occupent certains sujets de discussion mais, à table, l'alimentation demeure le thème de prédilection… En plus des recettes de cuisine que l'on s'échange, on aborde désormais également la question de la malbouffe, on se concerte sur les régimes « bien-être » à adopter. Recyclage des denrées alimentaires (loi de 2016), invendus dans les restaurants, légumes moches, engouement pour les produits bio, etc. : nombreux sont les sujets autour de la nutrition qui alimentent les conversations.
Les sphères de la politique française n'y échappent pas : la gastronomie demeure en effet un des éléments stratégiques de la diplomatie, valant la création du néologisme « gastro-diplomatie » dès 2002.

Les codes de la communication en entreprise

En général, le salut matinal est un rituel dans les entreprises françaises et belges : quand on arrive au bureau, on serre la main de ses collaborateurs ou on leur dit « Bonjour, ça va ? » en faisant un signe de la tête. Le tutoiement ou le vouvoiement dépendent de la culture de l'entreprise. Le tutoiement est par exemple employé spontanément dans les start-up (comme en témoignent les offres d'emploi). Par ailleurs, il est également fréquent d'appeler un(e) collègue par son prénom tout en le / la vouvoyant.
Pendant la journée, les « pauses-café » permettent de discuter de manière informelle de sujets professionnels. On organise aussi des « pots » pour fêter un départ à la retraite, une promotion, une naissance ou un mariage. Les déjeuners ou dîners d'affaires sont courants aussi bien au Canada qu'au Sénégal, ou dans tout autre pays francophone. La conversation professionnelle ne démarre alors pas d'emblée : on passe d'abord commande, on échange en toute convivialité, puis on parle affaires.
Depuis quelques années, l'idée nord-américaine du « *Friday wear* » se popularise en France et en Belgique. Ce principe consent aux employés d'une entreprise de venir habillés de manière plus décontractée le vendredi. Ce compromis vestimentaire a deux visées : laisser libre cours à l'imagination des salariés en les laissant exprimer leurs goûts et leurs envies et effacer les disparités hiérarchiques pour faire naître un climat de travail plus amical. Toutefois, personne ne troquera le costume contre le short. De plus, le style vestimentaire dépend évidemment du secteur d'activité, de la fonction ou du statut des personnes.

À vous !

VRAI ou FAUX ?

a. Les Français considèrent les repas comme des moments privilégiés de la journée.
b. L'engouement des Français pour le bio n'a pas changé leurs sujets de discussion à table.
c. Certaines décisions diplomatiques pourraient être prises autour d'un repas gastronomique.
d. Dans le monde de l'entreprise, on vouvoie seulement les personnes que l'on ne connaît pas.
e. Il faut éviter de ne parler que des affaires lors de repas professionnels.
f. Si on le souhaite, le « *Friday wear* » permet de prendre la place de son patron.

Réponses : vrai : a, c, e ; faux : b, d, f.

Droit et histoire

Les commémorations

Les cérémonies nationales commémorent la mémoire des faits d'armes des grands hommes, des combattants, ainsi que le sacrifice des victimes civiles ou militaires des guerres. C'est le ministre des Armées qui prend en charge leur organisation. Dans les départements et les communes, les cérémonies sont organisées par les préfets, les sous-préfets et les maires.

Onze journées nationales annuelles ont été instituées en France par des textes législatifs ou réglementaires, parmi lesquelles le 8 mai (la commémoration de la victoire du 8 mai 1945) et le 11 novembre (la commémoration de l'armistice du 11 novembre 1918). Cette dernière est aussi célébrée en Belgique et au Canada, où le 11 novembre est également un jour férié (à l'exception de trois états du Canada).

D'autres journées ont été instaurées au niveau mondial pour commémorer par exemple la mémoire de l'holocauste (27 janvier), pour revendiquer des droits, comme la journée mondiale des droits de la femme (8 mars), ou pour lutter contre les discriminations, notamment le racisme (21 mars), l'homophobie (17 mai) ou les maladies comme le cancer (4 février). Ces journées ne sont pas fériées mais font l'objet de nombreux événements, conférences et débats.

Les grands procès

Ce qui se passe dans les tribunaux est révélateur des obsessions d'une société. Au XIXe siècle, Flaubert et Baudelaire étaient sur le banc des accusés pour atteinte à la morale ; aujourd'hui, ces auteurs sont étudiés en classe. À la même époque, le massacre de Pantin (1869) fut le premier fait divers qui déclencha l'engouement de la presse pour les affaires judiciaires.

Les XIXe et XXe siècles ont été ponctués par nombre de procès qui ont eu un retentissement médiatique, allant parfois jusqu'à mobiliser la sphère intellectuelle française (Émile Zola pour l'affaire Dreyfus, Marguerite Duras pour l'affaire du « petit » Grégory par exemple).

D'autres procès ont contribué à faire évoluer les mentalités en provoquant des débats de société, comme celui de Bobigny, en 1972, au cours duquel Gisèle Halimi a défendu le droit des femmes à disposer de leur corps, et qui débouchera sur la loi Veil (loi sur l'IVG, Interruption volontaire de grossesse) deux ans plus tard. En 1977, la plaidoirie de Robert Badinter lors du jugement de l'infanticide dont était inculpé Patrick Henry n'a pas seulement permis d'éviter la guillotine à l'accusé, mais a également constitué une étape décisive vers l'abolition de la peine de mort (1981).

Aujourd'hui, l'ouverture successive des différents procès contre des actions terroristes ayant touché la France dans les années 2010 marque le début d'un nouveau chapitre des affaires judiciaires.

À vous !

1. Complétez selon que la journée est nationale ou mondiale.

a. Journée … des mémoires de la traite, de l'esclavage et de leurs abolitions (10 mai)
b. Journée … de la Résistance (27 mai)
c. Journée … des animaux (4 octobre)
d. Journée … de la lutte contre le SIDA (1er décembre)

2. Dites si ces affaires sont des faits divers (A), des procès en lien avec l'histoire (B) ou avec des faits de société (C).

a. Le procès de Landru (condamné pour 11 meurtres en 1921)
b. Le procès de Klaus Barbie (condamné pour crime de guerre en 1987)
c. Le procès France Télécom (3 dirigeants condamnés pour harcèlement moral institutionnel en 2019)

Réponses : 1. nationale : a, b ; mondiale : c, d. 2. a. A ; b. B ; c. C.

La Déclaration des droits de la femme et de la citoyenne

Écrite par Olympe de Gouges en 1791 et adressée à Marie-Antoinette, la Déclaration des droits de la femme et de la citoyenne succède de deux ans seulement à la Déclaration des droits de l'homme. Femme de lettres et de théâtre, Olympe de Gouges fait figure de pionnière en défendant les droits des femmes. En réaction à la toute-puissance affirmée des hommes dans la constitution de 1789, elle entreprend de réécrire les dix-sept articles de la déclaration initiale en les dédiant aux femmes afin de souligner leur statut de citoyennes actives. Ce texte engagé sera négligé des années durant, avant d'être réhabilité dans la deuxième moitié du XXe siècle.
On notera que le droit de vote et d'éligibilité ne sera accordé aux femmes qu'en 1940 au Québec, en 1944 en France, en 1948 en Belgique et en 1971 en Suisse.

Les congés payés

Avec la victoire du Front populaire (alliance des partis de gauche) aux législatives du 3 mai 1936, un formidable mouvement de grève éclate. Les revendications portent sur la revalorisation des salaires, la limitation de la durée de travail à 40 heures par semaine… et les congés payés. Léon Blum (président du Conseil) en fait l'un des sujets des accords de Matignon, conclus entre la CGT[1] et la Confédération générale de la production française (l'organisation patronale ancêtre du Medef[2]). La loi s'applique à tous les salariés liés à un employeur par un contrat de travail et instaure des congés payés d'une durée de quatorze jours. Des images des premiers départs massifs symbolisent cette période ainsi que l'essor des colonies de vacances, l'invention des billets SNCF à tarifs réduits, etc. Après la guerre, les gouvernements successifs généraliseront cette mesure par les lois du 27 mars 1956 (trois semaines), puis du 17 mai 1969 (quatre semaines). Les cinq semaines de congés payés, toujours en vigueur, sont mises en place en 1982.

Les grèves en France

En décembre 2019, les grèves ont une nouvelle fois fait la une de l'actualité en France et beaucoup de commentateurs ont rappelé qu'elles étaient une « passion française ». Les grandes grèves décrites dans *Germinal*, celles du Front populaire, de Mai 68 ou encore de l'hiver 1995 scandent notre histoire.
Après la Seconde Guerre mondiale, le droit de grève est protégé par la Constitution, de même que le droit de réunion ou le droit à l'action syndicale.
La grève est le plus souvent organisée par les syndicats professionnels (CGT, FO, etc.) afin de peser sur des négociations avec l'employeur ou d'obtenir d'un gouvernement la préparation de lois ou décrets plus favorables (retraite, congés payés, etc.).
Certaines lois encadrent ou limitent le droit de grève (maintien d'un service minimum, annonce de la grève, etc.).

1. Confédération générale du travail (syndicat).
2. Mouvement des entreprises de France.

À vous !

1. Remettez les mots dans l'ordre et reconstituez l'article 10 réécrit par Olympe de Gouge.
le droit – à – Elle – a – doit – monter – également – celui – La femme – l'échafaud. – la tribune. – de – sur – avoir – de – monter

2. VRAI ou FAUX ?
a. Les congés payés sont instaurés en 1936 dans un climat social apaisé.
b. En 1981, les salariés avaient droit à quatre semaines de congés payés.
c. Les Français ont une passion pour les grèves.
d. Les conditions de grèves sont les mêmes dans tous les secteurs d'activité.

Réponses : 1. La femme a le droit de monter sur l'échafaud. Elle doit également avoir celui de monter à la tribune. 2. vrai : b, c ; faux : a, d.

Les mesures écologiques

Le premier ministère de l'Environnement est créé en 1970 en France. Dès 1972, à l'occasion du premier Sommet de la Terre qui a lieu lors d'une conférence des Nations unies sur l'environnement humain à Stockholm, le préambule de la déclaration mentionne que « l'homme a un droit fondamental à la liberté, à l'égalité et à des conditions de vie satisfaisantes, dans un environnement dont la qualité lui permette de vivre dans la dignité et le bien-être. Il a le devoir solennel de protéger et d'améliorer l'environnement pour les générations présentes et futures. » L'environnement occupe dès lors une place importante au niveau du droit international, confirmée par la mise en place des Conférence des parties (COP), rassemblant les pays signataires de la convention de Rio depuis 1995.

En 2005, la Charte de l'environnement de l'ONU rappelle les droits et les devoirs de chacun à l'égard de l'environnement.

En 2008, l'Assemblée parlementaire de la Francophonie réunie à Québec encourage les États membres de la Francophonie « à signer, à ratifier et à faire appliquer sans délai les conventions et les accords portant sur la protection environnementale et notamment le protocole de Kyoto » (COP 3 de 1997) et demande à l'OIF d'allouer davantage de ressources financières pour les stratégies nationales de développement. L'*Atlas francophone de l'économie de l'environnement* de 2019 rassemble les données de cent trente pays concernant le changement climatique, le développement durable, la croissance des marchés verts et l'environnement.

Pour le sixième Sommet de la Terre, le programme prévoit la création d'un Conseil de la Terre, d'un institut sur les océans et les climats ainsi que la mise en place d'un programme d'actions pour le millénaire en cours.

Discours du président français François Hollande à la COP 21, novembre 2015.

Les droits des animaux

La Société protectrice des animaux (SPA) tient sa première réunion à Paris en 1845. Elle a pour objectif de moraliser le comportement des hommes et d'améliorer le sort des animaux. En 1850, le général Jacques Delmas de Grammont, sensible au sort des chevaux de guerre et ému par des scènes de maltraitance dans les rues parisiennes, fait une proposition de loi pour protéger les animaux domestiques des mauvais traitements. Cent ans plus tard, les textes français et européens étendent le champ de la protection des animaux, durcissent et diversifient les contraintes protectrices. Ces lois sont étendues par la suite aux animaux en captivité. En 2015, le droit civil français reconnaît l'animal comme « un être vivant doué de sensibilité » et non plus comme « un bien meuble ». Enfin, depuis 2018, sous l'impulsion du gouvernement de la Wallonie et financé par l'association 30 millions d'amis, le Code de l'animal réunit l'ensemble des règles juridiques s'appliquant aux animaux, reconnaissant une personnalité juridique à l'animal.

À vous !

1. Choisissez les réponses correctes.

a. Le Sommet de la Terre a lieu…
   1. tous les ans.
   2. tous les 5 ans.
   3. tous les 10 ans.

b. L'environnement relève…
   1. des droits de l'homme.
   2. du droit international.
   3. du droit privé.

c. Les animaux sont aujourd'hui considérés par les tribunaux comme…
   1. des biens meubles.
   2. des êtres sensibles.
   3. des personnes morales.

Réponses : a-1 ; b-2 ; c-2.

Langue française

L'Académie française, Paris.

Les réformes de la langue française

À l'image de l'Académie française (depuis 1635) associée à la DGLFLF* en France, plusieurs institutions sont chargées de contrôler la langue française à travers l'espace francophone (le Service de la langue française en Belgique, le Service québécois de la langue française au Québec, etc.). Chacune de ces institutions se doit également de répondre aux projets de réformes proposés. Si la féminisation des noms de métier a été validée en 2019 en France, l'ambition des Belges de repenser les accords des participes passés ne semble pas être à l'ordre du jour. Parmi les politiques menées autour de la langue française, on notera la lutte contre les anglicismes (loi Toubon, 1994) ainsi que la réforme de l'orthographe (1990). Il est toutefois à préciser que cette dernière rencontre aujourd'hui encore de nombreuses réticences et soulève régulièrement des débats.

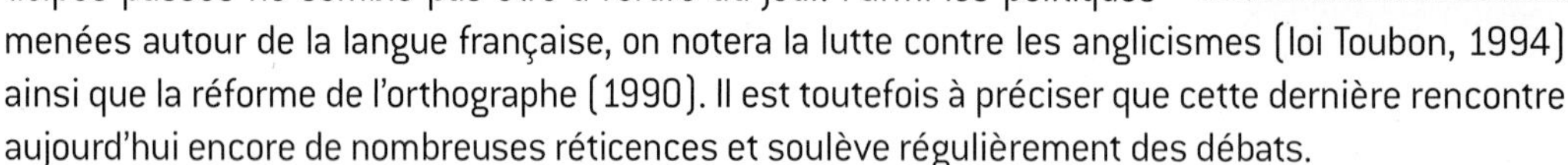

écrivaine
commandante
cheffe d'État
chirurgienne
inventeure
caporale
cheffe

La féminisation des noms de métiers (de titres, de grades et de fonctions)

Depuis le Moyen Âge et jusqu'au XVIIe siècle, tous les noms de métiers, de fonctions et de dignités exercés par des femmes sont féminisés (« inventeure », « chirurgienne », « commandante », etc.). Si l'Académie française s'y oppose dès sa création, en 1635, imposant la règle du « masculin l'emporte sur le féminin », la création et l'usage de noms de métiers féminins se poursuivent et ponctuent les grandes évolutions sociétales : l'accès à l'éducation pour les jeunes filles au début du XXe siècle puis le rôle dévolu aux femmes pendant les deux guerres mondiales, en particulier, voient éclore des formes féminisées de noms de métiers de plus en plus nombreuses. Vers la fin des années 1970, lors de la Révolution tranquille, le Québec opte pour l'officialisation de ces nouvelles formes. Face au développement de l'usage de ces termes au sein de la francophonie et dans un souci paritaire, la Commission de terminologie relative au vocabulaire concernant les femmes, créée en 1984 et présidée par Benoîte Groult, tentera la même année de convaincre l'Académie française de la nécessité d'une réforme, mais se heurtera à un refus catégorique. De son côté, en 2008, le Conseil de l'Europe met en place une recommandation visant « l'élimination du sexisme dans le langage et la promotion d'un langage reflétant le principe d'égalité entre les femmes et les hommes ». Il faudra finalement attendre le 28 février 2019 pour que l'Académie française consente à cette évolution, faisant de la France le dernier pays francophone à adopter ce changement.

* La DGLFLF, Délégation générale à la langue française et aux langues de France, rattachée au ministère français de la Culture et de la Communication, joue un rôle de réflexion, d'impulsion et de coordination (elle coordonne les différents acteurs dans l'émergence des néologismes, met des ressources à la disposition du public) et contribue à la diffusion de la langue française en Europe et dans le monde.

La verlanisation et la langue des jeunes

Le verlan est issu de l'inversion des syllabes du terme « l'envers » et illustre dans ses grandes lignes ce procédé lexical. Initié dès 1585, il se développe au XXe siècle sous la plume d'Auguste le Breton. Il constitue une forme d'argot qui permet de coder certains mots, ce qui explique sa diffusion auprès des jeunes issus de couches populaires et/ou de banlieue. Souvent employé dans la chanson ou dans les films, il est aujourd'hui connu de tous, sans distinction de catégories sociales ni géographiques. Certains termes ont d'ailleurs perdu leur caractère argotique pour entrer dans le langage familier (« une meuf » pour « une femme », « une teuf » pour « une fête », etc.).

Les jeunes témoignent d'une perpétuelle créativité dans la langue et il est souvent difficile de suivre le rythme de leur parler. Influencés par le multiculturalisme et donc par les emprunts à des langues étrangères, ils ont également recours depuis quelques années à de nombreuses expressions liées aux téléphones portables (langage sms) et aux réseaux sociaux, en plus des termes créés à partir de la verlanisation. Si les néologismes sont nombreux, on relève aussi des modifications dans la construction des phrases ainsi que des variantes morphologiques par rapport au français courant.

À vous !

1. Retrouvez l'orthographe initiale des mots suivants et déduisez les nouvelles règles de l'orthographe française.

ognon – nénufar – portemonnaie – huitre – cèleri

2. Associez les mots anglais à leur équivalent en français :

spoiler ○	○ infox
fake news ○	○ à bas coût
low cost ○	○ flux en continu
hashtag ○	○ boîtier multiservice
post ○	○ mot-dièse
box ○	○ divulgâcher
streaming ○	○ publier

3. Complétez le tableau (il y a parfois plusieurs réponses possibles).

MASCULIN	FÉMININ
Monsieur le Ministre	
	caporale-cheffe
académicien	
auteur	
	écrivaine
	cheffe d'État

4. Retrouvez les noms correspondant aux indications suivantes.

a. Célèbre philosophe s'étant illustré sous un pseudonyme construit à partir de la verlanisation de la ville d'Airvault.

b. Titre d'une chanson de Renaud formé à partir du verlan de « laisse *tomber* ».

5. VRAI ou FAUX ?

a. La langue des jeunes peut être assimilée à un jargon.

b. Il n'y a pas de modification de la conjugaison dans la langue des jeunes.

c. La langue des jeunes témoigne de la vitalité du français.

Réponses : 1. ognon → oignon ; nénufar → nénuphar ; portemonnaie → porte-monnaie ; huitre → huître ; cèleri → céleri. Disparition des voyelles confusantes et non prononcées, ph> f, disparition des traits d'union dans les mots composés, disparition de l'accent circonflexe, adaptation des accents en fonction de la prononciation. 2. spoiler = divulgâcher ; fake news = infox ; low cost = à bas coût ; hashtag = mot-dièse ; post = publier ; box = boîtier multiservice ; streaming = flux en continu. 3. Madame la Ministre ; caporal-chef ; académicienne ; auteure, autrice ; écrivain ; chef d'État. 4. a. Voltaire ; b. Laisse béton. 5. vrai : a, c ; faux : b.

Littérature

La littérature francophone et la négritude

La littérature francophone regroupe l'ensemble des œuvres littéraires rédigées en français et écrites en dehors de la France métropolitaine ou par des auteurs de nationalité étrangère ayant choisi le français comme langue d'écriture. Elle comprend les littératures d'Afrique, de la Caraïbe (Antilles-Guyane, Haïti), du Maghreb, de Belgique, de Suisse et du Québec. En ce qui concerne la littérature francophone africaine, elle a vu naître le mouvement de la « négritude » en 1930, sous l'impulsion d'auteurs comme Aimé Césaire et Léopold Sédar Senghor. Courant poétique mais aussi courant de pensée (littéraire, culturel et politique) issu de la première génération d'intellectuels négro-africains, ce mouvement vise à redéfinir la condition de l'homme noir et met en avant une volonté de rupture avec le colonialisme. Le français est ainsi réinventé et mis au service de la culture des peuples noirs. La négritude a permis de revaloriser la culture africaine aux yeux de l'occident (découverte de l'art africain par Apollinaire, Picasso, etc., introduction du jazz dès les années 1920).

De façon générale, la littérature francophone rejoint progressivement la littérature française dans l'enseignement où il devient de moins en moins rare d'étudier des auteurs francophones, comme en témoignent par exemple certains sujets du baccalauréat.

La rentrée littéraire et le prix Goncourt

Débutant traditionnellement à la fin de l'été, la rentrée littéraire est caractérisée par la sortie de plusieurs centaines de romans français et étrangers (524 en 2019), et précède de quelques mois la remise des grands prix littéraires, dont le Goncourt demeure le plus prestigieux – bien qu'il ne soit doté que d'une récompense de 10 euros. Créé au début du XXe siècle par deux écrivains qui lui ont laissé leur nom, le prix Goncourt assure à son récipiendaire notoriété et succès littéraire : orné de son bandeau rouge affichant la récompense, le livre primé voit ses ventes exploser dès l'annonce des résultats et lui assure des traductions à l'étranger. Depuis 1998, à l'initiative de l'Institut français de Cracovie, une dizaine de pays à travers le monde élisent désormais leur prix Goncourt par le biais d'un jury d'étudiants et reçoivent tour à tour le lauréat.

À vous !

1. VRAI ou FAUX ?

a. La négritude est également un courant philosophique.
b. La négritude est un mouvement de contestation du français, langue des colons.
c. La littérature française regroupe progressivement toutes les œuvres d'expression française, y compris la littérature francophone.

2. Choisissez la ou les bonne(s) réponse(s).

a. Le Prix Goncourt est remis…
1. en septembre.
2. début novembre.
3. fin janvier.

b. Des jurys Goncourt sont présents dans…
1. 1 pays.
2. 5 pays.
3. 15 pays.

c. Le prix Goncourt peut être décerné…
1. à un auteur français.
2. à un auteur originaire d'un pays francophone.
3. à un auteur étranger écrivant en français.

Réponses : 1. vrai : a, c ; faux : b. 2. a. 2 ; b. 3 ; c. 1, 2, 3.

Les mouvements littéraires

Les courants littéraires rassemblent des écrivains partageant la même vision du monde et les mêmes caractéristiques d'écriture à une époque donnée (le romantisme se distingue par exemple par l'utilisation de nombreuses figures de style comme l'hyperbole, le réalisme est caractérisé par le détail apporté aux descriptions, etc.). Le nom des différents courants est imposé par les manifestes ou, à défaut, attribués par les critiques littéraires. Influencés par le contexte politique de leur siècle, certains courants sont également nés en contestation d'autres mouvements littéraires (le réalisme, par exemple, s'oppose au romantisme).

L'humanisme 1490-1580 → **Les lumières** 1715-1789 → **Le romantisme** 1800-1850 → **Le naturalisme** 1870-1890 → **Le nouveau roman** 1950-1980

La poésie et l'engagement

Traditionnellement, la poésie répond à des codes stricts de versification (deux quatrains et deux tersets pour le sonnet), des vers syllabiques (douze syllabes pour un alexandrin), de respect des sonorités (allitération et assonance, etc.). Elle tend néanmoins à prendre des formes plus variées à partir du XIXe siècle (avec les premiers poèmes en prose – dans lesquels Baudelaire s'illustrera –, la création des vers libres, etc.). Inspirée par des thèmes récurrents (la nature, l'amour, la mort, etc.), la poésie est marquée par la variété de ses registres.
La poésie engagée a toujours occupé une place importante dans ce genre littéraire. En livrant un regard critique du monde, les poètes font de leurs mots de véritables armes, parfois au risque de leur vie. On citera l'exemple de Paul Éluard qui fit le choix de parachuter son poème *Liberté* dans le maquis, en 1942, en pleine période de guerre.

À vous !

1. Reconstituez les strophes extraites de célèbres poèmes.

a. « Ceux qui n'ont inventé ni la poudre ni la boussole », Aimé Césaire, *Cahiers d'un retour au pays natal*, 1939

Ceux qui n'ont inventé ni la poudre ni la boussole
Ceux qui n'ont jamais su dompter la vapeur ni l'électricité

b. « Liberté », Paul Éluard, *Poésie et Vérité*, 1942

Sur toutes les pages lues
Sur toutes les pages blanches

c. « Si tu ré-inventais la terre », Andrée Chedid, *Épreuves du vivant*, 1983

Si tu ré-inventais la terre
Romprais-tu l'épée des supplices

1. *Pierre sang papier ou cendre*
J'écris ton nom

2. *Contiendrais-tu les crues de la haine*
Changerais-tu les soupçons en bienfaits ?

3. *Ceux qui n'ont exploré ni les mers ni le ciel*
Mais ceux sans qui la terre ne serait pas la terre

2. Associez les principes suivants au courant littéraire correspondant.

a. exaltation de la beauté et des sentiments ○	○ 1. l'humanisme (Rabelais)
b. foi en l'homme et réflexion sur l'éducation ○	○ 2. les lumières (Voltaire)
c. développement de la connaissance et de la raison ○	○ 3. le romantisme (Hugo)
d. remise en question des formes du roman traditionnel ○	○ 4. le naturalisme (Zola)
e. étude des déterminismes sociaux et biologiques ○	○ 5. le nouveau roman (Beckett)

Réponses : 1. a-3 ; b-1 ; c-3. 2. a-3 ; b-1 ; c-2 ; d-5 ; e-4.

CULTURE *et* SOCIÉTÉ

L'utopie et la dystopie

Terme inventé par Thomas More au XVIe siècle à partir du préfixe grec *-où* (privé de) et du mot latin *topos* (lieu), l'utopie désigne « un lieu qui n'existe pas ». Lieu idéal, elle abrite une société idéalisée reposant sur un fonctionnement et des mœurs où dominent les valeurs, telles *la liberté et le bonheur*. L'utopie repose généralement également sur une critique implicite, parfois acerbe, des sociétés de l'époque.

À l'inverse de l'utopie, la dystopie – terme d'origine anglaise formé à partir du préfixe grec *dys-* (mauvais, erroné)– également qualifiée de « contre-utopie » ou d'« anti-utopie », présente une société où les hommes, soumis à une politique stricte, sont privés de liberté et ne peuvent s'épanouir. La dystopie apparaît au milieu du XXe siècle au moment de l'avènement des régimes totalitaires et projette ses personnages dans un monde futuriste, prolongement de l'évolution des technologies, inspiré par ces mêmes dictatures.

Les dystopies comme les utopies appartiennent au genre de la science-fiction. La dystopie représente une sous-catégorie du « roman d'anticipation ».

François Marie Arouet de Voltaire.

Voltaire et le conte philosophique

Face à la censure exercée par les monarques de l'époque (de Louis XIV à Louis XVI), les philosophes des lumières, animés par une foi irrépressible en l'homme et en l'éducation, s'engagent dans la mission d'éclairer le peuple et de lui faire prendre conscience de la nécessité d'un changement. C'est dans ce contexte que naît le conte philosophique, forme courte dans laquelle Voltaire aura tôt fait d'exceller. L'écriture du conte philosophique repose sur le schéma traditionnel du conte : un personnage principal (Candide et Micromégas dans les deux contes éponymes, par exemple) devant résoudre une difficulté à travers une série de péripéties, un cadre merveilleux échappant au réalisme, une résolution heureuse. Voltaire met en scène des personnages naïfs, qui s'apparentent dès lors davantage à des anti-héros, partant à la découverte du monde, de ses absurdités et de ses travers (guerre, exploitation des êtres humains, injustice des institutions politiques, etc.), et invite par ce biais ses lecteurs à une réflexion sur la situation de l'époque.

À vous !

1. VRAI ou FAUX ?

a. L'engagement est le propre d'un seul genre littéraire.
b. L'utopie et la dystopie servent le même objectif.
c. Le conte philosophique emprunte une forme traditionnellement destinée aux enfants.

2. Lisez les résumés suivants et indiquez s'il s'agit d'une utopie ou d'une dystopie.

a. *L'Île des esclaves* est une pièce écrite en 1725 par Marivaux. Elle met en scène Iphicrate et son valet Arlequin qui, échoués sur une île, se voient contraints d'inverser leur rôle.
b. Dans *Ravage*, René Barjavel, inscrit ses personnages dans le Paris de 2052. En proie à une panne d'électricité, ils devront se battre pour tenter de survivre.
c. *2084* est un roman francophone paru en 2015. Boualem Sansal y décrit une société où le peuple est soumis à un système de surveillance omniprésent. Le personnage central, Ati, met cependant en doute les certitudes imposées.

Réponses : 1. vrai : c ; faux : a, b. 2. a. utopie ; b. dystopie ; c. dystopie.

Médias 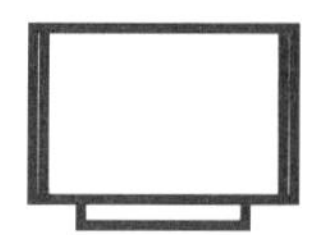

Les médias

Les Médias Francophones Publics (MFP), créés en janvier 2016, œuvrent à la collaboration internationale entre radios et télévisions francophones : les Radios francophones publiques et la Communauté des télévisions francophones (Radio France, France Télévisions, la RTBF belge, la Radio Télévision Suisse, TV5 Monde, Radio-Canada, TV5 Québec Canada, Télé-Québec et France Médias Monde, le Groupe Média TFO, la chaîne Arte). L'association assume un rôle d'entremetteur dans la réalisation de projets communs et revendique également une réelle créativité en initiant des projets de coproduction. Les échanges de programmes et d'expériences entre ces partenaires ayant en commun l'utilisation d'une langue unique privilégient une approche plurimédia radio-TV-Web.
En ce qui concerne la couleur politique des titres de presse écrite, les choses ont évolué. Voici cinquante ans, au moment de la guerre froide, les gens qui lisaient *L'Humanité* (journal de gauche) ou *Le Figaro* (journal de droite), disposaient de deux visions du monde. Aujourd'hui, le clivage n'est plus si évident : certes les titres et les éditoriaux de *Libération* (journal de gauche) ou de *La Croix* (journal de droite) diffèrent, mais la même hiérarchie de l'information s'impose à peu près dans tous les médias.
Certains médias tels que Médiapart et slate.com sont nés directement sur le Net sans version papier. Le premier s'est spécialisé dans le journalisme d'investigation, ce qui fait son succès.

Le Masque et la Plume

Cette émission radiophonique diffusée depuis 1956 sur les antennes de la radio publique Paris Inter, devenue depuis France Inter, et rassemble plusieurs chroniqueurs, journalistes de différents médias spécialisés, qui prennent position sur l'actualité culturelle française. Chaque émission est consacrée à une discipline particulière : littérature, théâtre, cinéma… Enregistrée en public à la maison de la Radio et à l'Alliance française de Paris depuis 2018, elle couvre ponctuellement certains grands événements culturels en direct comme le festival de Cannes (cinéma), à la fin du mois de mai, ou encore le festival d'Avignon (théâtre), en juillet.
Programmée tous les dimanches soir, accessible en podcast et suivie par un public de fidèles, cette émission de référence est caractérisée par le franc-parler des chroniqueurs, valant des débats souvent vifs et relevés.

À vous !

Associez.

a. MFP	1. Média de droite
b. Libération	2. Média culturel
c. Le Figaro	3. Médias publics
d. Médiapart	4. Média de gauche
e. Le Masque et la Plume	5. Média d'investigation

Réponses : a-3 ; b-4 ; c-1 ; d-5 ; e-2.

Peinture

De l'académisme à l'impressionnisme

Jusqu'à la deuxième moitié du XIXe siècle, l'art pictural officiel en France est dominé par l'Académie des beaux-arts. Depuis sa création sous le règne de Louis XIV (sous le nom d'Académie royale de peinture et de sculpture), celle-ci fixe les règles du bon goût, aussi bien pour les thèmes des tableaux que les techniques employées.

La Seine à Vetheuil,
Claude Monet, 1880.

Entre 1750 et 1830, le **néoclassicisme**, mouvement marqué par un retour aux idéaux esthétiques de l'Antiquité gréco-romaine, est très apprécié par l'Académie. Ce mouvement se caractérise par des sujets historiques ou religieux et une volonté de masquer le plus possible les coups de pinceau.
Cette conception de la peinture va être bousculée par les travaux de jeunes peintres parisiens à partir de la deuxième moitié du XIXe siècle. Ces artistes ne cherchent plus à peindre un sujet, mais à reproduire les sensations, les impressions que leur donne ce sujet. Influencés par **le réalisme**, caractérisé par une quête de la représentation brute de la vie quotidienne, ils privilégient les couleurs vives, les jeux de lumière, et s'intéressent aux paysages ou aux scènes de la vie quotidienne. C'est ainsi que naît un nouveau courant : **l'impressionnisme**. Parmi ces peintres, on compte notamment Claude Monet, Pierre-Auguste Renoir, Alfred Sisley, Camille Pissarro ou Paul Cézanne.

La Villa Médicis

Créée en 1666 à Rome, sous l'impulsion de Colbert et du Bernin, l'Académie de France accueille les artistes (peintres et sculpteurs) ayant remporté le Premier Prix de Rome afin d'acquérir un complément de formation au contact de Rome et de l'Italie. À cette époque, les pensionnaires devaient consacrer leur séjour à la réalisation de copies d'œuvres de l'Antiquité ou de la Renaissance.
Le concours d'entrée, le Prix de Rome, est organisé par l'Académie des beaux-arts. Par la suite, la Villa Médicis ouvre également ses portes aux musiciens et aux graveurs. Les directeurs sont traditionnellement d'anciens pensionnaires, parmi lesquels on retrouve Jean-Auguste-Dominique Ingres (1835-1840). Tout au long du XIXe siècle, l'Académie accueille des pensionnaires célèbres comme Charles Garnier, qui fit construire l'Opéra de Paris, des compositeurs tels qu'Hector Berlioz et Georges Bizet, des sculpteurs tels que Carpeaux et David d'Angers.
Au début du XXe siècle, les femmes font leur entrée à l'Académie avec Lili Boulanger (Grand Prix de Rome de composition musicale en 1913) et Odette Pauvert (Grand Prix de Rome de peinture en 1925). En 1961, la durée du séjour passe de quatre à deux ans maximum, tandis qu'écrivains, cinéastes, photographes, scénographes, restaurateurs d'œuvres d'art et historiens de l'art agrandissent le cercle des pensionnaires, dont le nombre passe de douze à vingt-cinq. Participant aux échanges culturels et artistiques, la Villa Médicis organise aujourd'hui des expositions, des concerts, des colloques ou des séminaires sur des sujets relevant des arts, des lettres et de leur histoire. Elle joue ainsi un rôle décisif au sein de la vie culturelle romaine et européenne.

Jean-Auguste-Dominique Ingres

Peintre français, né le 29 août 1780 à Montauban et mort le 14 janvier 1867 à Paris, il appartient au mouvement néoclassique du XIXe siècle. Formé à l'académie de Toulouse, il arrive en 1796 à Paris, où il devient l'élève de Jacques-Louis David (1748-1825), peintre officiel du Premier Empire dont un des tableaux les plus connus est *Le Sacre de Napoléon* (1807).

En 1806, il part pour Rome après avoir remporté le Prix de Rome en 1801. Il y découvre Raphaël et la peinture de la Renaissance italienne, qui marquent définitivement son style caractérisé par cet idéal de beauté fondé sur les harmonies des lignes et des couleurs. Durant ces années, il travaille les nus, les paysages, les dessins, les portraits et les compositions historiques.

Parmi ses œuvres les plus connues, on peut citer *Napoléon Ier sur le trône impérial* (1806), *Œdipe et le Sphinx* (1806), *La Grande Odalisque* (1814), *Le Bain turc* (1859).

Ingres était aussi passionné par le violon : c'est de là qu'est née l'expression « violon d'Ingres », pour parler d'un passe-temps favori.

À vous !

1. Associez chaque tableau au mouvement artistique correspondant.

a. le néoclassicisme b. le réalisme c. l'impressionnisme

1. *Les Canotiers à Chatou*, d'Auguste Renoir, 1879

2. *Pape Pie VII dans la chapelle Sixtine*, Ingres, 1810

3. *Rêverie*, Camille Corot, 1860-1865

2. Choisissez les artistes qui ont été pensionnaires de l'Académie de France.

a. Georges de La Tour (peintre, 1593-1652)
b. Jean-Baptiste Lully (compositeur, 1632-1687)
c. Jean-Honoré Fragonard (peintre, 1732-1806)
d. Victor Hugo (écrivain, 1802-1885)
e. Claude Debussy (compositeur, 1862-1918)
f. Jean Renoir (cinéaste, 1894-1979)
g. Xavier Beauvois (cinéaste, 1967)
h. Mathias Enard (écrivain, 1972)

Réponses : 1. a-2 ; b-3 ; c-1. 2. c, e, g, h.

Sciences et santé

Le terroir et les appellations

Le mot « terroir » n'ayant pas d'équivalent dans les autres langues européennes, on le confond souvent avec le terme « territoire ». Pour les distinguer, on peut dire que le terroir est un espace géographique sur lequel une population développe un savoir collectif ; le territoire regroupe généralement plusieurs terroirs. Le terroir est associé à des produits agricoles, transformés ou non, ils sont liés aux savoir-faire et aux usages de sa population aussi bien au niveau de la culture (les truffes du Périgord, par exemple), de l'élevage (comme les huîtres Marennes Oléron) que de la transformation (par exemple les vins de Sancerre). Certains labels et autres démarches qualité font explicitement référence au terroir d'origine du produit. L'AOP (appellation d'origine protégée), par exemple, désigne un produit dont les principales étapes de production sont réalisées selon un savoir-faire reconnu dans une même aire géographique. Tout comme l'AOC (appellation d'origine contrôlée), l'IGP (indication géographique protégée) et l'AB (Agriculture Biologique) constituent de véritables garanties de la préservation des techniques de fabrication et des goûts d'origine.

Les campagnes de prévention

Les gouvernements de nombreux États s'intéressent de plus en plus à l'alimentation de leurs concitoyens. Enjeu de santé public, celle-ci fait l'objet de nombreuses campagnes de prévention et de sensibilisation. Par exemple, le gouvernement du Québec a publié le *Guide alimentaire canadien* sur son site officiel (www.quebec.ca/). On y trouve de nombreuses informations sur les comportements alimentaires à adopter, des conseils pour cuisiner, pour découvrir de nouveaux aliments, de nouvelles saveurs, etc. D'autres formes de prévention existent : depuis 2007, la France, comme de nombreux pays, a choisi de faire une campagne d'affichage avec pour slogan « 5 fruits et légumes par jour ». Depuis 2018, le Québec, toujours à l'avant-garde, propose campagne « j'aime manger, pas gaspiller », associée à un site web où la cuisine zéro déchet est mise en avant. En Belgique, le site mangerbouger.be, soutenu par des organismes institutionnels, fournit nombre de conseils simples et pratiques : de l'actualité en lien avec le bien-être alimentaire aux bons gestes à adopter à l'école, en passant par des idées d'activités physiques à faire quotidiennement.

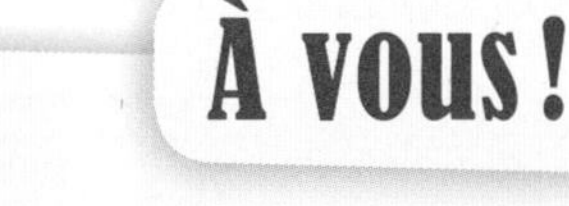

1. Associez chaque appellation à sa définition.

1 

2 

3 

a. Elle désigne des produits répondant aux critères de l'AOP et protège la dénomination sur le territoire français.
b. Elle identifie un produit agricole, brut ou transformé, dont la qualité et la réputation sont liées à son origine géographique.
c. Cette marque de certification identifie des produits 100 % bio ou contenant au moins 95 % de produits agricoles bio dans le cas des produits transformés.

2. VRAI ou FAUX ?

a. Peu de gouvernements mettent en place des politiques pour le bien-être alimentaire.
b. Le *Guide alimentaire canadien* permet de prendre conscience de ses habitudes alimentaires.
c. Le site mangerbouger.be ne donne que des conseils gastronomiques.

Réponses : 1. 1-b ; 2-c ; 3-a. 2. vrai : b ; faux : a, c.

Le don d'organes

Face au déséquilibre entre le nombre de demandes et de dons d'organes, de nombreux États ont légiféré pour faciliter et encadrer les démarches. Les lois varient cependant d'un pays à l'autre. La France a imposé le don d'organes à travers la loi de décembre 1976, réaffirmée par la loi de janvier 2016 : chaque individu est présumé donneur, à moins d'une opposition explicite. C'est le cas également pour la Belgique depuis 1986 – qui évoque « la présomption de solidarité ». Au Québec, en revanche, bien que les lois relatives au don d'organes varient selon les provinces et les territoires, le consentement explicite l'emporte sur le consentement présumé, même si une loi de 2010 vise désormais la facilitation des dons d'organes et de tissus. En Suisse, où l'inscription au registre national du don d'organes est indispensable, on réfléchit actuellement à une évolution de la loi visant à mettre en place le consentement présumé.

Les systèmes de santé

La Sécurité sociale est créée en France en 1945. Financée en grande partie par les cotisations prélevées directement sur les revenus d'activité des salariés comme des employeurs, elle assure aux travailleurs salariés (et indépendants depuis 2018) ainsi qu'à leurs ayant-droits le remboursement ou la prise en charge au moment de l'examen médical ou de la consultation à hauteur de 70 % de leurs frais médicaux (le ticket modérateur représentant la part de la base de remboursement reste à la charge de l'assuré). En Belgique, des avantages équivalents sont appliqués sous réserve d'adhésion à une mutualité.
Les Français disposent d'une carte Vitale à puce, alors que la Belgique a intégré depuis 2013 les données relatives à la situation de l'assuré à la carte d'identité électronique. Par ailleurs, la carte européenne d'assurance maladie permet aux ressortissants européens qui en ont fait la demande de bénéficier d'une prise en charge des frais de santé dans les États membres de l'UE ainsi qu'en Islande, au Liechtenstein, en Norvège ou en Suisse.

La vulgarisation scientifique

Avec le développement des technologies et dans le but de permettre l'accès au domaine scientifique au plus grand nombre, de nombreuses initiatives de vulgarisation scientifique ont vu le jour depuis les années 70. La fête de la science propose depuis 1991 en France et dans les DROM-COM* des activités gratuites (conférences, rencontres avec des chercheurs, etc.) axées autour de nombreux domaines scientifiques, de l'astrophysique à la philosophie. En outre, *ma thèse en 180 secondes* est un événement inspiré du modèle australien et initié dans la sphère francophone (Belgique, France, Maroc, Québec, Burkina-Faso, etc.) qui consiste pour les jeunes chercheurs à présenter en français le résultat de leurs travaux de doctorat dans le cadre d'un concours adressé à un public non scientifique. La vulgarisation scientifique est donc devenue une discipline à part entière faisant l'objet de formations portant sur l'élimination du jargon, la créativité ou encore les interactions avec les médias.

* DROM-COM : Départements et régions d'Outre-Mer et Communautés d'Outre-Mer

À vous !

1. Répondez aux questions suivantes.

a. Combien coûte réellement une consultation de 25 euros chez un médecin généraliste ?
17,50 € – 20 € – 7,50 €

b. Les frais d'adhésion à la sécurité sociale sont-ils déduits du salaire ?

2. Quels modules font partie de la formation *Ma thèse en 180 secondes* ? Choisissez les bonnes réponses.

a. distinguer les secteurs liés à la vulgarisation (presse, associations, etc.)
b. trouver une accroche et une chute
c. trouver des titres accrocheurs et justes
d. sélectionner les informations importantes de sa thèse
e. améliorer sa posture et sa gestuelle
f. gérer le temps

3. Associez chaque pays à la législation en vigueur.

Belgique ○ ○ Le don d'organes est pratiqué sauf opposition explicite.
France ○
Québec ○ ○ Le don d'organes nécessite l'inscription à un registre ou le consentement d'un proche.
Suisse ○

Réponses : 1. a. 7,5 € ; b. oui. 2. b, c, d, e, f. 3. Belgique, France : Le don d'organes est pratiqué sauf opposition contraire. ; Québec, Suisse : Le don d'organes nécessite l'inscription à un registre.

Urbanisme

Le projet du Grand Paris

La Métropole du Grand Paris est une intercommunalité qui regroupe la ville de Paris, cent vingt-trois communes des trois départements des Hauts-de-Seine, de la Seine-Saint-Denis et du Val-de-Marne ainsi que sept communes de l'Essonne et du Val d'Oise. Ce projet est une réponse aux enjeux liés au logement, au transport, à l'environnement, au développement économique, social et culturel.
Plusieurs projets architecturaux et d'urbanisme ont déjà vu le jour, parmi lesquels « Mille arbres », dont la livraison est prévue pour 2022 : un immeuble-pont au niveau de la porte Maillot, avec une forêt de mille arbres qui surplomberont le périphérique. Autre exemple : celui du projet « Réalimenter Masséna », rue Regnault, dans le 13e arrondissement, qui transformera l'ancienne gare Masséna en un espace public dédié à la fois aux circuits courts de l'alimentation et aux balades urbaines.
La Métropole du Grand Paris est aussi un acteur majeur des Jeux olympiques et paralympiques de Paris pour 2024, pour lesquels elle a notamment assuré la maîtrise d'ouvrage du futur Centre Aquatique Olympique (CAO) à Saint-Denis.

Casablanca, Maroc

Le futur des villes s'invente en Afrique

En 2050, l'Afrique comptera 2,5 milliards d'habitants : pour assurer sa sauvegarde économiqe et sociale, le continent va devoir adapter ses villes à une énorme densité de population. Dans cette perspective, les initiatives « Smart City », qui consistent à utiliser les nouvelles technologies pour rendre les villes plus « intelligentes », ont le vent en poupe. De Diamniadio à Zenata, de Kigali à Konza, les « Smart Cities », villes modernes à l'architecture avant-gardiste, se multiplient sur le continent africain, jusqu'à devenir une nouvelle norme urbaine. Diamniadio, à trente kilomètres de Dakar, au Sénégal, récolte les données de ses habitants pour mieux organiser l'espace urbain et mettre en réseau les infrastructures urbaines. Zenata, l'éco-cité située à la périphérie de Casablanca, au Maroc, connecte ses habitants entre eux pour valoriser la mixité sociale et place l'écologie au cœur de son urbanité (ville végétalisée).
Pour réussir, l'Afrique doit imaginer une économie durable et inclusive prenant en compte les bouleversements climatiques, tout à la fois en utilisant les savoir-faire et matériaux locaux et en intégrant le numérique.
Dans ce sens, des événements comme « futur·e·s in Africa », dédié aux enjeux des territoires durables et inclusifs (agriculture, mobilité, gestion de l'eau, de l'énergie et des déchets, accès à l'éducation), proposent des solutions innovantes au service des territoires et des citoyens et permettent la rencontre des acteurs (architectes, urbanistes, etc.) du développement urbain de l'Afrique.

À vous !

1. VRAI ou FAUX ?
a. La Métropole du Grand Paris ne concerne pas toute la région Île-de-France.
b. Son principal défi est architectural.
c. Le projet « Mille arbres » sera un grand centre commercial bio.
d. La Métropole du Grand Paris est impliquée dans Paris 2024.

2. Trouvez l'intrus.
a. ville verte – applications numériques – Diamniadio – mobilité urbaine
b. Zenata – ville verte – mobilité urbaine – mixité sociale
c. solutions innovantes – matériaux locaux – savoir-faire étranger – économie inclusive

Réponses : 1. vrai : a, d ; faux : b, c. 2. a. ville verte ; b. mobilité urbaine ; c. savoir-faire étranger.

Les musées, l'architecture et le pouvoir

« Il existe en France une vieille tradition d'intervention de l'État dans la culture, qui date de la monarchie. Elle a été institutionnalisée, vivifiée par la Révolution française », explique l'historien Christian Delporte. Cette tradition explique l'importance pour les premiers présidents de la Ve République de laisser leur empreinte dans la paysage des musées français : Georges Pompidou avec Beaubourg, musée d'art moderne aux allures d'échafaudage ; Valéry Giscard d'Estaing avec le musée d'Orsay, anciennement une gare transformée en un espace consacré aux arts du XIXe siècle ; François Mitterrand avec la pyramide du Louvre, qui trône dans la cour du musée et lui sert d'entrée ; Jacques Chirac avec le musée du Quai Branly, dédié aux arts premiers. Ces projets ont toutefois soulevé de nombreuses controverses : Beaubourg a été à l'origine taxé de « raffinerie de pétrole », alors que la pyramide du Louvre vaudra au président Mitterrand les surnoms de « Mitteramsès » ou de « Tontonkhamon ». Ajoutons que si faire de grands travaux assurait à un président de laisser une empreinte, de passer dans la postérité, des projets de cette envergure ne sont à présent plus à l'ordre du jour, les ressources de l'État ne permettant plus de les financer.

À vous !

1. Associez chaque nom de bâtiment à une photo et à un président de la Cinquième République.

a. Le musée d'Orsay
b. Le musée du Quai Branly
c. La pyramide du Louvre
d. Beaubourg

1. Georges Pompidou (1969–1974)
2. Valéry Giscard d'Estaing (1974-1981)
3. François Mitterrand (1981-1995)
4. Jacques Chirac (1995-2007)

A

B

C

D

2. VRAI ou FAUX ?

a. La tradition monarchique liée à la culture est encore présente sous la Cinquième République.
b. Tous les projets présidentiels ont un accueil favorable et enthousiaste.
c. Depuis Nicolas Sarkozy, les présidents n'ont plus fait de « grands travaux ».

Réponses : 1. a-2-C ; b-4-A ; c-3-D ; d-1-B. 2. vrai : a, c ; faux : b.

Compréhension de l'oral 25 points

Durée : 40 minutes

Première partie 53 18 points

Vous allez entendre deux fois un enregistrement sonore de 6 minutes environ :
– vous aurez tout d'abord 3 minutes pour lire les questions ;
– puis vous écouterez une première fois l'enregistrement ;
– vous aurez ensuite 3 minutes pour commencer à répondre aux questions ;
– vous écouterez une deuxième fois l'enregistrement ;
– vous aurez encore 5 minutes pour compléter vos réponses.
Pour répondre aux questions, il faudra cocher (x) la bonne réponse ou écrire l'information demandée.

53 **Lisez les questions, écoutez le document puis répondez.**

1. Quel est le sujet principal de cette émission sur le bonheur des Français ? 2 points
 a. Les résultats tirés de son évaluation.
 b. Les nouvelles définitions de ce concept.
 c. Les politiques engagées pour l'atteindre.

2. Quel résultat Paul Périer trouve-t-il inquiétant ? 2 points

3. Selon Paul Périer, à quoi le bonheur est-il lié dans la plupart des pays ? 2 points
 a. À l'âge.
 b. À la famille.
 c. À l'éducation.

4. Pour Florence Lepuit, quelle évolution la mesure du bonheur a-t-elle connue après les années soixante-dix ? 2 points

5. Selon Florence Lepuit, quel objectif les économistes poursuivent-ils à présent ? 2 points
 a. Simplifier l'interprétation des données obtenues.
 b. Corroborer leurs postulats par une méthode directe.
 c. Publier des synthèses de leurs résultats à l'international.

6. Quelle contradiction Florence Lepuit a-t-elle relevée concernant les Français et le bonheur ? 2 points

7. Pour Florence Lepuit, la spécificité du bonheur chez les Français s'explique… 2 points
 a. du fait de leur relation au temps.
 b. de par leur carrière professionnelle.
 c. en raison du rallongement des études.

8. Que démontrent les études quant au rapport entre revenus et bien-être ? 2 points

9. Qu'explique Paul Périer à propos des personnes « matérialistes » et de leur relation au bonheur ? 2 points

Deuxième partie

54 et 55 **7 points**

Vous allez entendre une seule fois deux courts extraits radiophoniques.

Pour chacun des extraits :
– vous aurez 50 secondes pour lire les questions ;
– puis vous écouterez l'enregistrement ;
– vous aurez ensuite 50 secondes pour répondre aux questions.

DOCUMENT 1

54 **Lisez les questions, écoutez le document puis répondez.**

1. Selon Frédéric Claro, pourquoi la méditation est-elle populaire dans la société d'aujourd'hui ? 1 point
   a. Elle est facile à pratiquer à la maison.
   b. Elle a une bonne image dans les médias.
   c. Elle représente un moment de tranquillité.

2. Quelle contradiction Frédéric Claro relève-t-il concernant les applications de méditation ? 1 point

3. Selon Frédéric Claro, que permettent les applications de méditation ? 1 point
   a. De suivre les cours à son rythme.
   b. D'éviter les jugements des autres.
   c. De démocratiser l'accès à cette pratique.

4. Pour Fabrice Rollet, les personnes qui s'inscrivent à des cours veulent surtout… 1 point
   a. méditer dans un cadre plus structuré.
   b. se rassembler avec d'autres personnes.
   c. être plus disciplinées dans leur pratique.

DOCUMENT 2

55 **Lisez les questions, écoutez le document puis répondez.**

1. Quel est le constat du rapport au sujet des scandales sanitaires ? 1 point
   a. L'intervention du gouvernement s'est fait attendre.
   b. L'accès aux soins par les malades était insuffisant.
   c. L'information diffusée sur Internet a semé la panique.

2. Quelle est l'une des propositions du rapport pour mieux informer le public ? 1 point
   a. Vulgariser les informations médicales les plus complexes.
   b. Rassembler au même endroit les informations dispersées.
   c. Répéter les informations importantes sur plusieurs médias.

3. D'après le rapport, les associations de patients devraient… 1 point
   a. recruter davantage de personnes.
   b. être systématiquement consultées.
   c. faire appel aux conseils des médecins.

Compréhension des écrits — 25 points

Lisez le texte puis répondez aux questions. Durée : 50 minutes

Médecine et intelligence artificielle

L'application de l'Intelligence artificielle (IA) à la médecine offre une perspective essentielle à l'essor de ces nouvelles technologies. Qu'il s'agisse de renforcer le lien entre patients et médecins ou d'offrir des outils aux citoyens pour redevenir acteurs de leur santé, l'innovation a pour objectif de combattre la maladie. Quoi de plus noble ? Mais aussi, quoi de plus complexe et incertain ?

J'entends ainsi parfois reprocher au monde de la santé une réactivité faible, voire absente, quant à l'application des nouvelles technologies au sein de sa sphère. Mais ce qui pourrait être vu comme lenteur ou manque d'agilité n'est, à mon sens, que principe de précaution et respect de la vie humaine. Bien au contraire même, les exemples prouvant que la médecine avance dans le même sens que dans d'autres domaines sont nombreux. Le vrai enjeu, ici, n'est pas tellement d'aller plus vite, mais d'aller bien.

L'IA vient tout d'abord en appui au travail du corps médical et à ce que l'on pourrait appeler « l'expérience patient ». Hors de l'hôpital, l'amélioration de l'observance des traitements et du suivi thérapeutique est permise grâce à l'arrivée sur le marché d'outils contrôlant la prise des traitements. Le médecin peut alors savoir de manière exacte les conditions dans lesquelles le patient a pris ou non son traitement, et le patient dispose lui-même d'un outil de suivi. Pour le citoyen, ces solutions sont rassurantes et apaisantes car elles facilitent sa responsabilisation et réduisent le temps d'hospitalisation. Enfin, optimiser la charge de travail du personnel soignant permet aussi, à grande échelle, de réaliser des économies qui pourront être investies dans l'innovation, la recherche ou de meilleures infrastructures. Cela apporte donc des bénéfices forts au système médical dans son ensemble.

Si l'IA assiste et soulage le médecin à l'hôpital sans se substituer à lui, il est des cas où l'IA est en revanche amenée à le remplacer, là où il fait défaut. Elle devient en effet une solution aux déserts médicaux : disparition des médecins de famille, concentration des généralistes dans les villes et répartition très hétérogène sur le territoire. On imagine sans peine que la prochaine étape sera l'arrivée de robots dotés des bons algorithmes, capables de réaliser des prédiagnostics.

L'IA nous ouvre déjà les portes d'une médecine personnalisée, adaptée à chaque individu car elle peut prendre en compte l'ensemble de ses données personnelles, allant de son lieu de naissance, ses habitudes de consommation à ses mutations génétiques, les croisant avec les gigantesques bases de données disponibles et permettant aux médecins de choisir le traitement le plus adapté. Là où l'esprit humain n'est pas adapté pour gérer de telles quantités de données, les algorithmes peuvent désormais prendre le relais.

En amont du traitement, c'est bien sûr au niveau du diagnostic que l'IA a un impact essentiel. Le croisement de grandes quantités de données et l'application d'algorithmes offrent aujourd'hui au professionnel de santé une aide sans précédent pour poser le bon diagnostic. D'autres approches prouvent à quel point l'IA a encore de nombreuses portes à ouvrir : une équipe de chercheurs a ainsi mis en place un système d'analyse des requêtes Internet, capable d'observer les comportements de recherche des utilisateurs et d'anticiper le diagnostic de certaines maladies. Qui sait si, un jour, nous ne serons pas prévenus par notre moteur de recherche qu'il serait bon d'aller rendre rapidement une petite visite à notre médecin ? Anticiper grâce à l'IA pour mieux avertir le citoyen de ses risques est une chance inouïe pour le domaine de la médecine de changer de paradigme : la priorité ne devra plus être de guérir, mais de prévenir, l'objectif du médecin ne sera plus de soigner, mais d'anticiper.

Il est un domaine où l'anticipation et la prévention ont déjà largement fait leur preuve : l'épidémiologie. En 2014, Orange a mené deux initiatives sur les données mobiles au Sénégal et en Côte d'Ivoire. Déployés et automatisés à grande échelle, ce type de projets pourraient permettre d'éviter la propagation de futures épidémies et optimiser l'accès aux soins pour toute une population.

Aujourd'hui, cette initiative d'Orange a donné naissance au Sénégal à un challenge ouvert à tous, dans différents domaines. Orange met donc à disposition des participants des quantités massives de données TIC, afin de permettre à chacun d'apporter ses compétences et son énergie créatrice à un impact commun et global. Cela illustre la transformation qui s'opère au niveau de tout un domaine : parce qu'elle a besoin de nouvelles compétences, la recherche biomédicale commence à aller voir ailleurs et donc à se démocratiser. Il s'agit bien de faire accéder à la recherche un certain type de compétences complémentaires, utiles, voire nécessaires, auxquelles les médecins et les chercheurs n'ont pas forcément l'habitude de se confronter mais qui sont porteuses de formidables accélérations pour la santé.

L'essor de l'IA entraîne aussi une diminution du coût de la recherche dans son ensemble. En effet, grâce aux données disponibles et aux technologies big data, plus besoin aujourd'hui de créer de nouvelles données, en formant de nouveaux essais cliniques chronophages. Les chercheurs peuvent plonger dans l'immense masse de données exploitables et les réexploiter à l'envi selon leurs projets de recherche.

Cependant, si de nombreux projets ambitieux voient le jour, il ne faut pas pour autant atténuer les difficultés qui se posent à la mise en œuvre de ces initiatives. Aujourd'hui, lorsqu'un centre hospitalier détient les données d'un patient, la législation impose de demander au patient son autorisation si le médecin souhaite les exploiter en vue d'une autre utilisation. Cette approche est tout à fait incompatible avec le big data. Quand on sait quel potentiel ces données représentent, on peut affirmer qu'il est non-éthique de ne pas permettre leur pleine exploitation. Comment permettre, dans ces conditions, une science plus ouverte et transdisciplinaire, nécessitant de faire appel à des compétences qui ne sont pas présentes dans les hôpitaux ? Défendre la vie privée du citoyen est essentiel mais puisque cela se fait au détriment de la science et de la recherche, c'est que nous sommes face à un problème non résolu.

Idéalement, chaque citoyen devrait être propriétaire de ses données – médicales ou non. Il faudrait réaliser un travail d'éducation en profondeur auprès des citoyens, pour que chaque patient prenne conscience du potentiel d'utilisation qu'elles représentent et soit armé pour décider ou non, en toute connaissance de cause, de les proposer à la recherche. Ce qui nécessiterait de créer l'environnement technologique adéquat permettant le consentement et le suivi, au niveau national.

D'après Karine Levy-Heidmann, ouest-france.fr.

1. Vrai ou faux ? Choisissez la bonne réponse et recopiez la phrase ou la partie du texte qui justifie votre réponse. — 2 points
   (2 points si le choix V/F et la justification sont corrects, sinon aucun point ne sera attribué.)
   D'après l'auteur du texte, la médecine intègre trop lentement les nouvelles technologies dans ses pratiques.
   ☐ Vrai ☐ Faux Justification : …

2. Pour quelles raisons l'utilisation de l'IA est-elle positive pour les patients durant leur traitement ? *(2 réponses attendues)* — 3 points

3. Vrai ou faux ? Choisissez la bonne réponse et recopiez la phrase ou la partie du texte qui justifie votre réponse. — 4 points
   (2 points si le choix V/F et la justification sont corrects, sinon aucun point ne sera attribué.)
   a. Les investissements dans l'IA se font au détriment d'autres dépenses.
   ☐ Vrai ☐ Faux Justification : …
   b. Pour l'auteur, l'IA pourrait prendre la place du médecin dans certaines circonstances.
   ☐ Vrai ☐ Faux Justification : …

4. Comment l'IA permet-elle d'assurer un traitement individualisé des patients ? — 3 points
   a. En traitant davantage d'informations que le médecin.
   b. En garantissant l'anonymat des données personnelles.
   c. En contrôlant en continu l'état de santé des personnes.

5. Que pourra faire l'IA grâce aux recherches Internet des patients ? — 3 points
   a. Analyser les facteurs de risque.
   b. Prévenir l'apparition de pathologies.
   c. Classer les symptômes par population.

6. Quel est l'objectif du challenge lancé par Orange ? — 3 points
   a. Récolter un grand nombre de données rapidement.
   b. Améliorer les performances des algorithmes utilisés.
   c. Ouvrir la recherche médicale à de nouvelles personnes.

7. Vrai ou faux ? Choisissez la bonne réponse et recopiez la phrase ou la partie du texte qui justifie votre réponse. — 2 points
   (2 points si le choix V/F et la justification sont corrects, sinon aucun point ne sera attribué.)
   L'IA va légèrement augmenter les coûts de la recherche médicale.
   ☐ Vrai ☐ Faux Justification : …

8. Quel paradoxe l'auteur relève-t-il au sujet de l'utilisation des données médicales ? — 2 points

9. Pour l'auteur, les patients devraient davantage… — 3 points
   a. surveiller l'utilisation des données par les hôpitaux.
   b. être informés de la grande valeur de leurs données.
   c. accepter de fournir leurs données pour des recherches.

Production écrite — 25 points

Durée : 2 h 30

Épreuve n° 1 : synthèse de documents — 13 points

Vous ferez une synthèse des documents proposés, en 220 mots environ. Pour cela, vous dégagerez les idées et les informations essentielles qu'ils contiennent, vous les regrouperez et les classerez en fonction du thème commun à tous ces documents, et vous les présenterez avec vos propres mots, sous forme d'un nouveau texte suivi et cohérent.

Attention :
- vous devez rédiger un texte unique en suivant un ordre qui vous est propre, et non mettre deux résumés bout à bout ;
- vous ne devez pas introduire d'autres idées ou informations que celles qui se trouvent dans les documents, ni faire de commentaires personnels ;
- vous pouvez bien entendu réutiliser les mots-clés des documents, mais non des phrases ou des passages entiers.

200 à 240 mots

Règle de décompte des mots : est considéré comme mot tout ensemble de signes placé entre deux espaces (« c'est-à-dire » = 1 mot ; « un bon sujet » = 3 mots ; « je ne l'ai pas vu depuis avant-hier » = 7 mots).

Attention : le respect de la consigne de longueur fait partie intégrante de l'exercice (fourchette acceptable donnée par la consigne). Dans le cas où la fourchette ne serait pas respectée, on appliquera une correction négative : 1 point de moins par tranche de 20 mots en plus ou en moins.

DOCUMENT 1

Pour ou contre le retour de la morale à l'école ?

Le ministre de l'Éducation nationale a annoncé, lors d'une interview, son intention de remettre au goût du jour les cours de morale à l'école. Une version laïque, revue et corrigée, qui doit voir le jour à la rentrée prochaine.

Les cours de morale laïque ne ressembleront pas aux cours de morale d'antan. C'est ce qu'a promis le ministre lorsqu'il a annoncé la remise au goût du jour des enseignements obligatoires de morale à l'école. Notre ministre de l'Éducation s'est dit en quête d'un système qui permettrait d'apprendre aux élèves les règles du « vivre ensemble ».

Concrètement, à quoi peut ressembler un cours de morale ?

Nos voisins belges suivent déjà des cours de morale à l'école. Du primaire au lycée, ces enseignements leur sont dispensés par des professeurs spécialisés – agrégés de philosophie pour ceux du supérieur. Le contenu de ces heures de morale est défini sous la forme de grandes questions, de thèmes généraux comme « suis-je seul au monde ? » ou « dans quelle société je veux vivre ? ». Le but est d'apprendre à débattre et à argumenter pour défendre son opinion en s'aidant de l'actualité.

Du côté de la France, la morale, c'est « *comprendre ce qui est juste, distinguer le bien du mal, c'est aussi des devoirs autant que des droits, des vertus et surtout des valeurs* », détaille le ministre. « *Pour donner la liberté du choix, il faut être capable d'arracher l'élève à tous les déterminismes : familial, ethnique, social, intellectuel, pour après faire un choix* », explique-t-il par la suite. Mais si l'idée est globalement appréciée des parents d'élèves, beaucoup craignent alors que l'initiative empiète sur l'autorité parentale et ne dépende que trop de la subjectivité du professeur.

Qui décidera du fond et de la forme de ces cours de morale ?

Le ministre s'est engagé à très vite mettre en place une commission de réflexion autour du fond et de la forme. Pour les prochains mois, ce groupe de travail aura pour mission de trouver une solution afin que l'instruction civique (primaire), l'éducation civique (collège) et l'éducation civique, juridique et sociale (lycée) – qui inculquent déjà aux élèves les valeurs et le fonctionnement de la République – soient harmonisés et plus cohérents les uns avec les autres. L'objectif final est de déboucher sur une refonte des programmes scolaires, une définition exacte de la discipline et un mode d'évaluation finale.

Si, pour le moment, il faut attendre les résultats de cette étude pour en connaître un peu plus sur le fond, le ministre a déjà partagé quelques idées, comme l'apprentissage de la Marseillaise, l'hymne national. En parallèle du débat qu'a provoqué l'annonce de cette nouvelle matière, un sondage dévoile que 55 % des Français estiment que l'école ne participe pas assez à la lutte contre le racisme, à l'apprentissage de ce que c'est et des lois qui l'encadrent.
Et vous, qu'en pensez-vous ? Les cours de morale sont-ils la solution idéale pour, à terme, améliorer notre société ? Quels seraient les thèmes à aborder ? *A contrario*, pensez-vous que cet enseignement relève davantage du devoir parental ?

D'après Maeva Demay, marieclaire.fr.

DOCUMENT 2

Quelles valeurs l'école doit-elle transmettre aux élèves ?

Les libertariens contestent à l'école le droit de transmettre des valeurs morales. Leur thèse : en régime libéral, il n'y a ni religion ni morale d'État. L'État est donc tenu à la neutralité. En matière d'éducation morale, l'institution scolaire n'a alors qu'une seule chose à faire : ne rien faire. Cette position est, en France, très minoritaire. L'orientation dominante estime au contraire que l'école a une mission d'éducation morale. Dès lors, deux questions se posent. Quelles valeurs transmettre ? Et comment les transmettre ?
Les sociétés démocratiques contemporaines se caractérisent par une pluralité des conceptions du bonheur et donc des choix de valeurs différentes. On peut en effet préférer la prospérité individuelle à l'entraide, les libres rencontres à la fidélité, la sécurité au courage. Il importe alors de délimiter les contours de la morale à enseigner pour que celle-ci soit compatible avec le pluralisme qui caractérise nos sociétés.
D'où il résulte que la morale à promouvoir ne peut être qu'une morale du vivre-ensemble, liée à notre rapport à autrui au sein d'un espace public, pensé comme un lieu de cohabitation libre. Solidarité, tolérance, respect, liberté, égale dignité des personnes et esprit de justice ; telles sont les valeurs que l'école doit donc transmettre.
Comment les transmettre ? La question n'est pas nouvelle, Platon et Aristote s'étaient déjà demandé si l'on pouvait enseigner la vertu. Difficile question car il faut bien comprendre que lorsque le professeur enseigne la justice à un élève, c'est aussi et surtout pour qu'il se comporte de manière juste. Enseigner les valeurs n'est donc pas un enseignement comme les autres. Si j'explicite la valeur justice, je serai attentif à montrer qu'être juste, c'est savoir donner à chacun la part légitime qui lui revient. Mais une valeur n'est pas un concept, elle ne saurait se réduire à l'idée qui la définit, elle a aussi une dimension affective. Je dois pouvoir me dire : « Elle me plaît, cette idée de justice, car elle va donner sens à la manière dont je veux m'avancer. »
Le paradoxe de la transmission des valeurs réside en ce point : comment transmettre ce qui ne peut être que librement choisi ? La seule manière de sortir de ce cercle est de rendre la valeur désirable. La valeur ne s'impose jamais, elle se propose toujours. Elle est choisie par l'élève parce que le maître sait la rendre désirable. Ajoutons que les valeurs « passent » aussi par les contenus d'enseignement qui donnent l'occasion de réfléchir à des enjeux éthiques.
Transmettre des valeurs, ce n'est donc pas seulement donner à les connaître intellectuellement, c'est surtout les rendre préférables à d'autres.

D'après Eirick Prairat, lemonde.fr.

Épreuve n° 2 : essai argumenté

12 points

Suite à l'annonce du retour des cours de morale à l'école par le gouvernement, vous proposez votre contribution sous forme d'écrit argumenté dans la rubrique Débat d'un journal d'actualités. En tant que parent d'élève, vous présentez votre point de vue sur cette question. Vous insistez notamment sur la nécessité de débattre autour de valeurs communes tout en évoquant les limites d'une telle réforme.

250 mots minimum

Production orale — 25 points

Cette épreuve se déroulera en deux temps.

Préparation : 60 minutes
Passation : 30 minutes environ

1. Exposé avec préparation — 8 à 10 minutes

À partir des documents proposés, vous préparerez un exposé sur le thème indiqué, et vous le présenterez au jury. Votre exposé présentera une réflexion ordonnée sur ce sujet. Il comportera une introduction et une conclusion et mettra en évidence quelques points importants (3 ou 4 maximum).

Attention : les documents sont une source documentaire pour votre exposé. Vous devez pouvoir en exploiter le contenu en y puisant des pistes de réflexion, des informations et des exemples, mais vous devez également introduire des commentaires, des idées et des exemples qui vous sont propres afin de construire une véritable réflexion personnelle. En aucun cas, vous ne devez vous limiter à un simple compte rendu des documents.

L'usage de dictionnaires monolingues français / français est autorisé.

2. Entretien sans préparation — 15 à 20 minutes

Le jury vous posera ensuite quelques questions et s'entretiendra avec vous à propos du contenu de votre exposé.

SUJET

THÈME DE L'EXPOSÉ :
Une alimentation durable est-elle possible ?

DOCUMENT 1

Alimentation plus durable : un outil en ligne pour mesurer son impact

**Plus ou moins de bio, de produits locaux, de viande dans nos assiettes...
Le site Parcel ausculte les effets des changements collectifs de production et de consommation.**

À quoi bon changer notre consommation alimentaire ? Un outil permet désormais de visualiser les effets concrets à petite ou plus grande échelle. Terre de liens et la Fédération nationale d'agriculture biologique (Fnab), tous deux défenseurs du bio, dégainent un site gratuit pour « *identifier en quelques clics les impacts positifs d'un changement massif de notre système agricole et alimentaire vers une alimentation de qualité, équilibrée, résiliente, citoyenne et locale* ».

L'initiative tombe à pic en cette journée mondiale de l'alimentation. Plus de bio, en circuit court, moins de produits animaux... Parcel calcule les retombées pour le climat et l'air, la biodiversité, le sol et les ressources en eau ainsi que sur l'emploi. Et ce selon si une famille, une école, une entreprise ou même une ville passent à des pratiques plus durables. L'outil est particulièrement adapté pour des projets à l'échelle des collectivités.

D'abord, on entre la zone géographique concernée (ville, département...), puis le nombre d'individus impliqués (tous les habitants du territoire ; des établissements de type hôpital, maison de retraite ou encore école maternelle ; un groupement de personnes). Ensuite, trois leviers sont à disposition : retour à une agriculture locale, modification du régime alimentaire et consommation de produits bio. Les paramètres sont modifiables, un curseur permet de pousser le bouchon plus ou moins loin pour chaque critère.

Dans certains cas, le simple fait de changer pour un menu 100 % bio fait doubler la surface agricole nécessaire. Cela est problématique car l'humanité doit se tourner vers une alimentation durable sans augmenter le nombre d'hectares cultivés afin d'éviter la déforestation. Le citoyen peut donc faire varier la composition de son assiette, moins riche en produits issus des animaux et plus végétalisée, pour ajuster son impact. L'élevage utilise 70 % des terres agricoles, dont une partie pourrait être convertie en cultures, de légumineuses par exemple.

Selon Parcel, si la nourriture des habitants de France métropolitaine était bio et produite dans l'Hexagone, nous aurions besoin de la même surface agricole qu'aujourd'hui. Le nombre d'emplois dans l'agriculture serait alors doublé, les émissions de gaz à effet de serre par personne 30 % moins importantes, et la pollution de l'eau diminuerait de 35 %. Argument supplémentaire pour faire bouger sa commune ou sa cantoche.

D'après Margaux Lacroux, liberation.fr.

DOCUMENT 2

Les restaurants peinent à prendre la vague écolo

Dans le milieu de la restauration, l'approvisionnement bio, local, recyclable est un nouvel argument de vente. Mais il est coûteux, et les chefs n'imaginent pas sa généralisation sans subventions.

Voilà bientôt dix ans que la gastronomie voit venir la vague verte. Sur les étals des supermarchés et magasins spécialisés, les ventes de produits biologiques ont augmenté de 40 % en 2016. Et le vegan fait florès avec une hausse fulgurante du chiffre d'affaires de 82 %. Les restaurants n'échappent pas au mouvement, même si le démarrage semble plus lent avec un accroissement de 7 % de l'offre.

Portée par une sémantique enveloppante et des mots génériques comme « green », « bio », « durable » ou « free from » (produits sans gluten, lactose, etc.), la restauration va devoir intégrer le respect de l'environnement, la santé et le bien-être animal dans sa stratégie. « *Les "millennials" représenteront 50 % de la population dans trente ans. Ces nouveaux consommateurs sont hyperconnectés, changent d'avis souvent, veulent du local et des produits sourcés, des propositions culinaires prenant en compte allergies, intolérances, végétarisme : la gastronomie de demain sera "green" ou ne sera pas* », affirme Marie-Odile Fondeur, directrice générale du Salon international de la restauration, de l'hôtellerie et de l'alimentation.

Le géographe et chercheur spécialiste de l'alimentation Gilles Fumey corrobore : « *Les jeunes générations sont de plus en plus sensibles aux problématiques de gaspillage, pesticides, additifs, transparence et traçabilité. Les professionnels de la restauration sentent qu'ils doivent changer et faire évoluer les process, les produits et les mentalités de leurs équipes.* »

Les enseignes « healthy », bio et « végé » calquées sur celles que l'on voit fleurir en Californie commencent à faire leur apparition dans l'Hexagone. Mais, dans un pays à la tradition gastronomique très carnée et souvent gaspilleuse, la conscience écologique a du mal à s'installer dans les cuisines. À Paris, l'élégant bistrot *Septime* est un rare exemple de restaurant écoresponsable, autant sur le plan de l'approvisionnement que sur la réduction des déchets, le recyclage, le compostage, le traitement du personnel, la parité, l'économie sociale, solidaire et circulaire. Des efforts récompensés en 2017 par un prix du développement durable, au « 50 Best », le classement anglais des 50 meilleurs restaurants du monde.

« *C'est un engagement qui nous tient à cœur, mais qui coûte cher*, confie Théo Pourriat, copropriétaire de *Septime*. *Nous payons un opérateur privé pour le prélèvement et la valorisation de nos biodéchets, tout en continuant à casquer pour la collecte des ordures. Les pouvoirs publics exhortent les restaurants à se responsabiliser, mais ne proposent rien pour les y inciter.* » Résultat, même si quantité de chefs ne jurent que par le bon produit, ils sont encore très peu à s'engager sur toute la ligne. « *Le coût ne peut pas retomber sur le client : tant que c'est plus cher d'être vertueux, il faut qu'il y ait des aides et des subventions externes.* »

Pour Olivier Reneau du magazine *Cuisines (R) évolution*, il faut éviter de tomber dans l'écueil de l'affichage écolo sans actions, à seul but marketing. « *Relais & Châteaux ou le Collège culinaire de France ont commencé à établir des chartes, mais ces prescripteurs de la gastronomie doivent aller plus loin, éduquer la clientèle, s'engager sur tous les fronts, la pêche durable, le bio, le local… Retirer les nappes pour réduire les lessives, trier leurs déchets et proposer des* doggy bags *à leurs clients. Ce devrait être ça, les nouveaux codes de la gastronomie chic.* »

D'après Camille Labro, lemonde.fr.

Compréhension et production orales — 50 points

Préparation : 1 heure après les deux écoutes – Passation : 30 minutes

- Vous allez entendre deux fois un enregistrement sonore de 15 minutes environ.
- Vous écouterez une première fois l'enregistrement. Concentrez-vous sur le document. Vous êtes invité(e) à prendre des notes.
- Vous aurez ensuite 3 minutes de pause.
- Vous écouterez une seconde fois l'enregistrement.
- Vous aurez alors une heure pour préparer votre intervention.
- Cette intervention se fera en trois parties :
  - présentation du contenu du document sonore ;
  - développement personnel à partir de la problématique proposée dans la consigne ;
  - débat avec le jury.

L'usage de dictionnaires monolingues français / français est autorisé.

1. Monologue suivi : présentation du document — 56 — 5 à 10 minutes

Vous devez présenter, en 5 à 10 minutes, le contenu du document. Vous aurez soin de reprendre l'ensemble des informations et points de vue exprimés dans un ordre et selon une structure logique et efficace qui faciliteront l'écoute pour le destinataire.

2. Monologue suivi : point de vue argumenté — 10 minutes environ

SUJETS AU CHOIX

Le jury tient le rôle de modérateur du débat.

SUJET 1

En tant que représentant(e) d'une association qui lutte pour le droit à la déconnexion, vous participez à un débat sur l'impact des nouvelles technologies dans la société. Vous exposez vos craintes sur les effets d'Internet dans notre vie personnelle et professionnelle. Vous insistez notamment sur les dangers d'une utilisation trop intensive des réseaux sociaux et vous proposez des pistes pour réguler et faire évoluer les pratiques des utilisateurs.

SUJET 2

En tant que créateur / créatrice d'une jeune entreprise dans le domaine du numérique, vous participez à une conférence sur les nouvelles manières de travailler avec Internet. Vous présentez les bénéfices qu'apportent Internet et les réseaux sociaux dans l'organisation du travail tout en soulignant les adaptations que cela nécessite. Vous insistez sur les possibilités existantes et les moyens à mettre en œuvre pour conserver une séparation réelle entre vie privée et vie professionnelle, malgré la généralisation des smartphones.

Quel que soit le sujet choisi, vous aurez soin de présenter, en une dizaine de minutes, idées et exemples pour étayer vos propos, et d'organiser votre discours de manière élaborée et fluide, avec une structure logique et efficace qui aidera le destinataire à remarquer les points importants.

3. Exercice en interaction : débat — 10 minutes environ

Dans cette partie, vous débattrez avec le jury. Vous serez amené(e) à défendre, nuancer, préciser votre point de vue et à réagir aux propos de votre interlocuteur / interlocutrice.
Vous ne disposez pas de temps de préparation pour cet exercice.

Compréhension et production écrites 50 points

DOSSIER

Peut-on lutter contre le gaspillage alimentaire ?

Lisez les documents suivants.

DOCUMENT 1

LE PARI GAGNANT DE LA LUTTE CONTRE LE GASPILLAGE ALIMENTAIRE

Tranches de pain abandonnées sur l'assiette, portion de lasagnes « en trop », fruits cabossés ou yaourts proches de la date limite de consommation... En France, chaque année, 10 millions de tonnes d'aliments consommables partent à la poubelle. À la maison, dans les restaurants ou les cantines, mais aussi sur les lieux de production ou de transformation.

Pour lutter contre ce gâchis, les pouvoirs publics ont fixé, en 2013, un objectif ambitieux : réduire de moitié le gaspillage et les pertes alimentaires d'ici à 2025. Tout un arsenal juridique s'est mis en place petit à petit. Une nouvelle étape a été franchie, mercredi 30 mai, avec l'adoption par les députés d'un article du projet de loi Agriculture et alimentation visant à imposer un diagnostic et le don alimentaire à la restauration collective et à l'industrie agroalimentaire.

La mesure, si elle passe l'examen au Sénat fin juin, étendra à de nouveaux acteurs les obligations déjà imposées à la grande distribution par la loi du 11 février 2016 contre le gaspillage alimentaire. Ce texte oblige les supermarchés de plus de 400 m^2 à rechercher un partenariat avec une association d'aide alimentaire pour lui faire don de ces invendus encore consommables. Il interdit aussi aux distributeurs, sous peine d'une amende de 3 750 euros, de les javelliser. Deux ans après son entrée en vigueur, les invendus finissent-ils moins au fond de la benne ?

Faute d'évaluation nationale, difficile d'avoir une vision précise de la portée réelle de la loi. Mais les retours sur le terrain comme les tests sur un échantillon de magasins donnent des résultats positifs sur le volume des dons, mais aussi, plus globalement, sur la diminution du gaspillage. « *La loi a eu un effet d'entraînement et a généralisé les bonnes pratiques* », affirme-t-on à la direction de l'alimentation du ministère de l'Agriculture, qui promet un bilan chiffré et complet de la loi pour la fin de l'année.

Marges de progrès importantes

En attendant, 94 % des points de vente interrogés pratiquent le don des surplus alimentaires, parfois depuis longtemps. Mais pour 34 % des magasins étudiés, la loi a servi d'aiguillon et d'accélérateur pour la mise en place d'actions antigaspi.

Résultat, les dons aux associations ont augmenté. « *En 2017, nous avons récupéré auprès des grandes surfaces, qui sont notre principale source d'approvisionnement, 46 000 tonnes de produits, soit 12 % de plus qu'en 2016 et l'équivalent de 92 millions de repas* », confirme Jacques Bailet, président de la Fédération française des banques alimentaires, la principale association de collecte et de distribution de denrées. Les marges de progrès restent pourtant importantes : 55 % des points de vente sondés par l'étude précitée n'ont pas organisé de collecte quotidienne, et continuent donc à mettre à la poubelle un grand nombre de produits n'ayant pas pu être récupérés à temps.

Logistique à mettre en place

Plus de dons induisent aussi plus de chauffeurs pour la collecte, plus de bénévoles pour le tri... Toute une organisation à mettre en place à budget constant. D'où l'idée développée par un certain nombre de start-up de « *professionnaliser la gestion des invendus* », en jouant le rôle d'intermédiaire entre magasins et organisations caritatives. « *Il doit être aussi facile de donner que de jeter*, explique Pierre-Yves Pasquier, cofondateur de Comerso. *Pour cela, nous prenons en charge toutes les démarches et la logistique assurée par une flotte de 70 camions. Grâce à un logiciel de gestion, la traçabilité de la marchandise est assurée à toutes les étapes de la collecte, du transport et de la distribution.* » La jeune pousse de 35 salariés compte aujourd'hui 300 entreprises clientes (grande distribution ou industriels de l'agroalimentaire) et collabore avec plus de 400 associations, pour qui le service est entièrement gratuit. L'enjeu est de taille. « *On gaspille quatre fois plus en restauration collective et commerciale qu'au foyer*, précise Laurence Gouthière, chargée de la lutte contre le gaspillage alimentaire à l'Agence de l'environnement et de la maîtrise de l'énergie (Ademe), *soit 130 g par convive et par repas, contre 32 g chez les ménages.* » Entre les mets qui n'ont pas été consommés, ceux produits en trop grande quantité par l'équipe de cuisine ou écartés lors de la phase de production, le gaspillage coûte cher. Toujours selon l'Ademe, pour un restaurant servant 500 couverts par jour et en moyenne 200 jours par an, ce sont entre 15 et 20 tonnes de produits qui sont jetées par an, l'équivalent d'une perte économique de 30 000 à 40 000 euros. D'où l'intérêt de faire la chasse au gâchis à la source, comme c'est le cas dans les cantines de la ville de Saint-Denis.

En 2017, cette commune a mis en place dans trois groupes scolaires un plan antigaspi pour mieux adapter les quantités aux besoins et à l'appétit des écoliers. Les portions proposées en primaire ne sont plus uniformes mais se déclinent en plusieurs tailles, à charge de l'enfant de choisir selon sa faim et ses goûts. En maternelle, on est passé d'un plateau de cinq composants à quatre, avec un roulement entre entrée, produit laitier et dessert. Les élèves ne se sont pas pour autant jetés sur la corbeille de pain pour se « caler », au contraire, le volume de celle-ci a diminué.

Les surplus de repas non consommés sont récupérés dans des conditions sécurisées par Excellents Excédents, une jeune entreprise qui les redistribue à des structures d'aide alimentaire, mais aussi à des espaces de coworking ou des entreprises ne disposant pas de cantine. Cette expérimentation, qui a réduit d'un tiers le volume des aliments non consommés dans les assiettes des écoliers, devrait être généralisée progressivement à l'ensemble des 38 groupes scolaires de la commune d'ici à 2020.

D'après Catherine Rollot, lemonde.fr.

DOCUMENT 2

Les frigos solidaires essaiment en ville

Le réfrigérateur du futur, finalement, ne sera peut-être pas connecté, ni doté d'un écran tactile. Mais collectif et solidaire. Voilà que le frigo, ce gros électroménager de toutes les cuisines, si banal, familier, avec ses clayettes amovibles, son bac fraîcheur, son air brassé, se voit soudain érigé en ultramoderne symbole de lutte contre le gaspillage alimentaire et d'aide aux plus démunis.

Devant *La Cantine du 18*, restaurant des familles branchées, rue Ramey, dans le 18e arrondissement de Paris, trône un gros réfrigérateur. Sur sa porte, un large cercle rouge indique : « Les frigos solidaires ». Dounia Mebtoul, 26 ans, et sa mère, Malika, les deux patronnes, veillent depuis juin 2017 sur ce frigo de rue en libre-service. Qui le peut dépose des aliments. Qui a besoin se sert librement. « *C'est devenu un emblème, dans le quartier*, sourit Dounia Mebtoul. *C'est la bonne action que l'on fait facilement dans la journée.* »

Lors d'un séjour à Londres, en 2012, la jeune femme découvre le *People's Fridge* du quartier de Brixton. Elle se renseigne, apprend l'existence des frigos solidaires allemands – que des milliers de bénévoles remplissent en récupérant les invendus des commerçants. « *Emballée* », elle mobilise deux associations à Paris. Le 8 juin 2017, après appel à financement participatif, le premier réfrigérateur en partage de Paris est inauguré sur la terrasse de son restaurant.

Qui, pour se charger de le remplir jour après jour ? Elle-même, d'abord, bien que, avec une « *mère ayant horreur du gaspillage* », elle n'ait que peu de restes. Les habitants du quartier, surtout, l'approvisionnent, comme d'autres commerçants et restaurateurs.

Tous les soirs, Amir Ghassabian, 57 ans, fait un détour en quittant sa trattoria du 10e arrondissement pour déposer pizzas, paninis, potages et desserts invendus, soigneusement emballés et datés. Il discute à l'occasion avec ceux qu'il voit se servir. « *Je fais tourner mon commerce*, dit-il, *mais, une fois la journée terminée, ça fait du bien de partager avec ceux qui sont dans le besoin, les retraités aux petits revenus, ceux qui travaillent et sont quand même à la rue. On ne peut pas changer le monde, mais on peut faire des petites choses.* »

En une heure, le frigo se vide. À travers les grandes baies vitrées du restaurant,madame Mebtoul veille au grain. Des abus ? Elle n'en voit guère. Elle a en revanche repéré « *une cinquantaine de bénéficiaires réguliers* », dont certains se sont confiés : des sans-abris qui disent leur gratitude ; des étudiants fauchés ; une retraitée… « *C'est un accès aux denrées plus discret, plus simple, que les Restos du cœur*, croit Dounia Mebtoul. *On ne vous demande pas de papiers, personne ne sait si vous déposez ou prenez quand vous ouvrez la porte du frigo.* »

Beaucoup de fruits et de légumes, à l'intérieur, d'épicerie sèche et de produits laitiers… L'alcool, les viandes et poissons, les produits déjà entamés sont proscrits. Un petit carnet traîne, sur le dessus, pour indiquer le nom du déposant, la nature et la date du don. Il y a surtout cet avertissement, bien visible, sur le meuble réfrigéré : « *Le bénéficiaire est seul responsable des produits qu'il consomme.* » Un tel transfert de responsabilité suffit-il à protéger le commerçant en cas d'intoxication ? « *Le service juridique d'Identités mutuelle, qui nous soutient, nous l'a confirmé* », se rassure la restauratrice.

D'après Pascale Krémer, lemonde.fr.

DOCUMENT 3

Trois pistes pour lutter contre le gaspillage alimentaire

Depuis la loi Garot de 2016, la lutte contre le gaspillage alimentaire est l'une des priorités de la filière. Durant les États généraux de l'alimentation, qui se sont tenus au second semestre 2017, un atelier était dédié à la problématique « antigaspi ». Résultat : le texte de 2016, qui concernait exclusivement la grande distribution en incitant l'utilisation des invendus propres à la consommation par le don ou la transformation a été étendu à l'industrie et à la restauration collective.

Changer la date de péremption

L'une des principales pistes de réflexion repose sur la clarification des mentions relatives aux dates de consommation indiquées sur les produits. D'après les chiffres d'une étude publiée en 2011 par la Commission européenne, la mauvaise compréhension des dates de péremption serait responsable de 20 % du gaspillage alimentaire.

À l'heure actuelle, deux mentions apparaissent sur les aliments : la DLC (date limite de consommation) et la DDM (date de durabilité minimale). C'est cette dernière qui est pointée du doigt. D'après les experts, elle ne relève pas de questions sanitaires mais induit les consommateurs en erreur et favorise le gaspillage.

Les fondateurs de l'application #togoodtogo, qui proposent des paniers d'invendus à moindre prix, ont profité de la journée nationale de lutte contre le gaspillage alimentaire pour lancer une pétition afin que cette DDM soit modifiée. « *Nous appelons les industriels à une révision de la sémantique utilisée pour la désignation des DDM afin de rajouter la mention "mais toujours bon après ou mais aussi après"* », explique Lucie Basch, fondatrice de l'application.

Optimiser le don grâce à la technologie

Pour prendre en charge leurs dons alimentaires, les enseignes de la distribution peuvent compter sur une kyrielle de start-up, créées dans la foulée de la loi de 2016, pour s'occuper de la logistique et du lien avec les associations destinataires des produits. Comerso ou Phenix sont parmi les deux plus grosses du secteur. Rémunérées par la grande distribution (GMS), elles se chargent de rechercher les associations et d'assurer la collecte et le suivi des produits. Aujourd'hui destinées à la GMS, ces solutions pourraient demain s'appliquer à l'industrie et à la restauration collective.

Optimiser les processus de fabrication

Si les distributeurs jouent le jeu, les industriels, de leur côté, ne sont pas en reste. L'Association nationale des industries alimentaires (ANIA) s'est engagée, à travers son manifeste des « 1 000 jours pour mieux manger » à « *limiter et valoriser des déchets industriels et des co-produits pour lutter contre le gaspillage alimentaire* ».

En attendant, les industriels peuvent, d'ores et déjà, s'appuyer sur un réseau de start-up qui, à l'image de Biotraq, proposent des solutions de « traça-qualité » dont l'objectif est d'aider les industriels à savoir s'ils peuvent conserver les produits ou s'ils doivent les jeter, et pourquoi. « *Nous proposons des solutions pour suivre les produits périssables jusqu'au consommateur et établir en temps réel une date limite de consommation dynamique, car électronique* », explique Olivier Duchesne de Lamotte, le président de Biotraq. De quoi sensibiliser tous les acteurs de la chaîne alimentaire en même temps.

D'après Adeline Haverland, usinenouvelle.com.

DOCUMENT 4

DOCUMENT 5

Le GASPILLAGE ALIMENTAIRE en chiffres

EN FRANCE		ACTIONS DÉJÀ ENGAGÉES	
+ de **10** millions de tonnes de déchets sont jetées tout au long de la chaîne alimentaire	Une perte de **400 €** par an et par foyer	Accompagnement des collectivité locales **exemplaires** Territoire Zéro déchet Zéro gaspillage	Plan **2014-2020** de **réduction** et de **valorisation** des **déchets**

AU NIVEAU MONDIAL		LOI DE TRANSITION ÉNERGÉTIQUE POUR LA CROISSANCE VERTE	
Le **gaspillage alimentaire** est le **3e** émetteur **de gaz à effet de serre,** après la Chine et les États-Unis	Jusqu'à **50 %** de la **production alimentaire** est **gaspillée**	**Démarche de lutte** contre le **gaspillage alimentaire** dans les cantines scolaires avant le 1er septembre 2016	**Suppression** de la **date limite** d'utilisation optimale pour les **produits non périssables**

« Les Français sont prêts à agir »

Ségolène Royal

DOCUMENT 6

LES FRUITS ET LÉGUMES MOCHES, SONT AUSSI BONS QU'ILS SONT MOCHES.

D'après www.toogoodtogo.fr.

DOCUMENT 7

Gaspiller un
PAIN
équivaut à :
rouler en voiture pendant 2,24 kilomètres
allumer une lampe pendant (60 W) 32,13 heures
faire tourner un lave-vaisselle 1,93 fois

Gaspiller une
TRANCHE DE PAIN
équivaut à :
rouler en voiture pendant 0,15 kilomètres
allumer une lampe pendant (60 W) 2,14 heures
faire tourner un lave-vaisselle 0,13 fois

Gaspiller un

RESTE DE VIANDE DE BŒUF
équivaut à :
rouler en voiture pendant 0,49 kilomètres
allumer une lampe pendant (60 W) 7,01 heures
faire tourner un lave-vaisselle 0,42 fois

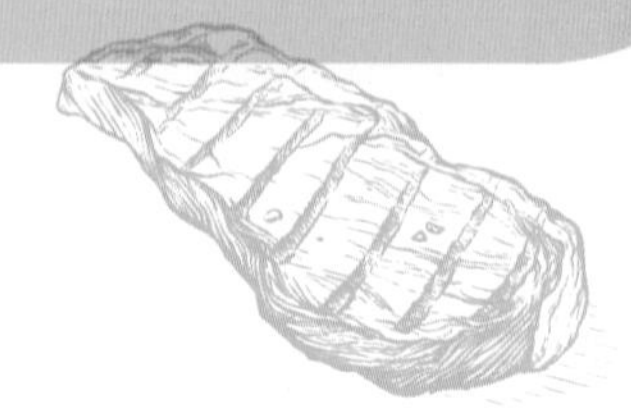

Gaspiller un
STEAK DE BŒUF
équivaut à :
rouler en voiture pendant 4,89 kilomètres
allumer une lampe pendant (60 W) 70,05 heures
faire tourner un lave-vaisselle 4,20 fois

D'après www.informaction.info.

SUJETS AU CHOIX

Traitez un seul des deux sujets.

SUJET 1

Vous faites partie d'une association qui distribue des repas solidaires dans votre ville. Le journal municipal prévoit un numéro spécial sur l'alimentation. Vous rédigez un article pour dénoncer les conséquences néfastes du gaspillage alimentaire et pour convaincre les lecteurs des actions nécessaires à mettre en place, en faisant appel à la responsabilité individuelle des citoyens et à leur esprit de solidarité.

À l'aide du dossier joint et d'apports personnels, vous rédigez un texte structuré dans lequel vous prenez clairement position sur la question et proposez des solutions concrètes. Vous adoptez un style approprié et convaincant.

700 mots minimum

SUJET 2

En tant que membre d'une association de consommateurs, vous pensez que les mesures prises par le gouvernement pour limiter le gaspillage alimentaire ne sont pas suffisamment contraignantes. Vous profitez d'un débat lancé par un quotidien en ligne pour proposer votre contribution sous forme d'un texte argumenté. Vous insistez sur la nécessité d'agir plus fortement au niveau national pour obtenir des résultats. Vous soulignez les effets économiques et écologiques positifs qui pourraient en découler.

À l'aide du dossier joint et d'apports personnels, vous rédigez un texte structuré dans lequel vous prenez clairement position sur la question et proposez des solutions concrètes. Vous adoptez un style approprié et convaincant.

700 mots minimum

L'usage de dictionnaires monolingues français / français est autorisé.

Remerciements

Nous tenons à exprimer notre gratitude à Nathalie Hirschsprung et à Tony Tricot pour la confiance qu'ils nous ont témoignée. Nous souhaitons les assurer du plaisir que nous avons eu à chercher à perpétuer l'esprit de la collection. Nous remercions vivement Maëlys Mandrou pour son exigence stimulante.

Delphine Twardowski-Vieites remercie Denise Baldassarre Guine pour son amitié précieuse, Emmanuel Vieites pour son soutien indéfectible, ainsi que Martha et Zoé pour leur présence et leurs encouragements.

Sylvain Capelli remercie Emmanuel Capelli pour son soutien précieux, ainsi que Francesco Francaviglia pour son amitié et ses encouragements.

Crédits

Photos de couverture : Festival Mysteryland, Haarlemmermeer, Pays-Bas. (haut) © Getty Images ; Peintres au Cap, Afrique du Sud © Getty Images.

Photos et visuels intérieurs

p. 11 : Affiche, *Non aux bidon villes, non aux villes-bidons*, Arts décoratifs, Gallica, BNF ; p. 18 : Plan voisin, Paris par le Corbusier, 1925 © F.L.C. / Adagp, Paris [Year] ; p. 19 : couverture © Folio Gallimard, 1972 ; p. 25 couverture © Audiolib ; p. 36 : Frida Kahlo, *Les deux Frida*, 1939 © Banco de México Diego Rivera Frida Kahlo Museums Trust ; p. 37 © Rakham, les illustrateurs ; p. 43 : couverture © Calmann-Lévy ; p. 46 : affiche don d'organe © Agence de la biomédecine ; p. 48 : Auguste © U-Exist, photo Pierre Magne ; p. 49 : Marina Abramović, *Self Portrait with Skeleton*, Black White C-Print, Belgrade, 2002-2005, © Attilio Maranzano, Courtesy of the Marina Abramović Archives Mexico ; p. 56 : Jean-Auguste-Dominique Ingres, La Source, 1820-1856, © RMN-Grand Palais (musée d'Orsay) / Hervé Lewandowski ; p. 62 © Marina Spaak, *Femmes plurielles*, février 2017 ; p. 63 : *Dans quel monde Vuitton ?*, art urbain à La Rochelle, 2015 © Ezk ; p. 64 : © François Olislaeger, Le 1, n° 163, juillet 2017, *Refrains d'époque* (Repères illustrés) ; p. 67 : couverture © Le livre de Poche ; p. 74 : Paris, quai de Javel, 25 mars 1938. Rose Zehner dans l'atelier de sellerie de l'usine Citroën en grève. © Willy Ronis/Ministère de la Culture ; p. 75 © Voutch ; p. 81 : couverture © Folio Gallimard ; p. 88 : © Antoine Chereau ; p. 89 : Portrait de famille © Delphine Harrer ; p. 93 : couverture © Premiers Parallèles ; p. 100 : affiche de la Semaine de la Francophonie © Ministère de la Culture ; p. 101 : © Sergio Aquindo ; p. 108 : affiche À voix haute, © Mars films, My Box production ; p. 114 : couverture de magazine, 14 septembre 2019 © Télérama ; p. 115 ; © Getty RichVintage ; p. 120 : couverture de magazine, 2017 © Courrier international, Dessin de Brian Stauffer / États-Unis ; p. 123 : couverture © Gallimard ; p. 126 : capture écran du jeu vidéo
Rise of civilization* © Rise of civilization, Lilith Games ; p. 127 : © Riss, Les Échappés ; p. 131 : © AFP ; p. 140 : © Nathalie Eyraud ; p. 141 : © JR-art.net ; p. 149 : couverture © éditions Mercure de France ; p. 153 © Extinction Rebellion ; p. 154 : © AFP ; p. 161 : couverture © éditions Michel Lafon ; p. 203 © Radio France, France Inter

Shutterstock : p. 12 ; p. 15 ; p. 22 ; p. 23 ; p. 39 ; p. 59 ; p. 73 ; p. 78 ; p. 99 ; p. 102 ; p. 152 ; p. 192 ; p. 193 ; p. 194 ; p. 195 ; p. 196 ; p. 197 ; p. 198 ; p. 199 ; p. 200 ; p. 202 ; p. 203 ; p. 204 ; p. 205 ; p. 206 ; p. 207 ; p. 208 ; p. 209 ; p. 221 ; p. 222

Documents écrits

Dossier 1 – p. 10 : © éditions Galilée, 1974 ; p. 12 : © Jean-Luc Barberi, L'Express 2018 ; p. 15 : © Alice Pouyat, We Demain 2018 ; p. 17 : © Claire Legros, Le Monde 2019 ; p. 19 : © éditions Gallimard. **Dossier 2** – p. 22 : extrait 1 © Virginie Brégeon de Saint-Quentin, *Foodingue*, Guide 2050, éditions Ferrandi ; extrait 2 © éditions Gallimard ; p. 24 : © Johanna Zielinski, Migrosmagazine 2017 ; p. 27 : © Clément Le Foll, Le Monde 2017 ; p. 28 : © éditions Flammarion ; p. 30 : © Le Dauphiné. **Dossier 3** – p. 38 : © éditions Verticales ; p. 40 : © Sciences et Avenir ; p. 43 : © éditions Calmann-Lévy ; p. 44 : © Coline Vazquez et Lola Bodin Adriaco, Néon 2018. **Dossier 4** – p. 48 : © éditions Albin Michel ; p. 51 : © Oxana, framboisepoudree.fr ; p. 52 : © RAPLIQ ; p. 54 : Le langage du corps, Paroles de Fabien Marsaud © Anouche Productions, 2018. Avec l'aimable autorisation de Sony/ATV Music Publishing (France) ; p. 57 : © Jérémy Felkowski, Le Zéphyr mag. **Dossier 5** – p. 62 : © éditions Flammarion ; p. 64 : © Éric Fottorino et Gabrielle Tuloup, *Le 1* 2017 ; p. 67 : © Marie-José Sirach, L'humanité 2016 ; p. 69 © éditions Philippe Rey ; p. 70 : © Jean-Manuel Escarnot, Libération 2018. **Dossier 6** – p. 75 : éditions Actes Sud ; p. 76 : extrait 1 © Romane Ganneval, La Croix 2019 ; extrait 2 © Nelly Margotton, Médiapart 2018 ; extrait 3 © Benoît Helme, Kaizen 2019 ; p. 79 : © Cadre emploi ; p. 83 : © Aglaé, *Welcome to the jungle*, 2018. **Dossier 7** – p. 88 : © Les Inrockuptibles 1997 ; p. 90 : © éditions Les Solitaires intempestifs, 1990 ; p. 92 : © éditions Eyrolles ; p. 95 : © L'Echo 2018. **Dossier 8** – p. 100 : © Le Figaro 2019 ; p. 103 : © Nancy Huston, Le 1 ; p. 104 : © Alain Mabanckou, L'Obs 2018 ; p. 106 : extrait 1 © éditions Folio ; extrait 2 © éditions Actes Sud ; p. 109 : éditions JC Lattès. **Dossier 9** – p. 115 : © éditions Albin Michel ; p. 116 : © Mathieu Champalaune, Slate 2019 ; p. 118 : © www.fais-gaffe.fr ; p. 119 : © Cybermalveillance.gouv.fr ; p. 121 : © Ariel Kyrou, Digital Society Forum 2019 ; p. 123 : © éditions Gallimard. **Dossier 10** – p. 129 : © Frédéric Yelle & Alexandre Joly-Lavoie, Ledidacticien.com 2016 ; p. 131 : © Courrier international, L'Observateur Paalga ; p. 132 : transcription discours Emmanuel Macron ; p. 134 : © éditions Pocket. **Dossier 11** – p. 140 : © Le Livre de poche ; p. 143 : © Laura Eisenstein, Twenty Le Mag 2018 ; p. 145 : © Benoît Pavan, Le Monde 2017 ; p. 147 : © Pénélope Leblanc, journal étudiant Esprit simple 2017 ; p. 149 : extrait 1 © éditions Mercure de France ; extrait 2 © éditions Gallimard. **Dossier 12** – p. 153 : © éditions Gallimard ; p. 155 : © Thomas Liabot, Le Journal du Dimanche 2019 ; p. 157 : © Thibault Laconde, energie-developpement.blogspot.com ; p. 158-159 : © Alexandre Devecchio, Le Figaro 2019 ; p. 161 : © éditions Michel Lafon.

Documents audio

Dossier 1 – p. 13 : audio (et visuel) © Radio France, France Inter, *Le temps d'un bivouac* ; p. 14 : audio (et visuel) © Radio France, France Inter, *Social Lab* ; p. 16 : audio (et visuel) © Radio France, France Inter, *La matinale* ; p. 18 : audio (et visuel) © Radio France, France Culture, *La compagnie des auteurs*. **Dossier 2** – p. 25 : © Audible ; p. 29 : audio (et visuel) France Télévision, France 2, *Tout compte fait* ; p. 31 : audio (et visuel) © Radio France, France Culture, *Hashag*. **Dossier 3** – p. 39 : © Podcast Cheekmagazine ; p. 42 : audio (et visuel) © Radio France, France Inter, *Le téléphone sonne* ; p. 45 : audio (et visuel) © France Bleu, *Les experts*. **Dossier 4** – p. 53 : Interview de Grand Corps malade © Handipartage, Courbevoie ; p. 54 : audio (et visuel) © Radio France, France Inter ; p. 56 : audioguide © Musée d'Orsay. **Dossier 5** – p. 66 © François Ruffin, Assemblée générale ; p. 65 audio (et visuel) © Radio France, France Inter, *Par Jupiter* ; p. 77 : audio (et visuel) © Radio France, France Inter, *La revue de presse du week-end* ; p. 78 : France 3 Bretagne, *9h50 le matin*. **Dossier 7** – p. 91 : audio (et visuel) © Radio France, France Inter, *Le Masque et la Plume* ; p. 93 : © TV5 Monde, *64 minutes le monde en français* ; p. 97 : © Sandrine Roudaut, *L'utopie mode d'emploi, Les Suspendu(e)s*, Ed. La Mer Salée, conférence L'avenir des Pixels. **Dossier 8** – p. 102 : audio (et visuel) © Radio France, France Inter, *La matinale* ; © France 24 ; p. 107 : © France 24, Apostrophes, INA. **Dossier 9** – p. 117 : audio (et visuel) © L'Obs, *Le clash* ; p. 119 : © France Télévision, *La collab de l'info* ; p. 122 : podcast © Amicus radio, *Le transhumanisme, seul avenir de l'homme*, https://radio.amicus-curiae.net. **Dossier 10** – p. 128 : audio (et visuel) © Radio France, France Culture, *La fabrique de l'histoire scolaire* ; p. 133 : audio (et visuel) © Radio France, France Culture, *Le journal de la philo* ; p. 135 : © Le FigaroLive. **Dossier 11** – p. 142 : © Arte, *8 minutes* ; p. 144 : audio (et visuel) © Radio France, France Culture, *Les nouvelles vagues* ; p. 148 : interview © Singa, Quitterie Simon. **Dossier 12** – p. 154 : © RFI ; p. 159 : conférence © Aurélien Barrau, Europe écologie Les Verts ; p. 160 : © Europe 1. DALF C2 – p. 218 : © RFI, *7 milliards de voisins*.

Documents vidéo

Vidéo n° 1 – p. 16 : Multimodalité © Transports publics Luxembour, https://transports.public.lu ; Vidéo n°2 – p. 26 : © CERDD ; Vidéo n°3 – p. 41 : © Laurent Lévy, Nanobiotix, TedX ; Vidéo n°4 – p. 50 : © CBC/ Radio canada Info ; Vidéo n° 5 – p. 55 : © France 3 Hauts-de-France ; Vidéo n° 6 – © Kery James ; Vidéo n° 7 – p. 71 : © Norman Thavaud ; Vidéo n° 8 – p. 80 : JT 13h – fermeture Caterpillar Gosselies 02/09/2016, © SONUMA ; Vidéo n° 9 – p. 82 © France 24 ; Vidéo n° 10 – p. 94 : © France 3 Normandie ; Vidéo n° 11 – p. 108 © Mars Films, My Box productions ; Vidéo n° 12 – © Monkey, l'actu décryptée, Elephant, Albert Moukheiber ; Vidéo n°13 – p. 130 : © L'Antisèche, en partenariat avec le Parlement Européen ; Vidéo n° 14 – p. 146 : © Tataki, Ya débat ; Vidéo n° 15 – p. 156 : © Data Gueule.

Nous avons fait notre possible pour obtenir les autorisations de reproduction des documents publiés dans cet ouvrage. Dans le cas où des omissions ou des erreurs se seraient glissées dans nos références, nous y remédierons dans les éditions à venir.

Cosmopolite 5

Méthode de français C1-C2

Transcriptions

hachette
FRANÇAIS LANGUE ÉTRANGÈRE

Transcriptions

DOSSIER 1. Désir de ville(s)

Leçon 1 : Un nouveau monde urbain ?

Piste 2. Activité 6

Bon et maintenant, tous ensemble ! Vous venez avec nous ? Allons ! Bien sûr, l'aventure continue. Maintenant, je fonce, Alphonse. Ah c'est bien là, allez, on y retourne !
Daniel Fiévet : On peut aimer la nature et se passionner pour les villes. C'est le cas de notre invité, le paysagiste et architecte Nicolas Gilsoul : c'est l'observation de la nature qui l'a conduit à l'architecture. Le point commun ? Dans la nature comme dans les villes, tout est histoire d'évolution et d'adaptation ; pour survivre et résister aux nouvelles contraintes de leur environnement, les êtres vivants doivent s'adapter, sans cesse. De la même façon, les villes doivent évoluer pour faire face à la croissance démographique, au changement climatique, à la transition énergétique ou encore à la pollution. Pour survivre, la ville n'a pas de choix, elle doit inventer et se transformer. Pour prendre la mesure des mutations à l'œuvre, Nicolas Gilsoul a parcouru deux cents villes et a décortiqué les stratégies mises en œuvre. Il livre le fruit de ses réflexions dans un ouvrage écrit avec Erik Orsenna intitulé *Désir de villes*, aux éditions Robert Laffont. Cet après-midi, il nous emmène avec lui regarder changer les villes à travers le monde. [...]

Piste 3. Activité 7

Bon et maintenant, tous ensemble ! Vous venez avec nous ? Allons ! Bien sûr, l'aventure continue. Maintenant, je fonce, Alphonse. Ah c'est bien là, allez, on y retourne !
Daniel Fiévet : On peut aimer la nature et se passionner pour les villes. C'est le cas de notre invité, le paysagiste et architecte Nicolas Gilsoul : c'est l'observation de la nature qui l'a conduit à l'architecture. Le point commun ? Dans la nature comme dans les villes, tout est histoire d'évolution et d'adaptation ; pour survivre et résister aux nouvelles contraintes de leur environnement, les êtres vivants doivent s'adapter, sans cesse. De la même façon, les villes doivent évoluer pour faire face à la croissance démographique, au changement climatique, à la transition énergétique ou encore à la pollution. Pour survivre, la ville n'a pas de choix, elle doit inventer et se transformer. Pour prendre la mesure des mutations à l'œuvre, Nicolas Gilsoul a parcouru deux cents villes et a décortiqué les stratégies mises en œuvre. Il livre le fruit de ses réflexions dans un ouvrage écrit avec Erik Orsenna intitulé Désir de villes, aux éditions Robert Laffont. Cet après-midi, il nous emmène avec lui regarder changer les villes à travers le monde. [...]
Voix off : À Singapour, il faut faire vivre un maximum de gens sur un minimum d'espace.
Journaliste : Bonjour, comment ça va ?
Voix off : La solution, c'est la vie à la verticale.
M. Chia : C'est certainement la meilleure solution, l'espace étant toujours limité, lorsque ces immeubles sont bien conçus, c'est très agréable.
Voix off : La famille Chia, comme 80 % des Singapouriens, est propriétaire de son logement. Elle l'a acheté à un bon prix : le Pinnacle@Duxton, l'immeuble du futur, est un programme immobilier public, géré par l'État.
Mme Chia : On habite ici depuis cinq ans et on s'y plaît vraiment. Ici, tout est centralisé, on a un accès facile à tous les services et à toutes les écoles. [...]
Daniel Fiévet : Nous étions donc à Singapour, 5,9 millions d'habitants : c'est énorme, 5,9 millions d'habitants. Mais il y a bien plus peuplé encore à la surface du globe, ne serait-ce que Hong Kong – soixante-cinq millions d'habitants – et dans les alentours de la rivière des Perles. Alors, Nicolas Gilsoul, lorsque l'on entend la description, là, pour Singapour, de ces immeubles gigantesques, on est plutôt saisi d'effroi, on se dit qu'on n'a pas forcément envie de vivre dans ces tours qui font sept fois la tour Montparnasse, avec ces passerelles. Pourtant, pourtant, il semble y avoir de plus en plus de monde pour aller s'agglutiner dans des espaces de plus en plus réduits : c'est un peu un paradoxe ?
Nicolas Gilsoul : Oui, c'est fou. Euh... seulement deux pour cent de la surface de la planète qui sont occupés par les villes et une foule pas possible qui grossit, qui grossit, qui grossit de plus en plus parce que notamment le dérèglement climatique, et donc les réfugiés, et donc les mouvements et donc *et cætera*. Et donc les villes grandissent de plus en plus et deviennent tentaculaires, oui. Mais ce qui est intéressant, c'est que Hong Kong – vous parliez de Hong Kong – Hong Kong, c'est la même densité de population que le onzième arrondissement à Paris. Pourtant, c'est pas la même morphologie urbaine. Donc voilà, comment est-ce que Haussmann est arrivé à faire certaines choses qu'on n'arrive pas à faire à Hong-Kong ?
Daniel Fiévet : Oui, c'est-à-dire qu'à Hong-Kong, on fait des immeubles très hauts et pourtant, c'est pas plus dense.
Nicolas Gilsoul : Oui, on pousse en hauteur, voilà, quarante-quatre mille habitants au kilomètre carré, c'est la ville Lego. Ce que j'avais appelé la ville Lego, c'est une ville verticale, voilà, on empile, on entasse. [...]

Piste 4. Activité 8

Daniel Fiévet : Alors il y a ce besoin de s'agglutiner dans des villes qui parfois ne peuvent pas s'étendre dans l'espace. Alors comme vous le dites, ce sont ce que vous avez déjà mentionné : les villes Lego. On empile, on empile, on empile, on empile et on grimpe et on gagne en hauteur. Il y en a beaucoup de ces villes Lego ?
Nicolas Gilsoul : Il y en a énormément et si on prend le Japon comme exemple, parce que c'est un bon exemple pour comprendre pourquoi on ne peut pas grandir. On pourrait prendre Monaco, on pourrait prendre Ramallah. Mais prenons le Japon parce que c'est très grand, c'est une mégalopole et vous avez parlé de gigantisme. Donc la *Taioji belt*, c'est la ceinture du Pacifique qui se trouve... Tokyo est au milieu et puis c'est cent et cinq kilomètres de longueur, donc une grande ville, un grand arc urbain : Tokyo, Osaka, Kobe, puis ça va jusqu'au-dessus de Fukushima. Cette ville-là est sur la côte. Elle ne peut pas s'étendre latéralement vers l'arrière des terres parce qu'il y a les forêts et que les forêts sont protégées. Il y a les camisses, c'est aussi l'exploitation forestière, donc c'est de l'argent. Elles peuvent plus s'étendre vers la mer parce qu'elles ont déjà construit des polders et que aujourd'hui, à chaque séisme, les polders s'enfoncent comme des marécages et des sables mouvants, c'est ce qu'on appelle la liquéfaction des sols. Donc, toute la côte, du reste, est complètement artificielle. Si vous regardez sur Google Earth, c'est très intéressant de voir, c'est vraiment un découpage intriguant. Donc, elles doivent se développer de manière... soit verticalement en hauteur, soit verticalement en creux. Donc en hauteur, il y a un nouveau projet qui s'appelle la Sky Mai Tower, qui va empiler comme ça quatre cent quarante étages, au milieu de la baie de Tokyo sur une mer transformée en culture d'algues. Voilà, un projet très science-fiction mais réel en même temps.
Daniel Fiévet : Quatre-vingts pour cent de la population japonaise qui vit sur ces quatre pour cent du territoire de l'archipel. C'est pourtant pas bien grand le Japon mais là, encore, on se concentre, on se condense. [...] Justement, justement, vous le disiez : ville Lego, on s'élève. Il y a aussi les villes terriers et Tokyo est à la fois une ville Lego et une ville terrier parce que on creuse, on creuse, c'est aussi une façon de se protéger des typhons...
Nicolas Gilsoul : des séismes...
Daniel Fiévet : ... et des séismes, mais alors ça implique quoi, de dire « on creuse, on creuse la terre » ?
Nicolas Gilsoul : Alors ces villes terriers, oui, c'est vrai, je les ai découvertes au Japon, maintenant je me suis rendu compte qu'à Helsinki, elles existaient depuis des années puisque quand il y a le grand froid, il faut survivre ; à Paris, le nouveau « réinventer Paris », c'est habiter les sous-sols. Au Japon, pourquoi est-ce que ça a démarré, pourquoi est-ce qu'on a habité, on a commencé à habiter les sous-sols – aujourd'hui, c'est plusieurs milliers de kilomètres carrés qui sont déjà creusés sous la terre – ça a commencé dans les années quatre-vingt avec une crise économique et une crise de foncier. L'argent était tellement... enfin, ça coûtait tellement cher qu'il fallait trouver de la place et donc on a cherché sous terre, c'est-à-dire là où il y en avait encore un petit peu. Et donc aujourd'hui, ce sont des réseaux ferrés qui se sont transformés petit à petit en galeries marchandes, on y a mis des équipements comme on l'a fait à Helsinki, des équipements qui n'avaient pas besoin de lumière naturelle, des cinémas, des choses comme ça, et aujourd'hui toutes les grandes compagnies de construction japonaises ont leurs projets de villes souterraines. Et ça, c'est des projets complètement dingues, mais c'est des projets réalistes. Ils sont capables de le faire avec des bulles : cela ressemble à des navettes spatiales, les parois sont courbes, tout est très blanc ou très souple ou très... Voilà, c'est une ambiance caressante, on va dire, avec une douce musique, parfois il y a des chants d'oiseaux – on aurait pu prendre les bruants et voir ce que ça donnait dans les métros et souterrains japonais – tout ça avec une jungle qu'on a replantée à l'intérieur et qui donne un sentiment de bien-être. [...]
Daniel Fiévet : Alors, il y a aussi des projets de villes flottantes. Là aussi, cela paraît étonnant parce qu'on se dit « il y a quand même encore des surfaces sur les continents qui sont disponibles et libres »... alors on préfère imaginer faire flotter des villes.
Nicolas Gilsoul : Il y a deux... il y a deux grandes catégories de villes flottantes, enfin il y en a trois même. Il y en a une qui est la nécessité, je pense à Amsterdam, et puis ils sont déjà très loin dans ces questions-là en Hollande puisqu'ils ont construit sous le niveau de la terre et que les digues commencent à être difficiles à entretenir au niveau argent, donc on imagine habiter sur l'eau :

d'abord sur un bateau et puis sur un quartier flottant et puis le quartier devient une ville, *et cætera*. Ça, c'est la première chose. Donc c'est un refuge par rapport à cette montée des eaux. La deuxième catégorie, c'est les villes libertaires et ça, il y en a de plus en plus. Le grand patron de Facebook qui a mis plusieurs millions dans des projets de villes libertaires... Ce sont des villes libertaires qui se trouvent évidemment dans des eaux internationales, des eaux qui sont hors taxes *et cætera*, et qui sont aussi des immenses casinos, par exemple. À Macao, il y a un immense casino qui est imaginé, qui est une ville de quatre kilomètres carrés avec des hôtels sous-marins. On pourrait passer d'un hôtel à un autre sur des petits sous-marins, des petits bathyscaphes individuels comme dans *Spirou et Fantasio*. Et ce projet est allé très très loin.
Daniel Fiévet : Mais quelle loi s'applique sur une île qui est construite sur des... qui flotte dans des eaux internationales ?
Nicolas Gilsoul : Justement, les villes libertaires font ce qu'elles veulent.

Leçon 2 : Autogérer son logement

▸ Piste 5. Activités 2 et 3

Présentateur : Social Lab, le Social Lab, votre Social Lab : Valère Corréard, bonjour !
Valère Corréard : Bonjour Éric.
Présentateur : Alors, cette semaine, vous allez nous parler de l'habitat participatif. C'est un moyen pour les habitants de prendre leur logement en main.
Valère Corréard : Ah ben oui, voilà une idée pleine d'audace et de bon sens. Plutôt que chacun achète dans son coin et que d'éventuelles règles de copropriété basiques, comme on en connaît tous finalement, soient mises en place pour assurer le minimum syndical, là, il s'agit de réfléchir ensemble et en amont à ce qu'on a envie de faire ou pas, ensemble, en aval.
Présentateur : Une approche participative qui est encadrée par la loi.
Valère Corréard : Absolument, c'est la loi ALUR de 2014, ALUR pour Accès au Logement et un Urbanisme Rénové. Alors, elle propose un cadre, des véhicules juridiques et puis une définition en précisant qu'il s'agit d'une démarche citoyenne qui permet à des personnes physiques, donc, de s'associer, le cas échéant avec des personnes morales, afin de participer à la définition et la conception de leur logement et des espaces destinés à un usage commun. Cela peut donc concerner du neuf, de l'ancien, le tout est qu'il y ait une collectivité d'habitants et une volonté de construire ensemble. On parle donc d'un projet immobilier, d'un projet aussi de voisinage avec des espaces partagés en extérieur ou en intérieur, mais aussi des projets de solidarité ou d'entraide.
Présentateur : Ce type de logement participatif, est-ce une pratique répandue en France ?
Valère Corréard : Beaucoup moins que dans d'autres pays, même s'il y a un début de dynamique qui semble s'installer dans l'Hexagone. Alors en Suisse, par exemple, on estime à cinq pour cent le nombre de logements participatifs ; il y en aurait près de deux millions en Allemagne ; en France, ce serait un peu moins de un pour cent des logements voire beaucoup moins selon les sources. Et les motivations peuvent être diverses pour des particuliers qui décident de s'inscrire dans cette démarche, d'après Siham Laux, elle est fondatrice de la start-up « Ô fil des voisins », qui propose justement un service de mise en relation de futurs voisins en habitat participatif.
Siham Laux : La première chose qui ressort quand les personnes viennent chez nous, c'est de ne pas être isolées. Donc là, on a des personnes qui vont être des personnes qui vont être à la retraite, ou en tout cas pas loin de la retraite, des jeunes familles avec des jeunes enfants dont les parents sont loin, on se sent un peu seul quand vient l'enfant, ou des mamans divorcées. Donc c'est vraiment ça qui ressort le plus. Après, il y a une motivation financière : même si dans l'absolu le prix au mètre carré ne change pas en fonction de la ville où on est par rapport à un achat traditionnel, par contre le fait de pouvoir mutualiser des espaces du type la chambre d'ami, du type la buanderie, ça permet en fait de pouvoir acheter un logement qui est moins cher si j'ai pas besoin d'avoir mon lave-linge, mon sèche-linge chez moi, si je peux avoir une chambre d'ami en commun avec mes voisins. Et puis il y a une motivation, c'est de se dire que finalement j'ai envie de connaître mes voisins et le fait de connaître ses voisins, cela peut développer l'entraide. Voilà, donc il y a ces trois motivations principales.
Valère Corréard : Voilà, vous l'avez entendu, cela peut donc consister à créer une chambre d'ami partagée, une buanderie, se partager un lave-linge ou encore un jardin, mais aussi des réunions ou des réseaux de solidarité. En tout cas, cela s'inscrit dans une communauté de valeurs pour Siham Laux de la société « Ô fil des voisins ».
Siham Laux : Globalement, on a des valeurs de partage. Bon ça, cela paraît assez logique, mais c'est vrai que le fait d'avoir envie de partager des espaces avec ses voisins, cela va un peu plus que simplement l'usage, c'est aussi le fait de se rencontrer physiquement, voilà, d'accepter d'aller aussi vers l'autre, donc c'est une valeur assez forte. Il y a une valeur, je dirais, d'entraide aussi, parce qu'on part du postulat qu'en habitant en participatif, on connaît ses voisins et donc, forcément, il va y avoir derrière plus de solidarité entre les voisins et donc c'est plus facile d'accepter de l'aide de quelqu'un quand on le connaît. Donc je pense par exemple à des copropriétés où des personnes âgées, en tout cas à la retraite, pourront jeter un œil sur les enfants ou les garder, en contrepartie je fais les courses pour ma voisine qui n'a pas forcément la possibilité de se déplacer. Donc voilà, c'est très naturel. Et après, c'est vraiment en fonction des voisins. Est-ce qu'on a envie de manger ensemble tous les vendredis soir, ou pas, est-ce qu'on a envie de partager le lave-linge, ça aussi c'est un grand sujet. Voilà, donc c'est vraiment très variable.
Valère Corréard : Et il existe une carte des projets actuels et à venir et un site dédié à l'habitat participatif qu'on va évidemment retrouver sur la page du Social Lab.

Leçon 3 : Circulez !

▸ Piste 6. Activité 2

Mathilde Munos : Il est 6 h 19, Anne Hidalgo veut en finir avec l'anarchie des trottinettes électriques. La maire de Paris vient d'annoncer une série de mesures pour encadrer d'avantage l'utilisation de ces engins à roulette, vitesse limitée à 20 km/h, stationnement interdit sur les trottoirs, circulation interdite dans les parcs et jardins. Bonjour Julien de Labaca.
Julien de Labaca : Bonjour.
Mathilde Munos : Vous êtes consultant sur les nouvelles mobilités, vous avez même fondé votre propre cabinet, qui s'appelle « Le facilitateur de mobilité », et vous avez également une expérience qui m'intéresse bien, puisque vous avez travaillé pour des collectivités locales pendant une dizaine d'années, notamment en Aquitaine. Donc, Anne Hidalgo qui veut un peu faire le ménage et mettre de l'ordre dans tout ça : il était temps d'agir en effet ?
Julien de Labaca : Je pense qu'il était clairement temps d'agir, il y a évidemment un calendrier politique aussi qui est en jeu pour les municipales qui arrivent, qui arrivent très vite... et je pense que ça va être un vrai sujet pour les municipales à Paris mais ailleurs. Il y la LOM qui arrive...
Mathilde Munos : ... la loi mobilité...
Julien de Labaca : ... également, tout à fait, la loi d'orientation des mobilités... Il était temps de faire quelque chose, après, il faut vraiment discuter du contenu de ces différentes propositions évidemment.
Mathilde Munos : Et pourquoi c'est le bazar exactement à Paris ? C'est un problème de comportement, c'est un problème d'espace public, c'est quoi ?
Julien de Labaca : C'est le bazar à Paris, c'est le bazar ailleurs parce que nous ne sommes pas habitués à voir arriver des opérateurs qui viennent de l'extérieur, nous ne sommes pas habitués à gérer l'espace public avec ce type d'opérateurs et de fait les collectivités publiques qui gèrent les trottoirs, qui gèrent les voiries, ne savent pas comment faire, donc c'est plutôt un temps d'adaptation qui est nécessaire, puisque ce n'est pas le foutoir en réalité. C'est : comment est-ce qu'on arrive à s'adapter à tout cela ? Ça prend du temps, ça prend beaucoup de temps.
Mathilde Munos : Mais ces opérateurs, ils peuvent venir comme ça, du jour au lendemain, il n'y a pas d'autorisation à demander, il n'y a pas de... il n'y a pas quelque chose à payer pour occuper l'espace public ?
Julien de Labaca : Jusqu'à présent, vu que ce sont quand même des nouveaux opérateurs, il faut pas oublier... ça a à peu près un an, c'est extrêmement récent. Non, il n'y avait pas vraiment de réglementation, ce... c'est exactement ce qui est en train de se mettre en place petit à petit. Effectivement ça interroge une vraie question. C'est : comment on fait de la fiscalité sur la mobilité ? Je crois que la trottinette aujourd'hui a au moins une vertu, c'est qu'elle permet de poser les bonnes questions. Elle permet de poser les questions sur la fiscalité des transports, elle permet de poser des questions sur le stationnement qui est un enjeu majeur, et enfin elle permet de poser des vraies questions sur l'intermodalité. Donc finalement, au lieu de les voir comme un grand bazar, on peut peut-être se dire qu'elles sont un espèce de petit rappel de ce qu'il faut qu'on fasse aujourd'hui.

▸ Piste 7. Activité 3

Mathilde Munos : Et vous, vous avez quoi comme réponse à ces trois questions ?
Julien de Labaca : Je pense que sur la question de la fiscalité, il faut regarder un petit peu ce qui se fait aussi à l'étranger, on va vraiment avancer sur la taxation de certains modes de transport bien évidemment, il faut regarder ce qui se fait du côté des péages urbains, notamment ce qui a été fait à Londres, qui sont des vraies réponses. Euh... En fait, on ne va pas avoir des réponses techniques. Aujourd'hui, on a énormément de modes qui existent déjà. Il va falloir

avancer sur ces enjeux-là : sur l'intermodalité, la trottinette… Elle a quand même un intérêt, c'est que… Quelqu'un qui arrive en train dans votre… dans une grande ville, si elle peut terminer son… Cette personne, si elle peut terminer son trajet avec un mode qui est un mode doux, finalement, qui est un mode de déplacement non polluant, c'est une bonne chose. La vraie question que cela pose derrière, c'est : est-ce que c'est plutôt un loisir ou est-ce que c'est vraiment un mode de transport ?
Mathilde Munos : Et ce qui est intéressant aussi, je trouve, c'est que pendant dix, vingt, pendant cinquante ans, grosso modo, il y avait quoi ? Y avait… on n'a pas inventé grand-chose : il y avait des vélos et des voitures, quoi ! Et encore, des vélos, très peu. Là, on est dans un moment de foisonnement. Est-ce que, finalement, c'est tout simplement la rançon du succès ?
Julien de Labaca : C'est possible ! Il faut… Après, il ne faut peut-être pas se focaliser sur la trottinette parce que finalement…
Mathilde Munos : Je ne parle pas que de la trottinette, quand je parle de foisonnement : il y a donc les vélos partagés, les voitures partagées, les trottinettes aussi, il y a même ces gyroroues qu'on voit, pas partout évidemment, ces espèces de gros pneus avec deux palettes à côté pour mettre les pieds, il y a plein de choses en ce moment qui s'inventent.
Julien de Labaca : Ces nouveaux modes sont extrêmement intéressants, encore une fois, à partir du moment où ils permettent de faire en sorte que les gens ne prennent plus leur voiture individuelle, c'est vraiment ça, l'objectif, et c'est en ça que c'est intéressant. Encore une fois, je le redis, là où ces modes ont un vrai intérêt, c'est lorsqu'ils sont couplés, je vais remettre ce mot un petit peu bizarre d'intermodalité, mais c'est lorsqu'ils sont couplés : trottinette plus train, train plus vélo, vélo plus bus, ça fonctionne extrêmement bien. Donc, finalement, c'est vraiment un atout. Et surtout, j'ai tendance à dire très régulièrement, aujourd'hui l'utilisateur, le citoyen est opportuniste dans sa mobilité. C'est-à-dire qu'il a énormément de choix et finalement, d'un jour à l'autre, il peut changer. Et ça, je pense que c'est vraiment une chance. Évidemment, comment est-ce qu'on l'organise ? Et c'est là où on est dans une vraie complexité et on a du mal à le faire.
Mathilde Munos : Donc ces nouveaux besoins, ces nouveaux moyens de transport, pardon, répondent à un vrai besoin ? C'est pas juste parce que c'est rigolo, c'est tout nouveau de se balader avec une trottinette ?
Julien de Labaca : Alors là, c'est justement extrêmement compliqué de savoir. Il y a une étude qui est sortie hier – hasard des calendriers, ou pas, je ne pense pas – qui dit que la trottinette aujourd'hui, d'abord, c'est du fun, quasiment 70 %. Elle dit aussi que si on n'avait pas utilisé une trottinette, on aurait plutôt pris des transports en commun ou on aurait marché. Donc si on a une approche posée sur l'innovation ou sur la liberté, on peut se dire que c'est extrêmement bien. Si on a une approche basée vraiment sur les transports, sur le report modal, on peut être un peu plus circonspect. Donc, aujourd'hui, c'est quand même assez difficile d'avoir du recul, ensuite, il faut quand même avoir une autre approche, c'est que là, on parle de trottinettes en libre-service, en *free floating* comme on dit aujourd'hui…
Mathilde Munos : … les trottinettes électriques, c'est pas les…
Julien de Labaca : Tout à fait, exactement !
Mathilde Munos : … c'est pas les anciennes trottinettes de nos enfants…
Julien de Labaca : Et justement, il faudrait aussi avoir une approche sur les trottinettes qui ne sont pas en *free floating*. Ce qu'on est en train de voir aussi, c'est que les gens commencent par les trottinettes sans station. Et petit à petit… Moi, j'ai été il n'y a pas très longtemps à Valence : en Espagne, les gens s'achètent des trottinettes. Donc là aussi, il y a encore un autre effet qui est intéressant, c'est que les gens commencent par des systèmes en libre-service, le vélib, la trottinette et finalement après s'équipent. Et en ça aussi, ça a un côté positif. Et donc il n'y pas que des côtés négatifs dans ces nouveaux modes.
Mathilde Munos : Est-ce que ça dépend aussi de la taille de la ville ? Ou c'est vraiment clairement qu'une question de volonté politique ?
Julien de Labaca : La volonté politique qui joue, la taille de la ville, évidemment. Encore une fois, quand je vous dis que… J'étais à Eindhoven en début de semaine : Eindhoven, deux cent mille habitants, et le vélo, il y en a partout, partout. Il y a encore des voitures, évidemment, mais il y a du vélo partout. La taille y joue fondamentalement. Moi, je pense qu'après c'est une question de culture et je crois que les Français, j'ai l'impression qu'ils sont prêts à passer à ça.
Mathilde Munos : Et en quoi les nouvelles technologies peuvent aider justement à gérer toutes ces nouvelles mobilités ? Ça, c'est votre expérience de consultant. Vous avez utilisé, vous, cet aspect-là, c'est les data-données, les choses comme ça.
Julien de Labaca : Les nouvelles technologies ont deux avantages qui me semblent extrêmement intéressants. Le premier, c'est qu'elles vont aider les usagers, elles vont faciliter l'usage de toutes ces nouvelles… toutes ces nouveautés, tous ces modes de déplacement, parce que finalement avec des applications, vous pouvez choisir, vous pouvez faire de l'intermodalité, gérer plusieurs modes. Le deuxième avantage, qui est énorme à mon sens, c'est qu'elles vont aussi aider la puissance publique, les collectivités publiques, parce qu'avec les données que nous générons, parce que finalement nous générons des données, on va permettre d'améliorer les politiques publiques sur ces nouvelles mobilités. Ce sont des enjeux fondamentaux et en plus c'est plutôt bien pour les élus, parce que ça coûte pas très cher et ça permet de faire beaucoup de communication.
Mathilde Munos : Eh bien voilà. Vous êtes super optimiste. C'est parfait. Merci beaucoup Julien de Labaca d'être venu ce matin sur France Inter. Vous avez fondé, donc, je le rappelle, votre cabinet sur les mobilités qui s'appelle « Le facilitateur de mobilités ».

▸ Piste 8. Activité 4

Mathilde Munos : Il est 6 h 19, Anne Hidalgo veut en finir avec l'anarchie des trottinettes électriques. La maire de Paris vient d'annoncer une série de mesures pour encadrer d'avantage l'utilisation de ces engins à roulette, vitesse limitée à 20 km/h, stationnement interdit sur les trottoirs, circulation interdite dans les parcs et jardins. Bonjour Julien de Labaca.
Julien de Labaca : Bonjour.
Mathilde Munos : Vous êtes consultant sur les nouvelles mobilités, vous avez même fondé votre propre cabinet, qui s'appelle « Le facilitateur de mobilité », et vous avez également une expérience qui m'intéresse bien, puisque vous avez travaillé pour des collectivités locales pendant une dizaine d'années, notamment en Aquitaine. Donc, Anne Hidalgo qui veut un peu faire le ménage et mettre de l'ordre dans tout ça : il était temps d'agir en effet ?
Julien de Labaca : Je pense qu'il était clairement temps d'agir, il y a évidemment un calendrier politique aussi qui est en jeu pour les municipales qui arrivent, qui arrivent très vite… et je pense que ça va être un vrai sujet pour les municipales à Paris mais ailleurs. Il y la LOM qui arrive…
Mathilde Munos : … la loi mobilité…
Julien de Labaca : … également, tout à fait, la loi d'orientation des mobilités… Il était temps de faire quelque chose, après, il faut vraiment discuter du contenu de ces différentes propositions évidemment.
Mathilde Munos : Et pourquoi c'est le bazar exactement à Paris ? C'est un problème de comportement, c'est un problème d'espace public, c'est quoi ?
Julien de Labaca : C'est le bazar à Paris, c'est le bazar ailleurs parce que nous ne sommes pas habitués à voir arriver des opérateurs qui viennent de l'extérieur, nous ne sommes pas habitués à gérer l'espace public avec ce type d'opérateurs et de fait les collectivités publiques qui gèrent les trottoirs, qui gèrent les voiries, ne savent pas comment faire, donc c'est plutôt un temps d'adaptation qui est nécessaire, puisque ce n'est pas le foutoir en réalité. C'est : comment est-ce qu'on arrive à s'adapter à tout cela ? Ça prend du temps, ça prend beaucoup de temps.
Mathilde Munos : Mais ces opérateurs, ils peuvent venir comme ça, du jour au lendemain, il n'y a pas d'autorisation à demander, il n'y a pas de… il n'y a pas quelque chose à payer pour occuper l'espace public ?
Julien de Labaca : Jusqu'à présent, vu que ce sont quand même des nouveaux opérateurs, il ne faut pas oublier… ça a à peu près un an, c'est extrêmement récent. Non, il n'y avait pas vraiment de réglementation, ce… c'est exactement ce qui est en train de se mettre en place petit à petit. Effectivement ça interroge une vraie question. C'est : comment on fait de la fiscalité sur la mobilité ? Je crois que la trottinette aujourd'hui a au moins une vertu, c'est qu'elle permet de poser les bonnes questions. Elle permet de poser les questions sur la fiscalité des transports, elle permet de poser des questions sur le stationnement qui est un enjeu majeur, et enfin elle permet de poser des vraies questions sur l'intermodalité. Donc finalement, au lieu de les voir comme un grand bazar, on peut peut-être se dire qu'elles sont un espèce de petit rappel de ce qu'il faut qu'on fasse aujourd'hui.
Mathilde Munos : Et vous, vous avez quoi comme réponse à ces trois questions ?
Julien de Labaca : Je pense que sur la question de la fiscalité, il faut regarder un petit peu ce qui se fait aussi à l'étranger, on va vraiment avancer sur la taxation de certains modes de transport bien évidemment, il faut regarder ce qui se fait du côté des péages urbains, notamment ce qui a été fait à Londres, qui sont des vraies réponses. Euh… En fait, on ne va pas avoir des réponses techniques. Aujourd'hui, on a énormément de modes qui existent déjà. Il va falloir avancer sur ces enjeux-là : sur l'intermodalité, la trottinette… Elle a quand même un intérêt, c'est que… Quelqu'un qui arrive en train dans votre… dans une grande ville, si elle peut terminer son… Cette personne, si elle peut terminer son trajet avec un mode qui est un mode doux, finalement, qui est un mode de déplacement non polluant, c'est une bonne chose. La vraie question que cela pose derrière,

c'est : est-ce que c'est plutôt un loisir ou est-ce que c'est un mode de transport ?
Mathilde Munos : Et ce qui est intéressant aussi, je trouve, c'est que pendant dix, vingt, pendant cinquante ans, grosso modo, il y avait quoi ? Y avait... on n'a pas inventé grand-chose : il y avait des vélos et des voitures, quoi ! Et encore, des vélos, très peu. Là, on est dans un moment de foisonnement. Est-ce que, finalement, c'est tout simplement la rançon du succès ?
Julien de Labaca : C'est possible ! Il faut... Après, il ne faut peut-être pas se focaliser sur la trottinette parce que finalement...
Mathilde Munos : Je ne parle pas que de la trottinette, quand je parle de foisonnement : il y a donc les vélos partagés, les voitures partagées, les trottinettes aussi, il y a même ces gyroroues qu'on voit, pas partout évidemment, ces espèces de gros pneus avec deux palettes à côté pour mettre les pieds, il y a plein de choses en ce moment qui s'inventent.
Julien de Labaca : Ces nouveaux modes sont extrêmement intéressants, encore une fois, à partir du moment où ils permettent de faire en sorte que les gens ne prennent plus leur voiture individuelle, c'est vraiment ça, l'objectif, et c'est en ça que c'est intéressant. Encore une fois, je le redis, là où ces modes ont un vrai intérêt, c'est lorsqu'ils sont couplés, je vais remettre ce mot un petit peu bizarre d'intermodalité, mais c'est lorsqu'ils sont couplés : trottinette plus train, train plus vélo, vélo plus bus, ça fonctionne extrêmement bien. Donc, finalement, c'est vraiment un atout. Et surtout, j'ai tendance à dire très régulièrement, aujourd'hui l'utilisateur, le citoyen est opportuniste dans sa mobilité. C'est-à-dire qu'il a énormément de choix et finalement, d'un jour à l'autre, il peut changer. Et ça, je pense que c'est vraiment une chance. Évidemment, comment est-ce qu'on l'organise ? Et c'est là où on est dans une vraie complexité et on a du mal à le faire.
Mathilde Munos : Donc ces nouveaux besoins, ces nouveaux moyens de transport, pardon, répondent à un vrai besoin ? C'est pas juste parce que c'est rigolo, c'est tout nouveau de se balader avec une trottinette ?
Julien de Labaca : Alors là, c'est justement extrêmement compliqué de savoir. Il y a une étude qui est sortie hier – hasard des calendriers, ou pas, je ne pense pas – qui dit que la trottinette aujourd'hui, d'abord, c'est du fun, quasiment 70 %. Elle dit aussi que si on n'avait pas utilisé une trottinette, on aurait plutôt pris des transports en commun ou on aurait marché. Donc si on a une approche posée sur l'innovation ou sur la liberté, on peut se dire que c'est extrêmement bien. Si on a une approche basée vraiment sur les transports, sur le report modal, on peut être un peu plus circonspect. Donc, aujourd'hui, c'est quand même assez difficile d'avoir du recul, ensuite, il faut quand même avoir une autre approche, c'est que là, on parle de trottinettes en libre-service, en *free floating* comme on dit aujourd'hui...
Mathilde Munos : ... les trottinettes électriques, c'est pas les...
Julien de Labaca : Tout à fait, exactement !
Mathilde Munos : ... c'est pas les anciennes trottinettes de nos enfants...
Julien de Labaca : Et justement, il faudrait aussi avoir une approche sur les trottinettes qui ne sont pas en *free floating*. Ce qu'on est en train de voir aussi, c'est que les gens commencent par les trottinettes sans station. Et petit à petit... Moi, j'ai été il n'y a pas très longtemps à Valence : en Espagne, les gens s'achètent des trottinettes. Donc là aussi, il y a encore un autre effet qui est intéressant, c'est que les gens commencent par des systèmes en libre-service, le vélib, la trottinette et finalement après s'équipent. Et en ça aussi, ça a un côté positif. Et donc il n'y pas que des côtés négatifs dans ces nouveaux modes.
Mathilde Munos : Est-ce que ça dépend aussi de la taille de la ville ? Ou c'est vraiment clairement qu'une question de volonté politique ?
Julien de Labaca : La volonté politique qui joue, la taille de la ville, évidemment. Encore une fois, quand je vous dis que... J'étais à Eindhoven en début de semaine : Eindhoven, deux cent mille habitants, et le vélo, il y en a partout, partout. Il y a encore des voitures, évidemment, mais il y a du vélo partout. La taille y joue fondamentalement. Moi, je pense qu'après c'est une question de culture et je crois que les Français, j'ai l'impression qu'ils sont prêts à passer à ça.
Mathilde Munos : Et en quoi les nouvelles technologies peuvent aider justement à gérer toutes ces nouvelles mobilités ? Ça, c'est votre expérience de consultant. Vous avez utilisé, vous, cet aspect-là, c'est les data-données, les choses comme ça.
Julien de Labaca : Les nouvelles technologies ont deux avantages qui me semblent extrêmement intéressants. Le premier, c'est qu'elles vont aider les usagers, elles vont faciliter l'usage de toutes ces nouvelles... toutes ces nouveautés, tous ces modes de déplacement, parce que finalement avec des applications, vous pouvez choisir, vous pouvez faire de l'intermodalité, gérer plusieurs modes. Le deuxième avantage, qui est énorme à mon sens, c'est qu'elles vont aussi aider la puissance publique, les collectivités publiques, parce qu'avec les données que nous générons, parce que finalement nous générons des données, on va permettre d'améliorer les politiques publiques sur ces nouvelles mobilités. Ce sont des enjeux fondamentaux et en plus c'est plutôt bien pour les élus, parce que ça coûte pas très cher et ça permet de faire beaucoup de communication.
Mathilde Munos : Eh bien voilà. Vous êtes super optimiste. C'est parfait. Merci beaucoup Julien de Labaca d'être venu ce matin sur France Inter. Vous avez fondé, donc, je le rappelle, votre cabinet sur les mobilités qui s'appelle « Le facilitateur de mobilités ».

Leçon 4 : La ville et le fantastique

▸ Piste 9. Activités 2 et 3

Matthieu Garrigou-Lagrange : C'est vrai que la ville, c'est un des grands thèmes – avant même de parler de Lovecraft – de la littérature fantastique ?
Gilles Menegaldo : Oui, absolument. C'est un des grands thèmes de la littérature fantastique : on peut penser à *Pétersbourg* d'Andreï Biely par exemple, parce que c'est un exemple de ville justement investie par le fantastique. La littérature russe d'ailleurs en général... Saint-Pétersbourg est souvent l'objet de textes, de l'approche de ce type.
Matthieu Garrigou-Lagrange : Pourquoi Saint-Pétersbourg en particulier ?
Gilles Menegaldo : Peut-être parce que c'est une ville qui a été fondée relativement tardivement, qui est aussi, je crois, entre deux fleuves, là j'avoue que je... et donc cela peut jouer sur le rapport justement entre les bâtiments et l'architecture de la ville, et puis les profondeurs aquatiques *et cætera*. Donc, évidemment, Londres a fait l'objet aussi de nombreux textes fantastiques, ou relevant du fantastique peu ou prou. Je pense évidemment à Stevenson, le *Docteur Jekyll et Mister Hyde* qui se déroule à Londres, dans un Londres justement investi par la brume avec des maisons qui sont, dans certains cas, presque anthropomorphisées, enfin c'est le cas en tout cas de la maison du docteur Jekyll et mister Hyde qui est double, en plus, puisqu'elle a une partie disons ouverte au public, puisque c'est un médecin, et d'autre part une partie secrète avec un laboratoire secret. Donc ce sont des éléments déjà qui vont investir... On peut penser aussi au *Dracula* de Bram Stocker, en 1897, puisque bien sûr une partie se passe en Transylvanie, mais toute une partie du roman, notamment la deuxième partie, se passe à Londres. Et donc on voit comment le comte Dracula investit, achète des maisons à Londres, donc agit un peu en tant que... comme quelqu'un qui accumule des propriétés immobilières, et petit à petit, donc, répand la terreur à Londres en s'appropriant les femmes, en particulier de ceux qui sont à la recherche de ce qu'on appelle le groupe... le *quest of light*, enfin ceux qui constituaient un groupe pour lutter justement contre les ténèbres. [...]
Matthieu Garrigou-Lagrange : Parce que la ville, c'est un lieu qui fait peur, mais c'est aussi le lieu de la civilisation ?
Gilles Menegaldo : Absolument. Alors c'est ça, justement. C'est à la fois le lieu de la civilisation, effectivement, il est fascinant par toutes ces réussites architecturales, et Lovecraft évoque cette dimension merveilleuse de la ville, mais en même temps, c'est aussi une ville soit qui se répand horizontalement, soit qui au contraire s'inscrit dans une verticalité avec des profondeurs, des espaces souterrains, des labyrinthes, des églises désaffectées *et cætera*. Donc, ça aussi, d'ailleurs, on le trouve : des cimetières, évidemment, comme chez Bram Stocker, et aussi chez Lovecraft évidemment.
Matthieu Garrigou-Lagrange : Et alors chez Lovecraft, et à Providence, qui est donc sa ville natale, il y a à la fois l'horizontalité de la banlieue et puis il y a ce centre-ville avec un building, un gratte-ciel qui est très célèbre puisque c'est celui qui a été à l'origine du gratte-ciel de Superman. C'est un gratte-ciel qui ressemble au gratte-ciel qu'on voit dans les *Superman*. [...] Alors Providence, c'est une ville ouvrière, une ville où il y avait des constructions navales, donc ce n'était pas une ville riche. Est-ce que c'est une ville dans laquelle on peut retrouver l'esprit de Lovecraft ? Est-ce que c'est une ville qui peut aussi être un peu effrayante ?
Gilles Menegaldo : Je pense qu'effectivement, on avait fait une visite du cimetière. Je crois, enfin, que Lovecraft fréquentait régulièrement et, selon les conditions atmosphériques évidemment, selon qu'il y a du brouillard ou pas, que ce soit le matin ou le soir, etc., cela peut créer une ambiance... parce qu'il y a ce côté, encore une fois, étroit des petites rues, des maisons donc qui se... qui donnent une impression de resserrement, ce qu'on trouve d'ailleurs dans certains textes de Lovecraft, comme *La Musique d'Erich Zann*, où on découvre justement...
Matthieu Garrigou-Lagrange : ... qu'il se passe justement à Providence...
Gilles Menegaldo : ... qui se passe, qui se base... non, il se base sur une ville qui n'est pas nommée et qui est censée évoquer un Paris, mais un Paris qui serait complètement fantasmé, à la Poe justement, mais justement, non... *La Musique d'Erich Zann* ne se passe pas à Providence, elle... ça se passe dans un... dans une petite ville qui est innommée. Et c'est peut-être cela aussi qui crée aussi un

insolite dans la ville. Mais par exemple, effectivement, elle peut ressembler à Providence du fait qu'il y a cette opposition entre la ville haute et la ville basse. Donc qui rappelle Providence, donc en fait Providence est onirisée, reconstituée, retravaillée à partir des souvenirs... à partir de l'existence de Lovecraft, de l'expérience de Lovecraft de la ville, justement, de Providence.

DOSSIER 2. Alimentation, « un plaisir à ras de terre ? »

Leçon 1 : Faim émotionnelle

Piste 10. Activités 6, 7 et 8

Un banana-split

« On n'en prend jamais. C'est trop monstrueux, presque fade à force d'opulence sucreuse. Mais voilà. On a trop fait ces derniers temps dans le camaïeu raffiné, l'amertume ton sur ton. On a poussé jusqu'à l'île flottante le léger vaporeux, l'insaisissable, et jusqu'à la coupelle aux quatre fruits rouges la luxuriance estivale démesurée. Alors, pour une fois, on ne saute pas sur le menu la ligne réservée au banana-split.

– Et pour vous ?

– Un banana-split.

C'est assez difficile à commander, cette montagne de bonheur simple. Le garçon l'enregistre avec une objectivité déférente, mais on se sent quand même un peu penaud. Il y a quelque chose d'enfantin dans ce désir total, que ne vient cautionner aucune morale diététique, aucune réticence esthétique. Banana-split, c'est la gourmandise provocante et puérile, l'appétit brut. Quand on vous l'apporte, les clients des tables voisines lorgnent avec un œil goguenard. Car c'est servi sur assiette, le banana-split, ou dans une vaste barquette à peine plus discrète. Partout, dans la salle, ce ne sont que coupes minces pour cigognes, gâteaux étroits dont l'intensité chocolatée se recueille dans une étique soucoupe. Mais le banana-split s'étale : c'est un plaisir à ras de terre. Un vague empilement de la banane sur les boules de vanille et de chocolat n'empêche pas la surface, exacerbée par une dose généreuse de chantilly ringarde. Des milliers de gens sur terre meurent de faim. Cette pensée est recevable à la rigueur devant un pavé au chocolat amer. Mais comment l'affronter devant un banana-split ? La merveille étalée sous le nez, on n'a plus vraiment faim. Heureusement, le remord s'installe. C'est lui qui vous permettra d'aller au bout de toute cette douceur languissante. Une perversité salubre vient à la rescousse de l'appétit flageolant. Comme on volait des confitures dans l'armoire, on dérobe au monde adulte un plaisir indécent, réprouvé par le code – jusqu'à l'ultime cuillerée, c'est un pêché. »

Leçon 2 : Ration journalière

Vidéo n° 2. Activités 2 et 3

Danielle Pautrel : On a tous entendu dire : « T'auras ton dessert si t'as mangé ta soupe. » Donc, de manière inconsciente, l'enfant va associer au dessert... au sucré, en fait, le gentil, le cadeau. Et au contraire, la soupe, c'est l'obligation, c'est la contrainte, c'est parce que c'est bon pour la santé, mais c'est pas [par] plaisir. Et donc ces conditionnements en fait... inconscients et... finalement au départ avec une bonne intention, fait que on crée des ancrages, et ces ancrages, l'enfant devenu adulte a vraiment du mal à lever ces ancrages-là ; on sait la difficulté.

Daniel Hays : La source de la malbouffe aujourd'hui est extrêmement liée à des problématiques d'estime de soi, de confiance en soi, qui fait qu'on se sent interdit d'aller vers de nouveaux horizons et que, du coup, de ce fait, on répar... on réduit son répertoire. Y a un type qui s'appelle Hippocrate, qui a dit y a des siècles : « Que ta santé soit ta nourriture, et ta nourriture ta santé. » Une chose qui paraît banale, mais pourtant qui est très importante, c'est que nous incorporons, et à chaque fois qu'on incorpore, eh bien on fait un choix, un choix d'avoir du plaisir ou pas, mais aussi un choix de pouvoir effectivement euh... garder... son capital de santé ou pas. [...]

Voix off : Mais quelle réalité pour la population ? Dans la vie de tous les jours, nos choix alimentaires déterminent notre santé. Ces maladies touchent en premier lieu là où le niveau de vie est plus faible et la précarité plus élevée.

Thierry Poitou : Alors la perte de nos repères alimentaires chez beaucoup de consommateurs, pour moi, elle est liée à plusieurs facteurs. Le premier facteur, c'est... l'abondance alimentaire : le fait d'avoir le choix, c'est quelque chose qui est souvent facteur de... d'anxiété chez les personnes, donc c'est le cas également dans le domaine alimentaire. Les aliments qu'on classe souvent dans la malbouffe, c'est des aliments qui sont énergétiques au sens où ils amènent beaucoup de calories sous un petit volume, et qui sont... pauvres nutritionnellement, au sens où à part les calories, ils n'amènent pas grand-chose : peu de vitamines, peu de minéraux, peu de fibres végétales, donc à part les calories, y a pas grand-chose. Et donc on rejoint effectivement le concept de calories vides. On se pose trop de questions sur ce qu'on mange. On veut être trop justement parfois dans... dans le « bien manger », dans la diététique. Il faudrait revenir à quelque chose de plus... spontané, et ça se passerait mieux pour beaucoup de gens. Autant, sauter un repas en disant : « Ben comme ça je vais perdre du poids », ça c'est une très mauvaise idée ; autant, sauter un repas parce que je n'ai pas faim, mon corps ne peut que me remercier de ne pas le gaver au moment où il n'a besoin de rien. Je pense qu'il faut que chacun ait un minimum d'éducation à la diététique pour savoir en gros... ce qu'il faut manger pour avoir une alimentation équilibrée..., vraiment les grandes bases. Je dirais qu'après, surtout, quand on mène des actions plus en direction d'adultes, qui ont ces bases-là, il faut éviter de parler de santé, parce que justement, si on parle santé, on va rentrer à nouveau dans la diététique, on va être à nouveau dans l'intellectuel, alors qu'il faudrait les rapprocher plus des perceptions corporelles et du sensoriel.

Leçon 3 : La colère des agriculteurs

Piste 11. Activités 7 et 8

Journaliste : Beaucoup de Français ont pris conscience de la crise que traversent les agriculteurs et du bras de fer qui les oppose à la grande distribution. Les mêmes images en boucle. Des paysans en colère qui demandent à pouvoir vivre de leur travail. Un agriculteur sur trois gagne moins de 350 euros par mois. Plutôt que de manifester contre la grande distribution, certains producteurs ont décidé de se passer d'elle et de créer leur propre supermarché. Peuvent-ils menacer le modèle que nous connaissons ? Sont-ils avantageux pour le consommateur ? Et changent-ils vraiment la vie des producteurs ? À Colmar, l'idée d'un supermarché paysan a d'abord germé dans la tête de Denis Digel, un maraîcher de la région.

Denis Digel : Je crois qu'elle est beaucoup plus ferme, celle-là. Il y a des différences. Vous avez déjà goûté la... la adora... ?

Journaliste : Il y a deux ans, il convainc trente-cinq confrères de se lancer dans l'aventure avec lui. Ensemble, ils réunissent 100 000 euros, empruntent 450 000 euros et rachètent ce local qui possède toutes les commodités d'un supermarché et pour cause, avant, c'était un Lidl.

Denis Digel : C'était comme ça, tout au début, quand on a ouvert le... quand on a racheté le magasin. Et en fait, les luminaires, on les a gardés, forcément, ça coûte cher, les luminaires, ça impute dans le budget. Des paysans qui rachètent leur supermarché, il y a une symbolique très forte. Quand je regarde les photos, plus d'un an, presque deux ans après, je vois un peu le chemin parcouru.

Pascal Terroux : Salut Denis, *wie geht's*?

Denis Digel : Ça va.

Journaliste : Désormais heureux propriétaires d'un supermarché, Denis et ses associés ont aussi embauché d'anciens salariés de la grande distrib comme Pascal, le gérant du magasin. Pendant dix-sept ans, il a occupé tous les postes chez Casino et Atac.

Pascal Terroux : Ça, je bascule là-bas avec, euh... les bières.

Journaliste : Il a été notamment responsable des achats. Et il imposait ses prix aux producteurs.

Pascal Terroux : Je sentais cette pression économique de réduction de tarifs d'année en année, cette négociation qui devenait de plus en plus dure. Le fait de savoir que certains producteurs ici vivent complètement de leur production et, grâce au magasin, ça apporte une satisfaction qu'on ne retrouve pas dans la grande distribution.

Journaliste : Grâce à son expérience, il a su faire passer quelques idées marketing aux agriculteurs. Comme ces caddies qui facilitent les achats des clients. Ils en ont acquis une vingtaine, des modèles dernier cri aux couleurs flashy.

Pascal Terroux : En termes de volume, c'est ce qui nous faut maintenant. On avait commencé avec ça, c'était bien.

Denis Digel : On est paysans, on ne connaît pas ces choses-là. Et donc on ne savait pas qu'il fallait des caddies. Beaucoup d'agriculteurs... enfin, on se pose des questions : est-ce qu'il faut le faire ou pas ? Est-ce qu'on n'est pas trop supermarché et pas magasin de producteurs ? Et puis finalement, chez nous aussi, on est entrés dans ce milieu-là, dans ce commerce-là, et puis finalement il faut les mêmes commodités pour nos consommateurs.

Journaliste : Pour séduire les clients, Pascal a aussi mis en place une carte de fidélité : pour 300 euros d'achat, 10 euros offerts. En rayon, c'est donc pratique comme un supermarché classique, mais en coulisse, le fonctionnement n'a rien à voir. Chaque matin, avant l'ouverture, ce sont les producteurs eux-mêmes qui s'occupent de l'approvisionnement, c'est plus économique.

Pascal Terroux : Bon, Marie-Pierre, bon ça ira pour la mise en rayon, alors... hein ?
Journaliste : Ici, les chefs de rayon, ce sont les agriculteurs, alors c'est eux qui décident des produits qu'ils apportent.
Pascal Terroux : Est-ce que tu sais, toi, ce qui sort le mieux chez toi ?
Homme : C'est vrai que bon, fraise, c'est toujours une confiture qui tourne bien. Après, on a des confitures comme coing mais c'est pas...
Journaliste : Une organisation inédite où certains rayons peuvent parfois se retrouver vides, ce qui a tendance à stresser l'ancien de la grande distribution.
Pascal Terroux : On intègre plus ça dans la grande distribution puisqu'on n'a aucun souci d'approvisionnement, en général. Quand on a une rupture d'un côté, on va chercher de l'autre. Ici, c'est le cas. J'ai un seul producteur de fraises. Si je suis en rupture de fraises, ben je n'en ai pas.
Journaliste : Pascal n'a pas la main sur l'approvisionnement de son magasin. Encore plus étonnant, il ne fixe pas non plus le prix de vente des produits. Là encore, c'est l'agriculteur qui décide. Et ça change tout.

Leçon 4 : #mieuxmanger

Piste 12. Activités 7 et 8

Présentateur : Bonjour Fiona Moghaddam.
Fiona Moghaddam : Bonjour.
Présentateur : C'est un phénomène qui prend de plus en plus d'ampleur : celui des applications mobiles de consommation. Elles permettent aux consommateurs de vérifier les composants des produits qu'ils achètent en magasin, notamment des produits alimentaires. Des applis jusqu'à présent créées par des particuliers, mais la grande distribution s'y met aussi. Mon appli pour mieux manger, c'est donc le sujet de votre hashtag.
Fiona Moghaddam : Alors, comment fonctionnent ces applications ? C'est très simple : vous la téléchargez, vous prenez n'importe quel produit dans votre supermarché, le scannez avec votre appli, et il en ressort, en fonction de celle choisie, une note, la composition ou encore les substances pouvant être nocives dans le produit. Démonstration avec Cécile, qui fait partie des trois pour cent de Françaises et Français qui utilisent quotidiennement l'une de ces applications pour leurs courses.
Cécile : Je m'intéresse à des biscuits bien connus pur beurre, je passe le code-barres dans l'application et immédiatement on me dit « mauvais ». C'est le gras, mais surtout il y a aussi trop de sel, trop de sucres, et surtout des additifs dont un douteux, c'est l'arôme opaque. Donc du coup je vais pas le prendre et ce qui est bien, c'est qu'en plus j'ai des alternatives de différentes marques. Là, j'en ai plus de dix qui va du rayon bio, essentiellement, mais pas que, des fois on peut être surpris et avoir des marques de grande distribution. Celui-là, c'est celui qui est recommandé. Voilà, il est excellent. Du coup avec une note de quatre-vingt-dix sur cent, ben celui-là, par exemple, je vais le prendre.
Fiona Moghaddam : La jeune femme a changé ses habitudes alimentaires avec cette appli, c'est aussi ce qu'ont fait de nombreux internautes dont vous pouvez retrouver les témoignages sur le site Internet de France Culture. Pour référencer tous ces produits, la plupart des applications se basent sur les données d'une autre application créée en 2012, Open Food Facts, fondée par Stéphane Gigandet ; elle référence aujourd'hui trois cent quatre-vingt mille produits en France, six cent mille dans le monde, tout cela grâce aux citoyens.
Stéphane Gigandet : Principalement, ce sont les consommateurs qui entrent les données dans la base. C'est comme ça qu'on a commencé. Pendant les cinq premières années, c'était exclusivement comme cela qu'on fonctionnait. Depuis, on travaille aussi en direct avec certains producteurs qui acceptent de nous fournir les données sur leurs produits. Donc, par exemple, Fleury Michon, les magasins U nous envoient des fichiers qui contiennent des informations sur leurs produits avec des photos et on les met directement dans la base Open Food Facts. Ça permet d'avoir des données qui sont à jour et d'avoir des données plus complètes. Donc nous, on encourage bien sûr tous les producteurs à être transparents et à nous transmettre les informations sur leurs produits.
Fiona Moghaddam : Stéphane Gigandet, qui raconte en une de franculture.fr comment lui est venue l'idée de référencer les produits alimentaires. Aujourd'hui, les consommateurs réclament donc plus de transparence, ils sont en pleine crise de confiance envers l'industrie agroalimentaire, d'où le succès des applications de consommation pour Nathalie Damery de l'Observatoire Société et Consommation.
Nathalie Damery : La méfiance, notamment à l'égard des produits agroalimentaires, s'est fortement accrue ces derniers temps. Elle s'est d'autant plus accrue que, en parallèle est montée une offre de produits locaux, bio, sans gluten ou autres, et donc ça a installé non seulement le sentiment que les consommateurs avaient raison d'être méfiants mais qu'en plus l'offre répondait à cette attente. Donc c'est un double effet de méfiance qui s'est installé. Ces applications, en fait, fonctionnent comme des garants qui me permettent de savoir si le produit est bon pour ma santé ou pas.
Présentateur : Et ces garants n'ont-ils pas leurs limites, Fiona Moghaddam ?
Fiona Moghaddam : Si, il y en a évidemment plusieurs. Peut-être la principale, pour l'UFC-Que Choisir, c'est la vérification des données sur les produits, qu'elles soient indiquées par les consommateurs ou fournies directement par les fabricants. Olivier Andrault est chargé de mission alimentaire et nutrition à l'UFC.
Oliver Andrault : Nous militons pour que il puisse y avoir un espace de dialogue sous la responsabilité des pouvoirs publics parce que si ces bases de données ne font, finalement, que ressortir les informations réglementaires qui sont déjà présentes sur les emballages, cela a assez peu d'intérêt. En revanche, si elles permettent de calculer le nutriscore qui est l'étiquetage nutritionnel simplifié officiel en France, malheureusement pas obligatoire, si on peut le calculer de manière plus fiable, ça serait très intéressant. Et pour nous, cela doit se faire sous la responsabilité des pouvoirs publics pour garantir déjà la fiabilité des informations. Imaginez, par exemple, qu'un fabricant donne des informations qui soient plus favorables pour lui ? Donc il est clair qu'il faut qu'il y ait des contrôles aussi.
Fiona Moghaddam : Et sur les réseaux sociaux, plusieurs d'entre vous s'inquiètent du devenir de leurs données personnelles avec ces applications. Que deviennent toutes ces listes de produits scannées ? Sont-elles utilisées à des fins publicitaires ? La CNIL, Commission nationale informatique et libertés, rappelle qu'il y a des règles strictes en la matière à respecter sous peine de sanctions.
Présentateur : Mon appli pour mieux manger, c'est votre hashtag, Fiona Moghaddam, de cette semaine, donc c'est sur le site Internet de France Culture.

DOSSIER 3. Prenons soin de nous

Leçon 1 : Un don d'un genre spécial

Piste 13. Activité 7

Documentariste : « Il était une fois la PMA. » On a vu dans les précédents épisodes ce que signifiaient ces trois lettres et quel parcours du combattant elles impliquaient souvent. On continue notre exploration. Et dans ce troisième épisode, on s'intéresse à la vie des gamètes, de la congélation au don. Un documentaire d'Élodie Font, réalisé par Charlène Nouyoux pour *Cheek Magazine*.
Générique : *Où il est le bébé ? Ah, le voilà ! Une question qui est très simple : on a beaucoup de mal à comprendre ce que le président veut sur ce dossier... Alors, je vais vous demander : est-ce qu'en 2018, oui ou non, la PMA sera ouverte à toutes les femmes en France ? Évidemment, c'est un engagement de campagne. Je ne souhaite pas qu'on évolue... J'y suis plutôt favorable, mais il m'a fallu du temps.*
Céline Dion : Peut-être que bon, moi, je pensais que d'avoir des enfants, c'était facile. Pour moi, il n'y avait pas de limite. J'arrivais à tout faire puis là, j'ai eu besoin d'aide. Je me sentais un peu mal. Comment ça, je ne peux pas avoir un enfant ? Comment ça, je ne peux pas faire un enfant ? Comment ça, je peux pas faire ça seule ?...

Piste 14. Activités 8 et 9

Documentariste : Ils s'aiment ; ça, c'est sûr. Je vous avais promis qu'il y aurait de nouveau un peu de Céline dans ce nouvel épisode d'« Il était une fois la PMA ». Céline Dion, première artiste au Canada à parler de ses difficultés à avoir un enfant. Cette fois, nous nous intéressons au don. Ce n'est pas l'épisode le plus simple, parce qu'il mérite de se plonger dans des chiffres pour mieux comprendre les arguments des uns et des autres. Quelle est la politique du don en France ? Nous avons rencontré une donneuse : Harmonie a donné une fois ses ovocytes. Je précise « une fois », mais de toute façon, les hôpitaux français encouragent à ne pas faire plus de deux dons. Harmonie a trente-six ans, nous nous sommes donné rendez-vous dans un café à l'ouest de Paris.
Harmonie : C'est quelque chose que je ne connaissais pas, dont je n'avais jamais entendu parler, que j'ignorais complètement, jusqu'au jour où j'ai été un peu confrontée à des difficultés pour avoir un enfant. J'ai eu mon fils sans problème, je suis tombée enceinte du jour au lendemain, et quand on a décidé avec mon mari de faire le deuxième, on s'est dit : « Bon, ben ça n'a pas posé de problèmes pour le premier, ça ne posera pas de problème pour le deuxième, tout va bien. » Et en réalité, je suis tombée enceinte très très vite du deuxième et j'ai fait une fausse couche, et derrière j'ai eu pas mal de problèmes, enfin, de pathologies liées à la fausse couche, et donc là je me suis retrouvée dans un parcours de chirurgie réparatrice, entre guillemets, pour remettre un peu tout ça en ordre. Et puis quand tout ça s'est réglé, quand les médecins ont dit « O.K., c'est bon, maintenant vous pouvez réessayer d'avoir un enfant », là, ils ont commencé à me faire des analyses hormonales et là, on m'a dit : « Ah, ouais, mais en fait vous êtes en train de... Vos dosages hormonaux sont pas bons du tout et si ça se

trouve, vous ne pourrez pas avoir d'enfant. »
Documentariste : Et vous aviez quel âge à ce moment-là ?
Harmonie : Et à ce moment-là, j'ai trente-quatre ans. Et de ce fait, ben ma question a été : « O.K., donc, si ça se confirme, quelle est la solution ? » Ben, la solution, ce serait le don d'ovocytes. Et donc là j'ai commencé à m'intéresser au don d'ovocytes, et là je me suis rendue compte de la galère énorme que c'était côté receveuse pour avoir ce don d'ovocytes. Et donc, à ce moment-là, je me fais la promesse : eh bien si j'arrive à avoir quand même un enfant, je donnerai mes ovocytes. Et ô miracle, l'été, je suis tombée enceinte de jumelles, naturellement. Donc voilà, donc ça a été le grand coup de bol.
Documentariste : Elle accouche et deux mois plus tard, elle dépasse sa phobie des piqûres. Donner, ce n'est pas extrêmement simple. Il y a – que vous soyez un homme ou une femme – un entretien, des examens médicaux, une enquête génétique, un rendez-vous avec un psy, et si vous êtes une femme, la préparation de l'opération et de l'anesthésie et la stimulation hormonale : des médicaments, des piqûres pour que le nombre d'ovules soit le plus élevé possible le jour où ils vous sont prélevés. Il y a aussi un âge limite pour donner ses gamètes : 45 ans pour les hommes, 37 pour les femmes. Être en bonne santé et avoir l'accord de son conjoint si conjoint il y a. Et encore, si ça vous semble compliqué, dites-vous que jusqu'en 2015, il fallait aussi avoir déjà eu un enfant, mais ce n'est plus le cas aujourd'hui. Pour Harmonie, il s'agit juste d'un don de cellules, rien de plus – elle le compare même avec le sang et les plaquettes qu'elle a déjà donnés – mais quand même, il y a une question qui remonte régulièrement.
Harmonie : J'espère juste une chose, mais ça je ne le saurai jamais, c'est que mon don d'ovocytes ait abouti à des naissances, voilà. Quitte à encaisser la déception de me dire qu'il y a aucun enfant qui sont issus de ce don d'ovocytes, mais... mais j'aimerais bien savoir. Ça, j'aimerais bien le savoir. J'ai pas du tout la curiosité de savoir où, quand, comment, mais la curiosité de savoir sur ces ovocytes que j'ai donnés, combien ont donné naissance à un enfant. Moi, j'ai cette curiosité après coup, mais pendant toute la démarche, je ne me suis pas posé la question, parce que je savais que j'étais un chapitre dans une démarche qui est celle d'un couple qui galère depuis des années, qui a... qui a fait des tentatives d'autres choses avant d'en arriver au don d'ovocytes, qui a attendu pour son don d'ovocytes et que finalement, mon don, il s'inscrit comme un... ouais, juste un chapitre de toute leur histoire. Après, comment leur histoire elle se termine, ça, c'est leur histoire à eux, en fait, ce n'est pas la mienne, et c'est là où c'est important d'avoir ce recul-là, je pense.

Leçon 2 : Entre progrès et crainte

▹ Vidéo n°3a. Activité 7

Moi, ça fait vingt ans que je travaille pour essayer de faire émerger la nanomédecine, vingt ans pour essayer de faire émerger un concept, un concept qui est de pouvoir détruire des cellules cancéreuses avec des nanoparticules. [...] Partout, on trouve des nanotechnologies partout. Mais on peut faire autre chose que de développer des objets communs. Avec les nanotechnologies, on peut aussi sauver des vies. Je vais vous raconter aujourd'hui deux expériences, deux événements qui ont marqué ces vingt dernières années dans mon parcours, à commencer par l'idée. Quelle idée ? Il y a à peu près quinze ans, dans mon bain, je réfléchissais et je me suis dit : on peut tuer des cellules cancéreuses avec des nanoparticules. Et tout simplement, ces objets sont tout petits, et si on arrive à les amener à l'intérieur de la cellule et qu'on arrive à les exciter, à les faire tourner, à les faire chauffer, alors, on peut détruire des cellules cancéreuses. C'est une idée toute bête mais si elle marche, on doit pouvoir soigner les gens qui ont un cancer avec ce type d'approche.

▹ Vidéo n°3b. Activité 8

Donc, la première expérience que j'ai réalisée – parce que je me disais : « il faut absolument montrer que ça marche, il faut absolument qu'on sache si c'est possible ou pas » – donc à l'université de Buffalo, j'ai décidé de développer des nanoparticules magnétiques – c'est la même chose que vos magnets que vous avez sur le frigo, sauf que c'est tout petit – et on les a envoyées par centaines de milliers, de milliards, à l'intérieur des cellules. Et ces particules, on leur a demandé deux choses : on leur a demandé d'être magnétiques, bien sûr, mais de pouvoir aller se coller sur le noyau de la cellule et sur la membrane. Et c'est ce que vous voyez ici, sur ce dessin : vous voyez, tout ce qui est en vert, c'est une cellule cancéreuse, et au milieu le noyau, qui est cerclé de rouge, et tous ces petits points verts, ce sont des milliers de nanoparticules. Alors, qu'est-ce que j'ai fait ? J'ai pris un aimant et je me suis dit : « Est-ce que ça va marcher ou pas... ? » J'approche cet aimant, je le fais tourner, et regardez : on arrive à faire tourner le noyau d'une cellule sans toucher à la cellule de l'extérieur parce qu'on a amené des petites particules à l'intérieur. C'est cool, non ? En même temps, vous me direz, à quoi ça sert de faire tourner les noyaux de cellules ? À pas grand chose. Vraiment. Mais ça montre que ça marche. Et ça, c'est important. Et ça, ça a été un des moments vraiment importants. Parce que ce moment-là, à partir du moment où vous savez que ça marche, alors vous savez que vous avez réussi et vous pouvez continuer. Entre ce moment-là, dix ans plus tard, parce qu'il faut un peu de temps pour développer ce type d'approche, on a décidé de plutôt développer des approches pour soigner les patients, pour le traitement du cancer. Et le cancer, vous savez comment on traite le cancer aujourd'hui, avec de la radiothérapie, de la chirurgie, des chimiothérapies. Et la radiothérapie, c'est une technologie très puissante. On peut détruire n'importe quel type de cellule avec la radiothérapie. Si on envoie toute cette énergie dans la tumeur, c'est pour la détruire. Maintenant, comme vous le voyez sur cette figure, quand on essaye d'irradier une tumeur, on a aussi des tissus sains qui environnent cette tumeur. Donc, on crée des dégâts dans la tumeur, bien sûr, mais aussi à l'extérieur de la tumeur. Et c'est ça la limitation de la radiothérapie. Elle sauve beaucoup de gens aujourd'hui, mais dans un certain nombre de configurations, c'est difficile d'appliquer une dose qui permette de détruire complètement cette tumeur. Donc, la question clé, c'est : comment augmenter la dose dans la tumeur sans l'augmenter dans les tissus sains ? Donc on a décidé de développer des nanoparticules, des petits objets, toujours, pour pouvoir les amener évidemment à l'intérieur de ces cellules mais avec des fonctions bien précises. Ces particules, elles ont deux fonctions. La première, c'est de pouvoir absorber l'énergie des rayons X, et la deuxième, évidemment, c'est d'être le moins toxique possible puisque ce sont des objets qu'on va injecter chez les patients. Eh bien, regardons ce que font ces nanoparticules quand on les met en contact de cellules. Ici, vous avez deux cellules : une cellule cancéreuse à gauche et une cellule à droite, cancéreuse toujours, mais avec des nanoparticules. Donc, quand vous irradiez une cellule cancéreuse, vous allez détruire, créer des dégâts, un petit peu, à l'intérieur de cette cellule, et au final, si vous en mettez suffisamment, vous tuez la cellule. Quand vous mettez des nanoparticules, ce que vous voyez sur la droite, chaque petit point, ici, ce sont des centaines de nanoparticules qui ont pénétré cette cellule. Eh bien, en faisant ça, quand vous appliquez la radiothérapie, vous allez augmenter l'absorption, augmenter les dégâts et détruire plus efficacement cette cellule. Donc c'est une technologie très puissante, parce que ça permet physiquement d'améliorer l'efficacité de la radiothérapie. Et ce que l'on a fait, évidemment, c'est d'essayer de démontrer que ça marchait chez des patients. Et ça, c'est le deuxième moment le plus important. Quand avec toute votre équipe vous avez travaillé pendant dix ans et que vous arrivez au bout de ces dix ans à injecter un premier patient, c'est quelque chose d'assez émouvant.

▹ Vidéo n°3c. Activité 9

Alors, comment ça marche ? Ressaisissons-nous... Le sarcome des tissus mous, c'est l'indication que l'on essaye de traiter. C'est quoi, le sarcome ? Eh bien le sarcome, c'est une tumeur qui se développe dans le gras, dans les muscles, et on a généralement du mal à l'opérer chez certains patients. Donc on fait de la radiothérapie. On fait de la radiothérapie pour détruire cette tumeur, mais chez beaucoup de patients, cette radiothérapie n'est pas assez efficace. Donc je suis sûr que vous me voyez venir... On ajoute nos nanoparticules et l'idée, c'est de rendre la radiothérapie plus efficace pour rendre ces patients opérables.
Et c'est ce que vous voyez, ici : vous avez, sur la gauche, un patient qui a reçu une injection de nanoparticules dans sa tumeur, donc la tumeur est en rouge et les nanoparticules en bleu. Et après, vous appliquez vingt-cinq séances de radiothérapie, comme habituellement, et vous arrivez à réduire cette tumeur. Dans ce cadre-là, de 65 %, ou 66 %, pardon. Et ça, c'est un effort énorme. Et ça, c'est vraiment les premiers signes que l'on peut avoir quelque chose qui va aider les patients aujourd'hui. Alors, on peut difficilement dire aujourd'hui qu'on va soigner et sauver tous ces patients, parce qu'on n'a pas encore traité assez de patients, mais c'est ce que l'on est en train de faire et on n'est pas très loin du but.

▹ Vidéo n°3d. Activité 10

Moi, ça fait vingt ans que je travaille pour essayer de faire émerger la nanomédecine, vingt ans pour essayer de faire émerger un concept, un concept qui est de pouvoir détruire des cellules cancéreuses avec des nanoparticules. [...] Partout, on trouve des nanotechnologies partout. Mais on peut faire autre chose que de développer des objets communs. Avec les nanotechnologies, on peut aussi sauver des vies. Je vais vous raconter aujourd'hui deux expériences, deux événements qui ont marqué ces vingt dernières années dans mon parcours, à commencer par l'idée. Quelle idée ? Il y a à peu près quinze ans, dans mon bain, je réfléchissais et je me suis dit : on peut tuer des cellules cancéreuses avec des nanoparticules. Et tout simplement, ces objets sont tout petits, et si on arrive à les amener à l'intérieur de la cellule et qu'on arrive à les exciter, à les faire tourner, à les faire chauffer, alors, on peut détruire des cellules cancéreuses. C'est une idée toute bête mais si elle marche, on doit pouvoir soigner les gens qui ont un cancer avec ce type d'approche.

Donc, la première expérience que j'ai réalisée – parce que je me disais : « il faut absolument montrer que ça marche, il faut absolument qu'on sache si c'est possible ou pas » – donc à l'université de Buffalo, j'ai décidé de développer des nanoparticules magnétiques – c'est la même chose que vos magnets que vous avez sur le frigo, sauf que c'est tout petit – et on les a envoyées par centaines de milliers, de milliards, à l'intérieur des cellules. Et ces particules, on leur a demandé deux choses : on leur a demandé d'être magnétiques, bien sûr, mais de pouvoir aller se coller sur le noyau de la cellule et sur la membrane. Et c'est ce que vous voyez ici, sur ce dessin : vous voyez, tout ce qui est en vert, c'est une cellule cancéreuse, et au milieu le noyau, qui est cerclé de rouge, et tous ces petits points verts, ce sont des milliers de nanoparticules. Alors, qu'est-ce que j'ai fait ? J'ai pris un aimant et je me suis dit : « Est-ce que ça va marcher ou pas... ? » J'approche cet aimant, je le fais tourner, et regardez : on arrive à faire tourner le noyau d'une cellule sans toucher à la cellule de l'extérieur parce qu'on a amené des petites particules à l'intérieur. C'est cool, non ? En même temps, vous me direz, à quoi ça sert de faire tourner les noyaux de cellules ? À pas grand chose. Vraiment. Mais ça montre que ça marche. Et ça, c'est important. Et ça, ça a été un des moments vraiment importants. Parce que ce moment-là, à partir du moment où vous savez que ça marche, alors vous savez que vous avez réussi et vous pouvez continuer. Entre ce moment-là, dix ans plus tard, parce qu'il faut un peu de temps pour développer ce type d'approche, on a décidé de plutôt développer des approches pour soigner les patients, pour le traitement du cancer. Et le cancer, vous savez comment on traite le cancer aujourd'hui, avec de la radiothérapie, de la chirurgie, des chimiothérapies. Et la radiothérapie, c'est une technologie très puissante. On peut détruire n'importe quel type de cellule avec la radiothérapie. Si on envoie toute cette énergie dans la tumeur, c'est pour la détruire. Maintenant, comme vous le voyez sur cette figure, quand on essaye d'irradier une tumeur, on a aussi des tissus sains qui environnent cette tumeur. Donc, on crée des dégâts dans la tumeur, bien sûr, mais aussi à l'extérieur de la tumeur. Et c'est ça la limitation de la radiothérapie. Elle sauve beaucoup de gens aujourd'hui, mais dans un certain nombre de configurations, c'est difficile d'appliquer une dose qui permette de détruire complètement cette tumeur. Donc, la question clé, c'est : comment augmenter la dose dans la tumeur sans l'augmenter dans les tissus sains ? Donc on a décidé de développer des nanoparticules, des petits objets, toujours, pour pouvoir les amener évidemment à l'intérieur de ces cellules mais avec des fonctions bien précises. Ces particules, elles ont deux fonctions. La première, c'est de pouvoir absorber l'énergie des rayons X, et la deuxième, évidemment, c'est d'être le moins toxique possible puisque ce sont des objets qu'on va injecter chez les patients. Eh bien, regardons ce que font ces nanoparticules quand on les met en contact de cellules. Ici, vous avez deux cellules : une cellule cancéreuse à gauche et une cellule à droite, cancéreuse toujours, mais avec des nanoparticules. Donc, quand vous irradiez une cellule cancéreuse, vous allez détruire, créer des dégâts, un petit peu, à l'intérieur de cette cellule, et au final, si vous en mettez suffisamment, vous tuez la cellule. Quand vous mettez des nanoparticules, ce que vous voyez sur la droite, chaque petit point, ici, ce sont des centaines de nanoparticules qui ont pénétré cette cellule. Eh bien, en faisant ça, quand vous appliquez la radiothérapie, vous allez augmenter l'absorption, augmenter les dégâts et détruire plus efficacement cette cellule. Donc c'est une technologie très puissante, parce que ça permet physiquement d'améliorer l'efficacité de la radiothérapie. Et ce que l'on a fait, évidemment, c'est d'essayer de démontrer que ça marchait chez des patients. Et ça, c'est le deuxième moment le plus important. Quand avec toute votre équipe vous avez travaillé pendant dix ans et que vous arrivez au bout de ces dix ans à injecter un premier patient, c'est quelque chose d'assez émouvant.
Alors, comment ça marche ? Ressaisissons-nous... Le sarcome des tissus mous, c'est l'indication que l'on essaye de traiter. C'est quoi, le sarcome ? Eh bien le sarcome, c'est une tumeur qui se développe dans le gras, dans les muscles, et on a généralement du mal à l'opérer chez certains patients. Donc on fait de la radiothérapie. On fait de la radiothérapie pour détruire cette tumeur, mais chez beaucoup de patients, cette radiothérapie n'est pas assez efficace. Donc je suis sûr que vous me voyez venir... On ajoute nos nanoparticules et l'idée, c'est de rendre la radiothérapie plus efficace pour rendre ces patients opérables.
Et c'est ce que vous voyez, ici : vous avez, sur la gauche, un patient qui a reçu une injection de nanoparticules dans sa tumeur, donc la tumeur est en rouge et les nanoparticules en bleu. Et après, vous appliquez vingt-cinq séances de radiothérapie, comme habituellement, et vous arrivez à réduire cette tumeur. Dans ce cadre-là, de 65 %, ou 66 %, pardon. Et ça, c'est un effort énorme. Et ça, c'est vraiment les premiers signes que l'on peut avoir quelque chose qui va aider les patients aujourd'hui. Alors, on peut difficilement dire aujourd'hui qu'on va soigner et sauver tous ces patients, parce qu'on n'a pas encore traité assez de patients, mais c'est ce que l'on est en train de faire et on n'est pas très loin du but.

Leçon 3 : Une vie de sacrifice

Piste 15. Activité 2

Journaliste : Le médecin qui s'occupera de vous un jour, peut-être, dans quelques années ; le jeune type que vous croiserez à l'hôpital après une opération ou une jambe cassée ; celui qui signera votre ordonnance : là, au moment où on se parle, il est sous l'eau. La rentrée des premières années a à peine eu lieu, mais il a sûrement fait une prépa avant, votre futur médecin. Il ne lèvera... il ne lèvera pas le nez de ses poly jusqu'en juin, il sait que cette année sera un enfer, parce que tout le monde lui a raconté, et qu'il le verra dans un film, donc, à partir d'aujourd'hui. Il rigolera sur certaines scènes, probablement, mais ça le fera beaucoup moins rire quand il le vivra, quand il comprendra que, oui, il faut s'acharner et faire le Jedi. Quand heu... lui aussi, il dira que : « Bah, celui qui pète les plombs, c'est dommage pour lui, mais enfin, ça fait une place de plus. » Quand il mettra ses émotions derrière cette phrase, ses émotions à lui : « Quand t'as envie de pleurer, tu mets ça dans une boîte, puis tu le ressors après le concours. » Tout ça est extrêmement brutal... au fond, sûrement injuste. Alors, y a pas de relation de cause à effet, mais voilà que justement au moment où sort ce film, *Première année*, on reparle du numerus clausus. Voilà qu'on reparle d'un concours moins abrutissant, voilà qu'on parle de réformer ces études de médecine, voilà qu'on parle aussi de l'avenir des jeunes médecins dans les déserts médicaux. Études de médecine, pour former quoi, à qui, exactement, quel type de médecins veut-on finalement ? Capables d'absorber quoi ? À moins que ce soit pas si grave, finalement, cet abattage du début, parce qu'au final, c'est l'après qui compte... Tout ça, c'est à vous de nous le dire. Bienvenue dans *Le téléphone sonne*. [...] Pour vous répondre et pour discuter ensemble jusqu'à 20 heures ce soir : Thomas Lilti est là, bonsoir.
Thomas Lilti : Bonsoir.
Journaliste : Vous êtes le fameux réalisateur de *Première année*, en salle ce jour. Vous êtes aussi médecin, vous aviez fait *Hippocrate* avant, le film, et aussi *Médecin de campagne*. Bonsoir Jean-Luc Dumas. Ou Dumass ?
Jean-Luc Dumas : Dumas.
Journaliste : Eh ben voilà. Sans le « s ». Tiens, je vais l'enlever, d'ailleurs, pour éviter de vous le redire. Vous êtes l'ex doyen de l'UFR Santé de Bobigny. Et bonsoir Sébastien Spatola.
Bastien Spatola : Bonsoir. Moi, c'est Bastien.
Journaliste : Bastien.
Bastien Spatola : C'est pas grave !
Journaliste : Je vais vous appeler Sébastien, parce que c'est plus simple pour moi... !
Bastien Spatola : Allez-y, c'est pas grave.
Journaliste : Vous êtes vice-président du tutorat au C2P1 – on adore les jargons, en fac de médecine, visiblement – ça veut dire que vous aidez les premières années à passer le cap, en gros...
Bastien Spatola : C'est ça.
Journaliste : ... c'est ça que ça veut dire.

Piste 16. Activité 3

Journaliste : Thomas Lilti, moi... moi j'ai une question, et surtout en vous écoutant, monsieur Dumas. Vous, vous dites : « Les étudiants organisent ça très bien, cette première année, c'est pas vraiment une année comme les autres, c'est une année de concours, etc. » Oui, mais quand je vous écoute, j'ai l'impression qu'on le fait exprès, en fait, que cette année soit pas une année comme les autres, donc le système le fait exprès, la fac le fait exprès, pour que cet écrémage existe, en fait, donc on n'aide pas, et c'est les étudiants qui s'aident les uns les autres, au final.
Jean-Luc Dumas : Non, y a ... Oui...
Journaliste : Je vous ai coupé la parole, monsieur Dumas. Allez-y, allez-y.
Jean-Luc Dumas : Déjà, c'est pas tout à fait normal que ce soit aux étudiants d'aider, et notamment les deuxième année, d'aider les première année qui arrivent en effet perdus, sans repères. Et quand on dit « les première année sont perdus, sans repères », on parle des primants, ceux qui arrivent du lycée, mais y a ceux qui redoublent, qui sont extrêmement favorisés sur... sur les primants. Euh... donc se met en place quand même une compétition entre tous ces étudiants, primants et redoublants, euh... qui est relativement injuste. Alors, c'est formidable, évidemment, le tutorat, c'est formidable. Mais on peut... ça soulève quand même le problème de pourquoi on a besoin d'étudiants en deuxième, troisième année qui viennent aider comme ça les première année. Ça prouve bien, quand même, qu'y a un... que cette année n'est pas du tout organisée, préparée pour ce concours qui est d'ailleurs... Et il faut quand même évoquer ce concours, l'absurdité de ce concours : parce que le concours en soi ne prépare pas du tout aux métiers de la santé, c'est vraiment un concours de sélection et d'élimination.

Journaliste : Et c'est pour ça qu'on n'aide pas, Jean-Luc Dumas, non ? C'est parce qu'on veut écrémer ? À ce moment-là...
Jean-Luc Dumas : Non...
Journaliste : ... c'est l'écrémage ? Il y a 2 500 personnes dans l'amphi, y en aura 300 qui passeront en deuxième année...

Piste 17. Activité 4

Journaliste : Bonsoir Agnès.
Agnès : Bonsoir.
Journaliste : On vous écoute Agnès. Soyez la bienvenue.
Agnès : Je voulais juste témoigner de mon expérience, qui est un petit peu ancienne puisque j'ai été diplômée... enfin je... j'ai fait ma première année il y a dix ans maintenant, et juste pour... pour rebondir par rapport à cette première année, mais aussi par rapport aux suivantes, parce qu'en fait, c'est vrai que la première année, tout le monde en parle, c'est une année qui est très difficile, etc., mais la suite des études de médecine est pas si simple. Et en fait, elle demande de toute façon énormément de travail, énormément d'investissement. Alors c'est plus du bachotage, mais c'est plus un système d'apprentissage, mais qui va être très très... qui demande énormément d'investissement, et voilà, c'est... Contrairement à ce qu'on peut avoir parfois comme impression, qu'une fois qu'on a passé la première année, tout va bien, on est forcément médecin, ben... c'est des années qui sont difficiles, qui sont fatigantes...
Journaliste : Ouais.
Agnès : ... qui font qu'on n'a plus beaucoup de vie à côté. Et ça dure dix ans. Voilà.
Journaliste : On a bien compris, Agnès, et c'est bien de le rappeler. Heu... Bastien Spatola, on a l'impression, effectivement, que quand on a passé la première année, c'est bon, on est... on est rangé des voitures : loin s'en faut.
Bastien Spatola : Eh ben... moi j'ai toujours l'impression que c'est un eldorado, maintenant, heu...
Journaliste : Ah oui !
Bastien Spatola : Ouais, voilà.
Journaliste : Vous avez retrouvé le sommeil...
Bastien Spatola : Ouais, c'est ça.
Journaliste : Vous lisez des livres qui ne sont pas des livres de médecine...
Bastien Spatola : Je sors dans la rue, je vois le soleil, c'est...
Journaliste : Le truc de fou !
Bastien Spatola : ... incroyable. Non, donc là je suis encore dans mon petit nuage. C'est pas encore la rentrée pour les deuxième année de médecine, donc j'me rends pas compte encore de la charge de travail...
Journaliste : Profitez-en, ça ne va pas durer...
Bastien Spatola : Carrément ! Heu... j'me rends pas encore compte de la charge de travail donc... Ouais, j'me leurre pas, j'imagine que c'est du travail pendant dix ans et que ça va être conséquent.
Journaliste : Mais c'est bien de le rappeler, Thomas Lilti.
Thomas Lilti : Oui, les études de médecine sont des études difficiles. Elles sont difficiles à cause de ce qu'on y apprend, le rapport aussi à la maladie, à la mort, dès qu'on arrive à l'hôpital, mais elles sont difficiles aussi parce qu'y a, je crois, hein, c'est mon point de vue en tout cas, une tradition de la formation et de l'enseignement qui se fait de façon un peu violente dans les études de médecine. C'est une tradition qu'on retrouve... qui se fait quand même un peu et souvent à base de... d'humiliations, parfois, et je crois que ça participe à la difficulté. Et surtout, il faut rappeler qu'en fin de sixième année, y a à nouveau un examen classant mais qui est un concours, à nouveau, en fait, pour les spécialités qui... Encore deux ans de... où on se confronte, où on rentre en compétition avec les autres étudiants, donc cet esprit de compétition est quand même quelque chose de très répandu tout au long des études de médecine et moi, je pense que c'est pas sans conséquence sur les sujets qu'on a évoqués tout à l'heure : les médecins, les déserts médicaux, le fait qu'on n'a pas de médecin là où faut qu'il y ait des médecins. Je pense que c'est lié aussi à cette façon de les former.

Leçon 4 : Se soigner au naturel

Piste 18. Activités 6, 7 et 8

Journaliste : Et vous accompagner au quotidien dans ces questions que vous pouvez vous poser, avoir des experts qui sont là pour vous répondre, c'est notre but tous les jours dans *La Vie en bleu*, à partir de 9 heures. Aujourd'hui, Frédéric Donatelli, hypnothérapeute, qui est là pour vous accompagner, répondre à vos questions et vous éclairer sur la manière dont vous pouvez utiliser l'hypnose. 03 88 25 15 15 pour toutes vos questions, justement. Vous vous interrogez sur des angoisses que vous avez ? Est-ce que vous pouvez peut-être résoudre cela avec l'hypnose ? Il est là pour vous accompagner, pour vous répondre. On va reprendre peut-être l'explication de ce qu'est l'hypnose à la base, parce que c'est vrai que souvent on a cette image de... perte de contrôle, on va être manipulé par quelqu'un, ça fait un petit peu peur.
Frédéric Donatelli : Oui, c'est ces appréhensions qu'ont certaines personnes, mais... ce qui est totalement faux, en fait. On perd pas le contrôle pendant l'hypnose. L'hypnose, ce qu'il faut rappeler, c'est un état modifié de conscience, c'est quelque chose que vous vivez toute seule, ou tout seul, entre six et huit fois par jour. C'est quelque chose... à un moment donné, dans la journée, dans lequel vous décrochez. C'est souvent quand quelqu'un vous parle, et puis vous lui expliquez : « Ben non, excuse-moi, j'étais dans mes pensées, dans mes songes. » Ou alors lorsque vous êtes en voiture ou lorsque vous lisez un bouquin, à un moment donné, vous reprenez conscience, et en reprenant conscience, on s'aperçoit qu'on a zappé un moment de temps. Voilà. Enfin, quinze, vingt, trente secondes. Et là, vous étiez dans une espèce de dissociation entre le conscient et l'inconscient, ce qui fait que vous étiez dans une espèce d'autohypnose, très légère, mais déjà dans un état de décrochage.
Journaliste : Mais dans un cas... dans un cas d'hypnose, on reste quand même conscient de tout ce qui se passe, on n'est pas... on n'est pas, comme on peut l'imaginer, dans un sommeil profond où on n'a aucun souvenir ?
Frédéric Donatelli : Non, tout à fait, on reste exactement à l'écoute. Soit les gens s'imaginent, le fait de voir les personnes allongées ou les yeux fermés, qu'ils sont en train de dormir, en fait ils ne dorment pas, ils entendent tout. Et le corps se déconnecte. L'inconscient monte à la surface et prend le contrôle, on va dire quelque part... un petit peu comme ça. Il prend le contrôle du corps, et à partir de là, on peut travailler avec l'inconscient. Et l'inconscient, on va aller voir son réservoir de ressources, on va aller voir ses problématiques et on va travailler effectivement sur des phobies, sur des angoisses, sur le manque de confiance. Beaucoup, beaucoup de personnes ont un manque de confiance. C'est professionnel, personnel, d'ordre même affectif, souvent. Et là, on va aller voir l'inconscient. Les gens se rendent compte qu'effectivement le corps est très très lourd, certains... certaines personnes ont même des fourmillements dans le corps, les mains, les bras, même des fois les jambes. Et en se relevant, eh ben, ils ouvrent les yeux sur un nouveau regard, une nouvelle perception des choses, un nouveau ressenti, et c'est souvent pour eux une très grande surprise. Soit on me dit : « Waouh, c'est une très belle expérience ! » Ils sont partis avec, pour certains, des aprioris, pour se rendre compte qu'après, ben ils vont beaucoup beaucoup mieux. C'est pas de la magie, qu'on soit d'accord, l'hypnose, je rappelle quand même que c'est pas de la magie, c'est pas : on claque des doigts, la personne est transformée. Des fois, il faut quelques séances, quand même.
Journaliste : C'est un processus. Et justement, pour avoir eu personnellement la chance de faire un petit peu d'hypnose avec vous, Frédéric, on a à un moment, oui, notre corps qui répond à quelque chose qu'on ne maîtrise pas forcément. Mais ce n'est pas un lâcher-prise total, on reste... enfin, c'est comme vous disiez, c'est un processus, c'est-à-dire au début on va pas forcément réagir d'un coup à tout ce que vous nous proposez.
Frédéric Donatelli : Oui, exactement, tout à fait. Le fait que le conscient entend tout, que vous entendez tout, il y a toujours... une sécurité, on va dire, c'est un fusible. Ce qui fait que si demain on vous met en hypnose et qu'on vous demande votre carte de crédit, votre conscient l'analyse, va se dire : « Mais pourquoi il me demande ma carte de crédit ? Qu'est-ce-qui se passe sous hypnose ? » Et vous allez remonter, comme... reprendre de l'oxygène quand vous seriez dans une piscine profonde, ben là vous allez reprendre conscience en vous disant : « Non, ça, je ne fais pas. » Automatiquement. Donc on ne fait pas aux gens ce qu'ils ne veulent pas faire, en gros. C'est pour ça qu'il faut qu'il y ait une démarche personnelle, une envie. Comme les gens qui veulent arrêter de fumer : on va pas claquer des doigts, et la personne repart, elle a plus envie de fumer. Oui, c'est l'envie d'arrêter, effectivement, le protocole. Le conscient va valider tout le travail que l'inconscient va faire derrière. C'est pour ça que, souvent, c'est une très belle réussite... « Je vais juste chercher de la magie » parce que le mari ou la femme ont dit : « Va arrêter de fumer ! » Donc voilà, c'est...
Journaliste : Il y a un petit peu de magie quand même au final... !

DOSSIER 4. À corps et à cri

Leçon 1 : #bodypositive

Vidéo n° 4. Activités 2 et 3

Journaliste : Séance photo pour Ely Lemieux, une jeune femme de 26 ans. Ces clichés se retrouveront sur son profil Instagram qui compte plus de 30 000 abonnés.
Ely Lemieux : À un niveau différent, j'ai quand même été une des premières à vraiment faire que bon, ça va vite sur Internet, on partage un petit moment de confiance en soi, là. Que tu fasses large, extra large, 4 X large... C'est normal de s'aimer.

Journaliste : Ely Lemieux est ce qu'on appelle une influenceuse. Les influenceurs ont un large auditoire sur les réseaux sociaux. Parfois, ils sont porte-parole d'une entreprise et vantent leurs produits. À d'autres moments, ils affichent simplement ce qu'ils aiment. Ely, elle, veut avant tout faire la promotion d'un corps en santé.
Ely Lemieux : 75 % de ce qui est socialement correct, comme le corps très mince, sont encore très présents. Mais je pense que l'autre 25 %, qui est plus des filles comme moi, des filles qui brisent vraiment comme le genre de modèle correct, il y en a de plus en plus, c'est ça qui est fun.
Journaliste : En effet, de plus en plus de femmes rondes, des blogueuses, des mannequins, au Québec et partout dans le monde, tentent de redéfinir les standards de beauté sur les médias sociaux. Édith, Emily, Jessica et Vanessa ont cet objectif en commun.
Vanessa Duchelle : Quand j'étais jeune, j'avais pas de modèle. Je regardais la télévision, pis je voyais personne qui me ressemblait. Donc avec le temps, je me suis dit : « Je veux créer ça pour la génération des plus jeunes. »
Édith Bernier : J'étais tannée de voir toujours la même captation au soleil, au yoga, des filles en bikini sur la plage au coucher du soleil, donc je vais essayer de la recréer, de leur offrir une autre imagerie.
Journaliste : De nombreuses études démontrent que les réseaux sociaux peuvent nuire à l'estime de soi. Ces influenceuses sont des exemples à suivre, selon cette psychologue spécialisée dans les problèmes d'image corporelle.
Stéphanie Léonard : C'est que ça s'immisce, dans notre authenticité, dans notre unicité, et ça, c'est un message, c'est dommage, mais un peu nouveau : ces personnes-là qui ont une tribune, qui ont cette chance-là en fait de pouvoir promouvoir un message complètement à l'opposé de la pression qu'on ressent.
Emily Roy : J'ai commencé à mieux me sentir dans mon corps, à mieux m'accepter, quand j'en ai vu d'autres comme moi, qui reflétaient cette image-là de confiance, d'acceptation.
Jessica Prudencio : C'est important de voir tous les types de femmes, dans le fond, parce qu'il y a des femmes grosses, y'en a qui sont belles, mais on les voit très peu.
Vanessa Duchelle : On ne veut pas promouvoir ça, l'obésité, nous autres, on veut juste promouvoir le fait d'être bien dans sa peau.
Journaliste : Au Québec, un adolescent sur deux n'aime pas son corps. Ely Lemieux leur lance ce message,
Ely Lemieux : Tout le temps qu'on perd à focusser sur notre image corporelle, que ce soit positif, négatif, ben, il y a d'autres choses qui se passent pendant ce temps-là et pis c'est là que la vie commence.
Journaliste : Ici Marie-Laurence Delainey de Radio Canada, Montréal.

Leçon 2 : Visibles et invisibles

▸ Piste 19. Activités 7 et 8

J'avais raconté cette histoire sous forme de livre, de roman, et puis voilà, j'avais envie d'y mettre des dialogues, et puis on développe aussi des personnages, on fait le zoom sur certains personnages. C'est vraiment le scénario qui m'intéressait, et puis finalement quand t'écris un scénario, que tu connais bien l'histoire et puis que t'écris chaque dialogue, chaque scène, tu commences à imaginer des mouvements de caméra, des mouvements d'acteurs, tu commences à imaginer des figures, etc. Donc finalement je suis allé au bout du projet et donc j'ai coréalisé aussi le film avec mon pote Medhi Idir.
Le handicap, c'est quand même un sujet un peu tabou encore, qu'on ne connaît pas bien, et là on est au cœur du handicap, on est... voilà, on passe, on est... c'est un huis clos dans un centre de rééducation avec des personnes lourdement handicapées, paraplégiques, tétraplégiques, traumatisés crâniens, voilà. Déjà, c'est faire connaissance avec l'intimité du handicap et notamment le quotidien qu'on ne connaît pas forcément. On n'a pas éludé les sujets les plus intimes, notamment le... voilà, le quotidien, même les gestes les plus élémentaires comme se laver, aller aux toilettes, s'habiller, manger, comment on fait quand on est tétraplégique et qu'on n'est pas autonome. Donc ça, si on refuse de parler de comment on va aux toilettes, on passe à côté de l'essentiel, parce que c'est quoi le premier truc d'un tétraplégique, c'est qu'il ne peut pas être tout seul dans les gestes les plus intimes. Donc ça, évidemment, on tenait à l'aborder, même de manière des fois avec de l'autodérision, en tout cas, voilà, on a essayé d'éluder aucun sujet lié au handicap.
Mais après, une fois qu'on est dans l'intimité de son handicap, c'est montrer que ce handicap il est aussi plein de vie, plein d'humanité, plein d'énergie, et notamment plein d'humour. Faut savoir que le milieu handicapé, ben voilà, c'est un milieu où on rigole beaucoup, avec un humour des fois très très dur, très noir, mais en tout cas y a énormément d'humour, ça ce n'est pas moi qui l'ai inventé, c'est pas moi qui ai décidé de faire un film drôle sur le handicap : le handicap, voilà, il regorge de vannes, de chambrettes entre les personnes handicapées, et ça, c'était aussi un des objectifs, de montrer cette vitalité-là.
À un moment, le personnage de Farid, dans le film, il dit ça, il dit à son pote : tu verras... tu verras, le handicap restera toujours ta première identité et après, seulement, si les gens passent du temps avec toi, ils découvriront que t'es un handicapé qui a de l'humour, un handicapé caillera, un handicapé beauf, un gros con, etc., c'est-à-dire un être humain normal et avec toutes les variétés d'êtres humains qu'on peut trouver, ben c'est les mêmes en fauteuil roulant. Donc voilà, j'espère que les gens en sortant de là se seront dit ben voilà, on a passé une heure quarante de film avec des êtres humains avant tout. Il se trouve qu'ils sont dans un contexte particulier qu'est le handicap, mais c'est avant tout des êtres humains. Et peut-être, quand ils sont sortis du film et qu'ils ont croisé dans la rue quelqu'un en fauteuil roulant, ben peut-être qu'ils l'ont regardé un peu différemment en se disant : tiens, j'ai l'impression d'un peu mieux comprendre ce qu'il peut vivre.
Bien sûr, c'est très important de faire ce genre de journée. Ça me paraît essentiel à la fois pour éveiller les consciences, pour montrer aux personnes dites valides : ah bah tiens, oui, tiens ça, ça je n'avais pas pensé à ça, c'est vrai que les personnes en fauteuil roulant sont confrontées à ci, à ça, ou les personnes aveugles peuvent pas faire ça, voilà, ça continue d'éveiller les consciences, et surtout une journée comme ça, ça permet de mélanger les gens. Le monde du handicap, c'est encore un monde un peu tabou, on n'en parle pas beaucoup, on ne connaît pas bien leur quotidien, et ben si ce genre de journée, voilà, peut permettre d'échanger, que les gens dans les deux sens échangent leurs problématiques, leurs envies, leurs idées, leurs contraintes, ben voilà, j'aime bien que les gens se parlent, donc une journée comme ça, je pense que ça va dans le bon sens.
Et puis surtout, ben voilà, amusez-vous, parce que j'imagine cette journée-là elle est faite pour ça aussi, donc à bientôt, amis courbevoisiens.

Leçon 3 : Le langage du corps

▸ Piste 20. Activités 2 et 3

Grand Corps Malade : Ça s'appelle *Le langage du corps*.

Le corps humain est un royaume où chaque organe veut être le roi
Y'a le cœur, la tête, les couilles, ça vous le savez déjà
Mais les autres parties du corps ont aussi leur mot à dire
Chacun veut prendre le pouvoir et le pire est à venir
Il y a bien sûr la bouche qui a souvent une grande gueule
Elle pense être la plus farouche mais se met souvent le doigt dans l'œil
Elle a la langue bien pendue pour jouer les chefs du corps humain
Elle montre les dents, c'est connu, mais n'a pas le cœur sur la main
Seulement la main n'a pas forcément le monopole du cœur
Elle aime bien serrer le poing, elle aime jouer les terreurs
Elle peut même faire un doigt, elle ne fait rien à moitié
La main ne prend pas de gants et nous prend vite à contre-pied
Le pied n'a pas de poil dans la main mais manque d'ambition
Au pied levé je dirais comme ça que le pied n'a pas le bras long
Les bras, eux, font des grands gestes pour se donner le beau rôle
Ils tirent un peu la couverture mais gardent la tête sur les épaules

Quand la bouche en fait trop la main veut marquer le coup
Pour pas prendre sa gifle la bouche prend ses jambes à son cou
La bouche n'a rien dans le ventre, elle préfère tourner le dos
Et la main sait jouer des coudes, la tête lui tire son chapeau
Mais l'œil n'est pas d'accord et lui fait les gros yeux
Ils sont pas plus gros que le ventre mais l'œil il sait ce qu'il veut
Car l'œil a la dent dure, le corps le sait, tout le monde le voit
À part peut-être la main qui pourrait bien s'en mordre les doigts
Et la jambe dans tout ça eh bien elle s'en bat les reins
Elle est droite dans sa botte et continue son chemin
Personne ne lui arrive à la cheville quand il s'agit d'avancer
Même avec son talon d'Achille, elle trouve chaussure à son pied
Les pieds travaillent main dans la main et continuent leur course
Jamais les doigts en éventail, ils se tournent rarement les pouces
Ça leur fait une belle jambe toutes ces querelles sans hauteur
Les pieds se foutent bien de tout ça, loin des yeux loin du cœur

Pour raconter l'corps humain, rien n'est jamais évident
Je m'suis creusé la tête et même un peu cassé les dents
Alors ne faites pas la fine bouche, j'espère que vous serez d'accord
Que c'texte est tiré par les cheveux, mais que petit à petit il prend corps
J'n'ai pas eu froid aux yeux mais je reste un peu inquiet

Je croise les doigts pour qu'au final je retombe sur mes pieds
Ne soyez pas mauvaise langue même si vous avez deviné
Que pour écrire ce poème je me suis tiré les vers du nez

Augustin Trapenard : C'est une fable, en fait, Grand Corps Malade ?
Grand Corps malade : C'est une fable, c'est le langage du corps. Dans ce titre-là, sur l'album, il y a aussi un refrain qui dit : « *On peut être timide ou on peut parler fort. D'toutes façons ce qui décide c'est le langage du corps.* » Donc voilà, c'est quand le corps reprend le dessus.

Vidéo n° 5. Activités 7 et 8

Thibault : Bonjour Marilène !
Marilène : Bonjour Thibault, bonjour Gontran !
Thibault : Je parle souvent avec les mains, je croise souvent les bras, je hausse souvent les sourcils, je me touche le menton ou le nez. Qu'est-ce que ça traduit tout ça ? La communication non verbale, c'est vraiment… c'est 60 % de la communication du corps humain, finalement.
Marilène : Voilà ! Qui est très importante. Qui est très importante, et on n'a pas tout à fait toujours conscience, justement, des gestes que l'on fait. Mais il faut savoir qu'en fait ça traduit votre état émotionnel en fonction du moment, du contexte où ça se présente. Je pense à quelque chose d'important, un entretien d'embauche, par exemple. Voilà ! Voilà : il réfléchit, Thibault, à ce que je suis en train de dire. C'est quelque chose d'important dans les techniques, quand même, de l'entretien, notamment dans le cadre des soignants, dans le cadre de… d'évaluations, notamment en psychologie, mais je donnais aussi l'exemple dans le cadre des embauches : la gestuelle est quelque chose qui est important et qui traduit ce que l'on ressent. Mais en tant que personne, en tant qu'individu, on n'a pas toujours conscience quand même de… du geste. Donc c'est effectivement… c'est ce qu'on appelle la gestuelle corporelle et qui… Chaque geste, si vous voulez, a un sens symbolique.
Thibault : Très bien. On va les décortiquer : certains, pas tous, évidemment, parce qu'il y en a beaucoup. Les bras croisés : les bras croisés, je me protège, je me… je me sens… je me sens agressé, c'est ça ? Je me sens en difficulté…
Marilène : Voilà, tout à fait. Ça… ça renvoie à la question de l'hostilité, c'est-à-dire où… effectivement, je me sens agressé, donc je me ferme, je me ferme et je sers, je sers pour contrôler mon émotion négative et j'en ai pas conscience forcément justement quand ça se passe, parce que…
Gontran : C'est aussi : j'ai peur, à controverse, d'avoir les… à l'inverse, d'avoir les mains qui bougent de trop… C'est pour se maîtriser soi-même ?
Marilène : Alors c'est pour se contenir parce qu'on se sent agressé et on est probablement hostile à ce qui nous est… ce qui nous est destiné, donc en fait on ferme la porte et ça veut dire qu'au niveau de la communication du coup verbale, on reçoit pas… on reçoit pas ce qui est… ce qui est dit.
Thibault : Moi j'avoue que je le fais par confort. Je trouve ça confortable, en fait : ça repose sur le bidon, là, tranquille, on est bien…
Marilène : C'est pas toujours tout à fait ça !
Thibault : Ouais, bon ! Alors, le… la poignée de main. Salut Gontran ! Ça va ? T'es content ? On s'est vus, on se serre la main : ça veut dire quoi, ça ?
Marilène : Alors ça, c'est une ouverture, c'est-à dire-que… Alors déjà, c'est un geste amical, hein, c'est le fait de se… quand même de se serrer… exactement, ça également… De se serrer la main, ça veut dire que y a une ouverture et que on va pouvoir être dans un dialogue, on va pouvoir établir quelque chose…
Thibault : Même quand on est… parce que… c'est plus lié à une forme de politesse.
Marilène : Alors oui. Mais il y a aussi dans la façon dont vous le faites, si vous voulez… Quand on fait la poignée de main au bout des doigts, ça veut dire que, voilà, ça c'est… on est vraiment dans la… voilà, dans la cordialité, c'est-à-dire que c'est parce qu'on est cordial et il faut le faire, mais on n'a vraiment pas envie de le faire. Par contre, dans la poignée de main chaleureuse, comme vous avait fait…
Thibault : Elle est franche…
Marilène : Elle est franche, et puis on peut aussi remettre l'autre main qui montre un aspect quand même empathique, de bienveillance, voire le côté amical des choses.
Thibault : On me disait souvent que quand on se serre la main et qu'on fait ça, il y a un côté un peu « je te… »
Gontran : « Je t'écrase. »
Thibault : « Je t'écrase, je veux t'écraser ! »
Marilène : Y a aussi effectivement tous ces gestes de… d'ordre de la soumission, c'est-à-dire qu'effectivement la façon dont c'est fait, y a le… l'ordre de la soumission.
Gontran : Cette poignée de main, on en a beaucoup parlé dans la communication verbale avec le président Trump, avec sa manière à lui de serrer la main, qui a beaucoup fait parler.
Thibault : Il tire à lui !
Gontran : C'est ça ! Il ramène… Y a une manière, effectivement… Thibaut parlait de s'imposer…
Marilène : Exactement !
Gontran : En un coup, on exprime des choses.
Marilène : C'est un très bon exemple parce que justement, sachez que les gestes chez les politiques, et qui plus est en ce moment, tout ce qui est la communication non verbale de ce qu'on peut voir justement dans les médias, elle est épluchée justement par les spécialistes de la communication non verbale, parce que ça en dit beaucoup. Et l'exemple de Trump est un vrai exemple, puisque ça montre bien, si vous voulez, dans la personnalité qu'il est, la façon dont… dont il exprime de façon non verbale ce qu'il veut quand même imposer.
Gontran : Il a réussi à se faire griller par Justin Trudeau qui a trouvé la technique pour le… pour l'empêcher de faire son geste !
Thibault : Quand on se pince le nez ?
Marilène : C'est une… c'est une façon de s'extraire de la réalité, c'est-à-dire qu'on a besoin de réfléchir, on a besoin de réfléchir et là on va s'extraire, voilà…
Gontran : Ça, c'est le menton, c'est après ça !
Marilène : Là, c'est le menton, mais…
Thibault : Menton… nez !
Marilène : Voilà, le nez, c'est quand… lorsqu'on fait ça, on se pince la racine du nez, et ça veut dire qu'on est en réflexion. On va s'extraire de la réalité et on va réfléchir justement à ce qui… ce qui est en train de se dire et ce qu'on va y répondre.
Thibault : Se caresser le menton.
Marilène : Alors c'est un geste évaluatif, c'est-à-dire qu'on est en train d'évaluer… on est en train d'évaluer, justement, la mesure : le pour et le contre… le pour et le contre, on est en train…
Thibault : On est dans la vraie réflexion, là.
Marilène : On est dans la vraie réflexion. Alors là, dans cette photo, il y a quand même les sourcils : vous avez vu aussi ? Ce qu'on appelle la ride du lion, chez la femme, quand même, si vous voulez. C'est que non seulement…
Gontran : C'est la ride du milieu, c'est ça ?
Marilène : Exactement. Non seulement là, si vous voulez, elle est en train d'évaluer si vous voulez ce qui lui est proposé, mais en plus ça l'inquiète, parce qu'elle fronce ses sourcils. Et il y a surtout cette ride du lion qui montre que ça génère quand même, si vous voulez, de l'inquiétude, du souci, quelque chose effectivement qui est en train de la déranger.
Gontran : Cette communication non verbale, ça peut être un problème si on est en négociation ? On peut en dire trop ?
Marilène : Oui, alors…
Gontran : Il ne doit pas y avoir une espèce de bluff, un peu comme au poker ? On doit éviter cette communication non verbale ?
Marilène : Oui, sauf que c'est complètement inconscient puisque c'est… c'est la traduction de nos émotions, de ce qu'on vit, si vous voulez, et c'est-à-dire que c'est pas mis en mots, si vous voulez, c'est mis dans la gestuelle corporelle. Donc c'est quelque chose qu'on ne contrôle pas forcément. Alors dans des entretiens d'embauche, il faut… Quand on le sait, on essaye de se contrôler, justement, mais après on arrive aussi dans… tellement dans le contrôle que on oublie le côté spontané, authentique des choses.
Thibault : Alors vous parliez des hommes politiques tout à l'heure, on va associer ça au mensonge, raccourci facile, mais bon voilà c'est une petite anecdote, c'est un petit clin d'œil : comment est-ce qu'on détecte le mensonge dans le regard ?
Marilène : Alors le mensonge, c'est quand même quelque chose si vous voulez qui est difficile à mesurer, mais qui est quand même assez… assez présent. Et selon les sujets, c'est traduit de façon différente, mais il y a quand même un signe qu'on retrouve lorsqu'une personne ment, c'est le fait de… de cligner, pardon, les yeux…
Thibault : Très fort ?
Marilène : Très fort. Voilà. Et on sent, si vous voulez, entre ce qu'elle dit au niveau verbal et ce qu'elle traduit au niveau non verbal que, si vous voulez, ça ne… ça ne colle pas.
Thibault : Et le fait de ne pas avoir le regard fixe, aussi, d'être toujours un peu fuyant ?
Marilène : De fuir, voilà…
Thibault : De pas oser affronter le regard de peur de se faire griller !
Marilène : Voilà, c'est-à-dire que c'est… Il y a une fuite, si vous voulez, dans le sens authentique de ce qui est en train de se dire, et ça, si vous voulez, c'est quand même le signe où, probablement, il y aurait un mensonge qui est en train de se dire.

Thibault : D'accord, très bien. Il y a plein de signes, y a plein de choses à savoir, on a essayé d'être...
Marilène : Oui, parce que ...
Thibault : ... d'aborder l'essentiel.
Marilène : ... vous avez la joie, vous avez la colère, vous avez la peur, vous avez aussi dans la gestuelle tout ce qui est de l'ordre de la séduction entre hommes-femmes, si vous voulez !
Thibault : Les yeux doux ?
Marilène : Les yeux doux... Oh, Thibault ! Il me les a faits, les yeux doux, au début de plateau, mais... voilà !
Gontran : Chut, faut pas l'dire ! Je crois qu'il y a quelqu'un qui regarde l'émission !
Thibault : Merci beaucoup Marilène !

Leçon 4 : Un corps « animé »

▸ Piste 21. Activités 3 et 4

Voix femme : Jean Auguste Dominique Ingres, *La Source*.
Huile sur toile, hauteur 163 cm, largeur 80 cm.
Voix homme : Dès l'Antiquité, les éléments naturels comme les fleuves et les notions abstraites comme l'histoire sont personnifiés — on parle dans ce cas d'allégorie — ainsi la jeune femme peinte par Ingres tient une cruche déversant son eau parce qu'elle symbolise une source.
Voix femme : Sur cette toile en hauteur est représentée une jeune femme nue, vue de face. Malgré sa station verticale, le corps est animé d'un léger mouvement qui lui donne la sinuosité et la souplesse d'une liane, le poids du corps est basculé sur une seule jambe de manière à faire légèrement monter le bassin et l'épaule du côté de la jambe porteuse qui est un peu abaissée. Cette disposition est directement inspirée du contrapposto de la statuaire antique. Le visage rond et régulier, très jeune, laisse transparaître la gaîté malgré l'absence de sourire ; le regard clair et droit dévisage le spectateur ; les cheveux partagés par une raie médiane sont rejetés derrière les oreilles, ce qui dégage la délicatesse des joues. La petite poitrine bien dessinée est encore juvénile, mais les hanches ont déjà commencé à s'épanouir avec un ventre rond et un pubis renflé. Le bras droit est relevé, passe au-dessus de la tête pour maintenir une amphore calée entre l'épaule et la tête légèrement inclinée ; la main gauche tient l'embouchure de l'amphore vers le bas pour permettre à l'eau de s'en écouler. Ce geste gracieux est fait sans effort : le coude n'est même pas appuyé sur la hanche. La charge semble légère alors que l'eau et la lourde poterie devraient avoir un poids conséquent. [...] L'arrière-plan est sombre, confus, et pourrait représenter un profond sous-bois ou l'anfractuosité d'une paroi rocheuse.
Voix homme : Le thème allégorique de la source n'est pas la seule référence à l'Antiquité. En effet, par son traitement inspiré du contrapposto, le corps idéalisé de cette jeune femme évoque la sculpture grecque mais, comme dans le mythe de Pygmalion, la sculpture peinte par Ingres s'est éveillée et le marbre a pris les coloris délicats de la chair. [...] Cette ambivalence entre figure vivante et sculpture est renforcée par la composition statique, qui fait du corps de la jeune femme l'axe central de l'œuvre et lui accorde presque exactement le tiers de la largeur.
Voix femme : Présentée dans l'atelier d'Ingres, l'œuvre suscite l'admiration, notamment de Théophile Gautier qui souligne l'incarnation vivante.
Voix homme : Jamais chairs plus souples, plus fraîches, plus pénétrées de vie, plus imprégnées de lumière ne s'offrirent au regard dans leur pudique nudité. L'idéal, cette fois, s'est fait trompe-l'œil ; c'est à croire que la figure va sortir du cadre et reprendre ses vêtements suspendus à un arbre.

DALF C1 n° 2 – Compréhension de l'oral

▸ Piste 22. Document 1

Journaliste : Que ce soit donc pour l'information avec le dossier médical partagé ou pour la télésanté, le numérique a profondément modifié notre système de santé. Les nouvelles technologies vont-elles aider les médecins et le système de santé à réaliser ce qu'ils n'arrivent plus ou pas encore à faire et se dirige-t-on vers une médecine sans médecins ? Pour en parler avec nous, ce matin, Lucie Maurou : bonjour.
Lucie Maurou : Bonjour.
Journaliste : Vous êtes médecin aux urgences pédiatriques d'un hôpital dans l'Aude, vous faites partie de la communauté de médecins ouverts aux nouvelles technologies, c'est ça ?
Lucie Maurou : Tout à fait.
Journaliste : Françoise Daunet, vous êtes, vous, dirigeante d'une association de patients. Bonjour.
Françoise Daunet : Bonjour.
Journaliste : Alors, mesdames, les questions de la santé sont parmi les plus saisies ; on entendait, sur Google : « Est-ce que Internet est devenu un moyen de pallier un manque d'information des professionnels du corps médical ? » On va demander d'abord à celle qui représente un peu les patients, ici. Françoise Daunet, selon vous ?
Françoise Daunet : C'est vrai qu'Internet, ça a tout changé pour les patients parce qu'avant l'émergence de cet outil, l'accès à l'information médicale était très limité, c'était uniquement ce qu'on pouvait obtenir des médecins, éventuellement de livres, etc., d'émissions de télé, de radio. Et Internet, ça a donné accès au patient à cette information qui est très large, ça leur a ouvert de nouvelles perspectives et probablement que ça modifie de façon assez profonde leur relation avec leur médecin puisqu'ils arrivent en consultation avec des informations, avec des demandes, avec des sujets précis en tête, et ça crée un dialogue qui est tout à fait nouveau, qui n'existait pas jusque-là. Aujourd'hui, une grande proportion de patients sont atteints de maladies chroniques et ce que ça change, les maladies chroniques, c'est qu'il va falloir vivre avec pendant toute une vie, ça ne va pas s'arrêter. Donc ça veut dire que la relation de soin, elle est au long cours, c'est vraiment une nécessité d'accompagnement et de partenariat dans la durée.
Journaliste : Alors on passe de l'autre côté de la barrière, sans vouloir en dresser une, mais Lucie Maurou : est-ce que ce n'est pas le revers de la médaille, quand on est médecin, de voir qu'aujourd'hui le patient arrive déjà avec une certaine connaissance, bonne ou mauvaise ?
Lucie Maurou : Alors effectivement, il y a quelques réticences de la part des médecins, que j'avoue, moi, ne pas comprendre personnellement. Peut-être que certains ont l'impression que ça nous remet en cause mais moi, je pense que pas du tout. C'est-à-dire que souvent le patient a été voir sur Internet et il arrive en consultation : il a peur d'avoir un cancer, parce qu'on a tapé un petit symptôme et qu'avec Internet on va trouver de tout et n'importe quoi, jusqu'au plus grave, et donc nous, notre rôle de médecin, ça va être d'aider le patient à trier l'information et à l'éclairer dans ce qu'il a trouvé. Et ce qui est très intéressant, c'est que si ce patient a fait la démarche d'aller sur Internet, c'est qu'il s'intéresse à sa santé et donc on va pouvoir partir sur de bonnes bases, on va pouvoir expliquer, éduquer, et ensuite le couple médecin-patient pourra mieux fonctionner.
Journaliste : Lucie Maurou, vous avez donc l'impression aujourd'hui qu'il y a une élévation de l'expertise, de la connaissance, de la santé par les patients ?
Lucie Maurou : Alors, comme je le disais, il est très important que les patients soient le plus éclairé possible. Je crois que le médecin va être là pour expliquer puisque, généralement, ce que l'on reproche à Internet, c'est que il y a trop d'informations. Le médecin va être là pour guider le patient et c'est vrai que, du coup, on change un petit peu cette interaction. Je pense que c'est extrêmement bénéfique, mais aussi pour les deux parties. Ça implique que le médecin se remette en question, lui-même, qu'il continue à se former et qu'il maîtrise justement ces outils Internet, et donc ça nous oblige à sortir, nous, médecins, aussi de notre cadre qui peut être – même si la pratique au quotidien est assez difficile – qui peut être un petit peu confortable, donc on a dû aussi, nous, se réapproprier ce champ-là.
Journaliste : La part de l'humain reste importante dans ce qu'on développe encore aujourd'hui. Où fixer la limite, en fait, dans ce qu'on peut faire ou ne pas faire ? Est-ce que c'est un problème uniquement technologique, Françoise Daunet ?
Françoise Daunet : Non, ce n'est pas un problème uniquement technologique, je crois que les patients souhaitent être accompagnés dans leurs problèmes de santé et la part de l'humain, elle est plus que jamais indispensable. Encore une fois, je pense que les nouvelles technologies peuvent servir à la renforcer, à rendre cette dimension encore plus présente, en libérant du temps, en en faisant une priorité, en contribuant aussi, pourquoi pas, à la formation des professionnels de santé et des médecins à cette dimension de la relation soigné-soignant. On sait aujourd'hui que l'empathie, ça s'apprend, ça a été démontré : aux États-Unis, notamment, il y a des facs de médecine qui ont développé des programmes d'enseignement de l'empathie pour les médecins. En France, on sait qu'une des plaintes les plus récurrentes des patients par rapport aux soins qu'ils reçoivent est la difficulté d'écoute, l'impression d'être insuffisamment soutenus ou entendus, et probablement que c'est une dimension extrêmement forte de la médecine de demain, qui peut vraiment être renforcée par l'apport du digital.
Journaliste : Lucie Maurou, vous, vous faites partie de ce groupe de médecins favorables aux nouvelles technologies, à l'introduction, au développement des nouvelles technologies : ça veut dire quoi ? Ça veut dire qu'on est 100 % techno ou justement, on dit quand même : « Il faut aussi... », c'est une manière de se dire : « Il faut garder le facteur humain » ?
Lucie Maurou : Alors bien sûr, il faut garder le facteur humain et c'est tout le but de l'association. En fait, comment est-ce que j'ai eu l'idée de créer ça :

c'est simplement qu'en ayant un pied dans les deux mondes – puisque je suis à mi-temps à l'hôpital et le reste de mon temps, c'est dédié à des activités de e-santé, en start-up, en journalisme, etc. – et dans le monde de la médecine, je rencontrais en fait beaucoup de médecins qui avaient plein de bonnes idées avec les technologies pour améliorer la médecine, mais simplement ils n'avaient aucune compétence technologique et donc les idées restaient à l'état embryonnaire. Et de l'autre côté, quand je rencontrais des entrepreneurs, ils avaient aussi beaucoup d'idées dans la santé, sauf que c'était un peu « je veux appliquer la techno à la santé mais j'ai pas l'expertise médicale » et donc, comme le disait Françoise tout à l'heure, les outils n'étaient pas forcément adaptés à la pratique. Et je me suis dit : « Mais c'est quand même dommage, si ces deux mondes discutaient, ils pourraient fabriquer de meilleurs outils avec des plus grandes valeurs ajoutées pour les médecins et les patients ».
Journaliste : Et alors on a vu pas mal de choses qui étaient bien. Qu'est-ce qui n'est pas bien, selon vous ?
Lucie Maurou : Alors je peux vous donner... Alors en fait, si on reste général, ce sont les technologies qui prennent du temps. C'est exactement ce que disait Françoise tout à l'heure : si moi, dans ma pratique, on me rajoute un outil qui me fait passer dix minutes de plus sur mon ordinateur, le dos tourné au patient, moi, ça ne va pas me plaire, mais le patient non plus, ça ne lui plaira pas. Donc toutes les technos, en fait qui ne sont pas là pour soit faire gagner en temps ou en efficacité, ça ne marchera pas. Ce que le médecin et le patient ont besoin, c'est de pouvoir être plus efficaces soit dans la gestion du patient, soit le patient dans la gestion de sa maladie, pour pouvoir avoir plus de temps face à face.

D'après un document audio France Inter.

DOSSIER 5. Dans quel monde vit-on ?

Leçon 1 : Le chant des combattants

Vidéo n° 6a. Activité 5

On n'est pas condamnés à l'échec, voilà l'chant des combattants
Banlieusard et fier de l'être, j'ai écrit l'hymne des battants
Ceux qui n'font pas toujours ce qu'on attend d'eux
Qui n'disent pas toujours c'que l'on veut entendre d'eux
Parce que la vie est un combat (un combat)
Pour ceux d'en haut comme pour ceux d'en bas
Si t'acceptes pas ça c'est qu't'es qu'un lâche
Lève-toi et marche
C'est 1 pour les miens, arabes et noirs pour la plupart
Et pour mes babtous, prolétaires et banlieusards
Le 2, ce sera pour ceux qui rêvent d'une France unifiée
Car à ce jour y'a deux France, qui peut le nier ?
Et moi j'suis de la deuxième France, celle de l'insécurité
Des terroristes potentiels, des assistés
C'est c'qu'ils attendent de nous, mais j'ai d'autres projets qu'ils retiennent ça
J'suis pas une victime mais un soldat
Regarde-moi, j'suis noir et fier de l'être
J'manie la langue de Molière, j'en maîtrise les lettres
Français, parce que la France a colonisé mes ancêtres
Mais mon esprit est libre et mon Afrique n'a aucune dette
Je suis parti de loin, les pieds entravés
Le système ne m'a rien donné, j'ai dû le braver
Depuis la ligne de départ, ils ont piégé ma course
Pendant que les keufs me coursaient, eux investissaient en bourse
J'étais sensé échouer, finir écroué
La peau trouée
Et si j'en parle la gorge nouée
C'est qu'j'ai nagé dans des eaux profondes sans bouée
J'ai le ghetto tatoué, dans la peau, j'suis rebelle comme Ekoué
Mais l'espoir ne m'a jamais quitté
En attendant des jours meilleurs, j'ai résisté
Et je continue encore
Je suis le capitaine dans le bateau de mes efforts
Je n'attends rien du système, je suis un indépendant
J'aspire à être un gagnant donné perdant
Parce qu'on vient de la banlieue, c'est vrai, qu'on a grandi, non
Les yeux dans les bleus[1] mais des bleus dans les yeux
Pourquoi nous dans les ghettos, eux à L'ENA ?
Nous derrière les barreaux, eux au Sénat ?
Ils défendent leurs intérêts, éludent nos problèmes
Mais une question reste en suspens, qu'a-t-on fait pour nous-mêmes ?
Qu'a-t-on fait pour protéger les nôtres
Des mêmes erreurs que les nôtres ?
Regarde c'que deviennent nos p'tits frères
D'abord c'est l'échec scolaire, l'exclusion donc la colère
La violence et les civières, la prison et le cimetière

Vidéo n° 6b. Activité 6

On n'est pas condamnés à l'échec
Pour nous c'est dur, mais ça ne doit pas devenir un prétexte
Si le savoir est une arme, sois donc armé
Car sans lui nous sommes désarmés
Malgré les déceptions et les dépressions
Suite à la pression, que chacun d'entre nous ressent
Malgré la répression et les oppressions
Les discriminations, puis les arrestations
Malgré les provocations, les incarcérations
Le manque de compréhension, les peurs et les pulsions
Leur désir de nous maintenir la tête sous l'eau
Transcende ma motivation
Nourrit mon ambition
Il est temps que la deuxième France s'éveille
J'ai envie d'être plus direct, il est temps qu'on fasse de l'oseille
C'que la France ne nous donne pas on va lui prendre
J'veux pas brûler des voitures, j'veux en construire, puis en vendre
Si on est livrés à nous-mêmes, le combat faut qu'on le livre nous-mêmes
Y suffit pas d'chanter
Regarde comme ils nous malmènent
Il faut que t'apprennes, que tu comprennes et que t'entreprennes
Avant de crier : « C'est pas la peine ! Quoi qu'il advienne, le système nous freine ! »
À toi de voir ! T'es un lâche ou un soldat ?
Entreprends et bats-toi !
Banlieusards et fiers de l'être
On n'est pas condamnés à l'échec
Diplômés, éclairés ou paumés
En 4x4, en tromé, gentils ou chanmé
La banlieue a trop chômé, je sais c'que la France promet
Et qu'c'est un crime contre notre avenir que la France commet
C'est pour les discriminés, souvent incriminés
Les innocents, qu'ils traitent comme de vrais criminels
On a l'image des prédateurs, mais on est que des proies
Capables mais coupables et exclus de l'emploi
Si j'rugis comme un lion, c'est qu'j'compte pas m'laisser faire
J'suis pas un mendiant, j'suis venu prendre c'qu'ils m'ont promis hier
Même si y m'faut deux fois plus de courage, deux fois plus de rage
Car y'a deux fois plus d'obstacles et deux fois moins d'avantages
Et alors ? Ma victoire aura deux fois plus de goût
Avant d'pouvoir la savourer, j'prendrai deux fois plus de coups
Les pièges sont nombreux, il faut qu'j'sois deux fois plus attentif
Deux fois plus qualifié et deux fois plus motivé

Si t'aimes pleurer sur ton sort, t'es qu'un lâche
Lève-toi et marche
Banlieusards et fiers de l'être
On n'est pas condamnés à l'échec !
On est condamnés à réussir
À franchir les barrières, construire des carrières
Regarde c'qu'ont accompli nos parents
C'qu'ils ont subi pour qu'on accède à l'éducation
Où serait-on sans leurs sacrifices ?
Comme Mahmoud pour Thays
Bien sûr que le travail a du mérite
Ô combien j'admire mon père
Manutentionnaire mais fier
Si on gâche tout, où est le respect ?
Si on échoue, où est le progrès ?
Chaque fils d'immigré est en mission
Chaque fils de pauvre doit avoir de l'ambition
Tu peux pas laisser s'évaporer tes rêves en fumée
Dans un hall enfumé

À fumer des substances qui brisent ta volonté
Anesthésient tes désirs et noient tes capacités
Rêve ! On vaut mieux qu'ça !
Rien n'arrête un banlieusard qui se bat
On est jeunes, forts et nos sœurs sont belles
Immense est le talent qu'elles portent en elles
Vois-tu des faibles ici ?
Je ne vois que des hommes qui portent le glaive ici
Banlieusards et fiers de l'être
On n'est pas condamnés à l'échec !
Ce texte je vous l'devais
Même si j'l'écris le cœur serré
Et si tu pleures, pleure des larmes de détermination
Car ceci n'est pas une plainte, c'est une révolution !
Apprendre, comprendre
Entreprendre, même si on a mal
Se lever, pour rêver
Lutter même quand on a mal
On n'est pas condamnés à l'échec
Banlieusards, forts et fiers de l'être

▸ Vidéo n° 6c. Activité 7

On n'est pas condamnés à l'échec, voilà l'chant des combattants
Banlieusard et fier de l'être, j'ai écrit l'hymne des battants
Ceux qui n'font pas toujours ce qu'on attend d'eux
Qui n'disent pas toujours c'que l'on veut entendre d'eux
Parce que la vie est un combat (un combat)
Pour ceux d'en haut comme pour ceux d'en bas
Si t'acceptes pas ça c'est qu't'es qu'un lâche
Lève-toi et marche
C'est 1 pour les miens, arabes et noirs pour la plupart
Et pour mes babtous, prolétaires et banlieusards
Le 2, ce sera pour ceux qui rêvent d'une France unifiée
Car à ce jour y'a deux France, qui peut le nier ?
Et moi j'suis de la deuxième France, celle de l'insécurité
Des terroristes potentiels, des assistés
C'est c'qu'ils attendent de nous, mais j'ai d'autres projets qu'ils retiennent ça
J'suis pas une victime mais un soldat
Regarde-moi, j'suis noir et fier de l'être
J'manie la langue de Molière, j'en maîtrise les lettres
Français, parce que la France a colonisé mes ancêtres
Mais mon esprit est libre et mon Afrique n'a aucune dette
Je suis parti de loin, les pieds entravés
Le système ne m'a rien donné, j'ai dû le braver
Depuis la ligne de départ, ils ont piégé ma course
Pendant que les keufs me coursaient, eux investissaient en bourse
J'étais sensé échouer, finir écroué
La peau trouée
Et si j'en parle la gorge nouée
C'est qu'j'ai nagé dans des eaux profondes sans bouée
J'ai le ghetto tatoué, dans la peau, j'suis rebelle comme Ekoué
Mais l'espoir ne m'a jamais quitté
En attendant des jours meilleurs, j'ai résisté
Et je continue encore
Je suis le capitaine dans le bateau de mes efforts
Je n'attends rien du système, je suis un indépendant
J'aspire à être un gagnant donné perdant
Parce qu'on vient de la banlieue, c'est vrai, qu'on a grandi, non
Les yeux dans les bleus[1] mais des bleus dans les yeux
Pourquoi nous dans les ghettos, eux à L'ENA ?
Nous derrière les barreaux, eux au Sénat ?
Ils défendent leurs intérêts, éludent nos problèmes
Mais une question reste en suspens, qu'a-t-on fait pour nous-mêmes ?
Qu'a-t-on fait pour protéger les nôtres
Des mêmes erreurs que les nôtres ?
Regarde c'que deviennent nos p'tits frères
D'abord c'est l'échec scolaire, l'exclusion donc la colère
La violence et les civières, la prison et le cimetière

1. *Les Yeux dans les bleus* est à l'origine un documentaire consacré à l'équipe de France de football suite à sa victoire en Coupe du monde en 1998. C'est depuis une phrase que reprennent les supporters.

On n'est pas condamnés à l'échec
Pour nous c'est dur, mais ça ne doit pas devenir un prétexte
Si le savoir est une arme, sois donc armé
Car sans lui nous sommes désarmés
Malgré les déceptions et les dépressions
Suite à la pression, que chacun d'entre nous ressent
Malgré la répression et les oppressions
Les discriminations, puis les arrestations
Malgré les provocations, les incarcérations
Le manque de compréhension, les peurs et les pulsions
Leur désir de nous maintenir la tête sous l'eau
Transcende ma motivation
Nourrit mon ambition
Il est temps que la deuxième France s'éveille
J'ai envie d'être plus direct, il est temps qu'on fasse de l'oseille
C'que la France ne nous donne pas on va lui prendre
J'veux pas brûler des voitures, j'veux en construire, puis en vendre
Si on est livrés à nous-mêmes, le combat faut qu'on le livre nous-mêmes
Y suffit pas d'chanter
Regarde comme ils nous malmènent
Il faut que t'apprennes, que tu comprennes et que t'entreprennes
Avant de crier : « C'est pas la peine ! Quoi qu'il advienne, le système nous freine ! »
À toi de voir ! T'es un lâche ou un soldat ?
Entreprends et bats-toi !
Banlieusards et fiers de l'être
On n'est pas condamnés à l'échec
Diplômés, éclairés ou paumés
En 4x4, en tromé, gentils ou chanmé
La banlieue a trop chômé, je sais c'que la France promet
Et qu'c'est un crime contre notre avenir que la France commet
C'est pour les discriminés, souvent incriminés
Les innocents, qu'ils traitent comme de vrais criminels
On a l'image des prédateurs, mais on est que des proies
Capables mais coupables ~~et~~ exclus de l'emploi
Si j'rugis comme un lion, c'est qu'j'compte pas m'laisser faire
J'suis pas un mendiant, j'suis venu prendre c'qu'ils m'ont promis hier
Même si y' m' faut deux fois plus de courage, deux fois plus de rage
Car y'a deux fois plus d'obstacles et deux fois moins d'avantages
Et alors ? Ma victoire aura deux fois plus de goût
Avant d'pouvoir la savourer, j'prendrai deux fois plus de coups
Les pièges sont nombreux, il faut qu'j'sois deux fois plus attentif
Deux fois plus qualifié et deux fois plus motivé

Si t'aimes pleurer sur ton sort, t'es qu'un lâche
Lève-toi et marche
Banlieusards et fiers de l'être
On n'est pas condamnés à l'échec !
On est condamnés à réussir
À franchir les barrières, construire des carrières
Regarde c'qu'ont accompli nos parents
C'qu'ils ont subi pour qu'on accède à l'éducation
Où serait-on sans leurs sacrifices ?
Comme Mahmoud pour Thays
Bien sûr que le travail a du mérite
Ô combien j'admire mon père
Manutentionnaire mais fier
Si on gâche tout, où est le respect ?
Si on échoue, où est le progrès ?
Chaque fils d'immigré est en mission
Chaque fils de pauvre doit avoir de l'ambition
Tu peux pas laisser s'évaporer tes rêves en fumée
Dans un hall enfumé
À fumer des substances qui brisent ta volonté
Anesthésient tes désirs et noient tes capacités
Rêve ! On vaut mieux qu'ça !
Rien n'arrête un banlieusard qui se bat
On est jeunes, forts et nos sœurs sont belles
Immense est le talent qu'elles portent en elles
Vois-tu des faibles ici ?
Je ne vois que des hommes qui portent le glaive ici

Banlieusards et fiers de l'être
On n'est pas condamnés à l'échec !
Ce texte je vous l'devais
Même si j'l'écris le cœur serré
Et si tu pleures, pleure des larmes de détermination
Car ceci n'est pas une plainte, c'est une révolution !
Apprendre, comprendre
Entreprendre, même si on a mal
Se lever, pour rêver
Lutter même quand on a mal
On n'est pas condamnés à l'échec
Banlieusards, forts et fiers de l'être

Leçon 2 : L'égale de l'homme

▸ Piste 23. Activités 2 et 3

Ce matin, on a tapoté à la porte de ma chambre-bureau 101 de la rue de l'Université. J'étais encore au lit, j'ai pas réagi. La porte s'est ouverte, j'ai grogné un « j'suis là » et la porte s'est refermée avec un « oh pardon ! » Comme j'étais réveillé, j'suis descendu au petit-déjeuner. Quand je suis remonté, les tapis de douche ne traînaient plus dans la salle de bains, la cuvette des toilettes était récurée, les serviettes changées, les poubelles vidées. Le même miracle se produit tous les jours. Ce n'est pas l'œuvre d'une fée, mais de femmes. J'ai échangé avec elles rapidement dans les couloirs. Elles arrivent à 6 heures, elles repartent à 10 heures, assez tôt pour ne pas déranger le travail des députés. Du lundi au vendredi, ça leur fait une vingtaine d'heures par semaine. À raison de 9 euros de l'heure, leur paye s'élève à 600 euros et quelque par mois. Bénéficient-elles de tickets-resto ? Non. Ont-elles un treizième mois ? Non. Des primes de panier, de salissure ? Non. Seulement cinquante pour cent de réduction sur le passe Navigo et tant mieux, parce qu'elles ont une petite heure de transport aller et une autre au retour. Ce pupitre ciré, ici, c'est elles, les cuivres lustrés, c'est encore elles, les marbres luisants, c'est toujours elles. Elles sont partout, et pourtant, elles sont absentes. C'est le propre de la propreté, elles ne laissent pas de traces. Leur travail est invisible, d'autant qu'on s'applique à les rendre, elles aussi, invisibles. Elles viennent ici tôt le matin, je l'ai dit, en horaires décalés, pour nous éviter de les croiser et peut-être pour nous épargner la honte. Car comment n'aurions-nous pas honte ? Honte de ce fossé : sous le même toit, dans la même maison, elles sont payées dix fois moins que nous. Avec toutes des temps partiels contraints, toutes le salaire minimum, toutes sous le seuil de pauvreté. Notre parlement, plein de raisonnements et de bons sentiments, s'accommode fort bien de cette injustice de proximité. Je mentionne ça parce que c'est sous nos pieds, sous notre nez. Je le mentionne également parce que c'est à l'image de la France. Toutes les entreprises, toutes les institutions, les universités, les régions, les lycées maintenant, les collèges, les hôpitaux, les gares externalisent leur entretien. Ça fait moderne, « externaliser ». Ça fait des économies, surtout. Ça signifie que silencieusement, au fil des décennies, à travers le pays, des milliers de femmes, et à vrai dire des centaines de milliers de femmes, ont été poussées vers la précarité, vers des horaires coupés, vers des payes au rabais. Je le mentionne enfin parce que ça vaut pour le ménage, mais au-delà aussi : ça marche pareil pour les AVS, auxiliaires de vie sociale et auxiliaires de vie scolaire, pour les assistantes maternelles, pour les emplois à domicile en tous genres, pour toutes celles – des femmes, le plus souvent – pour toutes celles qui s'occupent de nos enfants, des personnes âgées ou handicapées. Quand ce travail n'est pas purement et simplement gratuit, dans la sphère familiale, compté pour zéro dans un PIB aveugle. Vous savez, j'entends volontiers parler ici, dans cet hémicycle, et ailleurs, d'une société de services, et chaque fois, ça nous est vanté avec gourmandise comme une promesse de bonheur. Forcément, nous sommes du côté des servis. Servis ici à l'Assemblée et aux petits oignons, servis dans les hôtels, servis dans les supérettes, servis jusque chez nous par des nounous. Méfions-nous. Méfions-nous que cette société de services ne soit pas une société de servitude, avec le retour des serfs et des servantes, des boniches, mais sous un nouveau visage, sous un autre nom, plus moderne, plus acceptable, et qui nous laisse à nous la conscience en paix. Avec en prime, en plus de la chemise repassée, de la moquette aspirée, des chèques emploi service défiscalisés. Notre confort est assis sur cette main-d'œuvre bon marché. Alors, depuis cette semaine, l'ambition présidentielle est partout martelée : à travail égal, salaire égal. Fort bien ! Mais ça ne suffit pas. Vous devez, nous devons revaloriser les métiers largement occupés par des femmes, leur bâtir de réels statuts, leur garantir des revenus. D'autant qu'ils sont, ces métiers, bien souvent les plus utiles. Virez les publicitaires ! Virez les traders ! Virez les nuisibles ! Mais payez comme il faut les aides-soignantes, les infirmières, les auxiliaires de puériculture. Avant de légiférer pour le pays, qu'on me permette de démarrer plus petit, par ici, par la poutre que nous avons dans notre œil. Puisque se mène, nous dit-on, une grande réforme de notre Assemblée, qu'on ne les néglige pas, ces femmes de ménage. Qu'on les intègre au personnel. Qu'elles bénéficient de temps complets, et de primes, et de treizième mois. Qu'elles ne touchent pas, sans doute, nos salaires de parlementaires – oublions l'égalité – mais qu'elles gagnent un revenu décent, digne d'elles et digne de nous. Qu'elles passent au-dessus du Smic et du seuil de pauvreté. Monsieur le ministre, madame la rapporteur, mes chers collègues, j'espère vraiment que pour une fois mon vœu sera exaucé. Je compte sur vous. Ou alors, je vois une autre option. Dans *Tenue de soirée*, Jean-Pierre Marielle demande : « Vous savez à quoi on reconnaît un riche ? C'est quelqu'un qui ne nettoie pas ses toilettes lui-même ! » Une alternative, alors : c'est que les députés et leurs équipes nettoient leurs toilettes eux-mêmes et qu'avec une telle mesure, cette tâche ne soit plus attachée à un genre, que l'on compte parmi nous des hommes de ménage et des hommes-pipi. Je vous remercie.

Leçon 3 : Terre d'accueil

▸ Piste 24. Activités 2, 3 et 4

Charline Vanhoenacker : Chers auditeurs, vous êtes en compagnie, notamment, vous l'avez entendu, de Mélanie Bauer, de Juliette Arnaud, du petit ange trapu. Vous êtes là mon loulou ?
Guillaume Meurice : Ah, il est là !
Pablo Mira : C'est moi-même !
Charline Vanhoenacker : Pablo Mira... et bien sûr de Guillaume Meurice !
Guillaume Meurice : Oui, je vais vous parler d'Emmanuel Macron, aujourd'hui, qui a décidé d'apaiser notre pays qui est fracturé... en parlant d'immigration... Ah, bien joué ! Merci docteur Manu, dont vous pouvez d'ailleurs retrouver l'excellent livre en librairie : *Comment soigner ses hémorroïdes au lance-flammes*. Manu, c'est aussi l'homme qui murmure aux oreilles des électeurs de Le Pen, hein, c'est le Robert Redford des charognards. Alors l'immigration, eh ben parlons-en, parlons-en ! Alors l'immigration belge, hein, qui a grand remplacé nos présentateurs et présentatrices ! L'immigration ibérique, qui a remplacé, voilà, grand remplacé les chroniqueurs et les comédiens ! Et y'a même, euh... l'immigration italienne, hein, comme Bardella, qui a carrément grand remplacé notre xénophobie. C'est n'importe quoi ! Alors, comme c'est vraiment le sujet en France, l'immigration, qui met tout le monde d'accord, ça apaise bien tout le monde, j'suis allé faire un tour ce matin dans les rues pour le constater : est-ce qu'il y a trop d'immigration en France ?
Homme : C'est évident ! J'ai l'impression qu'on vient de s'en apercevoir, mais ça fait vingt-cinq ans que ça dure !
Guillaume Meurice : Est-ce que vous connaissez les chiffres de l'immigration ?
Homme : Les chiffres exacts, non. Mais j'vois le... j'vois ce qui se passe, c'est tout.
Guillaume Meurice : Combien y'a d'étrangers qui rentrent sur le territoire français ?
Homme : Au niveau chiffres, j'suis pas très calé, mais moi, je vois, c'est tout.
Guillaume Meurice : Vous faites une estimation visuelle ?
Homme : Ouais.
Guillaume Meurice : C'est les meilleures, c'est les meilleures ! Ben bien sûr, sinon, les chiffres, ça donne mal à la tête, c'est chiant.
Pablo Mira : Y'a chaque œil...
Guillaume Meurice : Ouais, voilà. Y'a ceux de l'OFPRA, l'Office de protection des réfugiés, mais moi, j'vois, j'ai un kebab en bas de chez moi, j'regarde à peu près comment c'est rempli, et puis je me fais une idée, quoi... Y'a rien de mieux ! Avant, c'était les gens qui chantaient Faudel dans la rue, mais aujourd'hui, c'est plus compliqué. Alors bon, y'a trop d'immigration, quoi !
Homme : Déjà, les Portugais et les Arabes...
Guillaume Meurice : Pourquoi principalement les Portugais et les Arabes ?
Homme : Non, non, les Arabes...
Guillaume Meurice : Les Arabes avant les Portugais ?
Homme : Ben oui !
Guillaume Meurice : Oui, oui, il faut quand même hiérarchiser, on choisit ceux qui sont plus loin déjà parce que comme ça ils vont mettre plus de temps à venir. Alors ce n'est pas bon pour le bilan carbone, mais vous allez pas commencer à chercher la merde... Et puis les Portugais, ils sont majoritairement pas musulmans. Et ça, c'est quand même assez cool, parce que les musulmans en France : une dame m'a dit qu'ils allaient faire quoi ?...
Femme 1 : Qu'ils allaient faire une p'tite mosquée au premier étage de la tour Eiffel. Mais attendez, si on arrivait à un truc comme ça... Moi je dis, là c'est grave, quand même !
Guillaume Meurice : Mais vous avez lu ça où ?

Femme 1 : J'ai lu ça dans... dans un journal...
Guillaume Meurice : Ah oui ? Et quel journal ?
Femme 1 : 50... Euh... je sais pu. Enfin... des journaux que j'ai... que j'ai à la maison ! Mais on va où, là ?
Guillaume Meurice : Ah bah, on va où ? Ah ben, la question est posée : une mosquée au premier étage de la tour Eiffel, putain. Attends ! Si c'est comme ça, moi, j'vais manger un jambon-beurre dans un minaret. Moi, je vous l'dis, je vous l'dis. On en est là. Parce que là, c'est grave. Alors cette info m'avait échappé, c'est vrai. Charline en a parlé, c'est ça ?
Charline Vanhoenacker : Quand je fais une chronique sur ce thème, c'est toujours le truc que j'invente.
Pablo Mira : Et oui...
Guillaume Meurice : Y'a des gens qui prennent au sérieux !
Charline Vanhoenacker : Y'aura une mosquée au premier étage de la tour Eiffel... !
Pablo Mira : C'est la névrose des autres, voilà...
Mélanie Bauer : Oh la vache !
Guillaume Meurice : Mais en tout cas, voilà, c'est une vraie info que cette dame a confirmée. Heureusement qu'elle est là...parce que voilà...
Charline Vanhoenacker : Elle m'a piqué ma vanne !
Guillaume Meurice : Ce n'est pas Nicolas Demorand, là, le salafiste du 7/9 qui m'aurait expliqué ça. Et encore moins la Libanaise, là, qui sort avec le Robespierre de Saint-Germain-des-Prés. Et heureusement que cette dame est très bien renseignée sur plein de choses...
Femme 1 : Ça nous coûte combien un migrant ? Les logements ? Six cents euros par mois, par la commune, et tout. On va où, hé ?
Guillaume Meurice : On leur donne six cents euros par mois ?
Femme 1 : Ouais, c'est ce que m'a dit ma cousine.
Guillaume Meurice : Elle a dit combien, la cousine ?
Femme 1 : Peut-être pas six cents euros, mais enfin, on leur donne de l'argent.
Guillaume Meurice : Pas six cents euros, alors ?
Femme 1 : Ben je... Elle m'a dit six cents euros, comme ça.
Guillaume Meurice : Oui oh, elle l'a dit comme ça, mais à mon avis, elle est bien renseignée, la cousine. Sinon, elle ne l'aurait pas dit. À mon avis, d'ailleurs, c'est la même qui bosse dans les journaux qui ont révélé l'histoire de la mosquée sur la tour Eiffel. En tout cas, elle ne va pas tarder à foutre le Gorafi au chômage. Mais elle est informée...
Femme 1 : Elle a probablement... Elle m'a pas dit ça comme ça : elle a dû être informée, en fait.
Guillaume Meurice : Est-ce qu'on est sûr du chiffre ?
Femme 1 : Sûr ? On n'est jamais sûr, mais on leur donne de l'argent, hein, ça, c'est certain ! Ils gagnent plus que nous, en fait.
Guillaume Meurice : Mais bien sûr, mais bien sûr, on est à deux doigts de tous prendre un bateau et pis d'aller tous se la couler douce en Syrie, on en est là... Voilà ! En tout cas, la stratégie de monter des pauvres contre des gens encore plus pauvres fonctionne toujours autant. D'ailleurs, j'vous dis en Syrie, mais alors question toute bête : en 2018, de quels pays venaient les principales personnes en demande d'asile ? Allez, disons... le top 3...
Femme 2 : J'peux dire, ben... y'a les Roumains, qui veulent... Après y'a la... les Indes, le Pakistan, tout ça, tous ces gens... qui demandent le plus...
Guillaume Meurice : Et un troisième, ce serait quoi ?
Femme 2 : Un troisième ? Beaucoup d'Africains !
Guillaume Meurice : Alors les trois premiers pays, c'est l'Afghanistan, l'Albanie et la Géorgie.
Femme 2 : Ben oui, voilà, c'est ça !
Guillaume Meurice : Hein ? Voilà, en gros, en gros, c'est ça, voilà, on ne va pas commencer à chipoter ! En tout cas, toutes ces demandes d'asile venaient de l'étranger, hein, comme par hasard. Coïncidence ? Je ne crois pas, non ! D'ailleurs, en parlant d'étrangers, cette dame, elle avait des origines étrangères, non ?
Femme 2 : Ah là là là là, ben oui, ah mais bien sûr mes parents étaient ukrainiens, et donc je suis... je suis de parents immigrés.
Guillaume Meurice : Mais vous pensez qu'il y a trop d'immigrés en France ?
Femme 2 : Ha y'en a trop, ben oui !
Guillaume Meurice : Selon la fameuse technique du dernier arrivé qui ferme la porte, dite également technique de Rose dans *Titanic*, qui ne veut pas laisser monter Jack sur cette putain de planche ! Macron, quant à lui, continue de tout miser sur le principe des étrangers boucs émissaires, suivi dans son délire par plein de moutons euh... émissaires.
Charline Vanhoenacker : Guillaume Meurice. Merci. Y'avait aujourd'hui... y'avait une belle brochette, c'est...
Guillaume Meurice : L'immigration, c'est toujours...
Charline Vanhoenacker : Ouais...
Guillaume Meurice : C'est un sujet gagnant.

Leçon 4 : À nos âges

Vidéo n° 7. Activités 6, 7 et 8

Norman : Aujourd'hui, on est le 14 avril 2017 et c'est mon anniversaire. Et là, je vais peut-être vous choquer, mais j'ai 30 ans. Et ouais ! Mais franchement : je le vis plutôt bien.
Voix off : Faux !
Norman : Alors, je sais, physiquement, on dirait pas du tout que j'ai 30 ans, mais je vous rassure : dans la vie, on me considère quand même comme un adulte.
Voix off (haut-parleur de supermarché) **:** Le petit Norman est demandé à l'accueil... Si vous trouvez cet enfant, merci...
Norman : Deux secondes, j'arrive, j'arrive...
Mais quand même, je sens que j'ai 30 ans. Mon corps change, j'ai un peu de bide, des poils qui sortent d'endroits improbables, comme le nez ou les oreilles. « Aïe ! » Je commence à avoir ce qu'on appelle des golfs, enfin, des mini golfs. Et grande nouvelle : j'ai de la barbe, hein, enfin, vite fait. Disons qu'à partir du moment où tu dois faire aux gens : « Mais si si, je te jure, j'ai de la barbe, touche, regarde, de plus près ! », c'est que t'as pas de barbe, hein.
J'ai 30 ans et... je le ressens dans mon comportement. Je commence à acheter des produits bio. Des fois, je m'en fous d'être stylé, je préfère être à l'aise. J'aime de plus en plus acheter des objets... inutiles. « Odeur pluie sous la cabane. » Parfois, je râle en regardant un politique à la télé. « Alors Fillon lui... pfffff. » Parfois, j'utilise un parapluie. Parfois, je fais des brunchs. « Alors ça, c'est du quinoa sans gluten, ça, c'est du tofu détox, et ça, bah... c'est de la pelouse... du Stade de France... qui a été foulée par Antoine Griezmann. » Et puis parfois, je dis des phrases de trentenaires. « C'était quand même pas mal, hein, MC Solar. » « Et si je m'achetais un vélo pliable ? » « À terme, tout le monde sait qu'il vaut mieux acheter que louer, hein... Je pense que je vais investir dans la pierre. » « J'ai un projet : tu vas peut-être me prendre pour un taré, mais je vais peut-être construire mon potager et faire pousser mes propres salades. »
Tu sais, à 40 ans ou 50 ans, les gens n'osent pas trop te parler de ton âge, pour pas te vexer. Mais à 30 ans, tout le monde se fout de ta gueule ouvertement, hein, ce n'est pas un problème.
Voix off d'homme : Regardez comme il est vieux, il a 30 ans !
Voix off de femme : Sale papi va !
Voix off d'homme : Tu vas bientôt mourir euh !
Norman : Maintenant que j'ai 30 ans, je commence à avoir les fameux coups de vieux. Par exemple, quand je vais sur un site où tu dois indiquer ton année de naissance. « En fait, j'ai plus envie de m'inscrire ». Ou alors quand je croise des jeunes qui m'appellent « monsieur ». « Ça fait mal ». Mais le pire, c'est quand j'entends des ados parler et qu'il y a une expression que j'comprends pas. Là je me dis, ça y est, je suis une merde. En même temps, je suis désolé, mais... quand t'es un adulte dans la vie active, tu ne peux pas utiliser des expressions d'ados.
« – Alors à s'kip vous cherchez un bail bresson à temps partiel. Haha... quel FDP ! Alors ça sert à rien de forcer hein, c'est la haass. Hum, je suis déso, mais là d'office j'ai rien.
– Vous êtes sûr ?
– Et mais t'es dans l'excès, là, j'te jure... tu me fatigues ! J'en peux plus de toi ! Bon, je vous laisse quand même ma carte, dessus y'a mon snap. M'envoyez pas des nudes, hein, j'ai quand même une femme, hein. »
Maintenant que j'ai 30 ans – c'est-à-dire depuis quatre heures – je réalise qu'y'a plein de trucs que je ne pourrai plus jamais faire. Alors astronaute, nan. Entrer dans la NBA, nan. Danseur étoile... ah quoi que, peut-être. Disons que maintenant, quand je parle à quelqu'un, je peux parfois avoir une certaine forme d'autorité. « Bon écoute, j'vais te parler franchement, maintenant tu arrêtes de m' manquer de respect. Et tu manges tes croquettes. Merde. »
Et quand je compare mes 20 ans à mes 30 ans, je trouve que les choses ont beaucoup changé. Avoir 20 ans et avoir 30 ans, c'est pas du tout pareil.

Voix off : 20 ans !
Norman : Frère, j'ai acheté une nouvelle planche de skate, je vais mettre les roues d'sus, là, pour faire de la rampe : c'est parfait ça !
Homme : Oh là... tu vas faire ça sans protection ?
Norman : Bah évidemment !
Voix off : 30 ans.
Norman : Mon gars, j'me suis acheté une nouvelle planche de skate. Elle fait une parfaite étagère pour poser mes livres.
Homme : Ah ouais, mais tu l'as installée tout seul ?

Norman : Ouais, par contre j'ai mis les genouillères, les coudières, le casque hein.

Voix off : 20 ans !
Homme 1 : 'tain les mecs, camping sauvage pour trois semaines à trois dans la même tente, énorme !
Homme 2 : Yes, moi j'ai une pierre pointue dans le dos, mais je m'en tape, franchement, je kiffe là.
Homme 3 : Woh, y'a des mecs bourrés qui tombent sur notre tente là ! Eh, viens prendre une bière mec !
Voix off : 30 ans.
Norman : Cet hôtel est pas fifou, hein, quand même, hein ?
Femme : Ouais, les oreillers sont hyper durs !
Norman : Ouais.
Femme : Ouais.
Norman : Ouais.
Femme : Ouais.

Voix off : 20 ans !
Norman : Mon gars, cette console, c'est ma nouvelle passion, j'arrête pas d'y jouer. Téma les graphismes !
Homme : Ahhhh !
Voix off : 30 ans.
Norman : Mon gars, je me suis acheté un petit mixer fruits et légumes. Je me fais des jus, mais des jus ! Carottes-pamplemousse et là, je viens de tenter euh... pomme-cactus. Ben tiens : goûte en premier !

Voix off : 20 ans !
Norman : Ok mec, ton manteau, j'le mets là, avec les autres.
Voix off : 30 ans.
Norman : Comment y va ? Tiens, pour ton manteau, je te donne un petit cintre. Et est-ce que je peux aussi te donner un petit cintre ben... pour le pantalon, parce que ça va... ça va salir les fauteuils...
Homme : Oui, bien sûr.
Norman : Et est-ce que ton slip est propre ? Parce que j'ai des petits cintres à slip aussi.

Voix off : 20 ans !
Norman : Ça, ça s'appelle un cercueil. C'est un mélange de tequ...
Homme : Arrête !
Norman : ... de sky...
Homme : Énorme !
Norman : ... et d'essence pure.
Homme : Mais bois ça direct !
Amis : Bois ! Bois ! Bois !
Voix off : 30 ans.
Norman : Il est surprenant ce petit Bordeaux, hein ?
Homme : Hum, très agréable.
Norman : Pas plus de deux verres, hein, après, je conduis !
Amis : Mange le chèvre ! Mange le chèvre ! Mange le chèvre !
Homme : Attention, mâche bien, sinon tu vas mal digérer.
Norman : Surtout qu'avec mes brûlures d'estomac... héhé. Allez, je me lance !

Voix off : 20 ans !
Norman : Hé frère, hier j'étais tellement torché, je me souviens de rien du tout.
Homme : C'est clair, on remet ça c'soir ou quoi ?
Norman : Sérieux là, on remet ça maintenant ! Ouaiiis !
Voix off : 30 ans.
Norman : Frère, je suis dans le mal, à la soirée je me suis tellement bourré la gueule !
Homme : La soirée, c'était y'à deux mois.
Norman : Ouais mais quand même ! Enfin... j'avais quand même bu deux flûtes !

Norman : Finalement, quand on a 30 ans, j'ai un peu l'impression qu'on se situe juste là : pile-poil au milieu entre jeune et vieux. Sorte de « jieux », quoi. Je dis pas ça pour me rassurer, mais je trouve que de nos jours, à 30 ans, on est quand même un poil... on est jeune encore. Alors qu'à l'époque, les jeunes étaient très rapidement vieux hein, vraiment.
Reportage, femme : Vous avez quel âge ?
Reportage, homme : En moyenne 17 ans, 17 ans et demi.
Norman : Et puis quand je réfléchis, y'a quand même plein de points positifs à avoir 30 ans. Déjà, je fais partie d'une génération qui a connu des trucs de ouf : la Coupe du monde 98, l'an 2000, *Titanic* au cinéma, la naissance d'Internet et puis, quand même, les pogs. À 30 ans, on a accumulé plein de potes depuis l'école et puis on sait enfin faire la différence entre les connaissances et les vrais amis. À 30 ans, si t'as de la chance dans la vie, tu fais ce que t'aimes, t'as des projets de plus en plus gros, t'es plus fort, t'as un peu plus confiance en toi et t'es plus convaincant devant les gens. T'as un peu de vécu, alors t'as des choses à raconter et en même temps t'as l'envie et l'énergie de découvrir et d'apprendre encore. Et au final, je pense que le plus important, quand t'as 30 ans, c'est de pas faire semblant d'avoir moins, simplement d'assumer son âge et le vivre pleinement, parce que : cet âge, il est aussi cool que les autres, à sa manière. Et mine de rien, l'expérience qui t'a forgée pendant 30 années a fait du petit garçon qui était en toi... un homme. « Yes ! »

DOSSIER 6. TAF (travail à faire)

Leçon 1 : Les bienveilleurs

▹ Piste 25. Activités 8, 9 et 10

Pierre Weill : Bonjour Frédéric !
Frédéric Pommier : Bonjour Pierre, bonjour Patricia et bonjour à tous ! Le travail, c'est la santé... Rien faire, c'est la conserver ! Tout le monde ou presque connaît les paroles de la chanson de Salvador. « Ils bossent onze mois pour les vacances, et sont crevés quand elles commencent... Un mois plus tard, ils sont costauds, mais faut reprendre le... »
Pierre Weil : ... le boulot !
Frédéric Pommier : Paroles intéressantes car, au fond, elles questionnent le sens de l'existence... À quoi cela rime-t-il de turbiner autant ? À gagner de l'argent, certes, à avoir une fonction, une place dans la société... Mais êtes-vous réellement heureux au travail ? C'est la question qui sous-tend le dossier du dernier numéro du magazine *Kaizen* : « Les clés du bonheur au travail ». Un thème qu'on retrouve d'ailleurs également en une de *La Croix* : « Le bien-être au travail ». Et, dans les deux cas, on évoque précisément cette recherche, cette quête de sens... Une tendance qui conduit des entreprises à repenser leurs manières de motiver leurs salariés. Cela passe notamment par l'aménagement des espaces. On a longtemps vanté les mérites des open spaces... Or, le modèle n'a pas vraiment fait ses preuves : une étude montre qu'il a fait chuter le nombre des interactions, les gens se parlent moins et certains passent leur temps avec des écouteurs pour ne pas être dérangés. Çà et là, on revient aux bureaux cloisonnés... Mais le bonheur au travail passe aussi par de nouvelles formes de management. Moins de hiérarchie verticale et puis surtout moins de pression : « Ce n'est pas en tapant sur les doigts des employés qu'on les rend innovants », analyse un ancien dirigeant de BIC dans *La Croix*. Lui est partisan de ce qu'on appelle « une bienveillance-exigence » : concrètement, il s'agit de fixer des objectifs réalisables, être optimiste, complimenter ses équipes et tenter de repérer les personnes en souffrance. Dans certaines sociétés, on propose d'ailleurs désormais à des salariés de faire office de « bienveilleurs » : choisis pour leur altruisme, ils proposent leur écoute, leur aide à leurs collègues qui connaissent des difficultés. « Bienveilleur » : c'est un nouveau mot !
Patricia Martin : Oui, dans le magazine des *Échos*, on trouve aussi de nouveaux mots...
Frédéric Pommier : Et, là encore, il est question de boulot. Des mots pour désigner les pathologies qui touchent les entrepreneurs de la technologie... Près d'un sur deux serait atteint de troubles mentaux – lit-on – bien plus que la moyenne de la population. Dépression, bipolarité, hyperactivité... L'addiction au travail, qui conduit parfois au burn out, mais aussi à la zapitte, au zombiquisme, au binarisme ou encore à l'augmentarisme. Alors, à quoi se réfèrent tous ces mots, allez-vous me dire ? Eh bien l'augmentarisme, c'est la psychose liée à l'impression de ne pas être assez intelligent, assez jeune, assez connecté, d'être moins fort que les machines. Le binarisme, c'est le fruit d'une utilisation excessive d'ordinateur ; des gens dont le raisonnement se limite à des réponses binaires : continuer-annuler, ouvrir-fermer, oui-non... Un rationalisme excessif : ils s'expriment comme les machines qu'ils utilisent. Le zombiquisme, c'est un syndrome qui se manifeste par l'incapacité de communiquer directement avec des personnes dans une pièce ; on ne sait plus s'adresser à elles que par messages électroniques. Quant à la zapitte, elle correspond aux crises d'ennui provoquées par l'absence de sollicitations... Des individus devenus totalement accros aux clics. [...] La santé, c'est aussi ça : réussir à déconnecter...
Pierre Weill : Frédéric, et comment se connecter avec les débats sur l'Europe ?
Frédéric Pommier : Et bien c'est la question que pose *Le Figaro*, ce matin, se désolant que la campagne soit aussi évanescente...

Leçon 2 : Super candidat

▸ Piste 26. Activité 3

Journaliste : Alors vous avez des conseils à nous donner !

Sébastien Nau : Alors oui, alors aujourd'hui, j'aimerais profiter pour... Alors c'est plus un conseil côté entreprise, parce que je vois beaucoup beaucoup de candidats qui me disent qu'ils en ont un peu marre, ras-le-bol même, des offres d'emploi dites stéréotypées. Alors, qu'est-ce que j'entends par là ? C'est que, il suffit de vous balader sur les sites de Pôle emploi, que vous allez voir « entreprise en pleine croissance recrute son super candidat », et vous en avez fait une, deux, trois et à la fin vous vous dites : ce n'est pas possible, c'est de la com', est-ce qu'il y a vraiment un poste derrière ? La loi oblige à avoir un poste derrière, mais on en vient à douter. Alors, quand on n'a pas de réponse, en plus quand on a envoyé son CV et sa lettre de motivation, c'est un peu perturbant et c'est même frustrant. Donc, ce que je vous propose en toute humilité, c'est de vous donner des pistes, aux entreprises, entre autres, sur un peu le contexte. Comment écrire vos annonces, déjà, c'est la première question à se poser, c'est de savoir qui vous êtes en tant qu'entreprise, pour donner envie aux personnes de vous rejoindre.

▸ Piste 27. Activité 4

Journaliste : Alors vous avez des conseils à nous donner.

Sébastien Nau : Alors oui, aujourd'hui, j'aimerais profiter pour... Alors c'est plus un conseil côté entreprise, parce que je vois beaucoup beaucoup de candidats qui me disent qu'ils en ont un peu marre, ras-le-bol même, des offres d'emploi dites stéréotypées. Alors, qu'est-ce que j'entends par là ? C'est que, il suffit de vous balader sur les sites de Pôle emploi, que vous allez voir « entreprise en pleine croissance recrute son super candidat », et vous en avez fait une, deux, trois et à la fin vous vous dites : ce n'est pas possible, c'est de la com', est-ce qu'il y a vraiment un poste derrière ? La loi oblige à avoir un poste derrière, mais on en vient à douter. Alors, quand on n'a pas de réponse, en plus quand on a envoyé son CV et sa lettre de motivation, c'est un peu perturbant et c'est même frustrant. Donc, ce que je vous propose en toute humilité, c'est de vous donner des pistes, aux entreprises, entre autres, sur un peu le contexte. Comment écrire vos annonces, déjà, c'est la première question à se poser, c'est de savoir qui vous êtes en tant qu'entreprise, pour donner envie aux personnes de vous rejoindre.
Alors, j'ai pris quelques exemples si vous êtes une start-up. Alors start-up, c'est à la mode, ce sont les entreprises en plein boom. Je vais donner de la matière à Catherine pour son final, hein, Catherine, écoute bien tout ce que je vais dire ! Donc : tutoiement obligatoire dans l'annonce, on est en mode start-up, forcément... On va utiliser des termes anglophones puisque c'est in. Je peux donner un exemple, on y va plein pot. Donc le type d'annonce, c'est : « Hello, si toi aussi t'es un ninja du dev, t'hésites pas à nous call, pour qu'on se fasse un insta, une storie et qu'on se whatsapp en direct live, histoire de parler de ton new job. »

Journaliste : OK, c'est clair.

Sébastien Nau : Donc, je signale quand même qu'il y a déjà des entreprises qui le font et ça fonctionne : ils vont attirer des candidats.

Journaliste : Ça marche ?

Sébastien Nau : Ouais, ouais, ils vont attirer des candidats.

Journaliste : Ben oui, forcément... Ils vont attirer que ceux qui comprennent en fait l'annonce...

Sébastien Nau : C'est ça : ils vont attirer ceux qui comprennent...

Journaliste : Au moins, c'est ciblé !

Sébastien Nau : Alors il y en a d'autres qui n'hésitent pas à mettre des références à des séries à la mode, *Game of Thrones*, même à des films culte du style : « T'es un fan de *Star Wars*, tu as toujours rêvé de prendre la place de Luke Skywalker ? Eh bien ça tombe bien, on recherche un business développeur pour driver la team, ouais ! » Alors forcément ce ne sont pas toutes les entreprises : on va prendre l'inverse, plutôt le côté institutionnel ou le domaine de la finance. Donc là, on va y aller plus soft, on est plus dans le vouvoiement, on va prendre des pincettes, donc ça peut donner des formules littéraires, on évite les smileys, parce que forcément ça ne fait pas... ça fait pas fun. C'est plus du style officiant dans l'univers de la finance : « Notre entreprise recherche son auditeur grand ponte de formation bac + 5 : vous êtes rompu au procès interne des PME... » et ainsi de suite et ainsi de suite... Vous avez compris la différence : elle est assez colossale. On a aussi les entreprises en mode « entreprise libérée » : je parlais à l'instant collaboratif, voilà... Donc là, on a fini avec le système pyramidal du patron, des managers ; l'idée, c'est d'adopter le ton un peu « développement personnel », donc ça pourrait donner ça : « Venez rejoindre un collectif de talents qui évolue et développe l'entreprise grâce à l'intelligence collective. Point de patron, mais du collaboratif à tous les étages de manière transversale. On recherche notre happiness manager pour développer le bonheur de nos salariés. »

Journaliste : Oh, c'est beau... !

Sébastien Nau : C'est beau, mais c'est... ça existe, hein. Y en a qui...

Journaliste : Ouais ouais, ça existe !

Sébastien Nau : Et ça produit des candidatures, des gens qui ressemblent à ces types d'entreprises. Pour finir, je conclus sur un mode – puisqu'il va y avoir Hugo tout à l'heure – sur un mode compétiteur.

Journaliste : Alors le mode sportif : attention !

Sébastien Nau : Alors voilà, le mode sportif, limite on va forcer le trait avec du vocabulaire issu des champs de bataille, hein. C'est généralement quand on veut recruter des commerciaux, donc exemple : « Notre entreprise recherche son futur chef des ventes. Nous pensons que rien n'est dû au hasard et que... on récolte ce que l'on sème. Dans cette perspective, il faudra avoir l'âme d'un compétiteur pour démarcher, séduire, accrocher, transformer en clients vos futurs prospects. » Voilà. Donc là, qu'est-ce qu'on va attirer ? On va attirer des commerciaux qui aiment la compète, qui aiment le challenge, qui aiment rentrer là-dedans. Donc en conclusion...

Journaliste : Et à la fin, c'est marqué : « Marathoniens bienvenus ».

Sébastien Nau : Conclusion, vous l'aurez compris, l'offre d'emploi est un moyen aussi de communiquer, communiquer sur qui on est. Et ça on n'y pense pas, on est toujours dans le stéréotype « entreprise en pleine croissance recrute son super candidat ». Donc s'il vous plaît : adaptez ces textes pour pouvoir attirer ben... des candidats qui vous ressemblent.

Journaliste : Et puis ça fait gagner du temps aussi aux recruteurs, parce qu'au moins ils ont des candidats un peu plus ciblés. Donc tout le monde s'y retrouve. C'est ça ?

Sébastien Nau : Exactement !

Leçon 3 : Camarades, camarades !

▸ Vidéo n° 8. Activités 2 et 3

Journaliste : 9 heures ce matin, quelques dizaines de minutes ont suffi et la nouvelle tombe : « C'est terminé. » Contactés par SMS, les ouvriers viennent d'apprendre la nouvelle et se rassemblent, la tension monte très rapidement.

Ouvrier 1 : Franchement, c'est vraiment honteux de nous demander de faire des heures supplémentaires et qu'après on nous demande... on nous dise... on nous annonce que l'usine ferme. C'est vraiment honteux, honteux ! Mais bon, la direction a préféré monter dans leur voiture et vite partir, au lieu d'affronter ses ouvriers.

Journaliste : Personne ne voulait y croire, de nombreux travailleurs avaient encore l'espoir que l'outil allait être préservé. Juste la peur du pire : une fermeture. Ils ne veulent pas y croire, ils sont dégoûtés.

Ouvrier 2, Salvatore Bellia : C'est... c'est ma vie qui s'écroule, quoi... Ils nous ont pris comme de la merde, quoi. Comme de la merde, voilà. On est de la merde là-dedans. On n'est pas un numéro, parce qu'un numéro... tu as un numéro : 1, 2, 3, le numéro... tu sais être un numéro. Mais un tas de merde, il pourrit, il est là, allez, dégagez ! C'est dans la merde que vous dégagez. Voilà. C'est tout ce que... c'est tout ce que j'ai à dire, voilà.

Journaliste : Dans le parking, les ouvriers se rassemblent, ils veulent faire bloc face à l'inéluctable. Ils le promettent : « Pas une seule machine ne sortira de l'usine. » À la sortie du conseil d'entreprise, les délégués présents lors de la réunion ont rapidement compris.

Déléguée, Cathy Verhaeghe : On est arrivés dans la salle, on a déjà vu que le directeur faisait une tête jusque par terre, voire même avait les larmes aux yeux. Et puis on a vu une personne qu'on ne connaissait absolument pas, donc M. Bodson, qui vient expressément de Peoria. Là, on s'est dit : « On va nous annoncer quelque chose de grave », quoi.

Journaliste : Face à une direction qu'ils considèrent comme amorphe, ils ont d'ailleurs le sentiment qu'on leur a menti.

Déléguée, Cathy Verhaeghe : Dans la salle de réunion, en fait, tout le monde se taisait, tout le monde était vraiment choqué, ému. Personne ne parlait. Donc... ça a été tellement un coup de massue que... qu'on ne savait pas trop... trop quoi dire. Plusieurs directeurs qui sont présents à chaque conseil d'entreprise n'ont pas osé être là. Moi j'ai trouvé que c'était un... que c'était de la lâcheté, qu'ils auraient dû être présents. Ils sont avec nous depuis des années, ils auraient dû au moins être là et nous... et nous affronter vraiment en face.

Journaliste : Caterpillar à Gosselies, c'est terminé. Malgré la révolte, tout le monde l'a compris, place sans doute aux négociations pour limiter les dégâts de ce véritable séisme.

Leçon 4 : Les eldorados de l'emploi

▸ Vidéo n° 9a. Activité 2

Journaliste : Le focus : pays recherche main-d'œuvre. Jamais le Canada n'avait autant eu besoin de travailleurs, mais aussi de citoyens : le pays veut tripler

sa population d'ici la fin du siècle. Nous sommes partis dans cet eldorado de l'embauche, qui compte séduire l'Hexagone. Reportage : François Rihouay.
Voix off : À Saint-Georges, à une heure de voiture de Québec, Mélanie Poulin est chargée d'une mission devenue un défi au Canada : attirer des chercheurs d'emploi dans les entreprises de sa région.
Mélanie Poulin : Ça va bien ?
Karine Poulin : Oui, ça va bien, et toi ? Je suis contente de te rencontrer aujourd'hui.
Mélanie Poulin : Oui, moi aussi !
Voix off : Rendez-vous aujourd'hui dans une entreprise de solution informatique de gestion. Ici, la responsable des ressources humaines, Karine Poulin, doit trouver huit à dix analystes-programmeurs par an.
Mélanie Poulin : C'est quoi les initiatives que vous avez mis en place pour encourager les gens, justement, à venir à travailler chez vous ?
Karine Poulin : Je dirais le fait qu'on soit partout sur les médias, ça l'a aidé. Mais encore, même à ça, ce n'est pas encore assez. On en voudrait encore vraiment plus. Et puis j'suis consciente que c'est encore pire là, ces temps-ci, la pénurie de main-d'œuvre. Je dirais qu'on signerait cinq demain matin qui cogneraient à ma porte, je les engagerais les cinq. J'en n'ai pas, j'en ai zéro en ce moment.
Voix off : Pour trouver de la main-d'œuvre, Karine Poulin s'est rendue elle-même en France pour recruter. Melchior Tetu est arrivé de Normandie en septembre.
Melchior Tetu : Le cadre, que ce soit... que ce soit au travail ou même à l'extérieur du travail, c'est différent. Et c'est un choix personnel qu'on a fait pour venir au Canada, et on le regrette pas du tout. On encourage même... on essaie d'encourager des collègues qui sont restés en France de tenter un peu l'aventure.
Voix off : Avec soixante-dix employés et une croissance à deux chiffres, CDID n'est qu'un exemple parmi de nombreux autres dans le pays.
Mélanie Poulin : Le taux de chômage ici, à Beauce, est rendu à 2.4 % donc on peut parler du plein emploi. On a donc la mission d'aller faire la promotion de la qualité de vie en dehors de notre région. Où on sort notre épingle du jeu, c'est le coût de la vie en Beauce : en bout de ligne, il en reste plus dans les poches des travailleurs ici, dans notre secteur, que dans n'importe quel autre grand centre du Québec.
Voix off : Informatique, mais aussi marketing ou électromécanique, les entreprises du réseau de Mélanie Poulin doivent redoubler d'imagination pour honorer leurs carnets de commande.
Mélanie Poulin : Salut Nicolas !
Nicolas Jean : Bonjour.
Mélanie Poulin : Ça va bien ?
Nicolas Jean : Ben oui, bien sûr !
Mélanie Poulin : Oui, je suis venue te parler des dernières embauches que t'as faites en France.
Nicolas Jean : Viens, on va aller voir ça.
Voix off : Et quand elle ne débauche pas les meilleurs ouvriers en augmentant les avantages d'un poste, les entreprises d'un secteur comme celui de Nicolas Jean ratissent large : jusqu'à six mille kilomètres à la ronde.
Nicolas Jean : On est un tissu très manufacturier ici, dans la région, donc les gens s'arrachent les ressources. On essaie d'être différents, on essaie d'être les meilleurs. Comme employeur, on se démarque quand même très bien ici, on a déjà gagné des prix nationaux comme meilleur employeur, mais ça ne suffit pas. Le taux de chômage est extrêmement bas, donc il faut innover, il faut sortir des sentiers battus. Actuellement, on fait une mission de recrutement en Colombie. On s'entend, c'est très loin ici du Québec, le climat est différent, la culture est différente et la langue est différente. Mais on est rendu à trouver des solutions originales comme celle-là pour réussir à s'en sortir.

Vidéo n°9b. Activité 3

Voix off : Dans cette course à la main-d'œuvre, certaines localités s'en sortent mieux que d'autres. Dans la ville de Québec, où certains restaurants ferment leurs portes faute de personnel, le maire, Régis Labeaume, s'impatiente et exige plus de souplesse du gouvernement pour délivrer des visas de travail.
Régis Labeaume : On ne peut pas traiter chaque dossier de nos cousins français qui veulent immigrer ici comme s'ils étaient des terroristes en devenir, ça ne se peut pas. Ce qu'on dit... surtout que le gouvernement du Canada, c'est la paranoïa, et puis laissez entrer ces gens-là, on en a besoin. On a besoin de 74 000 personnes pour non seulement les nouveaux emplois qui vont se créer dans la prochaine année, mais surtout pour remplacer les cinquante et quelques mille personnes qui s'en vont à la retraite.
La consule générale : Bonjour ! Je viens vous saluer, Laurence Haguenauer, je suis la consule générale.
Personnes : Bonjour.
Laurence Haguenauer : Bienvenue au consulat.
Voix off : Potentielle bouffée d'oxygène pour le marché québécois, un projet pilote vient d'être lancé en partenariat avec le service public français, Pôle emploi.
Laurence Haguenauer : Depuis le 15 novembre, il y a une mise en ligne en continu, sur le site de Pôle emploi international, des offres d'emploi. Et puis sur les offres en ligne, alors par exemple, vous voyez la première que je vois : « Cuisinier, cuisinière, dans un bistrot qui est connu de la ville de Québec ».
Voix off : En tout, trente secteurs de métiers doivent permettre une procédure accélérée d'obtention de visa.
Laurence Haguenauer : L'idée, c'est de pouvoir avoir une liste de trente emplois qui sont des emplois en demande, ici, qui sont des emplois où il n'y a pas de tension en France – un certain nombre de secteurs, notamment numérique, a été exclu pour éviter d'avoir une attraction de personnes dont nous aurions besoin en France –, donc là, on est sur une situation gagnant-gagnant, pour la France et pour le Québec, donc sur ces emplois-là qui sont aussi des emplois qui figurent dans la liste des emplois qu'Immigration Canada favorise.
Voix off : En dix ans, le nombre de Français installés à Québec a plus que doublé, selon le consulat. Juliane Virolle a sauté le pas avec son fiancé, cette année.
Juliane Virolle : Envie de nouveau, changer de vie, recommencer pas mal de choses à zéro... Et puis j'ai vraiment envie d'avoir des enfants, et je pense que je leur offrirai un meilleur avenir ici qu'en France actuellement.
Voix off : Le Canada accueillera un million d'immigrants d'ici 2020, dont une grande moitié de travailleurs qualifiés.

Vidéo n°9c. Activité 4

Journaliste : Le focus : pays recherche main-d'œuvre. Jamais le Canada n'avait autant eu besoin de travailleurs, mais aussi de citoyens : le pays veut tripler sa population d'ici la fin du siècle. Nous sommes partis dans cet eldorado de l'embauche, qui compte séduire l'Hexagone. Reportage : François Rihouay.
Voix off : À Saint-Georges, à une heure de voiture de Québec, Mélanie Poulin est chargée d'une mission devenue un défi au Canada : attirer des chercheurs d'emploi dans les entreprises de sa région.
Mélanie Poulin : Ça va bien ?
Karine Poulin : Oui, ça va bien, et toi ? Je suis contente de te rencontrer aujourd'hui.
Mélanie Poulin : Oui, moi aussi !
Voix off : Rendez-vous aujourd'hui dans une entreprise de solution informatique de gestion. Ici, la responsable des ressources humaines, Karine Poulin, doit trouver huit à dix analystes-programmeurs par an.
Mélanie Poulin : C'est quoi les initiatives que vous avez mis en place pour encourager les gens, justement, à venir à travailler chez vous ?
Karine Poulin : Je dirais le fait qu'on soit partout sur les médias, ça l'a aidé. Mais encore, même à ça, ce n'est pas encore assez. On en voudrait encore vraiment plus. Et puis j'suis consciente que c'est encore pire là, ces temps-ci, la pénurie de main-d'œuvre. Je dirais qu'on signerait cinq demain matin qui cogneraient à ma porte, je les engagerais les cinq. J'en n'ai pas, j'en ai zéro en ce moment.
Voix off : Pour trouver de la main-d'œuvre, Karine Poulin s'est rendue elle-même en France pour recruter. Melchior Tetu est arrivé de Normandie en septembre.
Melchior Tetu : Le cadre, que ce soit... que ce soit au travail ou même à l'extérieur du travail, c'est différent. Et c'est un choix personnel qu'on a fait pour venir au Canada, et on le regrette pas du tout. On encourage même... on essaie d'encourager des collègues qui sont restés en France de tenter un peu l'aventure.
Voix off : Avec soixante-dix employés et une croissance à deux chiffres, CDID n'est qu'un exemple parmi de nombreux autres dans le pays.
Mélanie Poulin : Le taux de chômage ici, à Beauce, est rendu à 2.4 % donc on peut parler du plein emploi. On a donc la mission d'aller faire la promotion de la qualité de vie en dehors de notre région. Où on sort notre épingle du jeu, c'est le coût de la vie en Beauce : en bout de ligne, il en reste plus dans les poches des travailleurs ici, dans notre secteur, que dans n'importe quel autre grand centre du Québec.
Voix off : Informatique, mais aussi marketing ou électromécanique, les entreprises du réseau de Mélanie Poulin doivent redoubler d'imagination pour honorer leurs carnets de commande.
Mélanie Poulin : Salut Nicolas !
Nicolas Jean : Bonjour.
Mélanie Poulin : Ça va bien ?
Nicolas Jean : Ben oui, bien sûr !
Mélanie Poulin : Oui, je suis venue te parler des dernières embauches que t'as faites en France.
Nicolas Jean : Viens, on va aller voir ça.
Voix off : Et quand elle ne débauche pas les meilleurs ouvriers en augmentant les avantages d'un poste, les entreprises d'un secteur comme celui de Nicolas Jean ratissent large : jusqu'à six mille kilomètres à la ronde.

Nicolas Jean : On est un tissu très manufacturier ici, dans la région, donc les gens s'arrachent les ressources. On essaie d'être différents, on essaie d'être les meilleurs. Comme employeur, on se démarque quand même très bien ici, on a déjà gagné des prix nationaux comme meilleur employeur, mais ça ne suffit pas. Le taux de chômage est extrêmement bas, donc il faut innover, il faut sortir des sentiers battus. Actuellement, on fait une mission de recrutement en Colombie. On s'entend, c'est très loin ici du Québec, le climat est différent, la culture est différente et la langue est différente. Mais on est rendu à trouver des solutions originales comme celle-là pour réussir à s'en sortir.
Voix off : Dans cette course à la main-d'œuvre, certaines localités s'en sortent mieux que d'autres. Dans la ville de Québec, où certains restaurants ferment leurs portes faute de personnel, le maire, Régis Labeaume, s'impatiente et exige plus de souplesse du gouvernement pour délivrer des visas de travail.
Régis Labeaume : On ne peut pas traiter chaque dossier de nos cousins français qui veulent immigrer ici comme s'ils étaient des terroristes en devenir, ça ne se peut pas. Ce qu'on dit... surtout que le gouvernement du Canada, c'est la paranoïa, et puis laissez entrer ces gens-là, on en a besoin. On a besoin de 74 000 personnes pour non seulement les nouveaux emplois qui vont se créer dans la prochaine année, mais surtout pour remplacer les cinquante et quelques mille personnes qui s'en vont à la retraite.
La consule générale : Bonjour ! Je viens vous saluer, Laurence Haguenauer, je suis la consule générale.
Personnes : Bonjour.
Laurence Haguenauer : Bienvenue au consulat.
Voix off : Potentielle bouffée d'oxygène pour le marché québécois, un projet pilote vient d'être lancé en partenariat avec le service public français, Pôle emploi.
Laurence Haguenauer : Depuis le 15 novembre, il y a une mise en ligne en continu, sur le site de Pôle emploi international, des offres d'emploi. Et puis sur les offres en ligne, alors par exemple, vous voyez la première que je vois : « Cuisinier, cuisinière, dans un bistrot qui est connu de la ville de Québec ».
Voix off : En tout, trente secteurs de métiers doivent permettre une procédure accélérée d'obtention de visa.
Laurence Haguenauer : L'idée, c'est de pouvoir avoir une liste de trente emplois qui sont des emplois en demande, ici, qui sont des emplois où il n'y a pas de tension en France – un certain nombre de secteurs, notamment numérique, a été exclu pour éviter d'avoir une attraction de personnes dont nous aurions besoin en France –, donc là, on est sur une situation gagnant-gagnant, pour la France et pour le Québec, donc sur ces emplois-là qui sont aussi des emplois qui figurent dans la liste des emplois qu'Immigration Canada favorise.
Voix off : En dix ans, le nombre de Français installés à Québec a plus que doublé, selon le consulat. Juliane Virolle a sauté le pas avec son fiancé, cette année.
Juliane Virolle : Envie de nouveau, changer de vie, recommencer pas mal de choses à zéro... Et puis j'ai vraiment envie d'avoir des enfants, et je pense que je leur offrirai un meilleur avenir ici qu'en France actuellement.
Voix off : Le Canada accueillera un million d'immigrants d'ici 2020, dont une grande moitié de travailleurs qualifiés.

DOSSIER 7. Vague à l'âme

Leçon 1 : Bouleversant !

▸ Piste 28. Activités 7 et 8

Jérôme Garcin : Pierrot : Chef d'œuvre ?
Pierre Murat : Ben, alors moi j'ai vu le film à Cannes et je l'avais bien aimé et je l'ai revu, là, et je suis sorti enthousiaste. Je suis sorti absolument bouleversé. Je trouve que...
Danièle Heymann : Tu en as de la chance.
Pierre Murat : Ah oui, je suis sorti bouleversé. Je trouve ça absolument magnifique, ce qu'il fait. Alors j'ai pas vu la pièce sur scène, c'est vrai. Mais son adaptation...
Jérôme Garcin : Tu l'as lue au moins, non ?
Pierre Murat : Oui. Mais son adaptation telle qu'elle est, me paraît très belle parce que justement, on a l'impression, et ça c'est du cinéma. Je suis pas un fan absolu de Xavier Dolan, moi, le précédent, je l'aurais pas, même le précédent je l'aurais pas qualifié de chef d'œuvre donc celui-là non plus mais, il y a quelque chose qui est très visible pour moi : dès les premières secondes, on sent cinématographiquement que ce type voit les choses pour la dernière fois de sa vie, on le sent. Moi, en tout cas, je l'ai senti.
Jérôme Garcin : Là, tu parles de Gaspard Ulliel.
Pierre Murat : De Gaspard Ulliel. Et je trouve que tout le début du film, ce regard de témoin qu'il a, de témoin muet qu'il a et par exemple toutes les scènes qu'il a avec Marion Cotillard, qui est pour moi extraordinaire dans le film, au début... C'est-à-dire, parce que, en fait, personne ne s'entend dans cette famille, sauf, il pourrait peut-être, ce revenant, s'entendre avec la seule qu'il ne connaît pas, c'est-à-dire sa belle-sœur, c'est-à-dire Marion Cotillard, et il y a entre eux des silences, des sourires, des ententes. A un moment donné par exemple, elle arrive et elle lui dit « combien de temps ? » et elle répète : « combien de temps ? » et évidemment, lui, comme il veut dire cet aveu, qu'il n'a pas encore dit à sa famille qu'il va mourir, il entend : « combien de temps il vous reste à vivre ? » Or c'est pas ça qu'elle lui dit. Elle dit à un moment donné : « combien de temps êtes-vous là ? », d'accord, mais, je veux dire que non, peut-être qu'elle l'a dit et il l'a compris. A la fin, non pas à la fin, pardon, je dis pas la fin, mais il y a un moment donné un geste qu'il lui fait lorsque tout est réglé, il lui met juste, Gaspard Ulliel met un doigt sur la lèvre en disant « chut ... » donc autrement dit c'est peut-être la seule qui a tout compris depuis le début mais qui ne dit pas. Et tout le reste de la famille est engoncé dans des haines, dans des rancœurs, Vincent Cassel est...
Jérôme Garcin : Que tu n'as pas trouvé excessif ? Dans l'expression je parle, hein !
Pierre Murat : Ben, dans les familles, on connaît des haines aussi...
Danièle Heymann : Oh ben mon pauvre Pierrot alors ...
Pierre Murat : Oh ben surtout chez les Russes, tu sais ...
Danièle Heymann : Ben oui alors...
Jérôme Garcin : Bon.
Pierre Murat : Donc je trouve ça absolument...
Jérôme Garcin : Et toi t'as été ému ? Parce que c'est une question ...
Pierre Murat : Alors il y a deux trois coquetteries, comme toujours...
Jérôme Garcin : Moi je ne l'ai pas été. Toi, toi t'as été ému ?
Pierre Murat : Mais bouleversé...bouleversé !
Jérôme Garcin : Bon ! Danièle ?
Danièle Heymann : Alors, comme Pierrot, parce que je suis vertueuse comme Pierrot est vertueux, je l'avais vu à Cannes...
Jérôme Garcin : Il est pas vertueux du tout Pierrot !
Danièle Heymann : Mais si, mais si ! Et donc j'étais sortie très dubitative. Et donc, je me dis c'est pas raisonnable... des amis très sûrs me disaient que en effet c'était le nouveau chef d'œuvre de Xavier Dolan, moi je, mon film préféré c'est son premier : *J'ai tué ma mère*, je trouve que ça, c'est un petit chef d'œuvre, voilà. Mais bon, donc, je suis retournée le voir, et effectivement, j'y ai vu des choses que je n'avais pas vues à Cannes. J'ai été d'abord bouleversée par la pièce, par l'auteur, par la part totalement autobiographique de cette histoire, et ça, c'est bouleversant. Et j'ai été très émue par Gaspard Ulliel : par ses silences, par ses regards...
Jérôme Garcin : Mais il est très très bien...
Danièle Heymann : Par sa fragilité, par tout ce qu'il exprime, et lui sans faire des moulinets. Bon. Alors, je trouve qu'en effet il y a des duos qui tiennent le coup, des tête-à-tête où il se passe vraiment quelque chose. En effet, Marion Cotillard moins énervante que d'habitude.
Pierre Murat : Elle est géniale, Marion Cotillard.
Danièle Heymann : Géniale, faut peut-être pas exagérer.
Pierre Murat : Très souvent...
Danièle Heymann : Mais qu'en effet, il y a des scènes à deux qui sont effectivement assez touchantes et qui font avancer cette histoire sans fin qui devrait avoir une fin. En revanche, quand la famille est réunie, quand l'insupportable Cassel est là...
Pierre Murat : Cassel, Cassel, t'as envie de le frapper.
Danièle Heymann : Et là, et là, mais alors, l'hystérie chorale, j'ai pas supporté une seconde. Je ne veux pas fréquenter ces gens, ces gens sont infréquentables, ils m'emmerdent. Et donc, je regarde en effet les beaux yeux tristes de Gaspard Ulliel et je me réconcilie avec le film.
Jérôme Garcin : Michel ?
Michel Ciment : Dans ce film, je trouve c'est une hystérie mais permanente, c'est-à-dire que c'est tout le temps en gros plan, c'est... Alors, moi, je suis pas très friand des dispositifs, je sais que c'est un mot très à la mode, on admire le dispositif, j'aime pas tellement les dispositifs parce que je trouve que c'est extrêmement théorique. Ce dispositif qui consiste effectivement à rester tout le temps dans cette pièce avec tout le temps des gros plans, mais sans arrêt, et un dialogue absolument fleuve qui vous envahit, etc., où finalement je décroche, et je suis d'accord avec Danièle : on n'a pas envie d'être autant de temps avec des gens aussi peu sympathiques. Au moins où il n'y a même pas d'empathie. [...] Y a que Gaspard Ulliel qui est vraiment très bien parce qu'il est dans une douleur rentrée, il est dans un, avec un sourire triste. Il veut dire quelque chose, qu'il ne dit jamais, parce que les autres parlent tellement, de toute façon, qu'il n'a pas l'occasion de le dire, et voilà. Mais euh, à part ça, je trouve c'est le film... Je ne comprends pas très bien l'hystérie critique.
Jérôme Garcin : Est-ce qu'il fallait à ce point maquiller Nathalie Baye ? Est-ce

qu'il fallait...
Pierre Murat : Mais vous aviez envie de rester avec les gens de *Festen* pendant deux heures, vous ?
Michel Ciment : Non, mais...
Pierre Murat : Ben alors attends, pourquoi on fait tomber le malheureux Dolan, sous prétexte ils sont pas sympathiques pendant 1 heure 35 ?
Jean-Marc Lalanne : Non, non pas parce qu'ils sont pas sympathiques... Ils sont pas plus monstrueux en plus que ceux de *Festen*.
Pierre Murat : Ils sont pas...
Jean-Marc Lalanne : Moi, je trouve qu'ils sont pas si odieux que ça, en fait, ces personnages....
Michel Ciment : C'est pas qu'ils sont odieux...
Jean-Marc Lalanne : ... ils sont plutôt attachants même.
Michel Ciment : Non, je n'ai jamais dit qu'ils étaient odieux. Je dis simplement qu'ils n'arrivent pas à nous faire partager... Les grands artistes nous amènent, Tchekhov, il vous amène à aimer des personnages souvent médiocres, etc. Parce qu'il y a une humanité. Et là, c'est noyé par les particularités esthétiques.
Pierre Murat : ...et question gros plans, on a célébré les cinéastes qui faisaient des plans fixes de dix minutes, je vois pas pourquoi la grammaire du cinéma interdirait de faire des films...
Danièle Heymann : Ah, ah, ça y est, la grammaire !
Pierre Murat : Non mais, j'emploie volontairement la grammaire du cinéma, pourquoi ? Pourquoi on pourrait pas faire des gros plans ? Ça, enfin, c'est une esthétique comme une autre.
Jean-Marc Lalanne : D'autant plus que là...
Pierre Murat : *La passion de Jeanne d'Arc* est un film en gros plans qui est sublime.
Jérôme Garcin : Jean-Marc ?
Jean-Marc Lalanne : Moi je pense que l'usage du gros plan est totalement justifié, c'est-à-dire qu'il y a une sorte de gageure qui est de faire un film qui est tout le temps un film choral, choral, un film de groupe, mais de fragmenter cette famille qui ne peut pas tenir ensemble et de le prendre en charge par la mise en scène en ne les filmant jamais ensemble. Et le moindre dialogue, même quand ils ne sont que deux, au lieu de le filmer en champ-contrechamp, systématiquement il découpe, et ne filme celui qui ne parle pas qu'en amorce, c'est-à-dire qu'ils ne sont jamais ensemble dans le même plan et ça a une force.
Danièle Heymann : Si pendant les repas, si...
Jean-Marc Lalanne : Oh non, il y a énormément de gros plans pendant les repas. Il y a quelques plans larges...
Pierre Murat : Très peu, oui.
Jean-Marc Lalanne : ... mais c'est vraiment une infime minorité. Il y a 90 % de plans où il isole les personnages. Et même quand il les filme à deux, comme Cassel et Ulliel au bord de la voiture, il fait le point alternativement sur l'un et sur l'autre, pour laisser l'autre dans le flou et systématiquement annuler leur coprésence. Donc c'est un perso... film où les personnages sont toujours seuls. Même lorsqu'ils sont à deux et cette espèce de rigueur dans la mise en scène, moi, je la trouve très impressionnante et très admirable. Après, la question de l'émotion, c'est très subjectif.
Jérôme Garcin : Absolument, ça c'est vrai.
Jean-Marc Lalanne : Le film est peut-être moins sentimental que *Mommy*. C'est-à-dire qu'on est moins embarqué comme ça tout de suite par les...
Jérôme Garcin : Moi, j'étais ému dans *Mommy*.
Jean-Marc Lalanne : ... mais moi je suis bouleversé par celui-là, mais presque dans un second temps, c'est-à-dire à la fin, j'étais ... tout à coup c'est monté. Tout à coup, il y a eu comme une décharge, en fait. Et effectivement, le film est plus rêche parce que la toxicité de cette famille, elle est vraiment très grande. Donc, donc, il y a quelque chose d'aride même dans le dispositif, et dans la peinture de ce malaise familial, mais à la fin on est totalement bouleversé. Ulliel est magnifique, mais je pense qu'il est magnifique parce qu'il est tout le temps en retrait, parce qu'il fait rien. On a le sentiment quasiment d'entendre le sang couler dans ses veines, tellement il donne accès à une intériorité.
Danièle Heymann : Ben oui.
Jean-Marc Lalanne : ...mais je pense que ça existe aussi parce que les autres sont en sur régime et qu'il y a quelque chose d'un point de vue orchestral de très abouti entre le surjeu de tous ses partenaires et la manière dont il est comme une espèce de puits comme ça, de silence et d'intériorité qui leste le film. Donc moi je trouve vraiment, alors je pense pas que ce soit un chef d'œuvre parce que je pense que Xavier Dolan n'est pas un cinéaste à chefs d'œuvre, il vise pas la perfection, il essaie des trucs tout le temps, il y a des scories, il y a des choses maladroites mais en même temps, il y a une sincérité, une innocence, même quand il utilise des clichés, il y a une manière naïve et totalement spontanée de le faire qui moi je trouve, enfin m'emporte absolument.
Jérôme Garcin : En tout cas, on lui aura réservé un traitement de chef d'œuvre vu le temps qu'on lui aura consacré.

Leçon 2 : Routinite aiguë

▹ Piste 29. Activités 7 et 8

Journaliste : Bonjour Eva Illouz.
Eva Illouz : Bonjour.
Journaliste : Alors vous publiez avec le psychologue Edgar Cabanas *Happycratie*, aux éditions Premier Parallèle. C'est un livre passionnant sur l'industrie du bonheur qui contrôlerait nos vies, une industrie défendue par ceux qui prônent ce qu'on appelle « la psychologie positive ». Vous êtes vous-même sociologue professeur à l'université de Jérusalem et puis, surtout, directrice d'études à l'École des Hautes Études en Sciences Sociales à Paris. Vous avez beaucoup travaillé sur la marchandisation des émotions, ce que vous appelez « le capitalisme affectif ». Alors, à propos de votre livre, ce nouveau livre, donc, *Happycratie* : comment est-ce que vous pourriez définir en quelques mots cette happycratie ?
Eva Illouz : Alors il s'agit du... L'idéal du bonheur en tant que tel est un vieil idéal dans la culture occidentale... depuis Aristote : le but de la vie, c'est de vivre la vie bonne. Mais au xxe siècle, il s'est produit un changement très important dans cet... dans ce vieux idéal : il s'agit plus de pratiquer les vertus qui nous conduisent à la vie bonne, donc ce serait des vertus qui seraient partagées avec tout le monde. Il s'agit de maximiser son potentiel en tant qu'individu et il s'agirait de vivre une vie qui nous donne donc du plaisir et du bonheur, mais de façon qui ne dépend plus de la définition des vertus.
Journaliste : Est-ce qu'on peut parler d'une véritable science de la psychologie positive ? Une science, d'ailleurs, qui est née, je crois, aux États-Unis.
Eva Illouz : Alors, on peut parler d'une discipline qui se veut être une science, ça, oui. Est-ce qu'elle l'est ou pas, ça, je laisse le lecteur en décider de lui-même. Mais en fait, alors que jusque dans les années, je dirais soixante-dix, quatre-vingt, le bonheur était une affaire de philosophie, de morale et de spiritualité, vers la fin des années quatre-vingt, quatre-vingt-dix, surtout, c'est la science positive de la psychologie qui s'est saisie de cette idée et qui a commencé à faire des études expérimentales sur le... sur ce qu'il y aurait de plus positif en nous et sur la question de savoir comment activer dans tous les individus leurs traits les plus positifs.
Journaliste : L'un des pères de cette discipline, c'est le psychologue américain Martin Seligman.
Eva Illouz : Absolument, qui, en 2008, pardon, en 1998, est le président de l'Association américaine de la psychologie et qui déclare que la psychologie a fait fausse route jusqu'à présent. La psychologie et la psychanalyse, donc ensemble, auraient fait fausse route parce qu'elles se seraient focalisées sur les pathologies, sur la souffrance, sur ce qu'il y avait en l'homme de plus négatif. Et lui, il propose de donner une nouvelle direction à la psychologie et cette nouvelle direction, c'est le bonheur, c'est de permettre aux individus de développer en eux leurs traits positifs.
Journaliste : Leurs émotions positives, en fait, c'est ça : c'est développer nos émotions positives. C'est, l'idée, c'est : pensez à vous ; votre bonheur, il est à portée de la main.
Eva Illouz : Alors il n'est pas exactement à portée de la main...
Journaliste : On va vous aider en tout cas à l'atteindre.
Eva Illouz : Exactement. Le bonheur demanderait de désapprendre des habitudes de pensées négatives.
Journaliste : On pourrait dire que c'est plutôt positif, tout ça ! Qu'est-ce qui vous gêne dans cette discipline, dans cette science, dans cette théorie ?
Eva Illouz : Alors, [...] la première chose, c'est que quand elle est appliquée au niveau des nations, ça peut amener certains économistes, qui l'ont dit, à déclarer que l'inégalité n'était pas pertinente, par exemple pour le bien-être général, et en fait ils substituent même, ils disent même que l'inégalité peut-être un facteur de bonheur parce que l'inégalité nous donne l'envie de nous battre et d'avoir l'espoir d'améliorer nos conditions.
Journaliste : On peut dire que cette psychologie positive, c'est une théorie qui va de pair avec le libéralisme ou le néolibéralisme économique.
Eva Illouz : Oui, tout à fait. Je dirais que c'est vraiment... C'est la philosophie sociale qui aide le mieux le néolibéralisme. Alors, le néolibéralisme, c'est deux choses ; c'est plus, mais c'est deux choses essentielles : la première, c'est comme Margaret Thatcher l'avait dit, l'idée que nous ne sommes, que les sociétés ne sommes que des individus et des familles, donc si nous ne sommes que des individus et des familles, ça veut dire que nous ne devons rien attendre ni des communautés ni de l'État, et ça veut dire que nous sommes tout seuls

face à nos vies, et ça veut dire que nous sommes responsables et coupables, et coupables d'échouer dans nos vies. Donc quelqu'un qui aurait été licencié et qui se sentirait déprimé est coupable et responsable de sa dépression, donc ça, c'est la première chose.
Journaliste : Oui, parce que si on n'atteint pas le bonheur, si ça ne marche pas, c'est de notre faute.
Eva Illouz : Oui, c'est ça.
Journaliste : C'est là, la culpabilité.
Eva Illouz : Vous m'avez demandé ce qui me gênait dans cette idée du bonheur : c'est l'idée de la surresponsabilisation de l'individu et le fait qu'on ne parvient plus à comprendre le rapport entre notre souffrance et les institutions. Donc ça, c'est la première chose. Et le néolibéralisme, c'est aussi l'idée que l'humain, l'individu doit maximiser son potentiel, que l'individu est en quelque sorte une machine économique qui doit être maximisée.
Journaliste : Alors, heureusement, il y a des gens qui vous regardent, qui vont se dire : « Moi je ne me reconnais pas là-dedans : au contraire, moi, je reste, je suis pas égoïste, je suis solidaire, ça existe encore la solidarité. » Tous les gens ne courent pas derrière le bonheur...
Eva Illouz : Non, mais... le bonheur parle... c'est une valeur qui est essentiellement...
Journaliste : ... Ou le bonheur passe par la solidarité.
Eva Illouz : C'est une valeur qui est essentiellement celle des pays occidentaux, industrialisés. Ce sont des pays qui sont individualistes et le bonheur est une façon, si vous voulez, d'individualiser encore plus et de légitimer encore plus l'individualisme. Et cette solidarité, ces solidarités dont vous parlez, ce sont des solidarités pour, le plus souvent... ce sont des solidarités éphémères et volontaristes.
Journaliste : Donc moralité...
Eva Illouz : Elles sont choisies.
Journaliste : Moralité : il faut se méfier des « apôtres du bonheur », comme vous les appelez dans le livre.
Eva Illouz : Pas forcément, mais quand ces apôtres vont servir et se mettre au service de grandes institutions comme l'armée ou les grandes entreprises, il faut se poser des questions.
Journaliste : Oui, parce que l'entreprise est aussi concernée par cette...
Eva Illouz : Oui, absolument.

Leçon 3 : Animal-sensible

▹ Vidéo n° 10. Activité 2

Journaliste : C'est une élève presque comme les autres. Depuis la rentrée, cette dalmatienne de huit mois a été adoptée par les collégiens.
Infirmier : On passe par la permanence ?
Élève 1 : Oui, c'est une ado, elle a quelques mois, elle est petite, elle est jeune, elle court partout, donc c'est une responsabilité de devoir s'occuper d'elle et de devoir faire attention.
Journaliste : À tour de rôle, les élèves promènent Pollen sur leur temps de pause.
Infirmier : Tu tiens la laisse pas trop longue, voilà, et puis tu ouvres un petit peu ta main et tu l'appelles.
Journaliste : La chienne vient au collège trois jours par semaine.
Élève 2 : Doucement, Pollen. Elle nous aide à être moins timide. Plus envie d'aller vers les autres, parce que quand elle est dans la cour, du coup tout le monde est autour d'elle et ça, vu qu'on a un point commun, on se fait des amis.
Infirmier : Tu donnes la patte ?
Journaliste : Ce chien pédagogique est utilisé pour la première fois en France dans un collège public. Une idée de cet infirmier scolaire. Grâce à Pollen, la parole des élèves se libère naturellement.
Infirmier : On s'est tous confiés quand on était enfant à un animal. Il garde nos secrets. Et c'est vrai que là, pour le coup, Pollen rappelle un petit peu ça. Elle rappelle un petit peu ce... l'animal qu'ils ont chez eux ou celui qu'ils n'ont plus, et elle facilite.
Journaliste : Pollen joue aussi un rôle important dans l'inclusion scolaire. Ici dans cette classe ULIS, par petits groupes, des élèves ordinaires viennent jouer à des jeux de société avec des élèves en situation de handicap. Pollen, elle, passe de table en table.
Professeure : Ça leur permet aussi de discuter entre eux, c'est un moyen de communication, de langage, voilà. Ils vont être amenés à discuter du chien, de ce qu'ils aiment.
Élève 3 : Elle aime bien manger ça, hein. C'est un bon chien, il est attentif, il marche beaucoup, il court beaucoup, je vois il est un peu, il est... des fois il aime quand on le caresse, et tout, et il rigole.
Professeure : Tiens, vas-y, donne lui à la place.
Journaliste : Comme un trait d'union entre les humains, Pollen est devenue indispensable à la vie de ce collège.

Leçon 4 : Nouvelles utopies

▹ Piste 30. Activités 7 et 8

Victor Hugo disait : « L'utopie, c'est le futur qui s'efforce de naître. La routine, c'est le passé qui s'obstine. » C'est exactement ça, et même bien plus. L'utopie, c'est le moteur de l'histoire, c'est le germe de toutes les grandes innovations. Ça permet aussi de s'accomplir dans la vie, c'est même parfois une question de survie, parce que vos utopies sont très ancrées sur qui vous êtes et donc renoncer à ses utopies, c'est renoncer un peu à soi. Alors on en parle beaucoup d'utopie, c'est un peu à la mode : donc, euh... ça fait des unes des journaux en ce moment, c'est dans les discours des politiques... Mais cette utopie, c'est un peu la version « divertissement ». Y'a tromperie sur la marchandise. Moi, ça me fait penser à un concept-car, vous savez, ces super bolides qu'on montre au Mondial de l'auto : le super bolide qu'on ne fabriquera jamais. Il est juste là pour démontrer notre génie visionnaire et donner de la matière à rêver à notre pauvre monde lugubre. Mais l'utopie, ça n'a rien à voir avec ça. C'est pas un truc de Bisounours non plus. L'utopie, c'est pas une façon de fuir la réalité, c'est LE moyen de la changer. Alors l'utopie, évidemment, ça fait sourire. C'est rarement gentil, quand on vous traite d'utopistes. Mais derrière ce sourire, en fait, il y a nos peurs. L'utopie, étymologiquement, ça veut dire « qui n'a pas de lieu ». Ça ne veut pas dire qu'il ne peut pas en avoir un jour. Donc nous avons traduit l'irréalisé par l'irréalisable. Comme si un truc qui n'existait pas ne pouvait pas exister. Vous imaginez ? On est incapable de penser l'inconnu. Mais qu'est-ce qui nous fait peur ? Rêver trop grand ? Espérer ? Au pire, ça marche... [...]
Et des utopies, aujourd'hui, on en a besoin. On a... On est confrontés à des tas d'enjeux, des enjeux économiques, on a des inégalités records, on a des désordres écologiques, des dérèglements climatiques, des migrations, on a même des crises philosophiques, puisqu'on est... on a du burn out comme on n'en a jamais eu : on n'a jamais autant vendu d'antidépresseurs. Donc il faut se remettre au boulot : il faut redonner de nouvelles utopies. [...]
C'est de la diversion, c'est même de la désertion : nous désertons notre humanité, nous désertons le présent, nous désertons notre planète, peut-être pour ne pas voir que nous avons abdiqué notre humanité, peut-être pour ne pas voir que... pour ne pas assumer nos responsabilités. Nous fuyons notre humanité, alors qu'il faudrait y revenir, la faire grandir... se recentrer sur le génie humain. Moi je crois beaucoup à l'idée d'être contestataire envers son propre camp. C'est comme ça qu'on le fait grandir, surtout pas en regardant ailleurs. Quand on croit à quelque chose, on lui demande plus d'audace, plus d'ambition, plus de hauteur, on est vigilant, on lui dit quand il va droit dans le mur. Et donc, on pourrait se... se dire qu'on pourrait avoir un numérique conscient. Conscient que les métaux, les ressources, ça appartient à tout le monde, y compris à nos enfants et à leurs petits-enfants. Et que donc : qui peut prendre la décision d'utiliser, de gâcher, plutôt, une ressource rare pour faire un distributeur automatique ou empathique de croquettes pour chats ? Et si cette ressource venait à manquer pour un défibrillateur ? Qui sommes-nous pour prendre cette décision ? Et puis les ondes ? On n'a aucun recul. On pourrait au moins en discuter : ça, c'est important. En fait (pardon), on pourrait se dire que... ça paraît gros, cette idée d'un numérique conscient. Mais si on se pose cette question-là, c'est qu'on ne se pose pas la bonne question. Une utopie, ça se réalise en ordre dispersé. On ne va pas révolutionner un secteur du jour au lendemain : ce qu'on fait, c'est qu'on fait des trous dans la coque. Et c'est comme ça que se passe toujours. On ne sait jamais comment une utopie part, hein, on ne sait jamais comment une innovation va marcher, mais par contre on sait que quand on fait des trous, ça va commencer à marcher. La vraie question à se poser en fait, c'est : que voulez-vous accomplir ? Qui voulez-vous être ? Sébastien Kopp est parti il y a une petite quinzaine d'années au Brésil avec son... avec son meilleur ami, avec une utopie qui était une basket écolo et équitable. Aujourd'hui c'est Veja, c'est qui est un succès sans aucun investissement publicitaire. Et je peux vous garantir que l'industrie de la mode, c'est coton aussi, c'est extrêmement marketé. Probablement que l'utopie de Sébastien, qui est aussi celle d'autres personnes, sera un jour une évidence. Aujourd'hui, on voit plein de forums anti-fashion partout. Donc en fait, l'idée, ce serait d'imaginer, nous aussi, une utopie, l'utopie d'un numérique qui serait frugal, qui ne nuirait à personne, qui régénère les équilibres écologiques, humaniste, qui enrichit les populations, créateur d'une société résiliente, c'est-à-dire qui nous permette d'absorber les chocs et les imprévus à venir, créateur d'êtres libres affranchis qui peuvent être acteurs de la société, créateur de lien avec d'autres peuples, créateur de démocratie directe, participative, citoyenne. L'idée, c'est de se dire à chaque fois qu'on fait un produit ou un service : en quoi

est-ce utile ? Qu'est-ce que ça apporte au monde ? Est-ce que ça lui fait du bien ou du mal ? Et tout ça, est-ce que ça le vaut ? Souvenez-vous de l'esclavage. Il a fallu la machine à vapeur pour que l'utopie se... se réalise. Donc c'est à nous maintenant d'inventer toutes les petites machines à vapeur qui pourraient nous faire passer dans le numérique conscient. On pourrait passer avec une nouvelle utopie de l'ère industrielle à une nouvelle ère.

DOSSIER 8. D'innombrables langues françaises

Leçon 1 : Cette langue-là est une reine

Piste 31. Activité 3

Patrick Cohen : Erik Orsenna, cette façon de chasser l'anglicisme, comme le fait... comme le font les autorités publiques au Québec, et la télévision – on vient d'en parler –, c'est ridicule ou c'est utile ?
Erik Orsenna : Non, mais on peut chasser d'un côté et puis on peut faire d'une certaine manière son marché de l'autre. Moi, quand je lis Dany Laferrière, quand je vais en Afrique et quand j'écoute... mais ça enrichit ma langue, c'est-à-dire qu'il y a ce mot magnifique, c'est une langue que nous avons en partage. La France n'a pas le monopole de la langue française, elle est nourrie par ces différents regards, ces différentes chaleurs, ces fleuves différents, et comme l'a dit très très bien Bernard Guetta qui va bientôt avoir son siège étant donné tout ce qu'il a dit, je pense que nous avons – et la France est championne du monde dans ce domaine – un trésor que nous ignorons. Regardez comme c'est beau, notre mission. Nous devons avoir, défendre une langue capable de traiter les arts et les sciences. Parce que la langue n'est pas seulement une communication ; la langue, c'est aussi une manière de penser, de découper le monde, d'organiser les interactions entre les différentes réalités du monde. C'est ça, une langue ; une langue, c'est un regard ; une langue qui s'arrête, c'est un regard qui s'éteint ! Et donc quand on a forgé depuis 1 200 ans, ensemble, depuis les gangsters comme Villon jusqu'aux rois et jusqu'aux fonctionnaires, etc., nous avons fait ça ensemble. Et c'est merveilleux, ça ! Et on s'en fiche. On s'en moque, on le dédaigne, on l'oublie parce que, regardez... si on diminue les mots d'amour, on diminue l'amour !
Patrick Cohen : Pourquoi voulez-vous diminuer les mots d'amour ?
Erik Orsenna : Mais si on restreint la langue ? Si on restreint, si on diminue un peu, si y'a, euh... « ch't'aime », eh ben d'accord, et alors ? Ben, « j't'aime ». Et alors ? « J't'aime. » Et alors ? Et l'inclination ? Et le penchant ? « J'ai un penchant pour toi », ça c'est bon parce que si on continue le penchant, on se retrouve au lit, c'est pas mal !
Patrick Cohen: Et « j'te kiffe », vous prenez ?
Erik Orsenna : Ah, je prends le « kiffe », je prends le « kiffe » parce que le « kiffe », c'est pas simplement... c'est pas simplement « aimer bien ». Y'a un truc un peu plus fort, donc pourquoi pas l'accueillir ? Moi, j'accueille ce genre de choses. Comme on disait, c'est pas seulement...
Patrick Cohen : « Kiffer » n'a pas d'équivalent en français ?
Erik Orsenna : Eh bien non, et non, non. Il y a une autre expression que j'adore et que je prends : « j'ai la haine ». Eh bien, y'a pas dans le français. Donc quand le français n'a pas inventé ce genre de mots, on les accueille ! Bienvenue ! Bienvenue au « kiffe » !
Patrick Cohen : Dany Laferrière ?
Dany Laferrière : On peut mettre une kyrielle de synonymes, pourquoi pas ? Il y a des synonymes, on n'a qu'à choisir comme on veut. De toute façon, en amont, je crois que dès qu'on ajoute, ça diminue. C'est-à-dire : « je t'aime beaucoup », ce n'est pas la même chose que le fameux « je t'aime ».

Leçon 2 : Décoloniser la langue française

Piste 32. Activité 7

Présentatrice : Et on revient tout de suite sur l'ouverture, ce matin, du XVIIe Sommet de la francophonie. On en parle avec notre invitée du jour. Françoise Vergès, bonjour.
Françoise Vergès : Bonjour.
Présentatrice : Merci d'avoir accepté notre invitation. Vous êtes historienne, politologue, par ailleurs ancienne présidente du Comité pour la mémoire de l'esclavage. Vous avez publié récemment dans la *Revue du Crieur* un texte concernant la francophonie intitulé « Décoloniser la langue française, pour une politisation de la francophonie », on va y revenir ensemble. Un mot, tout d'abord, des enjeux du rendez-vous qui s'est ouvert aujourd'hui. On a entendu Emmanuel Macron, tout à l'heure, quelles sont vos attentes à vous ?
Françoise Vergès : Oh... mes attentes... Ces sommets sont un peu toujours des choses formelles, un peu officielles qui ne sont... Bon alors évidemment, on regarde ça avec un peu d'intérêt – qui est sur la photo, qui n'y est pas, la disposition, les discours – mais ce qu'on attend en général, c'est : qu'est-ce qui va être mené en pratique, réellement ? Qu'est-ce qui va être donné ? Quel va être le budget ? Quelles vont être les ressources qui vont être données à l'Agence de la Francophonie ?

Piste 33. Activité 8

Présentatrice : Alors, le chef de l'État a parlé une quarantaine de minutes, Emmanuel Macron qui a, je le cite, déclaré que la francophonie, ce n'était « pas un club convenu, un espace fatigué, mais un lieu de reconquête des valeurs comme les Droits de l'Homme ». Ça, c'est pour le beau discours, effectivement ; en termes de budget et d'avancées, on sait qu'Emmanuel Macron s'était engagé il n'y a pas si longtemps que ça à œuvrer, à aider la francophonie : où est-ce qu'on en est aujourd'hui ?
Françoise Vergès : Ben écoutez, on sait aussi que, quand même, les lycées français, qui sont les premiers vecteurs dans les pays d'Afrique et d'Asie, ont vu leur budget baisser, leurs frais de scolarité augmenter, ce qui rend plus difficile évidemment pour des familles d'y mettre leurs enfants. Et ça... quelles sont les ressources ? Comment aider les universités, les départements de lettres, les départements d'études francophones, dirions-nous ? Est-ce que c'est vraiment soutenu, est-ce qu'il y a réellement un soutien financier à de tels départements ?
Présentatrice : Cette volonté affichée dans le discours, si je vous suis bien, aujourd'hui, elle est pas très concrète dans les faits, sur le terrain ?
Françoise Vergès : Sur le terrain en Afrique, en Asie, elle n'est pas encore concrète, et pour ce qui est de la France : quelle est la réelle politique des visas qui sont donnés aux étudiants venant de ces continents ? Quel est le soutien qui leur est apporté ? Est-ce qu'il y a encore dans les universités françaises réellement une ouverture à cette... à ces sujets francophones ? Est-ce que les sujets francophones sont que la littérature ? Ou c'est aussi une manière de voir le monde ? Qu'est-ce que ça signifierait une... des cours de philosophie... ?
Présentatrice : On parlait de transmission des valeurs...
Françoise Vergès : Des valeurs, ben justement : est-ce qu'il y a de la philosophie qui est transmise ? Est-ce que dans la philosophie, cela veut dire que enseigner Condorcet, Mirabeau ? Mais aussi enseigner des philosophes africains, qui ont écrit en français ? Est-ce que cela veut dire aussi enseigner Fabien Eboussi Boulaga, Léopold Sédar Senghor, Aimé Césaire, dans la question... dans ces cours ? Et ça veut dire, c'est ça aussi l'ouverture dans l'éducation, si on parle simplement de l'enseignement.

Piste 34. Activité 9

Présentatrice : Le chef de l'État a dit ce matin, puisqu'on parle d'Afrique et de valeurs : « La francophonie doit être féministe, l'avenir de l'Afrique sera féministe. » À qui il parlait, là ?
Françoise Vergès : Ben écoutez, tant mieux ! Peut-être, oui. Qu'est-ce que ça signifie, encore une fois ? Et est-ce-que c'est le français, est-ce que c'est une langue qui apporte ces valeurs ? La question des combats de femmes, ils ont été menés en Afrique, ils sont menés en Afrique, donc, en quelles langues ces femmes expriment ? Enfin, je veux dire : comment ? Quels sont les mots qu'elles utilisent ? Je pense que c'est beaucoup plus important. Et donc, dans ce cas, est-ce que le français est à l'écoute de la manière dont ces femmes parlent de leur but ?
Présentatrice : Emmanuel Macron qui a aussi appelé à la reconquête des valeurs de la francophonie en passant par la jeunesse. On parlait d'éducation, à l'instant, de cours de philosophie... C'est un dossier qui est remis entre les mains des jeunes, uniquement aujourd'hui ?
Françoise Vergès : Ben, je pense... oui, évidemment, et aujourd'hui, c'est les jeunes, les jeunes, c'est...
Présentatrice : C'est quoi, pour eux, la notion de la francophonie ? Ce serait une question, évidemment, qu'on pourrait leur poser ?
Françoise Vergès : Oui, alors moi, je [suis] frappée quand on entend des migrants : c'est en fait qu'ils ont une plus grande maîtrise de langues que la plupart des Européens. Ils parlent très souvent trois ou quatre langues très facilement parce qu'ils ont besoin de survivre, ils ont besoin de se débrouiller. Et le français est une langue parmi d'autres ! Le français est une langue dont les personnes qui... je veux dire, c'est une langue dont on peut s'emparer et puis parler, écrire, dans cette langue. C'est pas une langue qui doit... par laquelle qui doit être simplement un vecteur de quelque chose, c'est une langue de création, je veux dire : si je parle en français, c'est pas pour dire les grandes valeurs de la modernité, c'est parce que je parle en français et que je peux donner des idées qui ne sont pas nécessairement les idées de la Déclaration française, c'est peut-être les idées de la déclaration du Mandé, qui est une déclaration des droits humains en Afrique au XIe siècle. Donc c'est une langue de communication, c'est une

langue dans laquelle on peut exprimer aussi l'amour, la joie, la peur, le bonheur. Et aussi effectivement le désespoir, c'est-à-dire que… Quel est le français… en quel français les migrants expriment-ils leur trajet et leur vie ?
Présentatrice : Vous dites dans la tribune que je citais tout à l'heure : « Il faut décoloniser la francophonie. » Pourquoi ?
Françoise Vergès : Parce que la francophonie a été un vecteur de colonisation, le français a été un vecteur de la langue, enfin, la…
Présentatrice : C'était une langue imposée, au départ.
Françoise Vergès : C'était une langue imposée. Il y avait… Dans les écoles, on n'apprenait pas du tout les langues locales, enfin… les langues nationales, on ne les apprenait pas du tout ! Il fallait le… elles étaient même interdites ! Donc il y a eu… le français a été la langue de la loi coloniale, c'est en français que le code de l'indigénat s'est écrit, ça a été une langue de la hiérarchie raciale. Donc il faut voir comment ça a pénétré dans la langue, ce que… Quand Aimé Césaire parle d'un effet retour sur la manière dont l'Europe se pense, il y a un effet retour du colonialisme. Donc il y a quelque chose qui été transmis, ça ne se passe pas seulement dans la colonie, ça se passe aussi ici. Et donc la décolonisation, ça veut dire de penser à toutes les manières dont ça a pénétré dans la langue française. Pas nécessairement dans le vocabulaire, mais dans la manière de penser et d'utiliser la langue française.
Présentatrice : Merci beaucoup, Françoise Vergès, d'avoir été notre invitée du jour à l'occasion de ce XVIIe Sommet de la francophonie.

Leçon 3 : Parler le même langage

▸ Piste 35. Activité 7

Annie Ernaux : C'était une vie qui a été toujours, vraiment… c'était une toute petite ascension sociale, une vie où il y avait beaucoup de gêne, c'est une vie que j'ai partagée et avec ça, on ne peut pas faire de roman. Je crois que pour retrouver… il fallait que je… que je scrute vraiment dans ma mémoire toutes les choses qui m'avaient marquée, travailler sur la mémoire, travailler aussi beaucoup sur tout ce que j'avais entendu étant enfant. Je pense que les mots, les phrases qu'on emploie retracent vraiment le monde où on vit. Par exemple, très souvent, on disait à la maison : « On n'est pas malheureux, il y a plus malheureux que nous. » Eh bien rien que de dire cela, ça montre, ça montrait déjà notre limitation. Enfin, toutes sortes de phrases qui m'ont beaucoup marquée. On me disait à moi : « Tu ne comptes rien. » « Tu ne comptes », c'était vraiment… c'était une vie où tout coûtait cher, où on était vraiment limités. Et je pense que… le roman, le livre de souvenirs, aussi – et ça, ce n'est pas du tout une critique pour Georges-Emmanuel Clancier – mais ça embellit toujours, c'est au regard des souvenirs, quand on se laisse aller, et moi je ne voulais pas me laisser aller, je voulais à travers l'histoire de mon père, surtout, c'est… je pense que c'est aussi la mémoire de beaucoup d'autres gens que je retraçais.

▸ Piste 36. Activité 8

Bernard Pivot : Il y a une phrase qui est terrible. Vous écrivez à un moment : « J'écris peut-être parce qu'on n'avait plus rien à se dire. »
Annie Ernaux : Oui, je crois que… oui, c'est vrai.
Georges-Emmanuel Clancier : C'est une phrase terrible.
Annie Ernaux : C'est parce que mon père ne savait pas parler le beau langage, le langage des classes dominantes. Il parlait encore un peu patois et aussi bien, il désirait par-dessus tout c'est que je fasse des études, que j'aie des diplômes, que j'aie tout ce qu'il n'avait pas eu. Et au fur et à mesure que j'obtenais ces diplômes, que je… en même temps, moi, je changeais de monde. Je n'ai pas été une enfant double, j'ai été une enfant déchirée, je pense, déchirée entre le milieu de mes parents et puis un milieu petit bourgeois qu'automatiquement je me suis mise à fréquenter, et j'avais des intérêts différents des siens, je lisais, on ne se… on ne parlait plus le même langage. Je crois que cette question de langage, entre lui et moi, c'était extrêmement important.
Bernard Pivot : Oui, vous dites que c'était peut-être la chose la plus terrible qu'il y avait entre vous.
Annie Ernaux : C'était la plus terrible.
Bernard Pivot : Oui, mais en même temps, il n'aimait pas que vous dites par exemple… je ne sais pas… « prof », ou bien « bouquin ». Il n'aimait pas ça.
Annie Ernaux : Non, parce qu'il pensait que si j'avais eu la chance d'apprendre justement à bien parler, c'était manquer de respect finalement à ce que… à ce qu'on m'apprenait. Il avait un respect très religieux de l'école.

▸ Piste 37. Activité 9

Annie Ernaux : C'était une vie qui a été toujours, vraiment… c'était une toute petite ascension sociale, une vie où il y avait beaucoup de gêne, c'est une vie que j'ai partagée et avec ça, on ne peut pas faire de roman. Je crois que pour retrouver… il fallait que je… que je scrute vraiment dans ma mémoire toutes les choses qui m'avaient marquée, travailler sur la mémoire, travailler aussi beaucoup sur tout ce que j'avais entendu étant enfant. Je pense que les mots, les phrases qu'on emploie retracent vraiment le monde où on vit. Par exemple, très souvent, on disait à la maison : « On n'est pas malheureux, il y a plus malheureux que nous. » Eh bien rien que de dire cela, ça montre, ça montrait déjà notre limitation. Enfin, toutes sortes de phrases qui m'ont beaucoup marquée. On me disait à moi : « Tu ne comptes rien. » « Tu ne comptes », c'était vraiment… c'était une vie où tout coûtait cher, où on était vraiment limités. Et je pense que… le roman, le livre de souvenirs, aussi – et ça, ce n'est pas du tout une critique pour Georges-Emmanuel Clancier – mais ça embellit toujours, c'est au regard des souvenirs, quand on se laisse aller, et moi je ne voulais pas me laisser aller, je voulais à travers l'histoire de mon père, surtout, c'est… je pense que c'est aussi la mémoire de beaucoup d'autres gens que je retraçais.
Bernard Pivot : Il y a une phrase qui est terrible. Vous écrivez à un moment : « J'écris peut-être parce qu'on n'avait plus rien à se dire. »
Annie Ernaux : Oui, je crois que… oui, c'est vrai.
Georges-Emmanuel Clancier : C'est une phrase terrible.
Annie Ernaux : C'est parce que mon père ne savait pas parler le beau langage, le langage des classes dominantes. Il parlait encore un peu patois et aussi bien, il désirait par-dessus tout que je fasse des études, que j'aie des diplômes, que j'aie tout ce qu'il n'avait pas eu. Et au fur et à mesure que j'obtenais ces diplômes, que je… en même temps, moi, je changeais de monde. Je n'ai pas été une enfant double, j'ai été une enfant déchirée, je pense, déchirée entre le milieu de mes parents et puis un milieu petit bourgeois qu'automatiquement je me suis mise à fréquenter, et j'avais des intérêts différents des siens, je lisais, on ne se… on ne parlait plus le même langage. Je crois que cette question de langage, entre lui et moi, c'était extrêmement important.
Bernard Pivot : Vous dites que c'était peut-être la chose la plus terrible qu'il y avait entre vous.
Annie Ernaux : C'était la plus terrible.
Bernard Pivot : Oui, mais en même temps, il n'aimait pas que vous dites par exemple… je ne sais pas… « prof », ou bien « bouquin ». Il n'aimait pas ça.
Annie Ernaux : Non, parce qu'il pensait que si j'avais eu la chance d'apprendre justement à bien parler, c'était manquer de respect finalement à ce que… à ce qu'on m'apprenait. Il avait un respect très religieux de l'école.

Leçon 4 : À voix haute

▸ Vidéo n° 11. Activité 3

Camélia Kheiredine : J'avais l'impression, l'année dernière, quand je suis arrivée à la fac, que toutes mes origines sociales, la catégorie socioprofessionnelle de mes parents, les établissements quelque peu douteux que j'ai fréquentés, j'avais l'impression que tout ça, ça se dessinait sur mon visage mais surtout sur ma parole.
Franck Bikpo : Quand j'étais petit, mon rapport à la parole était vraiment différent de celui qui était… de celui que j'ai actuellement. J'étais un gros moqueur. Je parlais sans prendre en compte l'efficacité et le but de ma parole. L'objectif était de parler le plus possible, un peu comme des éjaculations de poulets, genre euh…
Camélia Kheiredine : Je sais pas si vous vous en rendez compte, mais les gens de banlieue, quand on parle, on va des graves jusqu'aux aigus ça fait « ouuuu… », ça fait des « mais oula, voilà », et ça, je sais que les gens ils le remarquent directement.
Kristina Marcovic : La première fois que j'ai vraiment pris confiance en moi pour parler, c'était sûrement en seconde quand je suis… enfin plutôt fin seconde, quand je suis arrivée au lycée. En attendant, j'étais très sur la défensive, renfermée, quand on me disait quelque chose, je rougissais, enfin… je rougis toujours.
Camélia Kheiredine : Mes professeurs m'ont toujours dit : « Vous, les gens de Champigny, du 94, vous allez vous battre deux fois plus que les autres, c'est sûr, parce que votre capacité à vous exprimer, votre richesse des mots, votre capital social culturel, il sera pas le même que les autres. »
Kristina Marcovic : Je veux donner l'impression d'avoir confiance en moi alors que, pour l'instant, c'est pas encore exactement ça.

DALF C1 n° 4 – Compréhension de l'oral

▸ Piste 38. Document 1

Journaliste : Nous allons aujourd'hui vous parler d'un écrivain qui s'est mis en tête de nous prouver que la dictée, ça ne se limite pas strictement aux bancs de l'école. Il en organise en effet des géantes en banlieue ! Rachid Santaki est écrivain et il s'est fait connaître il y a plusieurs années avec ses romans mettant en scène la banlieue vue du côté de ses habitants. Après la publication de *La Petite Cité dans la prairie*, il a tout de suite compris qu'il pouvait faire tomber les tabous et faire entendre de beaux textes au cœur des cités. Ainsi est venue à ce romancier, scénariste, l'idée d'organiser des rassemblements autour de dictées publiques dans les banlieues. Il en a déjà réalisées plus d'une soixantaine dans toute la France. Que se soit à Vaulx-en-Velin, dans les quartiers nord de Marseille, mais aussi dans les Hauts-de-Seine, comme en banlieue parisienne, ses dictées rassemblent tous les publics, des jeunes comme des vieux. Sa méthode est simple, il parle très doucement pour les plus petits et le rythme s'accélère en fonction des autres catégories, puisque les plus petits font le début de la dictée. Il nous explique qu'il prend le temps, qu'il fait les liaisons, parfois il fait aussi des fautes. Il avoue ne pas être un bon prof ni un bon instituteur, mais l'essentiel, pour lui c'est de s'amuser, de répéter s'il le faut et qu'il y ait une interaction avec le public. Il sélectionne ses textes selon le critère suivant : il va dans le fond documentaire : tout ce qui est XIXe, la littérature française, les classiques, il les utilise car il trouve plus intéressant de confronter les plus jeunes aux textes et dans un contexte différent.

D'après un document audio France Inter.

Piste 39. Document 2

Présentateur : Bonjour à tous, soyez les bienvenus. C'est Bruno Pons qui est des nôtres aujourd'hui, bonjour.
Bruno Pons : Bonjour.
Présentateur : Alors vous êtes chercheur en linguistique et vous avez mené une enquête colossale sur le français de nos régions ?
Bruno Pons : En effet, on a interrogé les internautes, on voulait leur demander : « Quel est votre usage des mots régionaux ? Comment vous appelez cette pièce de tissu pour nettoyer par terre, cette viennoiserie, ce morceau de crayon, etc. ? »
Présentateur : Vous avez vraiment sondé des dizaines de milliers de personnes ?
Bruno Pons : Au début, on ne s'attendait pas à un tel engouement de la part du public.
Présentateur : Il y a eu une démarche proactive, en fait, des gens ?
Bruno Pons : Exactement. Au début, on a simplement partagé des liens via les réseaux sociaux, Facebook, Twitter, etc., puis les gens les ont partagés eux-mêmes et il y a eu un tel engouement qui a fait qu'on a atteint des sommes de participants astronomiques et on a lancé ça sur deux ans et ce qui fait qu'on a eu des dizaines de milliers de participants.
Présentateur : Et évidemment, c'est l'avantage d'Internet, des réseaux sociaux, c'est que vous avez pu toucher un panel très représentatif de gens, ce qui n'était peut-être pas possible auparavant quand on menait ce genre d'études.
Bruno Pons : Exactement. Ce genre d'enquête aurait pris des années, voire une vie, sans les réseaux sociaux. S'il fallait se déplacer et aller dans tous les villages ou dans toutes les localités où l'on parlait français de France, de Suisse et de Belgique, il aurait vraiment fallu plus de temps que ce qu'on a pris.
Présentateur : Ici, combien de temps justement ? Deux ans de travail, globalement ?
Bruno Pons : Deux ans de travail, mais une grosse sélection des entrées : on n'a pas pu mettre toutes les cartes qu'on avait générées. Il y a environ trois cents à quatre cents questions qui ont été posées.
Présentateur : Est-ce que la mondialisation et puis aussi les réseaux sociaux, forcément, depuis quelques années, ont tendance à lisser un petit peu ces particularismes régionaux ou au contraire à les exporter ?
Bruno Pons : J'ai l'impression. Ce qu'on voit sur les réseaux sociaux, c'est vraiment que l'Internet accentue cette différence et que donc les gens les étendent encore plus comme un drapeau ou comme ils défendraient une équipe de foot.

D'après un document audio France Inter.

DOSSIER 9. Ère numérique

Leçon 1 : Une immense librairie

Piste 40. Activités 6, 7 et 8

Voix-off : Le Salon du livre sert-il à quelque chose ? C'est la question à laquelle répondent Grégoire Leménager du *Nouvel Observateur* et Jean-Christophe Buisson du *Figaro Magazine*.
Jean-Christophe Buisson : Écoutez, aujourd'hui, tout ce qui peut contribuer à sauver le livre en France – qui est dans un état relativement déclinant, voire désastreux, avec ces librairies qui se ferment, ces chaînes de librairies qui se ferment – donc tout ce qui peut contribuer à préserver encore la lecture et donc la vente de livres en France est bon à prendre, à mon avis. Et l'idée même qu'il y ait une fois par an, à Paris, capitale de la France, une immense librairie de dizaines de milliers de mètres carrés avec des centaines d'auteurs et des dizaines de milliers de gens qui viennent et qui payent pour venir, avoir un sourire, avoir une dédicace, avoir un regard d'un auteur, c'est quelque chose – je trouve – de formidable. Et surtout que les gens se promènent et découvrent le livre, pour certains, qui n'osent pas entrer dans les librairies, ça, c'est la première chose. Deuxième chose : le fait même que des gens fassent la queue pendant des heures, pour aller avoir une dédicace de Anna Gavalda, d'Éric Orsenna, de Pierre Lemaitre, du prix Goncourt, plutôt que de faire les queues pour avoir un tee-shirt de Franck Ribéry ou de Nabila, moi, ça me réjouit. Ça me rassure de me dire que des gens sont capables de faire la queue pour avoir rencontré un écrivain. C'est quelque chose qui me semble primordial.
Grégoire Leménager : Ouais, vous avez une vision un peu angélique du truc, quand même, Jean-Christophe, si je puis me permettre.
Jean-Christophe Buisson : C'est la première fois qu'on me fait le procès de l'angélisme !
Grégoire Leménager : Eh bien je pense que ce ne sera pas la dernière ! Voilà ! Parce que vu comme c'est parti... Non... mais évidemment, c'est très réjouissant qu'il y ait beaucoup de gens qui aillent au Salon du livre, évidemment, c'est très bien, on aime tous les livres et tout ça... Après, il faut voir de quels livres on parle et il faut voir de quels auteurs on parle. Parce que vous parlez de ces queues phénoménales qui s'allongent au Salon du livre devant les stands des écrivains : il se trouve qu'en général, les écrivains devant lesquels il y a des queues interminables sont au mieux Amélie Nothomb et au pire telle ou telle star de télé, voire de téléréalité, qui a sorti un livre qu'il n'a en général pas écrit lui-même, et voilà, ou alors un homme politique, enfin quelqu'un qui passe à la télé de toute façon et qui en général n'est pas un écrivain.
Jean-Christophe Buisson : Attendez, vous voulez quoi : qu'il n'y ait que des académiciens qui écrivent des livres ?
Grégoire Leménager : Oh non, ça, ce serait un peu triste. Non, non, non mais, mais plus sérieusement, il y a un problème quand même qui est posé peut-être par la définition même du salon et par son ampleur. C'est-à-dire que moi, je pense aux écrivains dans l'histoire. Et vous dites « les livres » : c'est très bien, mais la plupart des livres sont des... Il y a le stand de livres de cuisine, par exemple, qui fonctionne très bien aussi. Il y a...
Jean-Christophe Buisson : La BD, la jeunesse... Mais vous avez commencé à lire directement par *Les Illusions perdues* de Balzac ?
Grégoire Leménager : Bien sûr.
Jean-Christophe Buisson : Ou vous avez commencé par *Le Club des cinq*, la BD... la découverte du livre ? Moi, vous pensez aux écrivains, moi, je pense aux gens qui viennent, je pense aux futurs lecteurs, et c'est ça qui m'intéresse. Et qu'effectivement certains lecteurs viennent chercher des livres de cuisine, eh bien oui, ils viennent chercher des livres de cuisine, mais aussi, au stand d'à côté, ils vont découvrir qu'il y a autre chose que des livres de cuisine et je pense que c'est une introduction au monde du livre qui est tout à fait merveilleuse.
Grégoire Leménager : Oui, alors c'est une façon de voir les choses et qui est en partie juste hein, mais d'un autre côté je ne peux pas m'empêcher de penser que ce dispositif, avec son énormité – parce que c'est pas une grande librairie : c'est un hypermarché d'une taille hallucinante –, finit par être contre-productif, si vous voulez, dans la promotion justement des auteurs, etc. C'est-à-dire que je pense que les organisateurs se donnent du mal pour apporter un supplément d'âme à tout ça ; par exemple, cette année, ils invitent une quarantaine d'écrivains argentins, c'est très bien. Et en même temps, on sait très bien que sur les deux cent mille personnes qui vont venir, il y en a à peine 5 % – et encore, je suis peut-être optimiste – qui vont y aller pour voir ces auteurs argentins-là.
Jean-Christophe Buisson : C'est déjà ça... C'est déjà ça... Enfin, je ne sais pas, moi, à part Borges et Cortázar, je ne connais pas très bien la littérature argentine et je suis ravi de découvrir qu'il y a une littérature argentine, et peut-être que j'irai, alors que je nc serais jamais allé ouvrir un livre argentin spontanément, et là, ça va me donner peut-être envie et rien que ça, si on sauve quelques personnes à découvrir une part de la littérature mondiale méconnue, c'est déjà ça, non ?
Grégoire Leménager : Oui, oui, mais encore une fois, on peut voir les choses de cette manière, mais on peut aussi trouver que les auteurs argentins, précisément, vont se trouver noyés dans cette grande foire et que c'est peut-être pas la meilleure manière de les promouvoir, que ce n'est peut-être pas la meilleure manière de les faire découvrir. Il y a souvent des tables rondes qui sont organisées avec des écrivains, etc., il y a certainement des choses intéressantes, mais qui se trouvent complètement noyées dans la masse et c'est un reflet du problème de la... Enfin bon, le Salon du livre, c'est organisé par les éditeurs eux-mêmes, c'est le SNE qui pilote ça, et je pense qu'il reflète tous les problèmes

de la surproduction éditoriale française qui essaye d'aligner des titres dans tous les domaines pour essayer de satisfaire absolument tous les publics et là, on se retrouve avec quelque chose qui effectivement est une fête du livre mais dans laquelle la littérature se trouve perdue.
Jean-Christophe Buisson : Non, vous êtes très élitiste, en fait, c'est ça, le problème, c'est que vous n'aimez pas le peuple...
Grégoire Leménager : Bien sûr...
Jean-Christophe Buisson : ... le peuple de lecteurs, et ça, c'est typique des journaux de gauche qui n'aiment pas le peuple, et qui voudraient qu'on reste entre nous.
Grégoire Leménager : Vous aimez tellement le peuple que vous êtes satisfait qu'il se contente de lire Amélie Nothomb.
Jean-Christophe Buisson : Non, parce qu'ils ne lisent pas qu'Amélie Nothomb, il y en a pour tout le monde et ça me réjouit, que les gens, encore une fois. Le livre, c'est vaste, et pourquoi, de quel droit on détermine le choix des gens qui doivent lire les livres et quel type de livres ils doivent lire ? Je suis désolé, encore une fois, on peut commencer par lire des BD et finir par lire Proust, Balzac et les grands écrivains argentins, et Borges, qui n'est quand même pas très facile à lire.
Grégoire Leménager : D'accord, d'accord... Donc on va voir, on va faire signer son livre par Aymeric Caron, mais on ressort quand même avec un livre de Borges... J'en doute.
Jean-Christophe Buisson : Mais pas forcément le même jour...
Grégoire Leménager : En tout cas, il y a un fait, qui est quand même un peu inquiétant aussi et qui fait le lien avec ce que vous disiez au début, c'est que les courbes de fréquentation du salon sont plutôt en hausse – le fait que ce soit payant, entre nous, pour une grande librairie, moi, ça me met un peu mal à l'aise – et mais, si les fréquentations sont en hausse, en revanche, il semble que le panier moyen du consommateur qui se rend au salon diminue, c'est-à-dire qu'en fait il y a plus de gens qui viennent et il y en a... ils achètent moins de livres, donc en fait, là aussi, il y a quelque chose de contre-productif qui tient à mon avis à l'énormité du dispositif...
Jean-Christophe Buisson : Ben ça veut dire qu'ils sélectionnent mieux...
Grégoire Leménager : ... c'est « qui veut trop embrasser mal étreint », quoi.
Jean-Christophe Buisson : Ils sélectionnent mieux leur choix.
Grégoire Leménager : Oui, c'est ça...

Leçon 2 : Fais gaffe !

▸ Piste 41. Activités 5 et 6

Laurent Bignolas et Aude GG : Bonjour à tous !
Laurent Bignolas : Je suis Laurent Bignolas, je présente *Télématin* sur France 2.
Aude GG : Et je suis Aude GG, comédienne et créatrice du programme *Virago* sur YouTube !
Laurent Bignolas : Voilà, ça, ce sont nos identités réelles. Mais nous avons, et vous aussi, une identité numérique, composée des traces que nous laissons sur Internet, par exemple ce que nous diffusons, comme les partages de photos et de vidéos.
Aude GG : Ce que nous pensons : à travers les tweets, les retweets, les commentaires.
Laurent Bignolas : Ce que nous aimons : nos loisirs, nos goûts, nos likes.
Aude GG : Ce que nous disons de notre identité réelle : nom, localisation, âge, profession, situation familiale, situation amoureuse, « c'est compliqué », tout ça...
Laurent Bignolas : Ce que nous montrons, comme nos avatars.
Aude GG : Ce que nous écrivons en statut.
Laurent Bignolas : Ce que nous achetons.
Aude GG : Ce que nous... J'ai plus d'idée.
Laurent Bignolas : Et là, vous vous dites : « Et alors ? »
Aude GG : Vous savez, toute la journée, vous utilisez des applis et vous passez votre temps sur des sites parfaitement gratuits comme YouTube, Google, Facebook, etc. Mais j'ai une révélation incroyable à vous faire : ils ne vous proposent pas leurs services juste par bonté d'âme.
Laurent Bignolas : Il y a un proverbe qui dit : « Si c'est gratuit, c'est que vous êtes le produit. » Si tous ces sites et applis génèrent des milliards de bénéfices alors que vous ne payez rien, c'est principalement grâce aux revenus publicitaires. Et Internet a complètement révolutionné la façon de faire de la pub.
Aude GG : Les panneaux publicitaires dans la rue, les encarts dans les journaux ou bien les spots télé s'adressent à tout le monde, sans véritable personnalisation. Mais sur Internet, c'est beaucoup plus ciblé : imaginons que j'aie envie de m'acheter un nouveau smartphone, je fais une recherche sur Google, puis je vais sur Facebook ou YouTube. Eh bien je vous parie qu'on va me proposer une pub pour un téléphone.
Laurent Bignolas : Les pubs Google, Facebook, YouTube sont toutes ciblées en fonction de votre profil numérique. Et c'est logique : si vous avez 15 ans et que vous passez votre temps sur, euh... Frosties...
Aude GG : Fortnite.
Laurent Bignolas : C'est ça. Eh bien ça n'a aucun intérêt pour un publicitaire d'essayer de vous vendre un lampadaire de jardin, par exemple. C'est beaucoup plus, en revanche, intéressant de vous diffuser des pubs pour un superbe casque audio avec micro intégré. Et là, vous vous dites probablement encore...
Aude GG : « Tant mieux si les pubs que je vois me correspondent, elles ont plus de chances de m'intéresser. »
Laurent Bignolas : Le souci, c'est que ces données ne représentent pas que des enjeux commerciaux. Vous avez peut-être entendu parler du scandale *Cambridge Analytica* : cette entreprise, qui récupérait et analysait les informations personnelles des utilisateurs Facebook, aurait aidé Trump à devenir président.
Aude GG : Dites-vous que ce type de programme utilisé par *Cambridge Analytica* permet, à partir des traces que vous laissez sur Facebook, de déterminer à plus de 80 % votre couleur de peau, votre orientation sexuelle et vos convictions politiques. Les équipes de campagne de Trump ont donc pu cibler très précisément leurs messages de propagande.
Laurent Bignolas : Dans le district de Little Haïti, les internautes ont vu par exemple apparaître dans leur flux Facebook une info, comme quoi Hillary Clinton, la concurrente de Trump, aurait échoué dans son aide aux habitants, après le tremblement de terre qui a secoué l'île.
Aude GG : Vous voyez comment ces informations extrêmement ciblées peuvent manipuler l'opinion des gens et mener à l'élection d'un candidat. Suite à ce scandale, Mark Zuckerberg, le président de Facebook, a assuré qu'il ferait tout pour éviter à nouveau une telle fuite des données. Mais...
Laurent Bignolas : Si vous préférez protéger vous-même vos données pour éviter que quiconque puisse s'en servir, voici quelques conseils. Lisez les accords de confidentialité d'utilisation des applications. Par exemple celles de Snapchat : voilà, c'est pas trop long à lire... OK, un vrai conseil alors : remplissez au minimum votre présentation, refusez la reconnaissance faciale, ce qui vous évite ensuite d'être identifié sur des photos ou des vidéos qui ne vous plairaient pas.
Aude GG : Pensez à vérifier régulièrement votre historique personnel de navigation. Repérez les posts identifiés comme « publics », que vous pouvez modifier en cliquant sur le crayon et la croix. D'ailleurs, je vous conseillerais plutôt de ne publier que pour une audience limitée.
Laurent Bignolas : Sur YouTube, vous avez aussi un historique des vidéos que vous visionnez et vous pouvez désactiver cette fonction.
Aude GG : Dernier conseil : vous pouvez choisir de surfer sur des navigateurs privés tels que Qwant ou DuckDuckGo, qui sont des moteurs qui ne gardent pas l'historique des recherches ni les données personnelles.
Laurent Bignolas : Souvenez-vous qu'Internet est un espace public, nos données personnelles sont potentiellement diffusables et utilisables dans le monde entier. Alors, sur le net, au maximum : restez in-vi-sibles. Au revoir !
Aude GG : Ah, donc c'est à moi de terminer toute seule... Bon eh bien, c'est la fin de cet épisode, n'hésitez pas à aller regarder les autres vidéos de la chaîne. Au revoir ! Et voilà, ça marche jamais avec moi...

Leçon 3 : Torrent d'informations

▸ Vidéo n° 12. Activité 2

Albert Moukheiber : Les *fake news*, cela n'a rien à voir avec l'intelligence, on peut tous tomber dans le panneau. On a tendance à croire qu'on voit le monde avec nos yeux, qu'on entend le monde avec nos oreilles, mais au final, on fait tout ça avec notre cerveau. Notre cerveau est le centre de traitement d'une multitude d'informations et de stimuli du monde extérieur. Il agit comme un filtre qui va décider quelles sont les informations qui sont pertinentes pour nous et mettre de côté les informations qui ne le sont pas. Pour faire cela, notre cerveau utilise un procédé qui s'appelle des « modèles heuristiques ». C'est quoi, les « modèles heuristiques » ? C'est une façon approximative de résoudre un problème. Quand je serre la main à quelqu'un, mon cerveau ne fait pas de calculs précis pour calculer l'angle d'attaque, la force, etc. C'est juste qu'on a serré plein plein de mains dans notre vie, et au bout d'un moment, on s'adapte et on devient meilleur. Sans ces raccourcis, tous ces calculs qui nous sont invisibles, on ne pourrait pas fonctionner. Le problème, c'est que ces mécanismes de filtrage, des fois, se trompent et causent des erreurs. C'est pareil pour les news, on raisonne pas de façon objective, mais on raisonne plutôt de manière motivée. Quand je suis en train de lire un article, automatiquement, je vais être plus résistant à des informations qui viennent contredire mon opinion et moins vigilant aux informations qui vont venir renforcer ce en quoi je crois déjà. Si, par exemple, moi j'suis quelqu'un qui croit que les OGM, c'est quelque chose qui est très mauvais pour la santé, et je tombe sur un article qui dit qu'en fait, les OGM, ça n'a pas tellement d'impact sur la santé, j'vais automatiquement résister à cet article, sans même prendre le temps de voir pourquoi est-ce que l'auteur de cet article tient cette hypothèse. Donc notre opinion spontanée est rarement basée sur les faits. On ne traite pas ces idées d'une manière objective. Je vais colorier ces informations par rapport à mes croyances précédentes, par rapport à mes a priori, et je n'vois pas vraiment le monde tel qu'il est, mais plutôt tel que moi je suis. Pourquoi est-ce que notre cerveau fait ça ? Notre cerveau fait ça pour nous éviter ce qu'on appelle la « dissonance cognitive ». C'est quoi la « dissonance cognitive » ? C'est la tension interne qu'on ressent quand on est en contradiction entre, par exemple, une pensée que j'ai et une information qui vient du monde extérieur. Dans notre exemple des OGM, c'est des informations qui viennent contredire ce en quoi je crois. Mon cerveau va automatiquement mettre en place des mécanismes pour réduire cette dissonance cognitive, indépendamment de la qualité de l'information qui est proposée. Notre cerveau va réarranger la réalité, pour garder cette cohérence intérieure. Et donc, les *fake news*, c'est pas quelque chose qui est du domaine de l'ignorance, mais plutôt du domaine de l'illusion de connaissances. Le problème, c'est qu'on croit qu'on sait, et le degré de confiance que moi j'ai en ces informations est souvent lié à mes a priori, à mon groupe social, à mon orientation politique, au pays où je suis né, et à plein d'autres facteurs qui viennent jouer un rôle, bien avant la qualité intrinsèque d'une certaine information. Pour lutter contre les *fake news*, la première chose à savoir, c'est que notre cerveau fait des raccourcis, et ça, c'est quelque chose qu'on ne peut pas toucher. En revanche, ce qu'on peut faire pour mitiger ces effets, c'est, par exemple, être plutôt attaché à « pourquoi » on a une certaine opinion, plutôt qu'à l'opinion en elle-même. Parce que je vais avoir plus de flexibilité mentale, avoir plus tendance à réévaluer mes opinions. Une autre recommandation qu'on peut avoir, c'est d'apprendre à cultiver le doute, vis-à-vis d'une multitude de sujets, surtout les sujets dont je suis certain, parce que c'est ces sujets-là qui sont le plus à risque de me berner. Et un dernier conseil, c'est de pondérer nos opinions, d'attribuer un score de confiance aux différentes opinions. Je peux par exemple me dire : sur cette information-là, j'ai une confiance en mon opinion de 20 %, ou je suis bon à 30 %, et donc pouvoir avoir plus de flexibilité mentale, parce que c'est un sujet que je ne maîtrise pas très très bien. Et donc finalement, l'important, c'est de douter de nos pensées. Et se rappeler que « réfléchir », c'est juste une façon élégante de dire « changer d'avis ».

Leçon 4 : Demain

Piste 42. Activités 2 et 3

Journaliste 1 : L'immortalité restera inatteignable car, comme pour l'intelligence artificielle, le problème n'est pas dans de simples évolutions techniques. Il y a une difficulté fondamentale : c'est nous qui sommes programmés pour mourir. Et Vincent Eden citait le psychothérapeute Christophe Fauré dans son article qui rappelait que notre société d'hypercontrôle, de volonté, de maîtrise de tous les paramètres du vivant se berce d'illusions. Si je prévois tout, contrôle tout, anticipe tout, je finis par croire que rien ne peut m'arriver. La croyance messianique dans les machines s'inscrit dans ce registre, mais c'est une lourde erreur : la vie, c'est l'accident, c'est l'imprévu. Pierre-Jérôme Delage partagera avec nous son analyse afin de percevoir en quoi le transhumanisme n'est qu'une évolution des technologies. En effet, j'ouvrais mon propos en citant une de vos contributions dans un livre et votre article *H+, transhumanisme, eugénisme et droit* par une citation de l'article 1 de la Déclaration transhumaniste qui prophétise un changement radical de l'humanité par la technologie et cite un certain nombre d'applications comme le rajeunissement, l'accroissement de l'intelligence, la modification de son état psychologique, l'abolition de la souffrance. Ce n'est que cela, le transhumanisme ? Et globalement, que recouvre ce terme, Pierre-Jérôme ?
Pierre-Jérôme Delage : Alors, ce n'est sûrement pas que cela, mais c'est une partie de cela. L'idée générale – pour la poser –, l'idée générale du transhumanisme, c'est de permettre à l'homme de s'affranchir de ses limites biologiques naturelles grâce à la technologie. Ça veut dire que la technologie pourrait nous permettre, donc, de rajeunir, de ne pas vieillir, de ne pas être malade, à l'extrême de ne pas mourir, ce qui évidemment est une chimère, mais certains le croient. Donc l'idée est vraiment la transcendance – c'est d'ailleurs pour ça qu'on parle de « transhumanisme », on devrait même plutôt parler de « transhumanité » –, l'idée, c'est de transcender la condition humaine pour évoluer vers autre chose : vers un transhumain, vers un post-humain qui serait libéré de toutes les bornes, de toutes les limites biologiques dans lesquelles il est enfermé.
Journaliste 1 : C'est une promesse incroyable.
Journaliste 2 : Et alors cette idée est née quand, quand est né le transhumanisme ?
Pierre-Jérôme Delage : Alors on discute un petit peu, mais pour certains, c'est la fin des années soixante-dix, pour d'autres, la fin des années quatre-vingt, en tout cas naissance relativement récente, aux États-Unis, dans la Silicon Valley.
Journaliste 1 : Alors pour prendre juste un des termes, on parlait d'intelligence augmentée, comme ça, y'a Elon Musk qui, avant d'envoyer les voitures dans l'espace – c'était assez intéressant –, a lancé parmi tous ses autres projets un projet qui est baptisé Neuralink et qui vise à implanter dans le cerveau une interface pour améliorer la mémoire et interagir avec d'autres appareils électroniques. Alors, j'imagine que son objectif n'est pas nécessairement de participer à *Questions pour un champion* ou de faire ses courses sur Amazon par la pensée... À votre avis, quel est le dessein de tels investissements ?
Pierre-Jérôme Delage : Faire ses courses sur Amazon par la pensée, je pense que ça plairait à beaucoup de monde et ça pourrait fonctionner avec Neuralink, peut-être, mais il y a trois questions qui sont posées avec Neuralink : c'est le quoi, le comment et le pourquoi. Et à mon sens, c'est surtout le pourquoi qui est intéressant. Alors, le quoi : le quoi, c'est effectivement l'idée de permettre une augmentation assez prodigieuse de l'intelligence humaine grâce à ce projet Neuralink. Le comment, ce serait grâce à des sortes de cordons neuronaux qui permettraient de créer des sortes d'interface homme-machine. Et le pourquoi : pourquoi ce projet Neuralink, pourquoi cette volonté d'augmentation de l'intelligence humaine, de la création de ces liens neuronaux ? Parce qu'on a peur, en tout cas parce qu'Elon Musk manifestement a peur de l'intelligence artificielle. Et ça, c'est très intéressant, c'est un des fondements idéologiques principaux du transhumanisme. C'est ce qu'on appelle « la honte prométhéenne », c'est-à-dire cette idée que dans le fond l'homme est de plus en plus honteux, affligé de constater les performances des machines qu'il a créées, notamment les performances de l'intelligence artificielle, et donc, pour ne pas être totalement dépassé, ben va falloir qu'il s'adapte. En gros, l'alternative, c'est mourir ou s'adapter, et donc pour s'adapter, eh bien Neuralink serait une des clés de cette adaptation et donc une des clés de l'absence de dépassement de l'homme par l'intelligence artificielle.
Journaliste 1 : Oui, une concurrence. En plus, il y a eu une discussion de mémoire entre Elon Musk et Mark Zuckerberg, justement, où Elon Musk tançait son jeune collègue en disant : « Vous n'avez rien compris » – ou je sais pas s'ils se tutoyaient – sur l'intelligence artificielle, donc. Pour Elon Musk, ce serait remplir ce gap, finalement, peut-être ?
Pierre-Jérôme Delage : Oui, peut-être, ce serait certainement combler un manque, une faiblesse de l'être humain. Est-ce qu'il a tort, est-ce qu'il a raison ? J'en sais rien, mais en tout cas, ce qui est certain, c'est qu'il y a une peur très nette de cette montée de l'intelligence artificielle, et donc il faudrait absolument combler effectivement le trou, comme vous dites, pour ne pas disparaître, dans le fond.
Journaliste 2 : Mais alors du coup, ces transhumanistes, ils entretiennent avec le corps un rapport très particulier. Comment ils considèrent le corps ?
Pierre-Jérôme Delage : Alors là, la conception elle est très claire : le corps, c'est un obstacle, c'est une entrave. Le corps, c'est tout ce qui nous enferme dans notre condition humaine inférieure. Parce que le corps, il est vulnérable, il est périssable, et donc c'est le signe le plus tangible de la finitude humaine. Donc ils ont une conception, une représentation très très négative du corps. L'idéal, pour un transhumaniste, c'est de se débarrasser du corps humain et c'est d'arriver à vivre au-delà de ce corps, et c'est notamment pour ça que s'engagent aussi des recherches en matière de téléchargement de l'esprit. C'est la dissociation absolue de notre corps vulnérable, mortel, et de notre esprit qui, lui, serait seul digne de protection.

DOSSIER 10. Histoire vs mémoire

Leçon 1 : Au tableau !

Piste 43. Activités 2 et 3

Voix 1 (enregistrement) : Charlemagne, fils de Pépin le Bref, 768-814, né Roi fainéant, et les maires d'Austrasie.
Voix 2 : Les dates... Le Saint-Empire... Oh ! Tout est prévu !
Voix 3 (extrait de film) : Je parle à des gens qui font semblant de m'écouter, semblant de me regarder. Je suis là ! Vous... vous me voyez ?
Voix 2 : Les dates... Le Saint-Empire... Oh ! Tout est prévu !
Léopold Lagarde : Est-ce que la porte est ouverte ?
Voix off : La fabrique de l'histoire scolaire.
Léopold Lagarde : Voulez-vous écouter s'il vous plaît ?
Voix 4 : Il faut pas que ça soit un cours. L'histoire, il faut pas l'apprendre, il faut la comprendre.

Léopold Lagarde : Alors, pour commencer, on va avoir besoin d'ordinateurs. On va aller sur Gmail. Clara, vous avez...
Voix off : Léopold Lagarde enseigne l'histoire au lycée Jean-Zay à Aulnay-sous-Bois. Il s'agit ce matin de faire réfléchir ses élèves de terminale L sur ce qu'est l'histoire.
Léopold Lagarde : Alors, vous avez un mail qui s'appelle FQ. Sur le FQ, vous avez deux choses : la première, c'est la rencontre avec Abdel RER. Vous savez que j'aime bien parler aux gens, vous savez que je suis curieux, alors quand on me parle d'histoire dans le RER... Vous êtes prêts ?
[Message enregistré]
Abdel : Tous les ancêtres, ça... ça ne peut nous conduire que vers une certaine vérité qui est la vérité absolue, c'est-à dire qu'il n'y a pas de mensonge...
Léopold Lagarde : Euh...
Abdel : ... qui accompagne l'histoire de notre existence. Ça veut dire, si il y a des mensonges, ça veut dire ça été un peu...
Voix off : Drancy.
Léopold Lagarde : Je pense que vous mélangez deux choses.
Abdel : Non, non, je ne mélange pas !
Léopold Lagarde : J'peux ? J'peux ?
Abdel : Oui oui, allez-y, allez-y !
Léopold Lagarde : Je pense que vous ne distinguez pas très bien entre l'histoire et la mémoire. La mémoire, c'est ce que vous pensez, mais c'est aussi ce que vous portez.
Voix off : Drancy.
Abdel : Non non non ! Moi je pense que l'histoire, c'est ce que nous partageons en faisant conjuguer à l'ensemble... on conjugue au pluriel.
Léopold Lagarde : Non, moi je pense que ça, c'est la mémoire justement. [Fin du message enregistré] Maintenant, je vous propose, puisqu'on a France Culture avec nous, d'écouter l'émission d'Emmanuel Laurentin de cet été qui date du 3 août.
[Extrait de l'émission France Culture]
Emmanuel Laurentin : Présentation du témoin : « *Je n'écris pas ici mes souvenirs. Les petites aventures personnelles d'un soldat parmi beaucoup importent en ce moment assez peu et nous avons d'autres soucis que de rechercher le chatouillement du pittoresque ou de l'humour. Mais un témoin a besoin d'un état civil. Avant même de faire le point de ce que j'ai pu voir, il convient de dire avec quels yeux je l'ai vu. Écrire et enseigner l'histoire : tel est, depuis tantôt trente-quatre ans, mon métier. Il m'a amené à feuilleter beaucoup de documents d'âges divers pour y faire, de mon mieux, le tri du vrai et du faux, à beaucoup regarder et observer aussi. Car j'ai toujours pensé qu'un historien a pour premier devoir, comme disait mon maître Pyrène, de s'intéresser à la vie.* » [Fin de l'extrait]
Léopold Lagarde : Alors, si on compare les dire de Abdelkader et de Marc Bloch, lu par Emmanuel Laurentin, est-ce que il y a quelques idées qui vous viennent en tête pour définir l'histoire ? Vous vous rappelez du questionnaire de début d'année que je vous ai donné ? Mais d'ailleurs, qu'est-ce qui vous vient en tête ? C'est quoi, l'histoire ?
[Lecture des questionnaires]
Qu'est-ce que l'histoire selon vous ? « *C'est l'utilité de comprendre comment et pourquoi nous sommes arrivés à notre société...* – j'arrive pas à lire – *et aussi de ne pas faire les mêmes erreurs que nos prédécesseurs.* » C'est très bien, ne faites pas cette tête, Nadia, c'est bien ! Cyrine : qu'est-ce que l'histoire selon vous ? « *Des faits passés, racontés par le prof.* » À quoi sert-elle ? « *Je ne sais pas trop !* » Non mais, attendez, on va y venir : il faut vraiment partir de la base. « *L'histoire, c'est étudier les épisodes marquants de l'histoire française mais aussi mondiale.* » Ah ! Vous voyez, on change déjà d'échelle : française, mondiale, les faits passés, mais dans le monde. À quoi sert-elle ? « *Mieux comprendre l'évolution de la société.* » Ça, c'était... Mélanie. Marine : « *comprendre l'histoire passée pour pouvoir comprendre le monde d'aujourd'hui* ». Ouais. Et voilà : je peux tout vous lire, mais on va peut-être s'arrêter là. [Fin de la lecture des questionnaires]
Qu'est-ce que l'histoire selon vous ? Je vais l'écrire au tableau. « *C'est comprendre le monde.* » Il y a combien de personnes qui pensent ça, ici ? Levez la main ! Une, deux, trois, quatre, cinq, six, sept, huit, neuf, dix. À l'époque, c'était combien ? C'était... sept. « *L'histoire, c'est le passé... plus ou moins glorieux* », quelqu'un écrit, « *plus ou moins glorieux* ». Qui pense ça aujourd'hui ? Un, deux, trois, quatre, cinq, six. À l'époque, c'était cinq, donc kif-kif. Il y en a un qui a écrit : « *C'est le premier pas vers l'imagination.* » On ne citera pas William, mais c'était bien ! Alors ça, c'était une personne. Qui pense que c'est le premier pas vers l'imagination ? William ! Vous êtes fidèle à vos convictions, ça fait plaisir. « *Le passé qui nous construit* » : ça, c'est extrêmement révélateur et c'est aussi ce que disait Abdelkader, si vous avez bien noté. « *Le passé qui nous construit* » : qui pense ça ? Un, deux, trois, quatre, cinq, six, sept, huit, neuf, dix, onze, douze, treize, quatorze, quinze. À l'époque, c'était... cinq. En fait, moi, ce que je pense avec ce... cet échange, c'est que vous n'aviez pas toutes les clés. Je vous ai donné ça et je vous l'ai fait faire en vingt minutes, ce petit questionnaire, où vous deviez remplir vos études futures, envisagées, etc. Donc je crois qu'on a fait tout le monde ? Alors, l'année dernière, j'ai des élèves qui m'ont fait l'histoire mondiale de la France. Donc, ce que je vous propose de faire aujourd'hui, c'est de relire le texte de Patrick Boucheron que vous avez en main. Est-ce que quelqu'un veut relire le texte de Boucheron, paragraphe par paragraphe ?
Élève 1 : « *Nous avons besoin d'histoire, car il nous faut du repos. Une halte pour reposer la conscience pour que demeure la possibilité d'une conscience, non pas seulement le siège d'une pensée mais d'une raison pratique donnant toute latitude d'agir. Sauver le passé, sauver le temps de la frénésie du présent. Voici pourquoi cette histoire n'a, par définition, ni commencement ni fin. Il faut sans se lasser et sans faiblir opposer une fin de non-recevoir à tous ceux qui attendent des historiens qui les rassurent sur leurs certitudes cultivant sagement le petit lopin des continuités...* »
Léopold Lagarde : Ce qui se passe, c'est qu'on a trois textes ici, ou plutôt deux textes et une intervention orale dans le RER avec les bips du... du train. Donc ce qu'on peut faire, c'est essayer de les mettre en relation par rapport à ce qu'on vient d'écrire au tableau. Alors, « *comprendre le monde* » : qui dit ça ? Ouais, c'est Bloch et Boucheron. « *Le passé plus ou moins glorieux* », c'est qui ? C'est pas Abdel, c'est sûr, il ne dit pas ça. C'est Boucheron... et c'est qui ? C'est Bloch. « *Le premier pas vers l'imagination* » ? Ça, il y a que William qui le dit. Encore que, on pourrait interpréter un peu plus... un peu plus largement, mais bon. « *Le passé qui nous construit* », qui dit ça ? Boucheron, c'est vrai, et puis ? Bloch... oui... En fait il le dit pas dans le texte que je vous ai donné, il le dit un peu après, mais oui, dans l'absolu, et puis ?
Élève 2 : Abdel.
Léopold Lagarde : Abdel, bien sûr, il le dit. Il dit ça : les ancêtres, la mémoire, machin truc, enfin, il n'est pas d'accord pour la mémoire, mais il ne m'écoutait pas. On reste encore cinq minutes !
Les élèves : Non monsieur ! Allez !
Léopold Lagarde : OK, vous prenez un bouquin de chaque et je tape sur mon ordinateur pour savoir lequel vous prenez. Demain je veux la fiche de lecture avec : c'est quoi l'histoire, c'est quoi les histoires ? Un de là, un de là... Non mademoiselle, écoutez-moi bien, écoutez-moi bien !

Leçon 2 : Pays membres

▸ Vidéo n° 13. Activités 2 et 3

Parfois, on se demande à quoi ça sert l'Europe, en fait ? *Erasmus* ? Non mais OK, c'est toujours la même réponse, mais ça va bien plus loin que ça ! Moi, par exemple, j'ai l'impression que l'Union européenne a toujours existé, parce qu'on n'a pas connu autre chose, mais quand on regarde l'actu avec les Britanniques qui quittent l'Union, on réalise qu'un pays peut décider de partir comme ça. Mais est-ce que ça veut dire que demain l'Europe pourrait disparaître ? En fait, il suffit de remonter à la génération de nos grands-parents pour comprendre qu'à l'époque, les enjeux étaient importants. Le 9 mai 1950, le ministre français des Affaires étrangères Robert Schuman déclare : « L'Europe n'a pas été faite, nous avons eu la guerre. » *Et pas d'Erasmus du coup !* S'il dit ça, c'est parce que, après la Seconde Guerre mondiale, qui a ravagé le continent européen, et sous la pression des États-Unis en pleine guerre froide, l'Europe de l'Ouest cherche à se reconstruire et à garantir la paix. Comment ? *Erasmus ?* Non, en construisant une Europe politique, bien sûr. *Ah... je pensais que c'était Erasmus !*
En 1948, huit cents délégués de dix-huit pays européens se réunissent au congrès de La Haye. Il pose l'idée qu'il faut favoriser un rapprochement ou carrément une unification des États européens à partir de moyens politiques, économiques et culturels. Il faut se rendre compte qu'à l'époque, l'idée est assez ouf. Et près de soixante-dix ans plus tard, on en est où au juste ? En 2019, l'UE s'est bien agrandie puisqu'elle compte vingt-huit états, enfin, bientôt vingt-sept, puisque l'UE connaît aussi une sorte de crise, comme le montre la volonté des Britanniques d'en sortir. Alors nous, la question qu'on va se poser, c'est : comment le projet de construction européenne s'est mis en place depuis 1948 ? Et donc, comment il s'est transformé et a été remis en cause depuis 48 pour en arriver à ce qu'on connaît maintenant ?
En 1948, tout le monde est au moins d'accord sur une chose : il faut garantir la paix et la reconstruction économique de l'Europe. Mais tout le monde n'est pas d'accord sur le procédé. *En même temps, ça aurait été trop simple...* D'un côté, il y a le coin des confédéralistes – eux souhaitent une union fondée sur la coopération d'États pleinement souverains –, de l'autre, le camp des fédéralistes – eux veulent un État fédéral qui dépasse les États-nations – et on peut même distinguer un troisième camp, celui des fonctionnalistes, c'est celui de notre gars sûr, Jean Monnet, un des pères fondateurs de la construction européenne – eux pensent que la coopération économique est un préalable à l'intégration politique.

En même temps, son blaze, c'est Monnet [monnaie], donc c'est un peu écrit dessus... Mais il y a aussi ceux qui s'opposent au projet, bien sûr : les Britanniques, par exemple, qui à l'époque ont peur que la construction européenne affaiblisse leurs liens avec le Commonwealth. *En fait, eux, ils ont toujours été couci-couça quoi !* Et il y a aussi les partis communistes, qui préfèrent l'élargissement de l'influence soviétique à toute l'Europe. Deux ans plus tard, en 1950, la construction européenne fait un grand pas en avant avec la création de la CECA, la Communauté européenne du charbon et de l'acier. C'est le ministre français des Affaires étrangères, Robert Schuman, qui en est à l'initiative sur une idée de Jean Monnet. On peut dire que la CECA a un objectif pacifiste parce qu'elle place sous une haute autorité commune les productions de charbon et d'acier de pays qui se sont fait la guerre : la France, l'Allemagne, la Belgique, le Luxembourg, l'Italie et les Pays-Bas. Ensuite, la CECA a aussi une dimension fédérale : elle comporte une cour de justice, un conseil spécial des ministres et une haute autorité. Et ces trois structures constituent le modèle des futures institutions européennes. Mais il y a une autre initiative, qui pour le coup fait un bide, c'est le projet de défense européenne : en 1954, la CED, Communauté européenne de défense, qui vise à créer une armée européenne, est rejetée par à peu près tout le monde. *Ah non, on va rester sur le charbon et l'acier plutôt, je préfère garder mon armée.* À l'époque, la supranationalité en matière militaire fait en effet très peur. Sous l'influence de Jean Monnet, la coopération européenne continue malgré tout de progresser. En 57, la RFA, la France, l'Italie, la Belgique, les Pays-Bas et le Luxembourg signent les traités de Rome qui instituent la Communauté économique européenne, la CEE, et créent un marché commun européen. À partir de là, les marchandises et les capitaux peuvent circuler librement au sein des États membres. Donc, vous voyez : ça avance toujours sur des projets très pragmatiques, ce qui évite les oppositions idéologiques.

Un an plus tard, en 58, Charles de Gaulle revient au pouvoir en France et relance le débat autour de la construction européenne. Lui mise à fond sur le rapprochement avec l'Allemagne : on appelle ça « le couple franco-allemand ». Par contre, de Gaulle s'oppose à deux reprises à l'entrée du Royaume-Uni dans la CEE, en 62 et en 67. Il accuse le Royaume-Uni d'être le cheval de Troie des USA. *Ah oui, il a peut-être pas gardé un si bon souvenir de Londres...* Enfin, il s'oppose carrément à l'idéal d'Europe fédéraliste proposé par les pères fondateurs. En fait, de Gaulle veut une Europe confédérale, et pour que tout le monde comprenne bien, il balance cette grosse punchline : on ne fait pas une omelette avec des œufs durs. Ouais, alors moi aussi j'ai eu du mal, mais en fait, ce qu'il veut dire, c'est qu'on ne peut pas faire une Europe supranationale, donc l'omelette, avec de vieilles nations européennes, les œufs durs. *Ah ouais, CDG, Charles de Gaulle.* Et dès qu'il y a un risque de renforcement de la supranationalité, la France s'y oppose. Elle provoque même un blocage des institutions communautaires en 1965. En gros, de Gaulle fait ça : c'est la politique de la chaise vide, enfin, le canapé vide, du coup, parce que ça, c'est un canapé, mais faut imaginer que c'était qu'une seule chaise et là c'aurait été la politique de la chaise vide. *C'était peut-être un peu spé l'ambiance des « réu » à l'époque, non ?* La situation bouge en 66 avec la chanson *Juanita banana* d'Henri Salvador. Non, en 66, c'est surtout le compromis du Luxembourg, qui confirme la règle du vote à l'unanimité des États membres pour toutes les décisions importantes. L'évolution vers une structure fédérale est donc a priori bloquée pour longtemps. C'est le président Georges Pompidou qui propose finalement de relancer la construction européenne en 1969, à la conférence de La Haye. Sa stratégie : éviter le débat fédéraliste-confédéraliste. Il est même d'accord pour intégrer le Royaume-Uni, l'Irlande et le Danemark. *Ah, ça c'est cool les gars, je voulais visiter l'Irlande justement !* Mais ce bel élan est freiné par la crise économique et les tensions entre les pays. *Oh non, non...* À partir des années soixante-dix et jusqu'au milieu des années quatre-vingt, la CEE est face à cinq défis : d'abord le défi de l'élargissement, puisqu'elle intègre en 1973 le Royaume-Uni, l'Irlande et le Danemark, en 81 la Grèce et en 86 l'Espagne et le Portugal. À ce moment-là, ces trois pays sont en pleine transition démocratique. Ensuite, il y a le défi de la démocratisation : le Parlement européen gagne en légitimité avec la première élection des députés au suffrage universel en 79, même s'il reste à ce moment-là majoritairement une assemblée consultative. Il y a aussi le défi de la coopération économique : là, c'est un peu un échec pour la CEE, car les États sont divisés sur les orientations économiques à adopter – je rappelle qu'à l'époque on en pleine crise économique suite au choc pétrolier de 73. Un autre défi dont on n'a pas fini d'entendre parler, c'est l'euroscepticisme : à l'époque, il se développe, entre autres, à cause de Margaret Thatcher qui cherche à réduire la contribution britannique au budget communautaire. *Ha, eux, de toute façon, depuis le début...* Et enfin, il y a le défi politique car la CEE ne parvient pas à trouver un modèle politique durable entre les logiques supranationales et les logiques intergouvernementales. *Ouais ouais, et pour l'Euro de foot, par contre, y a pas de problème !* À la fin des années quatre-vingt, je me souviens des soirées où l'ambiance était chaude et les mecs rentraient Stan Smith aux pieds... Hé, les mecs, rien à voir là : c'est IAM, le mia, c'est pas du tout le bon prompteur ! À la fin des années quatre-vingt, l'intégration européenne se poursuit dans une perspective fédéraliste. En 85, c'est la signature de l'accord de Schengen : à la libre circulation des marchandises et des capitaux, l'accord de Schengen ajoute la libre circulation des personnes, ce qui est unique au monde. En 1992, le traité de Maastricht donne naissance à l'Union européenne et aboutira à la création de l'euro, en 99. En plus de ça, il donne de nouveaux pouvoirs au Parlement, notamment dans le domaine législatif.

Leçon 3 : Souvenons-nous

▹ Piste 44. Activités 7 et 8

On n'est pas là pour philosopher, Carpentier... Quand même, incroyable !

Adèle Van Reeth : Bonjour Anastasia.

Anastasia Colosimo : Bonjour Adèle, bonjour à tous. La semaine dernière était celle, pour le président de la République, d'une – je cite – « itinérance mémorielle » dans le cadre du centenaire du 11 novembre 1918, c'est-à-dire de l'armistice qui a mis fin à la Première Guerre mondiale. Derrière cette expression étrange, qui rappelle le jargon des médecins de Molière ou ceux de certains textes programmatiques des spécialistes modernes de la pédagogie, se cache l'idée d'une sorte de tour de France, notamment du Nord-Est de celle-ci, ponctué par un ensemble de cérémonies commémoratives. Cette itinérance s'est conclue par une cérémonie à Paris, le 11 novembre, en présence notamment d'Angela Merkel et Donald Trump. Depuis quelques années, les présidents de la République semblent accorder une importance toute particulière aux cérémonies commémoratives, qui les haussent au-dessus des disputes politiciennes quotidiennes, les raccrochent à la grande histoire et les mettent dans les pas des plus grandioses de leurs prédécesseurs. Pourtant, à y regarder de près, les commémorations de l'armistice de 1918, cette année, sont marquées par une ambiguïté fondamentale. Nous ne sommes pas sûrs de savoir ce que nous commémorons. Que commémorer, d'ailleurs, de la guerre de 14-18 ? Faut-il commémorer la défense nationale, le sacrifice héroïque de nos soldats, ce qu'à l'époque on appelait la « revanche » des « Poilus » contre les « boches » ? Mais comment le faire alors qu'on pense désormais que la Grande Guerre avait quelque chose d'absurde, qu'elle n'était qu'une gigantesque boucherie, que la réconciliation avec l'Allemagne est plus belle que la rivalité, que la France a utilisé les troupes venues de ses colonies comme chair à canon ? Mais si l'on pense vraiment tout cela, alors pourquoi commémorer ? Pourquoi la France a-t-elle mené cette guerre ?

Toutes ces confusions viennent sans doute du fait que quelque part vers la fin du XXe siècle, nous sommes passés de l'histoire à la mémoire. Deux livres, très différents, avaient très bien enregistré cette mutation : le recueil collectif *Les Lieux de mémoire*, dirigé par l'historien Pierre Nora et paru entre 1984 et 1992, et le livre de Paul Ricœur, *La mémoire, l'histoire, l'oubli*, paru en 2000. Comment Pierre Nora lui-même comprenait-il le passage de l'histoire à la mémoire, qu'il décrivait en même temps qu'il l'accomplissait ? L'histoire, c'est la science des historiens, le récit que ceux-ci mettent en place. Mais elle est aussi l'élément dans lequel une collectivité agit. Si un peuple parle de son histoire, il désigne la somme des combats qu'il a menés et qui lui ont permis de vivre jusqu'au moment présent, mais aussi la somme des combats qu'il doit continuer à mener pour survivre en tant que peuple. L'histoire est une longue série de vengeances et de revanches, elle nous place à un moment de son déroulement et nous oblige à prendre position pour la suite. La perfide Albion, Trafalgar, l'Alsace-Lorraine : autant de mots qui rappelaient aux petits Français que les combats n'étaient pas finis. Ainsi quand Marx et Engels, au début de leur *Manifeste du parti communiste*, écrivent que « l'histoire de toute société, jusqu'à nos jours, est l'histoire de la lutte des classes », c'est pour mieux enjoindre aux prolétaires de mener la bataille la plus importante de l'histoire, celle, justement, qui mettra fin à l'histoire.

La mémoire, au contraire, ce n'est plus le récit des fracas du passé qui dictent l'avenir, c'est le récit d'un temps passé, révolu, enfoui à jamais dans les archives. La partie est terminée, il n'y a plus à se battre, et nous pouvons désormais découvrir, sous le récit unifiant qu'était l'histoire de France ou l'histoire mondiale, les différentes mémoires particulières : mémoire des Vendéens, mémoire des communards, mémoire royaliste, mémoire communiste, mémoire provençale, bretonne, mémoire des Juifs, des homosexuels, des femmes, des colonisés. L'histoire crée un peuple qui est un peuple combattant, souvent agressif, la mémoire insiste au contraire sur les groupes au sein d'un peuple, sur les traumatismes qu'ils ont vécus et qui sont aussi les nôtres. L'histoire parle de héros, la mémoire de victimes.

De là vient une autre confusion : les mémoires s'entrechoquent et changent en fonction du moment. Car qui dit mémoire dit trou de mémoire. Dans son ouvrage

La mémoire, l'histoire, l'oubli, Ricœur distinguait trois différentes formes de ce qu'il appelait « l'abus de mémoire » : la mémoire empêchée, la mémoire manipulée et la mémoire abusivement commandée. Nous connaissons bien, en France, ce sujet, quand nous pensons aux différentes façons qu'on a eues d'aborder la mémoire de la Seconde Guerre mondiale depuis 1945 : le mythe gaullo-communiste selon lequel tout le peuple français avait été résistant, dont une illustration pourrait être le discours épique de Malraux pour l'entrée des cendres de Jean Moulin au Panthéon, puis la sortie du film *Le chagrin et la pitié* et des ouvrages de Paxton, redécouverte progressive de la collaboration, des persécutions raciales, jusqu'au discours du Vel d'Hiv de Jacques Chirac en 1995. Il n'est pas improbable que notre mémoire de l'événement continue d'évoluer avec le temps. Toutes ces questions, on ne peut pas s'empêcher de penser que l'actuel président de la République les a bien en tête. Car quand Ricœur écrivait *La mémoire, l'histoire et l'oubli*, il était aidé par un jeune homme qui n'était autre qu'Emmanuel Macron.
Adèle Van Reeth : Merci beaucoup Anastasia, votre chronique est à réécouter en ligne sur le site du *Journal de la philo*.

Leçon 4 : La cour !

> Piste 45. Activités 6 et 7

Journaliste 1 : Qu'est-ce qu'une cour d'assises spécialement composée ? Parce que là... le procès aura lieu...
Stéphane Durand-Souffland : Alors, c'est une particularité du droit français dans les affaires de terrorisme et certaines affaires de très très grand banditisme.
Journaliste 1 : Oui...
Stéphane Durand-Souffland : Il n'y a pas de jurés populaires, il y a que des magistrats professionnels, sept en tout, et ça remonte à une époque, au début des années quatre-vingt, quand il y avait un terrorisme très politique et notamment Action directe... À un procès Action directe, les accusés ont menacé de mort les jurés. Donc ça a évidemment perturbé le cours de l'audience, on a arrêté tout ça et on a dit qu'il fallait dans ces procès particuliers uniquement des magistrats professionnels. Ce qui change évidemment l'atmosphère des procès, les techniques des avocats : c'est pas pareil de s'adresser à sept magistrats professionnels qu'à neuf, enfin, qu'à six jurés populaires plus trois magistrats professionnels.
Journaliste 2 : Et justement, Stéphane, puisque le contexte actuel de menace islamiste... Est-ce que ça peut peser sur la décision ? Est-ce que le procès peut déraper, parce que le contexte a quand même étrangement et considérablement été modifié ?
Stéphane Durand-Souffland : Alors, il y a un risque évidemment que le contexte actuel pèse sur les débats. A priori, en principe, une cour d'assises c'est un endroit qui est fermé, qui est clos et qui doit être... se tenir à l'écart de toutes les pressions, l'émotion populaire qui sont pas formidables pour rendre la justice... Je pense qu'il faut... il va falloir que les magistrats aient vraiment les nerfs pour se garder des pressions. Il faut pas oublier aussi qu'il va y avoir à ce procès des parties civiles très nombreuses, qui sont des familiers, des proches des victimes de Mohamed Merah qui, elles, à juste titre, réclament justice et sont...
Journaliste 1 : Qu'est-ce qu'elles attendent exactement ?
Stéphane Durand-Souffland : C'est toujours assez ambigu... et souvent décevant pour les victimes, parce qu'elles attendent la vérité. Or là, elles vont être face à un accusé, qui jusqu'à preuve du contraire va nier les faits. Donc ça va être très dur pour elles. Et pour autant, l'émotion qui existe ne doit pas tordre la main du juge et forcer à condamner s'il n'y a pas de preuve. On parle en général, même si là c'est un sujet extrêmement douloureux – tout le monde a en tête ces massacres, on vit encore sous une menace terroriste – mais la grandeur de la justice, et pour tout le monde, aussi bien pour les victimes que pour les accusés, c'est de rendre un verdict qui soit inattaquable. Parce que si le verdict est sujet à controverse, ça repart pour un appel, éventuellement, et puis surtout une polémique et des douleurs, des plaies ravivées, aussi bien chez les proches des victimes de Mohamed Merah, mais que... Ce qu'il faut savoir aussi, c'est que ces affaires-là ravivent les plaies de toutes les victimes...
Journaliste 2 : Bien sûr.
Stéphane Durand-Souffland : ... du terrorisme : Bataclan, etc. Donc c'est un procès intéressant dans la mesure où il est... En plus, c'est un peu le premier grand procès de ces grosses, grosses affaires de terrorisme qui ont marqué la France depuis 2012.
Journaliste 1 : Juste une petite précision, à laquelle vous pouvez peut-être nous répondre : la justice a refusé la captation, le fait que le procès soit filmé, en considérant qu'il n'y avait pas de valeur historique particulière. Qu'est-ce que vous en pensez, vous, Stéphane ?
Stéphane Durand-Souffland : J'en pense que, a priori, en France, les procès ne sont pas filmés. Et donc il y a eu des dérogations pour des procès... les grands procès des criminels contre l'humanité – Papon, Touvier, Barbie : là, on comprend très bien pourquoi – là, je pense qu'on peut aussi comprendre la décision des magistrats. C'est que, Abdelkader Merah, s'il est complice, il n'est pas l'auteur principal. Il ne fait pas de doute que Mohamed Merah est l'assassin. On le sait, il est mort. Donc on ne peut pas le juger. Lui, peut-être on aurait eu un intérêt à le juger pour l'entendre directement, si on peut dire. Mais à partir du moment où Abdelkader Merah dit « je ne suis pour rien dans cette histoire » et qu'il n'est pas l'auteur principal, c'est vrai que... pourquoi filmer ? Je précise que depuis quelques années, tous les procès d'assises, il y a une captation audio...
Journaliste 2 : Audio.
Journaliste 1 : Les archives... les sources...
Stéphane Durand-Souffland : Donc on aura de toute façon la bande-son qui permettra de vérifier si, dans le futur : « J'ai dit ça, j'ai pas dit ça... » « Ben écoutez, on a la bande. » Voilà.
Pascal Légitimus : C'est interdit de filmer avec un téléphone aussi ?
Stéphane Durand-Souffland : Ah oui !
Pascal Légitimus : Ah oui, c'est ça...
Stéphane Durand-Souffland : Il faut pas le faire ! Viré !
Journaliste 1 : Merci beaucoup, Stéphane, on suivra vos comptes-rendus du procès Merah...
Journaliste 2 : Très intéressant.
Journaliste 1 : ... dans *Le Figaro* et sur le figaro.fr. Et pour préciser...
Journaliste 2 : Oui, ça c'est important, de préciser... oui, exactement, que pendant tout le procès, Caroline Piquet, journaliste au figaro.fr, sera en direct du palais de justice de Paris où vous pourrez suivre les auditions... les audiences ?
Stéphane Durand-Souffland : Les audiences !
Journaliste 2 : ... les audiences, en direct, avec Caroline Piquet.
Journaliste 1 : Vous avez un mot à ajouter, Pascal ?
Pascal Légitimus : Non non ! C'était très intéressant.

DOSSIER 11. Interculturel

Leçon 1 : Tous curieux

> Piste 46. Activités 2 et 3

Journaliste : Un lycée, un auteur, une association : c'est la règle de trois d'Abdelilah Laloui. Lorsqu'il entre en seconde au lycée Gutenberg de Créteil, Abdelilah Laloui s'imagine plus tard exercer la même profession que son père frigoriste, c'est-à-dire technicien du froid, mais ses professeurs l'incitent à tenter les concours de grandes écoles. Ça tombe plutôt bien, le lycée Gutenberg bénéficie d'un programme qui permet à des jeunes issus de quartiers dits défavorisés de passer le concours de Sciences Po[2]. Une convention d'éducation prioritaire qui a été mise en place en 2001 par Richard Descoings, ex-directeur de l'Institut d'études politiques.
Richard Descoings : Poursuivant un objectif d'égalité des chances en permettant à ceux qui ont le moins de chances de rétablir l'équilibre avec ceux qui ont le plus de chances. »
Journaliste : Les auteurs jouent un rôle décisif lorsqu'il prépare son entrée à Sciences Po. Puisqu'il n'a pas été imprégné par les références de la culture dominante, il se sent illégitime. Il découvre alors *Lettres à un jeune poète*, de Rilke : « Vous savez bien que vous êtes évolution et que vous ne désirez rien tant vous-mêmes que de vous transformer. » Abdelilah Laloui pense : « Fonce, ne te pose pas de questions. » Il lit Flaubert, Camus, Yasmina Khadra, Philippe Solers, s'intéresse à la musique classique, cultive sa curiosité. En 2017, avec une amie, il fonde l'association *Tous curieux*. Organisation de sorties au musée, au théâtre, interventions sous forme d'échanges dans des établissements classés en ZEP[3], l'idée est justement de lutter contre le sentiment d'illégitimité, l'autocensure qui barre l'accès à la culture. Depuis septembre 2018, Jack Lang[4] est parrain.
Jack Lang : C'est une initiative généreuse, ouverte.
Journaliste : Aujourd'hui, la directrice de France Culture, Sandrine Treneir, fait partie du comité de soutien.
Sandrine Treneir : France Culture c'est ça, c'est une antenne qui s'adresse à tous ceux qui ont envie d'en savoir un peu plus que ce qu'ils savaient avant de nous écouter.
Journaliste : En 2018, quatre cents élèves vont bénéficier des actions menées par *Tous curieux*.

---

2. Science Po (« sciences politiques ») est un établissement public d'enseignement supérieur dont le programme est orienté sur les sciences sociales. Il accueille les étudiants après le bac et les forme jusqu'au doctorat.
3. ZEP : Zone d'Éducation Prioritaire.
4. Jack Lang est un ancien ministre de la Culture et de l'Éducation nationale.

Renaud Dély (présentateur) : Alors, Abdelilah Laloui, comment il vous est venu cette idée, donc cette association *Tous curieux* ? D'où vous est venue l'idée, comment ça fonctionne ? C'est quand vous prépariez Sciences Po, en fait, que vous vous êtes rendu compte que vous aviez ce besoin-là ?
Abdelilah Laloui : C'est ça, c'est à ce moment précis, lors de la préparation du concours dans le cadre de la Convention Éducation Prioritaire, comme vous l'expliquiez, j'ai eu une prise de conscience. J'ai d'abord eu une claque sociale lorsque des professeurs m'ont dit : « Vous n'avez pas accès à la culture, il va falloir... »
Renaud Dély : Une claque sociale ?
Abdelilah Laloui : Une grosse claque sociale, oui, avec ma meilleure amie avec qui j'ai décidé de créer l'association. J'ai eu une grosse claque sociale lorsqu'on nous a dit : « Vous n'avez pas assez de culture pour préparer un concours comme Sciences Po. Il va falloir se bouger, il va falloir aller voir des expositions, aller au théâtre. » Et à ce moment-là, on s'est dit : « Mais on n'a pas besoin de l'aide des professeurs, on n'a pas besoin de l'aide de Sciences Po, on va le faire nous-mêmes, on va créer notre association, on va organiser nos propres discussions dans nos lycées et on va aller nous-mêmes dans ces lieux culturels dont on nous parle. » Et l'association s'est créée comme ça, petit à petit, puis elle est devenue ce qu'elle est devenue aujourd'hui, dans cinq écoles...
Renaud Dély : Parce que vous dites que vous avez eu honte un certain moment de votre manque de culture au contact de ce nouveau milieu, justement. C'est ça ? Un vrai sentiment de honte ?
Abdelilah Laloui : C'est ça, lorsqu'on y pense, c'est assez évident de dire à des élèves : « Aujourd'hui va falloir préparer un autre concours que vos camarades. »

Leçon 2 : Les frontières du rire

▸ Piste 47. Activité 2

Maylis Besserie : C'est le premier jour d'une semaine consacrée au rire. Et nous allons commencer par une définition par la négative, car au plaisir de celui qui rit peuvent s'opposer des droits ou des limites, notamment quand le spectacle est livré sur la place publique des chaînes de télévision ou des réseaux sociaux. Il faut dire que le champ de l'humour est particulièrement difficile à circonscrire parce qu'il se frotte au principe de la liberté d'expression. Est-il pour autant sans limite ? C'est cette question que nous allons nous poser aujourd'hui en compagnie de Vincent Manilève. Bonjour.
Vincent Manilève : Bonjour.
Maylis Besserie : Vous êtes journaliste à *Slate*, auteur de nombreux articles sur les médias et sur l'émission de Cyril Hanouna, *Touche pas à mon poste*. Face à vous, Samuel Gontier, bonjour.
Samuel Gontier : Bonjour.
Maylis Besserie : Vous êtes journaliste à *Télérama* et auteur du blog *Ma vie au poste* ainsi que d'un ouvrage du même titre publié à *La Découverte*. Avec nous également, en lien par téléphone, l'avocate Caroline Mécary, bonjour.
Caroline Mécary : Bonjour.
Maylis Besserie : Bonjour à tous. Alors avant de parler des frontières de l'humour, on va peut-être parler de l'évolution du rire à la télévision. Samuel Gontier, qu'est-ce que vous diriez de cette évolution-là, vous qui êtes un observateur privilégié de la télévision ?
Samuel Gontier : Je ne sais pas si je peux faire un bilan de l'évolution depuis 1986, parce que ça fait pas...
Maylis Besserie : Pas forcément !
Samuel Gontier : ... si longtemps que ça que je regarde la télévision assidûment. Mais je pense que le problème fondamental de l'humour à la télévision, c'est que, pour reprendre l'adage de Pierre Desproges selon lequel « on peut rire de tout mais pas avec n'importe qui », ben le problème, c'est que cet adage ne s'applique pas à la télévision parce que justement à la télévision, on rit avec n'importe qui, c'est le principe même de la télévision, en tout cas de la télévision commerciale, de la télévision grand public, les télévisions généralistes qui s'adressent à un maximum de personnes et qui entendent rassembler, fédérer un maximum de téléspectateurs. Donc on est obligé de tomber dans un... d'aller dans un humour très fédérateur.
Maylis Besserie : Alors, avant de parler justement de cette phrase de Desproges, on va entendre.
Pierre Desproges : S'il est vrai que l'humour est la politesse du désespoir, s'il est vrai que le rire sacrilège blasphématoire que les bigots de toutes les chapelles taxent de vulgarité et de mauvais goût, s'il est vrai que ce rire-là peut parfois désacraliser la bêtise, exorciser les chagrins véritables et fustiger les angoisses mortelles, alors oui, à mon avis, on peut rire de tout, on doit rire de tout. De la guerre, de la misère et de la mort. Au reste, est-ce qu'elle se gêne, la mort, elle, pour se rire de nous ? Est-ce qu'elle ne pratique pas l'humour noir, elle, la mort ? Regardons s'agiter ces malheureux dans les usines ! Regardons gigoter ces hommes puissants, boursouflés de leur importance qui vivent à cent à l'heure ! Alors ils se battent, ils courent, ils caracolent derrière leur vie et tout d'un coup ça s'arrête, sans plus de raison que ça n'avait commencé. Et le militant de base, le pompeux PDG, la princesse d'opérette, l'enfant qui jouait à la marelle dans les caniveaux de Beyrouth, toi aussi, à qui je pense et qui a cru en Dieu jusqu'au bout de ton cancer : tous, tous, nous sommes fauchés un jour par le croche-pied rigolard de la mort imbécile, et les Droits de l'Homme s'effacent devant les droits de l'asticot. Alors... alors je vous le demande, mesdames et messieurs les jurés, quelle autre échappatoire que le rire sinon le suicide, poils aux rides. Deuxième point : peut-on – écoute-moi, Louise – peut-on rire avec tout le monde ? C'est dur ! Personnellement, il m'arrive de renâcler à l'idée d'inciter mes zygomatiques à la tétanisation crispée. C'est quelquefois au-dessus de mes forces dans certains environnements humains. La compagnie d'un stalinien pratiquant, par exemple, me met rarement en joie ; près d'un terroriste hystérique, je pouffe à peine ; et la présence à mes côtés d'un militant d'extrême droite assombrit couramment la jovialité monacale de cette mine réjouie dont je déplore en passant, mesdames et messieurs les jurés, de vous imposer quotidiennement la présence inopportune au-dessus de la robe austère de la justice sous laquelle... je ne vous raconte pas.
Maylis Besserie : Pierre Desproges, le Festival des flagrants délires. Alors quand on entend ce texte, sa maestria, mais aussi la subversion, on se dit que finalement il est compliqué d'imposer des limites parce que la moindre limite empêcherait peut-être cette expression-là d'intervenir.
Samuel Gontier : Oui, je ne sais pas quelles limites sont imposées, enfin... De quelles limites parle-t-on ? Là, j'ai un petit peu de mal à saisir votre question au sens où, pour moi, y a pas de limites, enfin, y a pas de limites qui sont fixées... enfin, dans la loi, à part les lois sur la discrimination, sur le racisme, sur la xénophobie, mais voilà : y a pas de limites clairement exprimées. Je pense aux gens qui font de la télévision, je ne sais pas quelles... si on leur a... si dans leur contrat il est... les limites de leur humour sont formulées.
Maylis Besserie : Caroline Mécary, est-ce qu'on peut parler de... Il y a des limites juridiques qui existent, mais il y a... elles s'opposent tout de suite à la liberté d'expression.
Caroline Mécary : Le principe, c'est la liberté d'expression. Mais comme pour tout principe, il y a des exceptions. Et dans les exceptions concernant donc la... les possibilités de s'exprimer, c'est la grande loi du 29 juillet 1881, qui a bien sûr été modifiée différentes fois, qui définit les limites. C'est-à-dire que dès lors qu'un propos peut être qualifié de diffamation ou d'injure ou encore de provocation à la haine, alors la liberté d'expression n'est plus de mise. Et toute la difficulté est justement de pouvoir qualifier un propos humoristique éventuellement d'injurieux ou de diffamatoire ou de provocation à la haine. Et donc c'est toujours une question de contexte. Souvenez-vous par exemple lorsque Raymond... Raymond Bedos, dans son spectacle, a traité madame Morano de conne. Elle l'a poursuivi et il a été relaxé aussi bien en première instance que devant la cour d'appel. Parce que certes, au sens strict du terme, le mot « conne » peut paraître injurieux, mais dans le contexte, il a perdu son caractère injurieux. Donc voilà, il y a des limites, mais elles sont fixées par la loi et elles sont toujours interprétées de manière stricte.

▸ Piste 48. Activité 3

Pierre Desproges : S'il est vrai que l'humour est la politesse du désespoir, s'il est vrai que le rire sacrilège blasphématoire que les bigots de toutes les chapelles taxent de vulgarité et de mauvais goût, s'il est vrai que ce rire-là peut parfois désacraliser la bêtise, exorciser les chagrins véritables et fustiger les angoisses mortelles, alors oui, à mon avis, on peut rire de tout, on doit rire de tout. De la guerre, de la misère et de la mort. Au reste, est-ce qu'elle se gêne, la mort, elle, pour se rire de nous ? Est-ce qu'elle ne pratique pas l'humour noir, elle, la mort ? Regardons s'agiter ces malheureux dans les usines ! Regardons gigoter ces hommes puissants, boursouflés de leur importance qui vivent à cent à l'heure ! Alors ils se battent, ils courent, ils caracolent derrière leur vie et tout d'un coup ça s'arrête, sans plus de raison que ça n'avait commencé. Et le militant de base, le pompeux PDG, la princesse d'opérette, l'enfant qui jouait à la marelle dans les caniveaux de Beyrouth, toi aussi, à qui je pense et qui a cru en Dieu jusqu'au bout de ton cancer : tous, tous, nous sommes fauchés un jour par le croche-pied rigolard de la mort imbécile, et les Droits de l'Homme s'effacent devant les droits de l'asticot. Alors... alors je vous le demande, mesdames et messieurs les jurés, quelle autre échappatoire que le rire sinon le suicide, poils aux rides. Deuxième point : peut-on – écoute-moi, Louise – peut-on rire avec tout le monde ? C'est dur ! Personnellement, il m'arrive de renâcler à l'idée d'inciter mes zygomatiques à la tétanisation crispée. C'est quelquefois au-dessus de mes forces dans certains environnements humains. La compagnie d'un stalinien pratiquant, par exemple, me met rarement en joie ; près d'un terroriste hystérique, je pouffe à peine ; et la présence à mes côtés d'un militant d'extrême droite assombrit couramment la jovialité monacale de cette mine réjouie dont je déplore en passant, mesdames et messieurs les jurés, de vous imposer quotidiennement la présence inopportune au-dessus de la robe austère de la justice sous laquelle... je ne vous raconte pas.

Leçon 3 : Porteurs d'identité

▸ Vidéo n° 14. Activités 3 et 4

Journaliste : Pour recontextualiser le sujet, en quelques mots, c'est quoi, l'appropriation culturelle ?
Homme : Ce serait prendre des codes, des mœurs, d'une culture, se l'approprier, comme le terme le dit, et puis négliger justement la communauté ou bien la culture d'où elle vient.
Journaliste : Si on reprend ce concept au niveau de la mode, de l'apparence, par des exemples concrets, on avait vu l'exemple de Griezmann qui s'était déguisé en Harlem Globe Trotter : est-ce que ces réactions étaient légitimes, pour vous ?
Femme 1 : Pour moi, ce qui est de la black face, donc l'exemple de Griezmann, pour moi, je le mets hors de l'appropriation culturelle dans le sens où, là, c'est plutôt un acte qui est non informé.
Femme 2 : C'qui dérange, c'est le fait d'utiliser nos attraits physiques, notre culture comme un déguisement, et je pense qu'à partir du moment où on fait ça, c'est d'la moquerie pour moi.
Femme 1 : C'est justement quand les gens se déguisent ; après, ils font ressortir tout un comportement raciste, mais qui est OK dans cet environnement, puis pour nous c'est pas OK.
Journaliste : Ben l'HEC, tu l'mets aussi dans le déguisement ? Ou bien... Parce que ça a eu aussi pas mal de réactions ?
Femme 1 : J'dirais qu'oui, parce que c'est quand même une soirée organisée sur le thème Massaï, donc les gens seraient venus déguisés en se... Le pire, c'est qu'ils se sont pas renseignés sur la culture, donc c'qu'ils pensent être Massaï... et en fait avec tout ça, ça joue sur les stéréotypes à fond.
Journaliste : En quoi, pour vous, c'est une forme de racisme, ou ça frôle le racisme ?
Femme 2 : Si on prend l'exemple afro, les choses qu'on s'approprie actuellement, c'est nos attributs physiques, disons : les fesses, les lèvres, etc.
Femme 1 : On m'avait dit de me lisser les cheveux pour trouver un travail, ça faisait pas professionnel, les cheveux bouclés... Puis quand on voit cinq, dix ans après que c'est la mode... et puis c'est la mode con, des personnes blanches le font, ben ça fait un peu mal.
Journaliste : Tu reviens sur des exemples aussi récents. T'as vu ces femmes, justement, ces célèbres instagrammeuses qui se faisaient passer pour des femmes noires...
Homme : Ouais...
Journaliste : ... sur Instagram ?
Homme : La couleur noire n'est pas un effet de mode, déjà. Elles se disent que voilà, j'vais m'approprier ça, etc., mais sans avoir idée de ce que c'est d'être une femme noire dans la société. D'être une femme, déjà, c'est quelque chose de complexe, alors être une femme noire, c'est encore plus complexe parce qu'on vit une double voire une triple domination. Elles se maquillent, elles le postent, elles ont des likes, des compliments, etc., etc., et une fois que c'est fait, ben elles prennent une douche et puis après elles retournent à leur vie. Mais sauf que la femme noire, elle, elle reste noire toute sa vie.
Journaliste : Est-ce qu'à un moment donné, vous vous êtes pas dit : « Ah, c'est quand même flatteur, parce qu'elles reprennent... elles nous copient finalement, ça veut dire qu'on est... on est classe », tu vois ?
Femme 2 : Au premier abord, on pourrait se dire : « Elles mettent en lumière notre culture, du coup, c'est bénéfique pour nous. » Et pour moi, en fait, pas du tout. C'est pas possible que quelqu'un d'autre le fasse pour nous, en fait.
Journaliste : Mais finalement, avant tu disais que quand t'étais petite, tu devais te défriser les cheveux, mais aujourd'hui, tu vois, c'est accepté que... que voilà, on ait des boucles, qu'on ait des tresses, etc. Est-ce que finalement on pourrait pas voir ça comme une évolution vers le positif ?
Femme 2 : C'est pas si bien vu que ça, en réalité, parce que nous, on le subit encore de manière négative, j'pense quotidiennement... Toi aussi, Ève ? J'pense que nous deux, respectivement, au travail, on l'a subi encore, donc j'vois pas la réelle évolution. Parce que pour moi c'est à la mode... sur une blanche, en fait, mais pour nous, ça pose encore problème.
Femme 1 : Et en fait, y'a toujours aussi cette image : quand y'a une femme noire qui fait quelque chose, on va donner d'autres adjectifs que quand c'est une femme blanche qui le fait : souvent « ghetto » pour une femme noire, ou « vulgaire », alors qu'une femme blanche, elle est « novatrice », « classe ».
Homme : La bonne question qu'il faudrait se poser, c'est pourquoi c'était mal vu avant et puis maintenant c'est quelque chose de cool. Ça veut dire que ça gênait chez la femme noire et puis maintenant, chez la femme blanche, c'est plus esthétique ? C'est ça la bonne question qu'il faut se poser.
Journaliste : Au niveau de l'appropriation entre populations issues des minorités, par exemple, moi, en tant que turque, musulmane, je serais plus légitime à porter un bindi sur le front ou bien un kimono... ?
Femme 1 : Moi j'pense que ça reste délicat quand même. Particulièrement, moi, j'irais jamais me mettre un bindi justement sur le front, parce que j'me sens pas du tout légitime à faire ça.
Femme 2 : Après, y'a quand même la notion où y a pas... y'a moins ce rapport de domination, en fait, et qui est problématique dans l'appropriation culturelle.
Journaliste : Est-ce que, typiquement, on vous a déjà fait cette remarque : « Non mais, de toute façon, ce thème de l'appropriation culturelle, c'est juste du communautarisme extrême, ça renferme juste les cultures sur elles-mêmes, et limite, on joue même le même game que les nationalistes dans le sens où les cultures doivent pas se mélanger » ?
Femme 1 : Oui, et surtout, le terme « communautarisme » : il aime bien être lancé un peu... partout.
Femme 2 : Et « racisme », « racisme antiblanc ».
Femme 1 : Ouais.
Femme 2 : Pour moi, en fait, ces réponses en fait ne sont pas appropriées à la situation. Pour moi, c'est juste des boucliers qu'on nous lance. Pour moi, on n'est pas en train de se renfermer sur nous-mêmes, on ne veut juste pas que notre culture soit volée par autrui, en fait. On reste dans le cliché qu'on n'a rien apporté, on n'a rien créé. Et le fait que par exemple une personne comme Kim Ka débarque un jour et fasse des tutos où elle apprend aux gens comment faire des tresses, c'est... enfin c'est humiliant en fait, parce que c'est quelque chose qu'on a fait depuis tout temps.
Femme 1 : C'est ça que aussi... y'a un manque d'éducation totale, ici.
Ils apprennent la culture en fait du continent africain, disons à partir du colonialisme, et c'est quand en fait finalement on a été vraiment... on a perdu tout ce qu'on avait de culturel, et au final, du coup, les gens ont l'impression qu'on a rien à offrir.
Journaliste : Au quotidien, que ce soit à Lausanne, Genève, Berne, Fribourg, ou même Sion, est-ce que tu notes des exemples concrets d'appropriation qui t'énervent ?
Homme : C'est pas vraiment de l'appropriation, c'est plutôt de la maladresse. Un blanc avec un tee-shirt NWA, est-ce qu'il sait ce que ça veut dire, « NWA » ? Et est-ce qu'il sait l'historique de ça ? Etc., etc.
Journaliste : Entre potes, c'est un sujet de discussion qui arrive souvent ?
Femme 1 : Dans notre association, on est tous plus ou moins du même avis.
Femme 2 : À part après, y'en a qui pensent un peu plus poussé, à savoir que une personne lambda ne devrait pas se faire des tresses ou ce genre de choses.
Journaliste : Dans ces moments-là, est-ce que toi, tu confrontes cette personne en lui disant : « Nan mais attends, là, justement, tu vas dans les vibes communautaristes », tu vois ce que j'veux dire ?
Femme 1 : Ben, en fait, c'qui est difficile dans tous ces sujets, c'est que, au final, nous, on parle à notre nom. Malgré tout, c'est quand même un débat, c'est pas... y'a pas de vraie définition ou de qu'est-ce qui est OK, qu'est-ce qui est pas OK, y'a pas de loi.

Leçon 4 : Étrangéité

▸ Piste 49. Activités 2 et 3

Quitterie Simon : Les enrichissements, pour la personne accueillie, clairement, c'est bien sûr le fait que vous lui offriez un toit, mais ce n'est pas simplement un accueil utilitaire, vous allez aussi lui permettre de faire énormément de progrès en langue et aussi d'acquérir à votre seul contact certains codes socioculturels de notre société. Mais l'enrichissement va aussi être pour vous : dans le mot « interculturel », il y a le préfixe « inter » qui parle de relations et donc, au contact de cette personne qui va venir avec vous, vous allez avoir l'occasion de découvrir une autre culture. Comment va se passer cette relation ? Tout d'abord par le seul fait de vivre ensemble. Si je devais expliquer ma culture, ce serait compliqué. D'une part parce que je ne suis pas forcément consciente des éléments de ma culture et qu'ensuite traduire sa culture dans le langage de l'autre n'est pas forcément évident. Ça va aussi passer par le dialogue et ce dialogue, pour être véritable, nécessite que parfois, pour un moment donné, chacun soit capable de se mettre dans la perspective de l'autre, à la place de l'autre.
Donc, dans les exemples de malentendus interculturels, par exemple, nous avons

celui de Carlos qui vient de Colombie et qui n'est pas du tout habitué à ce que les hommes se fassent la bise entre eux. Carlos est pas du tout homophobe, mais la première fois qu'un garçon est venu lui faire la bise, pour lui, ça a été un véritable choc culturel. Un autre exemple aussi dans une famille d'une jeune femme tibétaine : la personne qui l'accueillait avait souhaité laver son linge avec tout le linge de la famille et pour cette jeune personne accueillie, c'était impensable qu'on lui lave tout ce qui était ses dessous, son linge de corps, et elle a dit à la personne : « Non, non, j'ai déjà lavé mes chaussettes et mes petites culottes. » « Très bien, dit la dame, donc maintenant je vais te montrer où l'étendre. » Et elle a dit : « Mais c'est déjà fait ». « Ah bon, lui a dit la dame, mais où as-tu étendu tes culottes ? » Elle a dit : « Ben, dans l'arbre ! » Évidemment dans l'arbre ! Et donc cette personne qui a accueilli a beaucoup ri en imaginant la tête de son voisin voyant le laurier-sauce du jardin, les petites culottes étendues.
Connaître quelques éléments de la culture de l'autre peut quand même être précieux. Ça peut permettre tout simplement de comprendre plus tôt quelle est la cause d'un éventuel malentendu, et aussi, tout simplement, d'être délicat et de faire preuve parfois de patience. Il faut savoir que la principale cause des malentendus interculturels serait... réside dans la différence de perception du temps. Nous, en Occident, nous avons une conception linéaire du temps. Pour vous le représenter, visualisez la frise chronologique qui était au-dessus du tableau noir quand vous étiez à l'école pendant de nombreuses années. Et en plus, dans nos langues, en Occident, nous conjuguons nos verbes avec un présent, un passé et un futur, ce qui nous donne l'impression que le temps est quelque chose de concret et aussi que, du coup, on peut le perdre ou on peut en gagner. Du coup, nous avons pris l'habitude de séquencer le temps. Par exemple, si nous avons décidé d'aller voir un ami, nous allons décider à l'avance de lui consacrer deux heures et puis nous passerons à autre chose. Dans d'autres cultures, le temps est vu plutôt sous forme de spirales avec des retours, par exemple l'alternance jour-nuit, l'alternance des saisons, et le temps est perçu de manière beaucoup moins concrète et surtout on n'a pas l'impression qu'il soit possible de perdre son temps ou de gagner du temps. Du coup, quand on fixe à l'avance un rendez-vous, le temps est vécu de manière beaucoup moins concrète et le rendez-vous peut être vécu de manière fluctuante. Le retard ne va pas du tout être perçu par les gens issus de cette culture comme par nous. Nous, si par exemple un ami est en retard à un rendez-vous, je vais peut-être me dire d'une part qu'il est peut-être impoli mais aussi qu'il ne m'accorde pas énormément de valeur, je vais me sentir peut-être remise un petit peu en question, ou que le projet que nous avons en commun n'a pas tant d'importance que ça pour lui. Rien de tout ça dans les retards que peuvent nous imposer – en tout cas nous le ressentons comme tel – des personnes de cultures différentes. Vous l'aurez compris, nos différences de comportements s'expliquent par le fait que pour certains, ce qui prime, c'est l'adhésion à des horaires préétablis, et pour d'autres, ça va être d'être pris dans des engagements perpétuels les uns vis-à-vis des autres, avec une place privilégiée pour la famille et les amis.
Une différence de perception, aussi, peut se nicher au niveau même du sens des mots. Par exemple, le « oui » et le « non » peuvent ne pas avoir les mêmes significations selon nos différentes cultures. Généralement, le « oui » français est perçu de la part des personnes étrangères comme un oui relativement stable sur lequel on peut s'appuyer. Mais il faut avoir conscience que, dans certaines cultures, quand on vous dit « oui », ça peut être tout simplement : « Oui, j'ai entendu ce que vous avez à dire, mais maintenant, il faut que j'en réfère à ma famille, à mes collègues, à ma communauté. » Ça ne veut pas forcément dire qu'on est d'accord avec ce que vous venez de dire. Il y a aussi des cultures dans lesquelles on ne peut pas dire « non ». Par exemple, en Chine, dans certaines cultures asiatiques, on ne peut pas vous opposer un « non ». Tout simplement parce que ça va toucher quelque chose de très profond. Dans... chez nous, en France, par exemple, si je vous demande où est-ce que vous allez situer votre moi profond, corporellement, vous allez sans doute indiquer votre tête, ou votre poitrine ou votre ventre. Il faut savoir qu'une personne chinoise, son moi profond, il le situe sur son visage, sur sa face. Et si vous opposez un « non » à un Chinois, vous risquez de lui faire perdre la face, donc de l'atteindre très profondément. Et si une personne chinoise ne vous dit pas non plus « non », c'est pour vous éviter de perdre la face. Il est aussi intéressant d'avoir conscience de la part de l'implicite et de l'explicite dans nos modes de communication. Il est des cultures dans lesquelles la communication est très explicite et là, je prendrai l'exemple par exemple des États-Unis, où on a l'habitude d'être très cash, de vous dire les choses jusqu'au bout, et on attend de vous la même chose. En France, on est dans une culture de l'implicite : il n'est pas rare que nous ne terminions pas nos phrases, nous comptons énormément sur le contexte pour que l'autre comprenne ce qu'on a à lui dire. Or, ce fameux contexte, la personne étrangère qui est chez vous n'en possède pas forcément les clés. Donc c'est important de faire attention, à aller jusqu'au bout de ce qu'on a à lui dire et d'expliquer de manière la plus simple et précise possible ce qu'on a à lui dire. Dans ces cultures, aussi, on peut placer l'Iran, l'Afghanistan, le Moyen-Orient. En Iran notamment, il y a un système qu'on appelle le « taarof », qui régit toutes les relations interpersonnelles et notamment les règles de l'hospitalité – donc dans CALM, nous sommes vraiment concernés – l'hôte, en Iran, doit tout à la personne accueillie et la personne accueillie est censée tout refuser. On va s'ajuster ensuite et trouver comment entrer en lien, par un système qui peut aller jusqu'à la supplication, un système de supplication réciproque. Par exemple, si vous amenez une corbeille de fruits dans un repas où vous mangez avec une personne iranienne, et que vous lui dites tout simplement « servez-vous », la personne iranienne risque de ne pas le faire et c'est à vous vraiment d'insister pour qu'il se serve. Si vous ne savez pas ça, votre hôte iranien risque de repartir de chez vous avec la faim au ventre. Je me souviens d'un repas auquel j'avais convié plusieurs amis afghans : j'avais investi dans ce repas énormément de temps, d'énergie et d'affect, et j'avais préparé notamment un merveilleux dessert. Au moment de l'amener à la, sur la, à table, je l'avais proposé en disant : « Qui en veut ? » Et là, ô stupeur, tout le monde me dit : « Non merci ! » J'étais extrêmement déçue, tellement j'avais investi de choses dans ce repas, moi-même j'avais très envie de goûter à mon propre gâteau et je l'avais ramené dans la cuisine. Aujourd'hui je sais que j'aurais dû tout simplement le poser sur la table, le partager et servir les personnes.

DOSSIER 12. (R)évolutions écologiques

Leçon 1 : Rapport alarmant

▸ Piste 50. Activités 2 et 3

Anne-Cécile Bras : Cette semaine, le GIEC, le *Groupe intergouvernemental des experts sur le climat*, a publié lundi un rapport très attendu sur ce que sera notre monde si nous assistons à un réchauffement de 1,5 degré par rapport à la période préindustrielle – nous en parlions il y a un instant avec Henri Waismann. Mais la biodiversité, dont nous faisons partie, d'ailleurs, elle aussi est très impactée par un demi-degré de réchauffement de plus ou de moins. Bonjour, Wolfgang Cramer.
Wolfgang Cramer : Bonjour.
Anne-Cécile Bras : Vous êtes géographe, écologue, directeur de recherche au CNRS à l'Institut méditerranéen de biodiversité, d'écologie marine et continentale basé à Aix-en-Provence, c'est dans le sud de la France. Vous contribuez depuis plus de vingt ans aux travaux du GIEC. Alors nous dépendons étroitement de la biodiversité pour nous nourrir, pour respirer, pour avoir de l'eau, et – je le disais rapidement – un demi-degré de réchauffement du climat de notre planète de plus ou de moins, c'est ce qui ressort en tout cas de ce rapport, ça peut avoir des conséquences extrêmement importantes.
Wolfgang Cramer : Oui, effectivement, et ça... quand nous parlons de la biodiversité, nous parlons d'un sens large, c'est pas juste les espèces qui disparaissent ou qui vont voir leur aire de distribution réduite, mais on parle aussi de la biodiversité dans les systèmes agricoles et dans les systèmes marins... qui... sur lesquels... nous dépendons... comme espèce humaine assez directement. Et sur ces côtés-là, effectivement, le rapport est nouveau parce que c'est le premier rapport qui a analysé plus précisément la différence entre un degré et demi et deux degrés de réchauffement par rapport au préindustriel, et il a constaté que les conditions environnementales qu'ils vivent les espèces changent de façon importante entre ces deux niveaux, même si c'est qu'un demi-degré. Par exemple, le nombre de canicules et les sécheresses ou la profondeur des sécheresses va augmenter d'une façon importante entre un degré et demi et deux, et après c'est pareil en mer, que les périodes où les températures particulièrement élevées vont augmenter d'une façon importante.
Anne-Cécile Bras : Alors c'est vrai que le rapport pointe qu'il y aura deux fois plus d'animaux vertébrés, trois fois plus d'insectes, deux fois plus de plantes qui perdront plus de la moitié de leur aire naturelle de vie avec deux degrés par rapport à 1,5. Et alors les conséquences évidemment du réchauffement sur la biodiversité affecteront – vous le mentionnez – de nombreux secteurs économiques, le rapport en parle très clairement : les pêcheries, par exemple, verront leur chiffre d'affaires bien affecté.
Wolfgang Cramer : Oui, tout à fait. Il faut d'abord constater que les pêcheries effecti... actuellement, ils sont déjà impactés par le réchauffement, mais ils sont plutôt impactés par la surpêche, donc c'est un secteur qui est déjà dans des grosses difficultés, et... mais c'est vrai que le réchauffement, en combinaison avec l'acidification, ça risque à perturber le réseau trophique et rendre encore plus possible d'avoir des poissons en quantité suffisante.
Anne-Cécile Bras : Oui, les prises annuelles pourraient baisser de 1,5 million de

tonnes avec un réchauffement à un degré et demi et de plus de trois millions de tonnes avec un réchauffement à trois degrés. Et les grandes cultures céréalières, aussi, dont dépend la subsistance de milliards d'individus, seront elles aussi moins affectées, évidemment, si le climat se réchauffe moins. C'est notamment le cas en Afrique subsaharienne.

Wolfgang Cramer : Oui, effectivement, on a toujours constaté que le réchauffement en lui-même pose problème pour beaucoup de cultures, particulièrement pour le riz, et on peut, avec deux degrés de réchauffement, arriver à un niveau qui devient critique pour ces cultures dans beaucoup de régions. Mais le plus grand problème, c'est les sécheresses qui affectent des régions beaucoup plus importantes à deux degrés que c'est le cas pour un degré et demi.

Anne-Cécile Bras : Alors pour éviter le pire, les chercheurs ont calculé qu'il fallait que les émissions mondiales de gaz à effet de serre commencent à décroître bien avant 2030, en baissant d'ici 2030 d'au moins quarante pour cent par rapport à leur niveau de 2010. Est-ce que c'est jouable, selon vous, puisque les émissions de gaz à effet de serre sont reparties à la hausse en 2017 ?

Wolfgang Cramer : Oui, en fait la jouabilité ou la faisabilité, c'est un sujet particulièrement traité dans ce rapport-là : il faut faire une distinction très claire entre la faisabilité physique et biologique du système terre, où c'est tout à fait possible de s'imaginer que un arrêt total des émissions de gaz à effet de serre va... va nous faire éviter le réchauffement de plus que un degré et demi. Autre question, la faisabilité sociétale, économique, technologique : elle est plus difficile à y répondre, et les économistes nous disent actuellement que même si on peut faire de très grands progrès, une transformation de notre système énergétique, on va pas être capable dans quelques années de réduire nos émissions à l'effet zéro. Je pense que la conclusion pour la société, c'est que y faut pas attendre la technologie, il faut... il faut utiliser toutes les moyens possibles de changer les comportements et... en fait, il faut décarboniser absolument toutes les aspects de la société de nos fonctionnements et chaque kilo de CO2 qui est évité va nous amener dans le bon sens. Où est-ce qu'on arrive à la fin ? Ça dépend effectivement de l'effort fait par la société.

Anne-Cécile Bras : Merci beaucoup, Wolfgang Cramer, pour toutes ces précisions.

Wolfgang Cramer : Merci beaucoup madame.

Leçon 2 : Consensus

Vidéo 10. Activités 2, 3 et 4

Au pays des aveugles, les sceptiques sont rois. Bonjour. Non, le changement climatique n'existe pas. Enfin, en tout cas, il n'est pas lié aux activités humaines. Et puis, quand bien même, ses conséquences seront peut-être positives. En tout cas, ce qui est sûr, c'est que l'on pourra revenir au climat d'avant grâce à nos super-pouvoirs technologiques. Voici les quatre étages d'une fusée bien rodée, celle des climatosceptiques. Quatre points de contestation rebattus à longueur de débats, de publications ou d'apparitions médiatiques. Regardons les arguments phares : « Ces quinze dernières années, les températures moyennes du globe ont stagné, donc le changement climatique est une illusion. » Sauf que prendre une période si courte revient à regarder un paysage grandiose à travers une nouille plate. Depuis 1980, chaque décennie est plus chaude que toutes les précédentes. Un ralentissement sur quinze ans ne modifie pas cette tendance longue. « Oui mais, au Moyen Âge, il a fait plus chaud. » Oui, mais non, il n'a fait plus chaud que dans l'hémisphère nord, pas sur le globe dans son ensemble comme aujourd'hui. « OK, il y a peut-être un réchauffement, mais c'est à cause des rayonnements solaires. » Toujours pas : depuis trente-cinq ans, l'activité solaire diminue alors que les températures, elles, continuent de grimper. Mais malgré les évidences scientifiques, le doute continue à infuser depuis des décennies. Aujourd'hui, 17 % des Australiens, 15 % des Norvégiens ou 12 % des Américains ne croient tout simplement pas qu'un changement climatique soit en cours. En France, 22 % de la population doute du lien entre les activités humaines et le changement climatique. Quel est donc le carburant des climatosceptiques, alors que 97 % des scientifiques reconnaissent qu'il y a bien un changement climatique en cours lié à nos activités ? D'abord, il y a le doute, pierre angulaire de toute science. Les scientifiques ne sont jamais sûrs à 100 %, alors les sceptiques se glissent dans les pourcentages restants. Mais l'observation vaut parfois mieux que tous les discours. En 2010, le physicien américain Richard Muller doute des chiffres de l'évolution des températures présentés par le GIEC, le Groupe d'experts intergouvernemental sur l'évolution du climat. Convaincu que des erreurs humaines se sont glissées dans les relevés utilisés par le GIEC, il conçoit une méthode entièrement automatisée du traitement des données. Deux ans plus tard, il obtient les résultats : ils sont identiques à ceux utilisés par le GIEC. Il abandonne alors les rangs des climatosceptiques. L'autre carburant de cette fusée est financier. Willie Soon, astrophysicien américain, attribue le changement climatique au rayonnement solaire. Pour mener ses recherches, il a reçu plus d'1,2 million de dollars d'entreprises comme la Southern Company, géant américain de l'énergie, ou ExxonMobil, l'un des plus grands groupes pétroliers au monde. Entre 2005 et 2008, ExxonMobil a d'ailleurs dépensé près de 9 millions de dollars pour financer différents think tanks niant le changement climatique. Koch Industries, géant du pétrole, de la chimie et des matières premières, leur a, quant à lui, généreusement légué près de 25 millions de dollars. Quand on aime, on ne compte pas. En Australie, le Parti libéral arrive au pouvoir en 2013. Tony Abbott devient alors Premier ministre. Climatosceptique convaincu, il supprime, dès l'année suivante, la taxe carbone mise en place par le gouvernement précédent. En finançant à hauteur d'1,2 million de dollars la campagne du Parti libéral, les géants australiens des mines, du pétrole et du charbon ont misé sur le bon cheval. Au final, les climatosceptiques ne rejettent pas le changement climatique, ils refusent surtout les conséquences de ce constat : changer notre modèle de société. Les risques pour le chiffre d'affaires des géants des énergies fossiles semblent plus palpables que les impacts du changement climatique. Peut-être plus pour longtemps.

Leçon 3 : Doux dingues

Piste 51. Activités 5 et 6

Est ce qu'on peut faire des plus grandes choses ? Ben certainement, on peut, mais la question, c'est de savoir si on veut. Donc moi, effectivement, je crois que l'important, c'est vraiment... Quand je disais qu'en fait l'écologie est une priorité absolue, en y réfléchissant, je crois que ce que ça signifie, c'est qu'il faut qu'on libère nos élus, en fait. C'est-à-dire que la plupart des élus, enfin la quasi totalité en fait, sauf Eric Piolle, n'ont pas été élus sur un projet écolo en fait. Alors il y a quelques... quelques... évidemment députés et sénateurs aussi, qui ne comptent pas pour rien, mais... loin de là, mais... et du coup, effectivement, moi, après mes petits appels, dont je sais absolument pas pourquoi ils ont été entendus d'ailleurs, mais il y a des représentants politiques qui m'ont appelé et certains étaient clairement sincères, parce que de toute façon c'était pas enregistré, je vous dirai pas leurs noms, donc ils avaient rien à gagner à me dire des choses. Et en fait je sentais qu'ils pouvaient rien faire parce que, en réalité, le peuple ne les suivait pas. C'est-à-dire que s'ils prenaient des mesures un peu... voilà... qui pouvaient nous enlever un tout petit peu de confort, ben, n'ayant pas été élus pour ça, ils se sentaient pas légitimes pour le faire. Donc là, je pense que le rôle qu'on a à jouer, c'est de dire : « N'importe quel élu qui ne fait pas de l'écologie sa priorité, on met le programme à la poubelle. Je veux dire, on le considère même pas parce que on ne peut pas ne pas mettre la vie en priorité numéro un. » Sauvegarder la vie, ça ne peut pas ne pas être notre priorité, voilà. Donc ça, je pense que... Alors si l'élu est ouvertement écolo, c'est encore mieux, mais s'il est pas ouvertement écolo, que il y ait au moins cette composante dans son programme, pour moi, qu'il soit en quelque sorte *sine qua non*. Voilà, si y a pas ça, il est juste pas sérieux. Alors le mot « sérieux », moi, j'adore, parce qu'effectivement comme... comme vous l'avez dit, je crois, tout à l'heure, on a tellement eu longtemps l'image de doux dingues que c'est quand même pas mal que le vent tourne un peu et qu'on leur rappelle que non, non, non, non, les doux dingues, c'est quand même les gens qui pensent que gagner 0 point, 0,5 point de croissance est la seule priorité légitime du devenir de l'humanité. C'est quand même eux les doux dingues, quoi, faut... il faut le dire. Alors... non, non, mais vous êtes gentils, mais je dis que des choses triviales, applaudissez pas, parce que en fait on est tous convaincus, donc je... voilà... je... bon, j'ai même un peu honte, voilà. Donc... alors... Bon, je reviens un instant quand même sur cette question de mesures coercitives, parce qu'on m'a tellement attaqué là-dessus que je me suis rendu compte que c'était un sujet sensible. Le mot « coercitif » est pas beau, le mot « liberticide » est pas beau, mais il faut vraiment quand même qu'on y réfléchisse de près, voilà. Quand même, j'ai l'impression que beaucoup de gens... ont crée un imagi... se sont créé un imaginaire dans lequel le monde actuel est un monde parfait, et donc en fait... ils croient être absolument libres, et donc dès qu'on leur dit : « Ben voilà, peut-être que pour le bien de la planète... » Je vais vous donner un exemple concr... Je vais faire un mea culpa : hier, j'ai pris un café avec Éric Piolle et je suis parti prématurément parce que je vendais ma voiture. Voilà, maintenant j'ai plus de voiture, j'ai décidé que j'en rachèterais pas, et pour vous dire la vérité, c'était même une voiture qui était relativement polluante. Eh ben en fait, en y réfléchissant, je me dis aujourd'hui que j'aurais même pas dû pouvoir l'acheter, en fait, cette voiture, parce que j'en avais pas besoin. Et je trouve que ça avait quelque chose de problématique. C'est-à-dire que moi, ça me gênerait pas qu'on me dise : « Écoute, t'en as les moyens, elle te plaît, ça t'amuse, bah oui, mais ça fait quand même trop de mal à la Terre, donc non. » Et ça, c'est quelque chose qui est complètement inaudible aujourd'hui. Pouvoir s'acheter une grosse bagnole si on en a envie, c'est considéré comme une liberté

fondamentale de l'être humain. Et en fait, donc, j'ai cédé à cette erreur, donc là, voilà, je fais vraiment un mea culpa public. Mais en y réfléchissant, je me dis quand même que finalement, on me l'aurait interdit, j'aurais probablement utilisé mes sous pour faire quelque chose de plus utile à mes proches et à ma famille, et ça aurait été pour le meilleur, en réalité. Et donc je crois quand même que se dire que des choses qui sont trop nocives au bien commun ne sont plus autorisées n'est pas en réalité liberticide : c'est une manière de s'assurer que un avenir est possible. Et c'est l'exemple que j'avais donné une fois : on n'a pas le droit de conduire en état d'ébriété, c'est une privation de liberté pour l'ivrogne qui veut rentrer chez lui, mais enfin, ça permet quand même au gamin qui va traverser la rue d'avoir la liberté de continuer à vivre, quoi. Et donc je crois qu'au total, on y gagne, voilà. Alors il s'agit pas hein, de faire ça brutalement, etc., il faut que les parlementaires en... travaillent, il faut que ça se fasse dans la douceur, mais un peu dans la vitesse quand même, parce que on n'a plus beaucoup de temps quoi. Donc moi, je pense qu'il faut aussi... comme... comme moi je suis pas politique et que je ne vais pas me lancer en politique, on peut dire les choses clairement – mais les politiques qui étaient là aujourd'hui n'étaient pas du tout langue de bois, donc c'est génial –, c'est que tout n'est pas compatible avec tout, voilà. Donc ça, il faut quand même l'accepter : euh, il est pas question de revenir à l'âge de pierre, personne ne veut ça, mais en même temps, un développement effréné de la surconsommation matérielle et de l'accumulation des richesses par un petit nombre n'est pas compatible avec un avenir de tous vivable et apaisé, voilà. Donc ça, je pense que c'est une vérité factuelle. On en, ce qu'on en fait dépend de nous, mais la vérité elle-même, on peut quand même pas la remettre en cause.
Finalement, tout ça, ce que ça veut dire, c'est que enfin... Le pari, finalement, qui sous-tend tout ça, c'est le pari de la vie. C'est-à-dire que en fait, la décroissance, c'est un mot qui est un peu ambigu. Moi je crois qu'en termes effectivement matériels, il faut qu'on décroisse, oui, je pense que c'est une bonne chose. Mais le problème, c'est que le mot « décroissance », il est associé intellectuellement à une sorte d'ascétisme triste, en réalité. Et effectivement, ce que déjà tout le monde a dit avant, mais il faut le réenchanter, c'est-à-dire qu'il faut qu'on prenne conscience que dans cette forme de... d'attitude raisonnée, en fait, on n'y perd pas. On n'y perd pas, parce que ce n'est qu'une décroissance peut-être qu'en termes de biens matériels, et encore, pas forcément tous, mais globalement, en termes humanistes, en termes animalistes, en termes féministes – enfin moi je pense qu'il y a quand même une connivence entre tous ces combats d'émancipation – on peut complètement y gagner. Donc c'est pas un retour en arrière, d'ailleurs... d'ailleurs il ne faut pas que ce soit un retour en arrière, parce que moi j'ai étudié un peu ça en m'y intéressant : en fait y a jamais eu de temps béni où l'homme vivait en harmonie avec la nature. On voit bien que les chasseurs-cueilleurs, quand ils débarquaient quelque part, généralement ils décimaient toute la macrofaune. Donc l'idée, quand même, c'est d'inventer un devenir radicalement autre. Bon, c'est dur, mais voilà, je pense que c'est... c'est là qu'il faut le faire. Et donc, pour en revenir à la question systémique – puisque moi, donc, je me suis rendu compte que certains trouvaient que ce que je disais était nul parce que j'étais pas assez ouvertement anticapitaliste, et donc je m'attaquais pas à la racine du problème, et d'autres trouvaient que c'était nul parce que j'étais beaucoup trop radicalement antisystème, et donc un de ces révolutionnaires chevelus qu'il ne faut pas écouter non plus, donc on peut pas plaire à tout le monde, on est toujours trop ou pas assez extrêmes suivant nos interlocuteurs – en tout cas moi ce que je crois, c'est que en effet, c'est très clair qu'il faut une remise en cause économique qui va avec la remise en cause écologique. Est-ce que ça passe par quelque chose d'absolument radical ou par une inflexion ? J'en sais rien, mais l'idée que j'ai, c'est de se dire finalement, plutôt que de s'entretuer entre nous sur quel est le bon système, peut-être il faudrait inverser l'ordre et se dire : « On le fait, on le fait, on arrête d'émettre du CO_2, on arrête d'envahir les espaces de vie, on arrête effectivement de suraccumuler les richesses, et on verra bien après quel est le système qui permet de le faire. C'est-à-dire : essayons ! » Alors je sais que c'est un peu facile de dire ça quand on n'a aucun pouvoir politique, si j'étais Premier ministre – mais je le serai pas, rassurons-nous ! – j'oserais jamais dire ça, mais je pense que ça serait quand même pas mal, en l'occurrence, que l'action précède quelque part l'idéologie systémique : on le fait, puis on verra bien comment le faire. Si on l'fait pas, on va crever, donc on le fait, et puis le système permettant de le faire, quelque part, devrait, si tout se passe bien, émerger de lui-même.
Voilà, on parle parfois de fin du monde. Moi, on m'a dit mille fois : « Ah, mais c'est pas vrai, la Terre va continuer de tourner... » Oui, merci, je suis astrophysicien, c'est peut-être le seul truc que je sais dans cette affaire : la Terre va continuer de tourner autour du soleil, même si on produit du CO_2... Toujours est-il que : qu'est ce qui fait la beauté du monde ? Bah c'est pas une planète tellurique qui est un gros caillou, ça, on s'en fout complètement. La beauté du monde, c'est la beauté de ce qui existe dans ce monde, et de ce point de vue-là, c'est pour moi pas du tout déraisonnable de parler d'une possible fin du monde. Merci.

Leçon 4 : Échos logiques

▹ Piste 52. Activité 2

Journaliste : Anne Le Gall, bonjour.
Anne Le Gall : Bonjour.
Journaliste : Anne, la Fashion Week – je sais que vous adorez ce moment dans l'année – démarre après-demain, lundi, à Paris. Alors, certes on va en prendre plein la vue, mais il ne faut pas oublier que les dessous de la mode, notamment la mode de « monsieur Tout-le-Monde », eh bien, ces dessous ne sont pas toujours très reluisants. L'industrie textile, en effet, et je ne le savais pas, est la deuxième industrie la plus polluante au monde derrière celle du pétrole. Le problème, si je comprends bien, Anne, c'est que la durée de vie des vêtements, en particulier, c'est un des problèmes, est de plus en plus courte.
Anne Le Gall : Oui, parce que figurez-vous qu'en l'espace de quinze ans, la durée de vie des vêtements s'est réduite d'un tiers parce que, même si dans le monde du luxe on parle toujours de collections printemps-été, automne-hiver, avec le développement de la fast fashion, la mode jetable, les collections se renouvellent en permanence dans les rayons. Résultat : les vêtements sont jetés, portés vite, et un tiers des vêtements ne sont même jamais portés, ils ne sont jamais portés, ils n'ont pas le temps d'être achetés. Quand on sait qu'en moyenne les Français s'achètent trente kilos de vêtements par an, que c'est quatre fois plus que dans les années quatre-vingt, que l'industrie textile consomme énormément d'eau, de pesticides dans les champs de coton, qu'elle émet plus de gaz à effet de serre que les vols internationaux et le trafic maritime réunis...
Journaliste : ... dingue...
Anne Le Gall : ... franchement, ça pose la question de nos habitudes de consommation.
Journaliste : Et comment, nous, consommateurs, pouvons-nous favoriser une éventuelle mode plus éthique pour la planète ?
Anne Le Gall : Alors, première chose, il faut tout faire pour augmenter la durée de vie de nos vêtements, par exemple en les achetant d'occasion.
Journaliste : Ah ! Vous prêchez un converti !
Anne Le Gall : Voilà...
Journaliste : Je ne m'habille que chez Emmaüs !
Anne Le Gall : C'est vrai ? Eh bien voilà, on trouve de plus en plus de magasins, de friperies branchées et de sites Internet qui permettent d'acheter de belles marques, mais d'occasion. Les lignes sont en train de bouger sur cette question et d'après certaines études, dans dix ans, le marché du vêtement d'occasion pourrait même dépasser celui des vêtements neufs.
Journaliste : Quand on achète un vêtement neuf, Anne Le Gall, est-ce qu'on doit choisir de préférence untel ou untel ?
Anne Le Gall : Alors, choisir de préférence des vêtements qu'on aime vraiment, si possible en coton plutôt qu'en matière synthétique, parce que ça se recycle mieux, et surtout des vêtements de qualité pour pouvoir les porter plus longtemps. D'ailleurs, même les chaînes de prêt-à-porter grand public ont compris cette tendance et se mettent à proposer des collections désormais plus éthiques, plus respectueuses de l'environnement...
Journaliste : Avec des labels, d'ailleurs, qui sont assez clairs...
Anne Le Gall : ... avec des labels : il y a désormais, une vingtaine de labels de mode éthique qui existent.
Journaliste : Et qui peut-être permettront à tous ceux qui fabriquent tout ça, au Bangladesh, au Vietnam ou ailleurs, de vivre moins misérablement, en plus...
Anne Le Gall : Absolument.
Journaliste : Merci beaucoup, Anne Le Gall, bon week-end.

Épreuve d'entraînement DALF C1 Compréhension de l'oral

▹ Piste 53. Première partie

Journaliste : Bonjour à tous ! L'idée que la mesure de la croissance, le PIB, chaque trimestre, ne suffit pas à épuiser la question du bien-être et du bonheur n'est pas nouvelle. Il faut d'autres indicateurs, en complément, pour peut-être orienter différemment les politiques. Comment mesurer le bonheur, qu'est-ce qui nous rend ou pas heureux et comment réorienter les politiques publiques en fonction de cet objectif ? C'est notre sujet du jour : en studio, Paul Périer, fondateur d'une association sur la question du bonheur, et l'économiste Florence Lepuit. Et nous attendons vos questions et réflexions.
Journaliste : Bonjour Paul Périer.

Paul Périer : Bonjour.
Journaliste : Les Français sont-ils heureux, maintenant que vous avez cet indicateur trimestriel du bonheur des Français ? Est-ce qu'ils sont heureux ?
Paul Périer : Ils sont plutôt heureux, on a une note de 5,9 sur 10. On a 56 % d'entre eux qui sont plutôt heureux. Après, la triste nouvelle, sans faire sans aller dans la morosité, on a découvert une grande disparité, on pourrait même parler de fracture du bonheur puisqu'on a 1,6 million de personnes qui répondent à 47 questions entre 0 et 1 sur 10, c'est-à-dire qui évaluent leur vie comme étant la pire vie possible et inimaginable. 1,6 million. Et à l'opposé du spectre, on a 28 % de Français qui sont vraiment heureux dans leur existence. Et là, on voit apparaître un nouveau type de fracture qui n'est pas celle du travail, qui n'est pas celle générationnelle, ou liée au logement : on a une fracture beaucoup plus profonde, plus intime, qui est celle du bonheur.
Journaliste : Fracture générationnelle, tout de même, parce que parmi les enseignements de cet indicateur, c'est que les retraités sont plus heureux, ou se disent plus heureux, que les jeunes.
Paul Périer : Oui, effectivement, c'est une... c'est quelque chose que l'on voit dans l'enquête. D'ailleurs Florence pourra en parler, mais la science du bonheur révèle systématiquement, dans la plupart des pays, que les personnes âgées sont plus heureuses. Alors, à interpréter, mais probablement lié au fait d'acquérir une certaine sagesse, d'avoir un recul par rapport à son existence, faire son deuil de choses accomplies ou non accomplies, et puis également généralement lié à des revenus plus élevés qu'à d'autres moments de sa vie, et on sait qu'il y a un lien entre argent et bonheur, on pourra en parler ensemble.
Journaliste : Oui, c'est un des enseignements aussi de cette enquête. Bonjour Florence Lepuit.
Florence Lepuit : Bonjour.
Journaliste : Vous êtes donc professeure d'économie. On sait aujourd'hui mesurer le bonheur d'une population ? On sait le faire ?
Florence Lepuit : On sait. En fait, on sait depuis longtemps. Depuis les années soixante-dix, en tout cas, on essaie de mesurer autre chose que simplement le revenu par habitant, le PNB, qui mesure quand même une partie des conditions du bonheur, mais on essaie de mesurer aussi des autres aspects, la manière dont les choses sont organisées, sont produites, la répartition des richesses, et donc...
Journaliste : Et ça fait trente, quarante ans, vous le disiez, qu'on travaille là-dessus. Ça veut dire qu'aujourd'hui on maîtrise un peu mieux cette question qui est très volatile, cette question du bonheur collectif. C'est très subjectif, ça suppose que les économistes assument d'aller dans le subjectif et de dire : « C'est une matière pour nous. »
Florence Lepuit : Oui, exactement. En fait, les économistes sont entrés dans ce champ qui consiste finalement à vérifier que toutes leurs hypothèses et leurs représentations, et la mise en œuvre de ce qu'on pense être au fondement du bien-être, l'est effectivement. C'est-à-dire, bon, on croit à l'emploi, on croit à la croissance, et moi j'en suis persuadée aussi, mais finalement pourquoi ne pas poser la question aux gens puisqu'ils peuvent en répondre.
Journaliste : Est-ce qu'il y a un paradoxe français durable qui consisterait à dire que, vu l'état de richesse du pays, l'état de développement du pays, par rapport à d'autres, à situation comparable, les Français sont moins heureux que les autres ?
Florence Lepuit : Bah oui, c'est ce que j'ai découvert avec étonnement, en fait, en comparant les réponses des habitants de différents pays comparables au sein de l'Europe, par exemple, effectivement : à conditions d'existences identiques ou similaires, les Français ressentent un degré de bonheur moindre.
Journaliste : Et alors la clé de l'explication, c'est quoi ?
Florence Lepuit : La clé de l'explication, je pense que c'est dans la manière dont justement ils interprètent leurs conditions de vie, et moi je pense qu'une grande partie de l'explication est dans le rapport au temps, à la dynamique, c'est-à-dire : qu'est-ce qu'on peut anticiper, à quoi on peut s'attendre ? Est-ce qu'on va vers le mieux ? Est-ce que la situation est en train de s'améliorer ou au contraire de se dégrader ? Donc c'est ça, cette espèce de manque d'horizon, de manque de récit, de ce vers quoi on va.
Journaliste : Alors, Paul Périer, commençons par le début de ce reportage : au fond, ce qui émerge de cet indicateur, c'est que le revenu est un facteur important de différence entre ceux qui se disent heureux ou pas heureux ?
Paul Périer : Oui, ça, on le confirme dans beaucoup d'études. On sait que, alors que le revenu augmente, l'épanouissement, enfin le bien-être psychologique, lui, augmente jusqu'à un certain seuil. Et au-delà de ce seuil, il y a une stagnation, parce qu'on est déjà arrivé à ce seuil protégé des aléas de la vie. En revanche, l'effet social, le statut social et l'effet positif lié à la comparaison à d'autres gens qui gagnent moins d'argent que soi, alors lui il continue à avoir de l'influence, plus le revenu augmente. Par contre, là où c'est intéressant, c'est que l'argent rend heureux, effectivement, mais sa poursuite rend malheureux. Et à titre d'illustration, on a une étude faite sur 41 pays, 7 000 personnes, où on s'aperçoit que les gens qui considèrent que l'argent est quelque chose d'important dans leur vie sont moins heureux que les autres. Et c'est la définition du matérialisme.

D'après un document audio France Inter.

Piste 54. Deuxième partie – Document 1

Journaliste : Bonjour Frédéric Claro, bonjour.
Frédéric Claro : Bonjour.
Journaliste : Il paraît que des applications pour smartphone peuvent nous aider à méditer.
Frédéric Claro : Eh oui, aujourd'hui, de plus en plus de personnes s'y mettent. C'est peut-être d'ailleurs le symptôme d'une société qui va sans doute trop vite, on cherche des parenthèses, et la méditation peut être une solution pour se recentrer, mais pas que. De plus en plus d'études très sérieuses évoquent cette pratique comme un stimulant cognitif qui renforce notre mémoire, fait baisser le stress, la tension. Bref, méditer ferait du bien à notre cerveau à partir de quelques minutes de pratique par jour.
Journaliste : Et du coup, de nombreuses applications se sont lancées sur ce créneau.
Frédéric Claro : Exactement, ce qui a quelque chose, on peut dire, d'un peu paradoxal, parce que d'un côté il y a ce smartphone qui nous prend tout notre temps et sur lequel on en passe sans doute trop, et puis de l'autre, il nous aide à en regagner, à se recentrer sur nous. Bref, qu'importe, la fin justifiant les moyens, on va s'y intéresser.
Journaliste : Oui, et ça ressemble à quoi, une méditation via son smartphone ?
Frédéric Claro : Alors c'est à peu près toujours la même chose : vous avez une série de séances et ça commence par une voix très calme qui va nous embarquer dans une séance thématique d'une dizaine de minutes. En général, les premières sont gratuites, et puis si vous voulez aller plus loin, eh bien il faut payer, forcément. Quoi qu'il en soit, cela a l'avantage de nous aider à nous y mettre à notre rythme, avec un peu de soutien. Mais est-ce vraiment efficace et est-ce vraiment de la méditation : j'ai posé la question à Fabrice Rollet, il est enseignant en méditation de pleine conscience.
Fabrice Rollet : Eh bien je pense que oui, je pense que – et en tout cas c'est l'expérience que j'ai quand je vois arriver des personnes qui viennent s'inscrire à des formations plus intensives pour découvrir avec un instructeur la pratique de la méditation, je vois beaucoup de gens qui viennent, soit en ayant lu des bouquins, soit en ayant commencé à méditer par eux-mêmes avec un applicatif, Mind, Petit Bambou ou d'autres – et ce qui est très clair, c'est qu'au bout d'un moment, ces personnes se disent : « Bon bah là je sens que j'ai un peu besoin d'être accompagné et de me retrouver aussi en groupe », parce que même si c'est une pratique solitaire, on se rend compte, dans l'apprentissage, que c'est très précieux de se réunir et d'avoir le soutien du groupe.

D'après un document audio France Inter.

Piste 55. Deuxième partie – Document 2

Journaliste : Damien, bonjour !
Damien Dumot : Bonjour.
Journaliste : Alors, Agnès Buzyn a reçu ce matin un rapport attendu sur l'amélioration de l'information sur le médicament : c'est bien ça ?
Damien Dumot : Eh oui, c'est ça, c'est la synthèse d'une mission mise en place cet hiver suite au scandale et crise de confiance entourant la dépakine, le lévothyrox ou les vaccins : leurs utilisateurs souffrent d'un défaut d'information et, donc, comment peut-on améliorer cette information ?
Journaliste : Alors que dit ce rapport ?
Damien Dumot : Il commence par faire un constat sévère. Les autorités sanitaires françaises n'ont pas su anticiper le problème, ni détecter leur montée en puissance malgré les signaux envoyés par les réseaux sociaux. La réponse officielle à ces crises a été tardive, incomplète et trop technique, ne faisant qu'aggraver le ressentiment des victimes. La mission propose ensuite plusieurs pistes d'amélioration plutôt bienvenues.
Journaliste : Alors lesquelles ?
Damien Dumot : Tout d'abord, regrouper sur un site unique toutes les informations officielles et validées qui concernent les médicaments. Il est clair que l'éparpillement actuel n'est pas satisfaisant. Une autre proposition me paraît importante : mieux intégrer les représentants des patients au sein de l'Agence du médicament. Or ça suppose d'avoir des représentants compétents et crédibles, ce qui est bien difficile pour les associations qui refusent d'être financées par les industriels et qui ne vivent donc que de leurs cotisations. Alors le rapport propose

donc de soutenir financièrement les associations de patients indépendantes des lobbys pour en faire de véritables partenaires associés à toutes les étapes de l'élaboration et de la diffusion de l'information. Personnellement, ça me paraît absolument fondamental. Enfin, il y a une dernière suggestion qui est très pertinente de la part de la mission : créer des espaces de dialogues sur le web pour répondre en temps réel aux questions du public sur le médicament. Alors à mon avis, ça représente quoi, allez, dix médecins à temps plein, soit une goutte d'eau par rapport aux effectifs actuels des agents et à l'enjeu de ce type de services.

D'après un document audio France Inter.

Épreuve d'entraînement DALF C2 Compréhension de l'oral

Piste 56.

Emmanuelle Bastide : Bonjour, bienvenue, *7 milliards de voisins et de voisines*. Aujourd'hui, peut-on vraiment déconnecter ? Pas seulement aujourd'hui, d'ailleurs, mais dans notre vie. Nous consultons notre téléphone près de 2 716 fois par jour, soit près de deux fois par minute, cinq heures par jour en moyenne devant les écrans, hors temps de travail pour ce qui est de la France. Alors est-il encore possible de se déconnecter, dans sa vie privée comme dans sa vie professionnelle ? Pas de doute, en tout cas, vous avez conscience du problème, les voisins et les voisines, où que vous soyez dans le monde. Vous avez posté de très nombreux messages. Comment organiser une déconnexion partielle ? Peut-être faut-il réduire nos ambitions. Des entreprises se dotent maintenant de chartes du droit à la déconnexion. Est-ce que c'est une bonne piste ? On vous propose en tout cas d'en discuter avec nos invités. Cette émission est réalisée en partenariat avec le site d'information *The Conversation*. Bonjour Thibault Lieurade.

Thibault Lieurade : Bonjour Emmanuelle.

Emmanuelle Bastide : Vous êtes chef de la rubrique économie à *The Conversation*, qui est un média en ligne à partir d'articles de chercheurs – et c'est vrai que sur un tel sujet, on a tous un point de vue, sur la déconnexion, c'est pas mal d'aller au-delà de nos impressions ! – et vous publiez régulièrement des articles sur ce sujet.

Thibault Lieurade : Tout à fait, c'est un sujet qui interpelle les chercheurs puisque c'est, comme vous l'avez dit, un sujet qui concerne tout le monde et qui est particulièrement important aujourd'hui dans les entreprises.

Emmanuelle Bastide : Et puis qui concerne plein de disciplines différentes – la sociologie, la psychologie, le management –, qui touche les sphères de l'économie, des problèmes de société, de famille, etc.

Thibault Lieurade : Et puis de santé également...

Emmanuelle Bastide : Exactement.

Thibault Lieurade : ... puisqu'on sait qu'une des conséquences extrêmes de ce qu'on appelle la cyberaddiction aujourd'hui, ce sont la dépression, ce sont des phénomènes comme ça qui entraînent du mal-être. [...]

Emmanuelle Bastide : Avec nous, Dominique Boullier, bonjour.

Dominique Boullier : Bonjour.

Emmanuelle Bastide : Vous êtes sociologue à Sciences Po Paris, vous avez publié *Sociologie du numérique*, chez Armand Colin, et vous êtes déjà bien connecté sur votre smartphone pendant qu'on commence l'émission. On sera également en ligne avec Hajer Kéfi, professeure. On est en ligne déjà avec Hajer Kéfi, bonjour Hajer Kéfi.

Hajer Kéfi : Bonjour.

Emmanuelle Bastide : Vous êtes professeure de gestion à Paris School of Business et vous avez réalisé une étude sur l'hyperconnexion des cadres. Et puis vous enseignez aussi à l'université nationale de Singapour, vous avez travaillé sur le cas de Taïwan, je crois, aussi. [...] On a reçu beaucoup, beaucoup de messages sur ce sujet. [...] Je vais vous lire le message de Lamar, à Nouadhibou, en Mauritanie, qui nous dit qu'il confisque le téléphone portable de ses petits frères et sœurs, il leur coupe le wifi pendant la semaine, ils se connectent uniquement le week-end, ils boudent, ils refusent parfois de manger. « Je me demande si c'est une bonne idée de confisquer leur smartphone », nous dit Lamar. Moi, je répondrais à Lamar : « C'est vous qui voyez. » Le week-end dernier, en France, dans un village de l'Aveyron, une adolescente de 13 ans a poignardé ses parents parce qu'ils lui avaient confisqué son téléphone portable. Je ne sais pas si vous avez vu ce fait divers.

Thibault Lieurade : Non, je dois dire que non.

Emmanuelle Bastide : Thibault Lieurade, comment ça, vous n'êtes pas suffisamment connecté ?! En tout cas, les parents sont tous les deux hospitalisés, c'est grave. [...] Laurence Allard, vous êtes bien en ligne avec nous ? Laurence Allard ?

Laurence Allard : Oui, oui... [...]

Emmanuelle Bastide : Laurence Allard, vous êtes à l'université de Lille et vous avez publié un livre sur *Mobiles, enjeux esthétiques et artistiques*, vous travaillez beaucoup sur la question des jeunes. Qu'est-ce que vous en pensez de ce fait divers, de cette adolescente – puisque vous avez beaucoup travaillé sur les ados – qui poignarde ses parents parce qu'elle pète les plombs, comme disait une auditrice, parce qu'elle n'a plus son téléphone portable ?

Laurence Allard : Oui, ça fait partie des faits divers que l'on met en avant, mais toutes les pratiques des mobiles et des téléphones, smartphones, sont pas aussi excessives. Donc il y a des régulations individuelles et collectives qui sont à trouver et qui se trouvent mais, de fait, ça illustre la façon dont la société aujourd'hui est totalement numérisée et qu'il est difficile d'avoir une quelconque activité hors de la connexion, et que ça fait partie aujourd'hui chez les plus jeunes, notamment, d'un des besoins fondamental que d'être connecté, voilà. Et donc bon...

Emmanuelle Bastide : Alors besoin ou droit fondamental, c'est toute la question, d'ailleurs. [...] Alors je vais vous poser la question à vous tous, Thibault Lieurade, Dominique Boullier, Hajer Kéfi et Laurence Allard, comment... Jusqu'à il y a peu de temps, on évaluait surtout les conséquences positives de l'Internet, c'est-à-dire l'accès à l'information, l'ouverture sur le monde, l'éducation, la possibilité de s'élever... Comment on en est arrivé là, finalement, sans même s'en rendre compte ? Thibault Lieurade ?

Thibault Lieurade : Alors pour moi, c'est particulièrement bien révélé par les témoignages qu'on a eus et ce terrible fait divers que vous avez rappelé : c'est tout simplement qu'on est dans des comportements qui relèvent de l'addiction. [...] Et pour bien comprendre ce phénomène d'addiction, il faut comprendre ce qui se passe dans le cerveau quand on est confronté à ces outils numériques. Il y a une étude de plusieurs psychologues de UCLA, aux États-Unis, qui explique que lorsqu'on découvre un contenu digne d'intérêt sur les réseaux sociaux, la première région du cerveau qui s'active, c'est celle qui nous pousse à échanger avec nos semblables, c'est-à-dire que notre réaction inconsciente, c'est tout simplement de se demander si ça va pas intéresser d'autres personnes. Et d'ailleurs Facebook l'a très très bien compris avec sa fonctionnalité du share. Ensuite, la deuxième réaction qui vient ensuite, c'est quand on a partagé, très simplement, on est en attente de likes, de commentaires, de réactions, et en fait, ces likes, ils vont déclencher le circuit de la récompense dans le cerveau, ils vont simplement libérer les neurotransmetteurs qui vont être responsables du bien-être et du sentiment de bonheur dans le cerveau.

Emmanuelle Bastide : Le partage, donc, et le like, le bravo, finalement. Vous partagez ce point de vue, Dominique Boullier ?

Dominique Boullier : Oui, avec cette nuance peut-être qu'il est surtout important de noter comment les plateformes ont été elles-mêmes configurées pour développer ça. Donc ces ressorts psychologiques qu'on peut considérer comme généraux et valides en toute généralité, en réalité, ont été au cœur même du business modèle, du modèle économique de ces entreprises, et de fait, quand on dit par exemple le bouton retweet qui est inventé en 2011, si vous voulez, c'est un vecteur extraordinaire de réactivité. Donc on se met en posture de ne pas sélectionner ou hiérarchiser l'information, etc., mais, précisément, de renvoyer quelque chose sans mesurer les conséquences, parce que ça veut dire que c'est nous qui alimentons ce qu'on appelle quelquefois l'infobésité, mais surtout un rythme oppressant, j'insiste là-dessus. [...]

Emmanuelle Bastide : Sulaiman, qui a vingt ans et qui est étudiant à N'Djamena, au Tchad, nous poste ce message : « J'utilise trop mon téléphone, même en classe, si j'ai du crédit, et souvent je ne retiens pas ce que dit le prof. » Laurence Allard, il y a un vrai phénomène chez les jeunes de déficit de l'attention ?

Laurence Allard : C'est-à-dire... sur ces problématiques, il n'y a que des psycho-cogniticiens qui sont convoqués pour élucider un petit peu et questionner et puis diagnostiquer en fait ce type de pratiques. Et c'est logique puisque, comme l'a dit Dominique Boullier, en effet, l'ingénierie de l'attention est totalement sous la domination du neuromarketing, et donc c'est non pas à des individus que l'on s'adresse, mais à des cerveaux, en fait, et...

Emmanuelle Bastide : Le neuromarketing, attendez : le neuromarketing, est-ce qu'on peut expliquer en quelques mots ce que c'est ? Dominique Boullier, vous en avez dit un mot, on peut bien réexpliquer ce que c'est ?

Dominique Boullier : Alors le principe, c'est de ne pas viser forcément seulement des individus mais de viser des microcomportements que l'on est capable de susciter de façon à générer ce que l'on appelle de l'engagement sur les réseaux sociaux et, à partir de ce moment-là, de récupérer un certain nombre de données sur des traces de comportements qui vont nous permettre de mieux comprendre et d'anticiper la façon dont on peut placer des publicités. [...]

Emmanuelle Bastide : Est-ce que cette hyperconnexion dont on parle, ça touche toutes les catégories sociales, Dominique Boullier ?

Dominique Boullier : Eh bien écoutez, il y a peu de...

Emmanuelle Bastide : Si tant est qu'on soit connecté, bien sûr.

Dominique Boullier : Voilà, évidemment, et une fois que vous avez cet a priori là, de fait, on voit bien que c'est un renforcement social, donc c'est collectif. Vous évoquez les jeunes, par exemple, et l'enjeu pour eux : c'est l'équivalent de la famille qui interdit à l'enfant d'utiliser son téléphone portable, c'est comme si on lui interdisait de voir son groupe de pairs. Or s'il y a quelque chose d'essentiel à l'adolescence, c'est effectivement ce groupe de pairs, pour expérimenter, pour se tester, etc. Donc tous les âges sont à peu près concernés, pour des raisons différentes : certains parce qu'ils sont justement dans cette logique de groupe de pairs, d'autres parce que c'est de la reconnaissance sociale, de la visibilité professionnelle qu'il faut en permanence avoir, d'autres parce que professionnellement...

Emmanuelle Bastide : Une existence, finalement...

Dominique Boullier : Oui, c'est ça, c'est se sentir exister. [...] C'est quelque chose qui s'est diffusé, mais professionnellement aussi. [...] La pression est telle du point de vue du management que vous êtes amené à être vigilant, tout le temps, tout le temps, tout le temps. Donc cet état d'alerte – ce que j'appelle moi un état d'alerte mentale –, il s'est diffusé à peu près partout et dans tous les milieux et de façon étonnante, quelquefois sur des familles les plus ordinaires comme à des professionnels de l'information qui, évidemment, on se dit c'est normal pour eux, mais le problème, c'est : est-ce que c'est normal à ce seuil et à ce rythme ? [...]

Emmanuelle Bastide : Hajer Kéfi, est-ce que vous, qui avez travaillé sur les cadres et l'hyperconnexion, est-ce que quand on est dépendant, on finit par être moins productif, moins performant ? Parce qu'on a parlé des conséquences de l'hyperconnexion, tout à l'heure : est-ce que ça pose un problème au travail ?

Hajer Kéfi : Alors déjà, j'aimerais rappeler quelques faits qui sont issus de notre enquête qui a visé des hauts cadres en France. On a 62 % de ces cadres qui regardent leurs courriers électroniques et autres outils qui les relient à leur entreprise, 62 % qui regardent ces outils juste avant de dormir. Donc 26 % se réveillent la nuit en fait pour se connecter. [...] Donc on essaye de comprendre qu'est-ce qui est relié à ce phénomène de dépendance à ces outils, et donc on a identifié des phénomènes de psychoses psychosociologiques liées aussi au travail, qui sont notamment liées à ce qu'on appelle le technostress. [...] Et il y a aussi ce qu'on appelle la techno-invasion, c'est-à-dire on a ce sentiment, cette perception de l'empiètement de sa vie professionnelle par rapport à sa vie privée, et là on a aussi constaté qu'on n'est pas égaux, en fait, par rapport à cette techno-invasion.

Emmanuelle Bastide : Et puis aussi en fonction des générations, Thibault Lieurade. [...]

Thibault Lieurade : Oui, effectivement, parce qu'aujourd'hui on a aussi le smartphone dans l'entreprise. On parle souvent de déconnexion sur le temps privé, l'invasion de la vie professionnelle dans la vie privée, mais l'inverse est également vrai. Aujourd'hui, si vous travaillez dans les entreprises, au lieu de faire une pause-café, vous allez peut-être faire vos courses en ligne, vous allez peut-être répondre à des messages personnels sur Facebook, souhaiter l'anniversaire d'un proche, et ça aussi ça interrompt et ça dégrade la productivité. Parce que c'est un autre élément qui est dans l'étude d'Hajer Kéfi : elle rappelle que quand on est interrompu par une notification, pour retrouver le même temps de concentration qu'on avait avant cette interruption, il faut trois minutes. Donc vous imaginez : mis bout à bout, toutes ces trois minutes, ça fait un sacré temps de perdu.

Emmanuelle Bastide : Des entreprises organisent maintenant un droit à la déconnexion. Qu'est-ce que c'est exactement ? Ça part de textes réglementaires, Thibault Lieurade ?

Thibault Lieurade : Tout à fait. Alors la France est le premier pays à avoir légiféré en la matière. Le droit à la déconnexion est inscrit dans la loi depuis le 1er janvier 2017. Alors la limite, on va dire, de ce texte, c'est qu'il n'a pas de valeur contraignante et en conséquence, j'ai des chiffres ici qui rappellent que simplement 16 % des grandes entreprises ont instauré des mesures en faveur de ce droit à la déconnexion. Donc on peut se demander si c'est vraiment efficace ou pas.

Emmanuelle Bastide : Avec notamment une charte, c'est ça ? [...]

Thibault Lieurade : Tout à fait, mais alors il y a quand même encore une limite, c'est : qu'est-ce qui se passe en termes de management, derrière ? Aujourd'hui, on est sur un culte de l'immédiateté. Et la réactivité, la capacité à traiter les tâches très rapidement, c'est bien vu des managers, c'est bien vu de la hiérarchie. Et un salarié qui va être sur un projet important, qui va être en concurrence peut-être pour une promotion, pour une prime, il va oublier le droit à la déconnexion, et s'il faut qu'il surtravaille, il va surtravailler. Donc on a ces deux phénomènes qui sont un peu contradictoires, et j'ai bien peur que ce soit le deuxième qui soit en train de l'emporter pour le moment. [...]

Emmanuelle Bastide : Les GAFA, dans l'histoire, les géants du numérique : alors quelles sont les prises de conscience, où est-ce qu'on en est ? Il y a des suppressions de bouton like à l'horizon, déjà réelles ou pas, Dominique Boullier ?

Dominique Boullier : Oui, je pense qu'il y a la prise de conscience que l'effet d'amplification des systèmes qu'ils ont mis en place produit en réalité cette propagation massive de tout et n'importe quoi, qui détruit la valeur même de ces échanges-là. [...] Je suis très conscient que l'important, c'est l'autocontrôle, dans cette affaire, ce que disait notre auditeur à propos de la méditation. En même temps, beaucoup de gens vont avoir besoin de béquilles, ils ont besoin d'appuis et d'aides pour cela.

Emmanuelle Bastide : Donc un nouveau business pour aider à lutter contre l'hyperconnexion avec de nouveaux outils numériques ?

Dominique Boullier : Complètement. C'est-à-dire que... vous savez que sur les téléphones portables, par exemple, vous avez maintenant la possibilité de mesurer le temps de toutes les applications, vous pouvez l'afficher. Et on pourrait imaginer qu'on puisse aller au-delà, c'est-à-dire, c'est pas seulement le temps : vous pourriez définir des seuils, avec des alertes, et puis après, petit à petit, vous pourriez aller plus finement en disant... – moi c'est ce que je propose, effectivement – qu'on ait une forme de limitation de vitesse – parce que c'est le rythme qui compte pour moi, c'est pas forcément seulement le temps qu'on y passe, mais c'est aussi le rythme – et donc une limitation de vitesse qui fait que vous n'aurez droit, à terme... Au début vous ne... vous vous donnez le droit, et puis peut-être qu'on peut implémenter ça collectivement, dans une entreprise ou dans un collectif, ou au niveau social en général, de dire : « Vous n'aurez plus le droit qu'à un retweet par jour. » Alors là, je prends cet exemple-là, vous aurez du coup à réfléchir en disant : « Mais... ça vaut vraiment le coup que je le retweete, celui-là ? » Et donc vous rehiérarchisez l'information, vous prenez une vraie décision. Alors vous me direz : « Non, c'est inadmissible, c'est une atteinte à la liberté, etc. » Bah oui, mais enfin, la limitation de vitesse, on a fait comme ça.

Emmanuelle Bastide : Encore faut-il que cette limitation soit vécue collectivement.

hachette
FRANÇAIS LANGUE ÉTRANGÈRE

Achevé d'imprimer en mars 2020 en Italie par L.E.G.O. S.p.A. Lavis (TN) - Dépôt légal : mars 2020 - Édition 01 - 75/8066/9